Erich Kästner

Kästner für Erwachsene

Herausgegeben von
Rudolf Walter Leonhardt

S. Fischer Verlag
Frankfurt am Main

© Atrium Verlag Zürich 1966
Gesamtherstellung Thomas F. Salzer KG, Wien
Printed in Austria 1966

Vorwort

Als die braunen Kolonnen an die Macht marschierten, schrieb Erich Kästner:

>»Ihr und die Dummheit zieht in Viererreihen
> in die Kasernen der Vergangenheit.
> Glaubt nicht, daß wir uns wundern, wenn ihr schreit.
> Denn was ihr denkt und tut, das ist zum Schreien.«

Als sie ihren mörderischen Kampfruf »Deutschland erwache!« brüllten und aus Restbeständen Rassentheorien mischten, welche die Auserwähltheit des deutschen Volkes beweisen sollten, prophezeite er:

>»Wie ihr's euch träumt, wird Deutschland nicht erwachen.
> Denn ihr seid dumm und seid nicht auserwählt.
> Die Zeit wird kommen, da man sich erzählt:
> Mit diesen Leuten war kein Staat zu machen.«

Ein Jahr später brannte der Gedichtband ›Gesang zwischen den Stühlen‹, zu dem die zitierten Verse gehören, in den Feuern, die von aufgeputschten Studenten in allen deutschen Universitätsstädten gelegt worden waren, um die Bücher zu vernichten von Autoren, die sich unbeliebt gemacht hatten.

Beste deutsche Literatur verbrannte dort, und Professoren der deutschen Literatur hielten die von dem Gundolf-Schüler Goebbels befohlenen Brandreden. Erich Kästner stand in Berlin dabei.

Warum, so wurde er gleich nach dem Kriege, als seine Prophezeiungen wahr geworden waren, warum, so wurde er zunächst von den Amerikanern und dann immer wieder gefragt: warum nur sind Sie in Deutschland geblieben?

Kästners Antwort: »Ein Schriftsteller will und muß erleben, wie das Volk, zu dem er gehört, in schlimmen Zeiten sein Schicksal erträgt. Gerade dann ins Ausland zu gehen, rechtfertigt sich nur durch akute Lebensgefahr. Im übrigen ist es seine Berufspflicht, in jedes Risiko zu laufen, wenn er dadurch Augenzeuge bleiben und eines Tages schriftlich Zeugnis ablegen kann.«

Für Erich Kästner wäre es verführerisch leicht gewesen, wegzugehen. Er hätte — im Verfertigen unterhaltsamer Filme erfahren — in Kalifornien besser gelebt als in Deutschland. Aber da war die Stadt, die ihn festhielt: Berlin. Da waren die Freunde. Da waren die Eltern in Dresden. Und da war die deutsche Sprache.

Wir, die wir gar keine andere Möglichkeit hatten als zu bleiben, waren froh, daß auch er blieb. Der ›Fabian‹ und die Gedichtbände mit den schnodderigen Titeln machten heimliche, hastige Runde in Klassenzimmern und Hörsälen.

Kästners Verse bestanden in jenen Jahren die Probe. Sie erfüllten die Forderung ihres Autors, sie erwiesen sich als eminent »seelisch verwendbar«. Mochten andere junge Generationen mit Hölderlin geschwärmt haben, wir vermißten mit Kästner »das Positive«.

> »Man hat unseren Körper und hat unsern Geist
> ein wenig zu wenig gekräftigt.
> Man hat uns zu lange, zu früh und zumeist
> in der Weltgeschichte beschäftigt!«

Das war auf den Jahrgang 1899, Kästners eigenen Jahrgang, geschrieben. Wir, fünfundzwanzig Jahre jünger, konnten es mühelos auf uns beziehen. Und da pünktlich fünfundzwanzig Jahre nach dem Ersten Krieg der Zweite anfing, stimmte auch die Szenerie noch immer, den einen oder anderen Ortsnamen allenfalls hätte man auswechseln müssen.

> »Wir haben der Welt in die Schnauze geguckt,
> anstatt mit Puppen zu spielen.
> Wir haben der Welt auf die Weste gespuckt,
> soweit wir vor Ypern nicht fielen.«

Als der Zweite Krieg zu Ende war, hatten wir uns daran gewöhnt, in Kästner-Versen zu denken, das war so eine Art Geheimsprache geworden.

> »Wir werden später jung als unsre Väter.
> Und das, was früher war, fällt *uns* zur Last.
> Wir sind die kleinen Erben großer Übeltäter.
> Sie luden uns bei ihrer Schuld zu Gast.«

Wenn ich mir diese Verse ansehe, könnte ich mir vorstellen, daß sie auch für unsere Kinder, die wiederum fünfundzwanzig Jahre später Geborenen, noch »seelisch verwendbar« sind.

Verwendbarkeit und Strapazierfähigkeit scheinen für Kästners Werk erwiesen. Strenge Kritiker aus der philologischen Schule mögen solche Kriterien nicht anerkennen als Ausweis literarischen Ranges. Aber eine rein literarische Wertung scheint mir hier wenig angebracht.

»Das, was er schrieb, war manchmal Dichtung,
doch um zu dichten schrieb er nie.«

Die Verse stammen von Kästner, und er meint Lessing. Auf die geistige Nachbarschaft zu Lessing stößt man bei ihm allenthalben. Wenn der Zufall etwas anders gespielt hätte, wäre er vielleicht ein großer Lessing-Forscher geworden. Drei Studentenjahre lang hat er damit verbracht, ein Buch über Lessing vorzubereiten, das nie geschrieben wurde (wodurch, nach seinen eigenen Worten, »dem ›jungen Gelehrten‹ und der Schulmeinung viel Verdruß« erspart blieb). Er gab das Thema dann an seinen Romanhelden Labude weiter; aber der hatte, wie Fabian-Lesern erinnerlich, auch nicht viel Glück damit.

Neben und nach Lessing fallen einem Heine, Fontane, Ringelnatz und Tucholsky ein, wenn man nach geistigen Nachbarschaften sucht — lauter Literaten, die man ›Literaten‹ nennen darf, ohne daß sie das als Schimpf vermerkt hätten; Schriftsteller, die sich weniger durch genialische Inspiration als durch scharfen Verstand, reiches Gefühl und tadelloses Handwerkszeug auszeichnen. Den deutschen Lesern haben sie jederzeit mehr bedeutet als den deutschen Literaturkritikern.

Der größere Teil von Kästners Lebenswerk war schon geschrieben — und doch hatte der Autor in einem Land, wo man mit literarischen Auszeichnungen sonst nicht sparsam umzugehen pflegt, noch keinen nennenswerten Literaturpreis bekommen. Bis die Stadt München im Jahre 1955 dem Dresdner, der seine erste Wahlheimat Berlin nach dem Kriege mit München als zweiter Wahlheimat vertauscht hatte, ihren Preis verlieh. Zwei Jahre später hatte dann die Darmstädter Akademie ihre große Stunde und sprach den Büchner-Preis, den angesehensten deutschen Literaturpreis, Erich Kästner zu.

Auch Büchner gehört ja zu den ›Literaten‹. Und nachdem Tucholsky tot war, gab es niemanden, dem ein Preis in Büchners Namen eher zugekommen wäre als Erich Kästner.

Dem Büchner-Preisträger Kästner, dem Moralisten, dem Literaten, dem politischen Dichter ist die Auswahl gewidmet. Sie unterschlägt ganz und gar den Kinderbuch-Autor und weitgehend den Unterhaltungsschriftsteller.

Das hat gute praktische Gründe. Wo aus acht Bänden und einigem noch Ungedrucktem ein einziger Band entstehen sollte, mußte auf vieles verzichtet werden. Auch hat der Kinderbuch-Autor oft und allzu sehr den Kästner für Erwachsene in den Schatten gestellt. Die Unterschiede zwischen beiden liegen freilich in den Themen viel mehr als im Autor. Bei dem gehört und paßt alles zusammen. Er ist immer auch ein ›Unterhaltungsschriftsteller‹, und die Anführungszeichen sind nur deswegen notwendig, weil der so Bezeichnete hierzulande als eine literarische Spezies minderen Ranges gilt.

Erich Kästner ist ungemein höflich. Auch als Schriftsteller. Und es erschien ihm schlicht als eine Unhöflichkeit, seine Leser zu langweilen. In der Tat, er leugnet nicht: unterhalten will er und belehren, damit treulich die Aufgaben erfüllend, die Horaz einst dem Dichter zuwies.

Ich habe mich daher auch nicht gescheut, 154 kostbare Seiten dieses Buches, in dem mit Platz knauserig umgegangen werden mußte, einem ›reinen Unterhaltungsroman‹ einzuräumen. Die Möglichkeit, auch alten Kästner-Lesern etwas Neues bieten zu können — die Fortsetzung des Zauberlehrling-Fragmentes —, durfte nicht ungenutzt bleiben.

Neu auch für alte Kästner-Leser sind außerdem das Stück aus der Dissertation, das hier zum erstenmal gedruckt wird, sowie ein paar kleinere Prosa-Stücke und zwei Gedichte.

Neu ist schließlich ›Ein deutsches Tagebuch‹. Ein Werk mit diesem Titel gibt es ja bei Kästner nicht. Aber er hat es geschrieben. Die einzelnen Stücke wollten nur ein bißchen zusammengesucht sein. Das schien mir nicht nur erlaubt, nachdem der Autor es erlaubt hatte, sondern geboten, nachdem ich so oft dem Einwand begegnet war, Kästner sei zwar Zeuge des ›Dritten Reiches‹ gewesen, aber er habe doch versäumt, dann auch Zeugnis abzulegen.

Was nachweisbar falsch war. Kästner gehört zu den Autoren, die mit jedem Wort, das sie schreiben, Zeugnis ablegen. Sein ganzes Werk könnte gelesen werden als ein einziges großes deutsches Tagebuch — in das natürlich auch der ›Fabian‹, und gerade der ›Fabian‹, hineingehört, der daher hier nicht fehlen durfte, obwohl er schon in einer wohlfeilen Ausgabe vorliegt.

›Ein deutsches Tagebuch‹ folgt der Chronologie so, wie sie durch die Themen gegeben ist, und vernachlässigt die Entstehungszeit, vernachlässigt auch philologisch-kritisches Beiwerk, wie Quellenangaben und Auslassungszeichen. Wer es genauer wissen will, braucht nur mit der Ausgabe der Gesammelten Schriften in sieben Bänden und mit dem Kriegstagebuch ›notabene 45‹ zu vergleichen.

Dort findet er natürlich auch alle die Gedichte, die ich weggelassen habe, bald schweren, bald leichteren Herzens. Was diese Gedicht-Auswahl anlangt, so bekenne ich mich zu beinahe ungehemmter (nur hie und da durch einen Wunsch des Autors eingeschränkter) Subjektivität: Ich habe die genommen, die mir am besten gefallen. Und dazu drei, die ›eigentlich‹ gar nicht dazugehören; aber mir erschien es als

8

unterhaltend und aufschlußreich (oder, um zu Horaz zurückzukehren, ›belehrend‹), dem Leser einen Eindruck davon zu vermitteln, wie Kästner in Englisch klingt, was aus einem Eliot-Gedicht wird, wenn Kästner es übersetzt, und was aus einem Kästner-Gedicht wird, wenn ein großer Parodist es sich boshaft-liebevoll vornimmt.

Ob Verse oder Prosa — die Auswahl ist für Erwachsene bestimmt, die in ihren jüngeren Jahren an den Abenteuern Emils und der Detektive oder des doppelten Lottchens Anteil genommen haben. Sie möchte einem Schriftsteller, der in aller Welt berühmt ist als guter Deutscher und für gutes Deutsch, neue Freunde in dem Lande gewinnen, das er, trotz allem, nicht verlassen wollte.

Rudolf Walter Leonhardt

Gedichte

Jahrgang 1899

Wir haben die Frauen zu Bett gebracht,
als die Männer in Frankreich standen.
Wir hatten uns das viel schöner gedacht.
Wir waren nur Konfirmanden.

Dann holte man uns zum Militär,
bloß so als Kanonenfutter.
In der Schule wurden die Bänke leer,
zu Hause weinte die Mutter.

Dann gab es ein bißchen Revolution
und schneite Kartoffelflocken;
dann kamen die Frauen, wie früher schon,
und dann kamen die Gonokokken.

Inzwischen verlor der Alte sein Geld,
da wurden wir Nachtstudenten.
Bei Tag waren wir bureau-angestellt
und rechneten mit Prozenten.

Dann hätte sie fast ein Kind gehabt,
ob von dir, ob von mir — was weiß ich!
Das hat ihr ein Freund von uns ausgeschabt.
Und nächstens werden wir Dreißig.

Wir haben sogar ein Examen gemacht
und das meiste schon wieder vergessen.
Jetzt sind wir allein bei Tag und Nacht
und haben nichts Rechtes zu fressen!

Wir haben der Welt in die Schnauze geguckt,
anstatt mit Puppen zu spielen.
Wir haben der Welt auf die Weste gespuckt,
soweit wir vor Ypern nicht fielen.

Man hat unsern Körper und hat unsern Geist
ein wenig zu wenig gekräftigt.
Man hat uns zu lange, zu früh und zumeist
in der Weltgeschichte beschäftigt!

Die Alten behaupten, es würde nun Zeit
für uns zum Säen und Ernten.
Noch einen Moment. Bald sind wir bereit.
Noch einen Moment. Bald ist es so weit!
Dann zeigen wir euch, was wir lernten!

Der Herr ohne Gedächtnis

Er griff dem Leben in die Taschen
und trieb mit Tod und Teufel Spaß.
Sein Maul war (bildlich) ungewaschen.
Er trank aus ziemlich allen Flaschen
und nahm bei Nacht den Sternen Maß.
Er stand auf dem Balkon des Jahres,
sah Scheußliches und Wunderbares,
und er vergaß.

Er kannte mehr als tausend Damen.
Die zeigten ihm ihr Herz en face.
Er spielte mit in tausend Dramen.
Er reiste unter tausend Namen
und sah durch Wände wie durch Glas.
Er lebte oft von Überresten.
Er wohnte manchmal in Palästen.
Und er vergaß.

Er war Friseur. Und Kohlenträger.
Er wurde krank. Und er genas.
Er schoß am Kongo Bettvorleger
und am Isonzo Alpenjäger
und biß beinahe selbst ins Gras.
Er fuhr auf Dampfern, die zerbrachen.
Er hustete in allen Sprachen.
Und er vergaß.

Und wenn sie ihn mit Blicken maßen,
in denen leichtes Grauen saß,
floh er auf Inseln mit Oasen.
Zu Menschen, welche Menschen fraßen,
indes er aus der Bibel las.
Oft reicht die Trauer nur für Späße ...
Er hoffte, daß man ihn vergäße,
wie er die anderen vergaß.
Und so geschah's.

Ein Traum macht Vorschläge

Ich träume — man kann das ja ruhig gestehen — fast nie.
Ich schlafe lieber, sobald ich liege.
Aber kürzlich hab ich trotzdem geträumt, wissen Sie.
Und zwar vom kommenden Kriege.

Aus den Gräbern krochen Millionen Männer hervor
(lauter Freiwillige, wie eine Stimme betonte),
die hoben ihre Gewehre zur Schulter empor
und prüften, wen zu erschießen sich lohnte.

Sie kamen einander entgegen, fertig zum Schuß und stumm ...
Doch da schrie eine Stimme, als wäre jemand in Not!
Da drehten die Männer, wie auf Kommando, die Flinten herum
und schossen sich selber tot.

Sie fielen um in endlosen Reihn.
Ich träume doch eigentlich nie ...
Und wer mag das nur gewesen sein,
der so schrie?

Chor der Fräuleins

Wir hämmern auf die Schreibmaschinen.
Das ist genau, als spielten wir Klavier.
Wer Geld besitzt, braucht keines zu verdienen.
Wir haben keins. Drum hämmern wir.

Wir winden keine Jungfernkränze mehr.
Wir überwanden sie mit viel Vergnügen.
Zwar gibt es Herrn, die stört das sehr.
Die müssen wir belügen.

Zweimal pro Woche wird die Nacht
mit Liebelei und heißem Mund,
als wär man Mann und Frau, verbracht.
Das ist so schön! Und außerdem gesund.

Es wär nicht besser, wenn es anders wäre.
Uns braucht kein innrer Missionar zu retten!
Wer murmelt düster von verlorner Ehre?
Seid nur so treu wie wir, in euren Betten!

Nur wenn wir Kinder sehn, die lustig spielen
und Bälle fangen mit Geschrei
und weinen, wenn sie auf die Nase fielen —
dann sind wir traurig. Doch das geht vorbei.

Wiegenlied

(Ein Vater singt:)

Schlaf ein, mein Kind! Schlaf ein, mein Kind!
Man hält uns für Verwandte.
Doch ob wir es auch wirklich sind?
Ich weiß es nicht. Schlaf ein, mein Kind!
Mama ist bei der Tante ...

Schlaf ein, mein Kind! Sei still! Schlaf ein!
Man kann nichts Klügres machen.
Ich bin so groß. Du bist so klein.
Wer schlafen kann, darf glücklich sein.
Wer schlafen darf, kann lachen.

Nachts liegt man neben einer Frau,
die sagt: Laß mich in Ruhe.
Sie liebt mich nicht. Sie ist so schlau.
Sie hext mir meine Haare grau.
Wer weiß, was ich noch tue.

Schlaf ein, mein Kind! Mein Kindchen, schlaf!
Du hast nichts zu versäumen.
Man träumt vielleicht, man wär ein Graf.
Man träumt vielleicht, die Frau wär brav.
Es ist so schön, zu träumen . . .

Man schuftet, liebt und lebt und frißt
und kann sich nicht erklären,
wozu das alles nötig ist!
Sie sagt, daß du mir ähnlich bist.
Mag sich zum Teufel scheren!

Der hat es gut, den man nicht weckt.
Wer tot ist, schläft am längsten.
Wer weiß, wo deine Mutter steckt!
Sei ruhig. Hab ich dich erschreckt?
Ich wollte dich nicht ängsten.

Vergiß den Mond! Schlaf ein, mein Kind!
Und laß die Sterne scheinen.
Vergiß auch mich! Vergiß den Wind!
Nun gute Nacht! Schlaf ein, mein Kind!
Und, bitte, laß das Weinen . . .

Anmerkung: Noch nie hat die Frau so wenig
und *der Mann so viel Kindersinn gehabt wie heute.*

Hymnus an die Zeit
(mit einer Kindertrompete zu singen)

Wem Gott ein Amt gibt, raubt er den Verstand.
In Geist ist kein Geschäft. Macht Ausverkauf!
Nehmt euren Kopf und haut ihn an die Wand!
Wenn dort kein Platz ist, setzt ihn wieder auf.

Der Gott, den Arndt das Eisen wachsen ließ,
schuf auch das Blech und ähnliche Metalle.
Vergeßt es nie: Ihr seid im Paradies!
Seid hoffnungsvoll. Und meidet die Krawalle.

Macht einen Buckel. Denn die Welt ist rund.
Wir wollen leise miteinander sprechen.
Das Beste ist totaler Knochenschwund.
Das Rückgrat gilt moralisch als Verbrechen.

Nehmt dreimal täglich eine Frau zum Weib.
Pro Jahr ein Kind. Und Urlaub. Sonst die Pflicht.
Das Leben ist ein sanfter Zeitvertreib.
Spuckt euch vorm Spiegel manchmal ins Gesicht.

Nehmt Vorschuß! Laßt euch das Gehalt verdoppeln!
Tagsüber pünktlich; abends manchmal Gäste.
Es braust ein Ruf von Rüdesheim bis Oppeln:
»Der Schlaf vor Mitternacht ist doch der beste!«

Ich möchte einen Schrebergarten haben,
mit einer Laube und nicht allzu klein.
Es ist so schön, Radieschen auszugraben ...
Behüt dich Gott, es hat nicht sollen sein!

Die Welt ist rund

Die Welt ist rund. Denn dazu ist sie da.
Ein Vorn und Hinten gibt es nicht.
Und wer die Welt von hinten sah,
der sah ihr ins Gesicht!

Zwar gibt es Traum und Mondenschein
und irgendwo auch eine kleine Stadt.
Das ist nicht anders. Denn das muß so sein.
Und wenn du tot bist, wirst du davon satt.

Mensch, werde rund, Direktor und borniert.
Trag sonntags Frack und Esse.
Und wenn dich wer nicht respektiert,
dann hau ihm in die Fresse.

Sei dumm, doch sei es mit Verstand.
Je dümmer, desto klüger.

Tritt morgen in den Schutzverband.
Duz dich mit Schulz und Krüger.

Nimm ihre Frauen oft zum Übernachten.
Das ist so üblich. Und heißt Freiverkehr.
Es lohnt sich nicht, die Menschen zu verachten.
Und weil die Welt bewohnt wird, ist sie leer.

Es gibt im Süden Gärten mit Zypressen.
Wer keine Lunge hat, wird dort gesund.
Wer nichts verdient, der braucht auch nicht zu essen.
Normale Kinder wiegen neu acht Pfund.

Du darfst dich nicht zu oft bewegen lassen,
den andern Menschen ins Gesicht zu spein.
Meist lohnt es nicht, sich damit zu befassen.
Sie sind nicht böse. Sie sind nur gemein.

Ja, wenn die Welt vielleicht quadratisch wär!
Und alle Dummen fielen ins Klosett!
Dann gäb es keine Menschen mehr.
Dann wär das Leben nett.

Wie dann die Amseln und die Veilchen lachten!
Die Welt bleibt rund. Und du bleibst ein Idiot.
Es lohnt sich nicht, die Menschen zu verachten.
Nimm einen Strick. Und schieß dich damit tot.

Frau Großhennig schreibt an ihren Sohn

Mein lieber Junge! Das war natürlich sehr schade,
daß Du zu meinem Geburtstag nicht kamst. Und nur schriebst.
Die Nelken waren sehr schön. Und Bratwurst hatten wir grade.
Weil ich doch hoffte Du kämst. Und Du doch Bratwurst so liebst.

Tante Isolde hat mir eine Lackledertasche geschenkt.
Nur der Vater der hatte es gänzlich vergessen.
Ich war erst traurig. Wo er doch sonst stets an alles denkt.
Aber es gab viel zu tun, mit dem Kaffee, und dann mit dem
Abendessen.

19

Und wie geht es Dir sonst und bist Du den trockenen Husten los?
Das macht mir Sorgen mein Kind. Und das darf man nicht hinhängen
lassen.
Nächstens schick ich Dir Umlegekragen. Waren die letzten zu groß?
Ja wenn Du zu Hause wärst dann würden die Kragen schon passen.

Ach Krauses älteste Tochter hat kürzlich ein Kind gekriegt!
Wer der Vater ist weiß kein Mensch. Und sie soll es selber nicht wissen.
Ob denn das wirklich nur bloß an der Gymnasialbildung liegt?
Und schick bald die schmutzige Wäsche. Der letzte Kartong war
schrecklich zerrissen.

Mein Kostüm habe ich umfärben lassen. Jetzt ist es marineblau.
Laß Dein Zimmer heizen. Wir machen schon lange Feuer.
Das Fleisch das kaufe ich jetzt bei unsrer Gemüsefrau
da ist es zehn Pfennige billiger. Ich finde es trotzdem noch teuer.

Drei Monate bist Du nun schon nicht zu Hause gewesen.
Läßt es sich wirklich nicht mal und wenns auf zwei Tage ist machen?
Erst vorgestern habe ich eine Berliner Zeitung gelesen.
Fritz sieh Dich bloß vor! Da passieren ja gräßliche Sachen!

Ist das Essen auch gut in dem Restaurant wo du ißt?
Laß Dir doch abends von Deiner Wirtin zwei Eier auf Butter braten.
Das wird alles anders, wenn Du erst richtig verheiratet bist.
Ich weiß schon Du hast keine Lust. Das ist schade da läßt sich nicht raten.

Unser neuer Zimmerherr der hat eine richtige Braut.
Die ist mitunter bei ihm. Sonst bin ich mit ihm ganz zufrieden.
Die Hausmannsfrau hat sie gesehn. Und sagte gestern ganz laut,
das wäre nicht immer dieselbe. Ich müßte das endlich verbieten.

Hast Du in eurem Geschäft schon wieder mal Ärger gehabt?
Schreib mir nur alles und sieh dich recht vor mit den Mädelsgeschichten.
Es wäre doch schade um Dich. Denn Du bist doch sonst so begabt.
Wie schnell ist was los mit dem Arzt und den Vormundschaftsgerichten.

Sonst geht es uns allen wenn man das Schlechte nicht rechnet famos.
Ich hoffe dasselbe von Dir. Was wollte ich gleich noch sagen?
Das Papier ist zuende. Leb wohl! Bei Ehrlichs ist wieder was los.
Ich will nur den Brief noch ganz schnell in den Bahnhofsbriefkasten
tragen.

Da fällt mir noch etwas ein. Doch es geht schon gar nicht mehr her.
Kannst Dus auch lesen? Frau Fleischer Stefan traf ich jetzt im Theater.
Was die Erna ist, ihre Tochter. Die liebt Dich längst schon. Und sehr.
Ich find sie recht nett. Na schon gut. Auch viele Grüße von Vater.

Die Tretmühle

(Nach der Melodie: ›Frisch auf mein Volk!
Die Flammenzeichen rauchen!‹)

Rumpf vorwärts beugt! Es will dich einer treten!
Und wenn du dich nicht bückst, trifft er den Bauch.
Du sollst nicht fragen, was die andern täten!
Im übrigen: die andern tun es auch.

So bück dich, Mensch! Er tritt ja nicht zum Spaße!
Er wird dafür bezahlt. Es ist ihm ernst.
Tief! Tiefer! Auf die Knie mit deiner Nase!
Das Vaterland erwartet, daß du's lernst.

Zunächst bist du noch etwas steif im Rücken.
Sei guten Muts! Es ist nicht deine Schuld.
Gib acht, wie prächtig sich die andern bücken!
Das ist nur eine Frage der Geduld.

Und muß so sein. Und ist der Sinn der Erde.
Der eine tritt — wie die Erfahrung lehrt —
damit ein anderer getreten werde.
Das ist Gesetz. Und gilt auch umgekehrt.

Du sollst für Laut- und Leisetreter beten:
»Gib Himmel, jedem Stiefel seinen Knecht!
Beliefre uns mit Not! Denn Not lehrt treten!«
Wer nicht getreten wird, kommt nie zurecht.

Geh vor den Spiegel! Freu dich an den Farben,
die man dir kunstvoll in die Rippen schlug!
Die Besten waren's, die an Tritten starben. —
Rumpf vorwärts beugt! Genug ist nicht genug!

Ansprache einer Bardame

Der zweite Herr von links ist ausgetreten.
Und hat sich fortgespült. Das Geld ist hin.
Das ist nicht fein. Wenn das nun alle täten . . .
Ich weiß ja längst, daß ich ein Rindvieh bin!

Prost Dicker! Sag mal: Hast du deiner Alten
das Kleid gekauft? Ein Whisky! Ein Kakao!
Was man verspricht, mein Schatz, das muß man halten.
Na, heul nicht gleich! Es ist ja deine Frau.

Pauline, hast du Hertha nicht getroffen?
Sie kommt noch her. Der Roth hat sie bestellt.
Was? Der war gestern nacht nicht schlecht besoffen!
Paß auf, daß Kurtchen nicht vom Stuhle fällt.

Vorhin saß einer da, der ist mit mir
im Konfirmandenunterricht gewesen.
Der war der erste . . . Und nun steht man hier.
Ich möchte manchmal im Gesangbuch lesen.

Jetzt will ich rauchen! Dicker! Gib mir Feuer!
Mein Vater war ein regelrechter Graf.
Und jeder schimpft auf die Getränkesteuer.
Wer will mein Freund sein? Kurt ist mir zu brav.

Wenn ich euch sehe, kriege ich den Wunsch,
euch mit dem Rücken ins Gesicht zu springen!
Zwei Sherry Cobler! Einmal Schwedenpunsch!
Wenn man ertrinkt, träumt man von schönen Dingen.

Ob das auch wahr ist? Wenn ich Kinder hätte
— ich kriege keine seit dem Hospital —

die brächt ich stets zur Schule und zu Bette
und am Geburtstag — Mokkaflip zweimal!

Durch alle Straßen, die's auf Erden gibt,
möcht ich zu gleicher Zeit auf einmal gehen.
Ach wär das schön! Ich wäre meist verliebt.
Und könnte stets vor tausend Läden stehen.

Mir ist nicht gut. Oft möcht ich nach Berlin.
Ich hatte früher sehr gesuchte Waden.
Und hatte dreißig Kleider anzuziehn.
Und sparte Geld für einen Blumenladen.

Ich liebe Blumen sehr. Das ist nun aus.
Ein Dujardin! Kurt ist so schrecklich dumm.
Ihr ekelt mich! Wer geht mit mir nach Haus?
Es ist zum Heulen . . . Einmal Grog von Rum!

Kennst Du das Land, wo die Kanonen blühn?

Kennst Du das Land, wo die Kanonen blühn?
Du kennst es nicht? Du wirst es kennenlernen!
Dort stehn die Prokuristen stolz und kühn
in den Bureaus, als wären es Kasernen.

Dort wachsen unterm Schlips Gefreitenknöpfe.
Und unsichtbare Helme trägt man dort.
Gesichter hat man dort, doch keine Köpfe.
Und wer zu Bett geht, pflanzt sich auch schon fort!

Wenn dort ein Vorgesetzter etwas will
— und es ist sein Beruf etwas zu wollen —
steht der Verstand erst stramm und zweitens still.
Die Augen rechts! Und mit dem Rückgrat rollen!

Die Kinder kommen dort mit kleinen Sporen
und mit gezognem Scheitel auf die Welt.
Dort wird man nicht als Zivilist geboren.
Dort wird befördert, wer die Schnauze hält.

Kennst Du das Land? Es könnte glücklich sein.
Es könnte glücklich sein und glücklich machen!
Dort gibt es Äcker, Kohle, Stahl und Stein
und Fleiß und Kraft und andre schöne Sachen.

Selbst Geist und Güte gibt's dort dann und wann!
Und wahres Heldentum. Doch nicht bei vielen.
Dort steckt ein Kind in jedem zweiten Mann.
Das will mit Bleisoldaten spielen.

Dort reift die Freiheit nicht. Dort bleibt sie grün.
Was man auch baut — es werden stets Kasernen.
Kennst Du das Land, wo die Kanonen blühn?
Du kennst es nicht? Du wirst es kennenlernen!

Die Hummermarseillaise

Das Leben ist doch bloß zum Sterben da.
O we . . . o welche Lust, Soldat zu sein!
Wer sich im Schlaf noch niemals lächeln sah,
dem leuchtet . . . hupp . . . dem leuchtet das nicht ein.

Ich möchte manchmal — immer möcht ich nicht —
ich möchte manchmal in die Kissen lachen.
Der Güter höchstes Übel ist die Pflicht.
Und kann man nichts dage . . . dagegen machen.

Da ist noch ei . . . noch eins, was ich erwäge:
Mit Vitriol einmal den Mund zu spülen.
Treib Sport, mein Volk! Trei . . . treibe Körperpflege!
Denn wer nicht hören will, muß . . . will, muß fühlen.

Oft bin ich Menschen weiblichen Geschlechts
als Hei . . . als Heiliger erschienen.
Ich gab das letzte her, nach links und rechts.
Sogar das Lager teilte ich mit ihnen.

Zehntausend Liter Leuchtgas will ich kaufen
und . . . und als Vorrat in den Keller tun.
Ich werde wieder öfter Rollschuh laufen.
Im Au . . . im Auto fahren wird kommun.

Ich liebe es, das Atmen zu vermeiden.
Es lohnt nicht ... hupp ... auch weiß man nicht wozu.
Ich frag mich oft, warum sie uns beneiden.
Denn Geld macht arm. Und läßt uns nicht in Ruh.

Ich möchte es einmal nicht eilig haben.
Und morgen nicht zur Bö ... zur Börse gehn.
Ich möchte wie ganz ... wie ganz kleine Knaben
ganz ohne Geld vor einem Laden stehn ...

Ich will mein ganzes Geld den Armen geben.
So ... so bin ich. Das ist doch edel. Wie?
In Flo ... Florenz möcht ich von Renten leben.
Es lebe Franz von ... Franz von Assisi! Hupp!

Wer hat noch nicht? Wer will noch mal?

Na, wer hat noch nicht? Na, wer will noch mal?
Hier dreht sich der Blödsinn im Kreise!
Hier sehen Sie beispielsweise
den Türkisch sprechenden Riesenwal
und die Leiche im schwarzen Reichswehrkanal!
Und das alles für halbe Preise!

Na, wer will noch mal? Na, wer hat noch nicht?
Hier staunen Sie, bis Sie platzen!
Hier sehn Sie die boxenden Katzen!
Hier sehn Sie die Dame ohne Gesicht
und werden sich wundern, womit sie spricht ...
Feixt nicht, ihr dämlichen Fratzen!

*

Bild Nummer Eins — geschätztes Publikum —
zeigt uns den Massenmörder Manfred Melber.
Der brachte neunundneunzig fremde Menschen um!
Und als den hundertsten sich selber.
Der Arme ...

Bild Nummer Zwei ist ein Somali-Neger!
Der fraß infolge einer Wettbedingung

drei Dutzend nagelneue Hosenträger!
Und starb an Darmverschlingung.
Der Arme . . .

Bild Nummer Drei ist ein berühmter Gatte.
Zwei Frauen küßte der zu gleicher Zeit!
Das macht, weil er zwei Köpfe hatte.
Doch meistens gab es dabei Streit.
Der Arme . . .

Bild Nummer Vier, das ist ein Marabu.
Der hatte Grübchen, wenn er lachte!
Oft sahen soviel Menschen zu,
daß er's aus Trotz nicht machte.
Der Arme . . .

Bild Nummer Fünf ist Nordseemaler Stoy.
Der malte einen Salzsee. So zum Spaß.
Und trotzdem so naturgetreu,
daß der die Leinewand zerfraß!
Der Arme . . .

Bild Nummer Sechs zeigt die Familie Binder:
Die Frau war schwarz, der Mann hingegen weiß.
Erst kriegten sie schwarz-weiß karierte Kinder
und daraufhin den Nobelpreis —
Die Armen . . .

*

Und dann tritt eine längere Pause ein!
So mach ich das nämlich immer.
Der zweite Teil wird noch schlimmer!
Da zeig ich die Frau mit dem Knoten im Bein!
Doch da dürfen nur die Erwachsnen hinein.
Karten im Künstlerzimmer.

Der zweite Teil wird phänomenal!
Na, wer hat noch nicht?
Na, wer will noch mal?

Nachtgesang des Kammervirtuosen

Du meine Neunte letzte Sinfonie!
Wenn du das Hemd* anhast mit rosa Streifen ...
Komm wie ein Cello zwischen meine Knie,
und laß mich zart in deine Seiten greifen!

Laß mich in deinen Partituren blättern.
(Sie sind voll Händel, Graun und Tremolo.)
Ich möchte dich in alle Winde schmettern,
du meiner Sehnsucht dreigestrichnes Oh!

Komm, laß uns durch Oktavengänge schreiten!
(Das Furioso, bitte, noch einmal!)
Darf ich dich mit der linken Hand begleiten?
Doch beim Crescendo etwas mehr Pedal!

Oh deine Klangfigur! Oh die Akkorde!
Und der Synkopen rhythmischer Kontrast!
Nun senkst du deine Lider ohne Worte ...
Sag einen Ton, falls du noch Töne hast!

*Anmerkung: In besonders vornehmer Gesellschaft
ersetze man das Wort ›Hemd‹ durch das Wort ›Kleid‹.*

Der Mensch ist gut

Der Mensch ist gut! Da gibt es nichts zu lachen!
In Lesebüchern schmeckt das wie Kompott.
Der Mensch ist gut. Da kann man gar nichts machen.
Er hat das, wie man hört, vom lieben Gott.

Einschränkungshalber spricht man zwar von Kriegen.
Wohl weil der letzte Krieg erst neulich war ...
Doch: ließ man denn die Krüppel draußen liegen?
Die Witwen kriegten sogar Honorar!

Der Mensch ist gut! Wenn er noch besser wäre,
wär er zu gut für die bescheidne Welt.

Auch die Moral hat ihr Gesetz der Schwere:
Der schlechte Kerl kommt hoch — der Gute fällt.

Das ist so, wie es ist, geschickt gemacht.
Gott will es so. Not lehrt bekanntlich beten.
Er hat sich das nicht übel ausgedacht
und läßt uns um des Himmels willen treten.

Der Mensch ist gut. Und darum geht's ihm schlecht.
Denn wenn's ihm besser ginge, wär er böse.
Drum betet: »Herr Direktor, quäl uns recht!«
Gott will es so. Und sein System hat Größe.

Der Mensch ist gut. Drum haut ihm in die Fresse!
Drum seid so gut: und seid so schlecht, wie's geht!
Drückt Löhne! Zelebriert die Leipziger Messe!
Der Himmel hat für sowas immer Interesse. —
Der Mensch bleibt gut, weil ihr den Kram versteht.

Paralytisches Selbstgespräch
(Im Sprechgesang zu rezitieren)

Ein Kuß in Ehren ist kein Büstenhalter.
Der Ehebruch wirkt äußerst zeitgemäß.
Ein Embryo ist meist von zartem Alter.
Der Spucknapf ist zunächst kein Trinkgefäß.

Dreh dir den Kopf ab, falls du einen hast!
Auch ohne Kopf wirst du kein deutscher Denker.
Knüpf dich dezent an einen Lindenast.
Seit Zeile 5 wirst du davon nicht kränker . . .

Wie wird man sich nach seinem Tode kleiden?
Ob auf dem Mars wohl Freudenhäuser sind?
Ob auch Minister an Erkältung leiden?
Ist wohl der Zufall nur per Zufall blind?

Das sind dabei nicht etwa alle Fragen!
Die meisten fallen einem gar nicht ein.

Es nützt nichts, im Adreßbuch nachzuschlagen.
Das ist für diese Zwecke viel zu klein.

Ein Fräulein will sich mit mir trauen lassen.
Sie schätzt mich so. Weil ich so höflich sei.
Ein Nachthemd hat sie. Und elf Untertassen.
Und einen Gasherd. Doch der ist entzwei.

Wenn ich elektrisch Licht im Munde hätte
und, wo der Blinddarm ist, ein Grammophon —
und Geld zu Schnaps und eine Zigarette,
das wäre schön. Denn ich bin Gottes Sohn.

Irrsinn ist menschlich und hat Gold im Munde.
Fast jeder hat's; nicht jedem ist's bekannt.
Der Doktor sagt, ich bin sein längster Kunde.
Nachts bin ich meist ein roter Elefant.

In Brüssel hat sich mancher kriegsverletzt.
Seit Mitte Juli kann ich nicht mehr lachen.
Wer Pech angreift, denkt an sich selbst zuletzt. —
Wo steht doch: Selig sind die Geistesschwachen?

Ballgeflüster

(Ist sehr sachlich zu sprechen)

Ich bin aus vollster Brust modern
und hoffe, man sieht es mir an.
Ich schlafe mit allen möglichen Herrn,
nur nicht mit dem eigenen Mann.

Ich schwärme für blutige Dramen.
Und wo man mich packt, bin ich echt.
Ich frag nicht nach Stand und Namen
und erst recht nicht nach dem Geschlecht.

Ich liebe nach neuester Mode.
Ich kenne den dernier cri.
Ich beherrsche jede Methode.
Mein Hündchen heißt Annemarie.

Ich kenne die tollsten Gebärden.
Ich flüstre das tollste Wort.
Ich liebe, um schlanker zu werden.
Ich liebe, als triebe ich Sport.

Ich haue und lasse mich hauen.
Ich regle den größten Verkehr.
Auf mir kann man Häuser bauen.
Liebchen, was willst du noch mehr?

Gefühl ist mir gänzlich fremd.
Ich leide nicht durch Gebrauch.
Ich hab unterm Kleid kein Hemd.
Und Kinder habe ich auch.

Morgen um Fünf hätt ich Zeit.
Da dürften Sie mir was tun.
Mein Bett ist doppelt breit.
Um Sechs kommt Mister White.
Mein Herr, was sagen Sie nun?

Die Zeit fährt Auto

Die Städte wachsen. Und die Kurse steigen.
Wenn jemand Geld hat, hat er auch Kredit.
Die Konten reden. Die Bilanzen schweigen.
Die Menschen sperren aus. Die Menschen streiken.
Der Globus dreht sich. Und wir drehn uns mit.

Die Zeit fährt Auto. Doch kein Mensch kann lenken.
Das Leben fliegt wie ein Gehöft vorbei.
Minister sprechen oft vom Steuersenken.
Wer weiß, ob sie im Ernste daran denken?
Der Globus dreht sich und geht nicht entzwei.

Die Käufer kaufen. Und die Händler werben.
Das Geld kursiert, als sei das seine Pflicht.
Fabriken wachsen. Und Fabriken sterben.
Was gestern war, geht heute schon in Scherben.
Der Globus dreht sich. Doch man sieht es nicht.

Präludium auf Zimmer 28

Du mußt nicht gleich bei jedem Dreck erschrecken!
Daß das der Ober ist, merk ich am Schritt.
Der geht vorbei, im Speisesaal zu decken.
Da brauchst du nicht gleich alles zu verstecken!
Ich kenn den Kerl. Schmitz heißt er. Oder Schmidt.

Die Freundin vor dir ging mir bis zum Knie.
Da hatte ich, wenn ich den Mund aufmachte,
im Handumdrehn das ganze Mädchen drin.
Obwohl ich sonst nicht übelnehmisch bin —
das war was, was mich zur Verzweiflung brachte!

Als ich dich sah, da schickte ich sie fort.
Denn du bist groß! Du hast Figur mit Pausen!
Vom Kopf bis dahin ... Und von da bis dort ...
Dein Körper ist ein toller Ausflugsort!
Ich liebe dich von innen und von außen.

Wozu sind Brüste von verschiedner Größe?
Die rechte, siehst du, hält mehr auf Niveau.
Links gibt es Pudding. Sei nur nicht gleich böse!
Deswegen gibst du dir noch keine Blöße.
Das war bis jetzt bei allen Frauen so.

Die Hertha — doch du kennst die Hertha nicht,
sie ist, Adresse unbekannt, verzogen —
die Hertha zeigte sich nie ohne Hemd, bei Licht,
und machte stets ein heimliches Gesicht.
Das ist verkehrt. Da fühlt man sich betrogen.

Nein, Frauen, die man lieb hat, muß man kennen.
Was man nicht sehen darf, hat keinen Zweck!
Daß du es weißt: Ich lasse immer brennen.
Die Dunkelheit benutz ich bloß zum Pennen ...
Der Spiegel steht ganz günstig über Eck.

Nur später werden wir ihn etwas drehen.
Liegst du bequem? Warum fixierst du mich?
Nur Mut, mein Schatz! Du wirst mich gleich verstehen.

Erst will ich mit dem Mund spazieren gehen.
Und dann ... Pardon! wie heißt du eigentlich?

Jardin du Luxembourg

Dieser Park liegt dicht beim Paradies.
Und die Blumen blühn, als wüßten sie's.
Kleine Knaben treiben große Reifen.
Kleine Mädchen tragen große Schleifen.
Was sie rufen, läßt sich schwer begreifen.
Denn die Stadt ist fremd. Und heißt Paris.

Alle Leute, auch die ernsten Herrn,
spüren hier: Die Erde ist ein Stern!
Und die Kinder haben hübsche Namen
und sind fast so schön wie auf Reklamen.
Selbst die Steinfiguren, meistens Damen,
lächelten (wenn sie nur dürften) gern.

Lärm und Jubel weht an uns vorbei
wie Musik. Und ist doch bloß Geschrei.
Bälle hüpfen fort, weil sie erschrecken.
Ein fideles Hündchen läßt sich necken.
Kleine Neger müssen sich verstecken,
und die andern sind die Polizei.

Mütter lesen. Oder träumen sie?
Und sie fahren hoch, wenn jemand schrie.
Schlanke Fräuleins kommen auf den Wegen
und sind jung und blicken sehr verlegen
und benommen auf den Kindersegen.
Und dann fürchten sie sich irgendwie.

Moralische Anatomie

Da hat mir kürzlich und mitten im Bett
eine Studentin der Jurisprudenz erklärt:
Jungfernschaft sei, möglicherweise, ganz nett,
besäß aber kaum noch Sammlerwert.

Ich weiß natürlich, daß sie nicht log.
Weder als sie das sagte,
noch als sie sich kenntnisreich rückwärtsbog
und nach meinem Befinden fragte.

Sie hatte nur Angst vor dem Kind.
Manchmal besucht sie mich noch.
An der Stelle, wo andre moralisch sind,
da ist bei ihr ein Loch . . .

Die Zunge der Kultur reicht weit

Die Zunge der Kultur reicht weit!
Wohin sie sich erstreckt,
da wird der Mensch nebst seiner Zeit
so lang wie hoch und weit und breit
von der Kultur beleckt.

Oh, daß sie tausend Zungen hätte!
Noch gibt es Neger ohne Uhr
und Dörfer ohne Operette
und Eskimos ohne — Pardon! — Klosette.
Die Zunge raus, Kultur!

Noch gibt es Frauen, die den Nabel zeigen
und ohne Kleid und Scham spazieren gehn.
Noch gibt es Männer, die im Dunkeln geigen,
und Leute, die, selbst wenn sie dumm sind, schweigen.
Man kann das kaum verstehn . . .

Denn wir stelln unsre Kinder künstlich her
und unsre Nahrung in Tablettenform.
Das Altern kennen wir nicht mehr.

Bouillon mit Ei gewinnen wir aus Teer.
Kurzum: Es ist enorm!

Der Straßenkehrer braucht das Abitur
und muß belesen sein in Schund und Schmutz.
Da denkt man manchmal: Die Kultur,
sie kann uns am —! Sie soll uns nur —!
Sie ist dazu imstand und tut's.

Apropos, Einsamkeit!

Man kann mitunter scheußlich einsam sein!
Da hilft es nichts, den Kragen hochzuschlagen
und vor Geschäften zu sich selbst zu sagen:
Der Hut da drin ist hübsch, nur etwas klein...

Da hilft es nichts, in ein Café zu gehn
und aufzupassen, wie die andren lachen.
Da hilft es nichts, ihr Lachen nachzumachen.
Es hilft auch nicht, gleich wieder aufzustehn.

Da schaut man seinen eignen Schatten an.
Der springt und eilt, um sich nicht zu verspäten,
und Leute kommen, die ihn kühl zertreten.
Da hilft es nichts, wenn man nicht weinen kann.

Da hilft es nichts, mit sich nach Haus zu fliehn
und, falls man Brom zu Haus hat, Brom zu nehmen.
Da nützt es nichts, sich vor sich selbst zu schämen
und die Gardinen hastig vorzuziehn.

Da spürt man, wie es wäre: Klein zu sein.
So klein wie nagelneue Kinder sind!
Dann schließt man beide Augen und wird blind.
Und liegt allein...

Weihnachtslied, chemisch gereinigt

(Nach der Melodie: ›Morgen, Kinder, wird's was geben!‹)

Morgen, Kinder, wird's nichts geben!
Nur wer hat, kriegt noch geschenkt.
Mutter schenkte euch das Leben.
Das genügt, wenn man's bedenkt.
Einmal kommt auch eure Zeit.
Morgen ist's noch nicht so weit.

Doch ihr dürft nicht traurig werden.
Reiche haben Armut gern.
Gänsebraten macht Beschwerden.
Puppen sind nicht mehr modern.
Morgen kommt der Weihnachtsmann.
Allerdings nur nebenan.

Lauft ein bißchen durch die Straßen!
Dort gibt's Weihnachtsfest genug.
Christentum, vom Turm geblasen,
macht die kleinsten Kinder klug.
Kopf gut schütteln vor Gebrauch!
Ohne Christbaum geht es auch.

Tannengrün mit Osrambirnen –
lernt drauf pfeifen! Werdet stolz!
Reißt die Bretter von den Stirnen,
denn im Ofen fehlt's an Holz!
Stille Nacht und heil'ge Nacht –
weint, wenn's geht, nicht! Sondern lacht!

Morgen, Kinder, wird's nichts geben!
Wer nichts kriegt, der kriegt Geduld!
Morgen, Kinder, lernt fürs Leben!
Gott ist nicht allein dran schuld.
Gottes Güte reicht so weit . . .
Ach, du liebe Weihnachtszeit!

Anmerkung: Dieses Lied wurde vom Reichsschulrat
für das Deutsche Einheitslesebuch angekauft.

Monolog in der Badewanne

Da liegt man nun, so nackt, wie man nur kann,
hat Seife in den Augen, welche stört,
und merkt, aufs Haar genau: Man ist ein Mann.
Mit allem, was dazugehört.

Es scheint, die jungen Mädchen haben recht,
wenn sie — bevor sie die Gewohnheit packt —
der Meinung sind, das männliche Geschlecht
sei kaum im Hemd erträglich. Und gar nackt!

Glücklicherweise steht's in ihrer Hand,
das, was sie stört, erfolgreich zu verstecken.
So früh am Tag, und schon soviel Verstand!
Genug, mein Herr! Es gilt, sich auszustrecken.

Da liegt man, ohne Portemonnaie und Hemd
und hat am ganzen Leibe keine Taschen.
Ganz ohne Anzug wird der Mensch sich fremd . . .
Da träumt man nun, anstatt den Hals zu waschen.

Der nackte Mensch kennt keine Klassenfrage.
Man könnte, falls man Tinte hätte, schreiben:
»Ich kündige. Auf meine alten Tage
will ich in meiner Badewanne bleiben.«

Da klingelt es. Das ist die Morgenzeitung.
Und weil man nicht, was nach dem Tod kommt, kennt,
schreibt man am besten in sein Testament:
»Legt mir ins kühle Grab Warmwasserleitung!«

Wieso warum?

Warum sind tausend Kilo eine Tonne?
Warum ist dreimal Drei nicht Sieben?
Warum dreht sich die Erde um die Sonne?
Warum heißt Erna Erna statt Yvonne?
Und warum hat das Luder nicht geschrieben?

Warum ist Professoren alles klar?
Warum ist schwarzer Schlips zum Frack verboten?
Warum erfährt man nie, wie alles war?
Warum bleibt Gott grundsätzlich unsichtbar?
Und warum reißen alte Herren Zoten?

Warum darf man sein Geld nicht selber machen?
Warum bringt man sich nicht zuweilen um?
Warum trägt man im Winter Wintersachen?
Warum darf man, wenn jemand stirbt, nicht lachen?
Und warum fragt der Mensch bei jedem Quark: Warum?

Atmosphärische Konflikte

Die Bäume schielen nach dem Wetter.
Sie prüfen es. Dann murmeln sie:
»Man weiß in diesem Jahre nie,
ob nu raus mit die Blätter
oder rin mit die Blätter
oder wie!«

Aus Wärme wurde wieder Kühle.
Die Oberkellner warten blaß
und fragen ohne Unterlaß:
»Also, raus mit die Stühle
oder rin mit die Stühle
oder was?«

Die Pärchen meiden nachts das Licht.
Sie hocken Probe auf den Bänken
in den Alleen, wobei sie denken:
›Raus mit die Gefühle
oder rin mit die Gefühle
oder nicht?‹

Der Lenz geht diesmal auf die Nerven
und gar nicht, wie es heißt, ins Blut.
Wer liefert Sonne in Konserven?
Na, günstigen Falles
wird doch noch alles
gut.

Es ist schon warm. Wird es so bleiben?
Die Knospen springen im Galopp.
Und auch das Herz will Blüten treiben.
Drum raus mit die Stühle,
und rin mit die Gefühle,
als ob!

Elegie mit Ei

Es ist im Leben häßlich eingerichtet,
daß nach den Fragen Fragezeichen stehn.
Die Dinge fühlen sich uns keineswegs verpflichtet;
sie lächeln nur, wenn wir vorübergehn.

Wer weiß, fragt Translateur, was Blumen träumen?
Wer weiß, ob blonde Neger häufig sind?
Und wozu wächst das Obst auf meterhohen Bäumen?
Und wozu weht der Wind?

Wir wolln der Zukunft nicht ins Fenster gaffen.
Sie liegt mit der Vergangenheit zu Bett.
Die ersten Menschen waren nicht die letzten Affen.
Und wo ein Kopf ist, ist auch meist ein Brett.

Wir werden später jung als unsre Väter.
Und das, was früher war, fällt *uns* zur Last.
Wir sind die kleinen Erben großer Übeltäter.
Sie luden uns bei ihrer Schuld zu Gast.

Sie wollten Streit. Und *uns* gab man die Prügel.
Sie spielten gern mit Flinte, Stolz und Messer.
Wir säen Gras auf Eure Feldherrnhügel.
Wir werden langsam. Doch wir werden besser!

Wir wollen wieder mal die Tradition begraben.
Sie saß am Fenster. Sie ward uns zu dick.
Wir wollen endlich unsre eigne Aussicht haben
und Platz für unsern Blick.

Wir wollen endlich unsre eignen Fehler machen.
Wir sind die Jugend, die an nichts mehr glaubt
und trotzdem Mut zur Arbeit hat. Und Mut zum Lachen.
Kennt Ihr das überhaupt?

Beginnt ein Anfang? Stehen wir am Ende?
Wir lachen hunderttausend Rätseln ins Gesicht.
Wir spucken — pfui, Herr Kästner — in die Hände
und gehn an unsre Pflicht.

Stimmen aus dem Massengrab

(Für den Totensonntag. Anstatt einer Predigt)

Da liegen wir und gingen längst in Stücken.
Ihr kommt vorbei und denkt: sie schlafen fest.
Wir aber liegen schlaflos auf den Rücken,
weil uns die Angst um Euch nicht schlafen läßt.

Wir haben Dreck im Mund. Wir müssen schweigen.
Und möchten schreien, bis das Grab zerbricht!
Und möchten schreiend aus den Gräbern steigen!
Wir haben Dreck im Mund. Ihr hört uns nicht.

Ihr hört nur auf das Plaudern der Pastoren,
wenn sie mit ihrem Chef vertraulich tun.
Ihr lieber Gott hat einen Krieg verloren
und läßt Euch sagen: Laßt die Toten ruhn!

Ihr dürft die Angestellten Gottes loben.
Sie sprachen schön am Massengrab von Pflicht.
Wir lagen unten, und sie standen oben.
»Das Leben ist der Güter höchstes nicht.«

Da liegen wir, den toten Mund voll Dreck.
Und es kam anders, als wir sterbend dachten.
Wir starben. Doch wir starben ohne Zweck.
Ihr laßt Euch morgen, wie wir gestern, schlachten.

Vier Jahre Mord, und dann ein schön Geläute!
Ihr geht vorbei und denkt: sie schlafen fest.

Vier Jahre Mord, und ein paar Kränze heute!
Verlaßt Euch nie auf Gott und seine Leute!
Verdammt, wenn Ihr das je vergeßt!

Sachliche Romanze

Als sie einander acht Jahre kannten
(und man darf sagen: sie kannten sich gut),
kam ihre Liebe plötzlich abhanden.
Wie andern Leuten ein Stock oder Hut.

Sie waren traurig, betrugen sich heiter,
versuchten Küsse, als ob nichts sei,
und sahen sich an und wußten nicht weiter.
Da weinte sie schließlich. Und er stand dabei.

Vom Fenster aus konnte man Schiffen winken.
Er sagte, es wäre schon Viertel nach Vier
und Zeit, irgendwo Kaffee zu trinken.
Nebenan übte ein Mensch Klavier.

Sie gingen ins kleinste Café am Ort
und rührten in ihren Tassen.
Am Abend saßen sie noch immer dort.
Sie saßen allein, und sie sprachen kein Wort
und konnten es einfach nicht fassen.

Sergeant Waurich

Das ist nun ein Dutzend Jahre her,
da war er unser Sergeant.
Wir lernten bei ihm: »Präsentiert das Gewehr!«
Wenn einer umfiel, lachte er
und spuckte vor ihm in den Sand.

»Die Knie beugt!« war sein liebster Satz.
Den schrie er gleich zweihundertmal.
Da standen wir dann auf dem öden Platz
und beugten die Knie wie die Goliaths
und lernten den Haß pauschal.

Und wer schon auf allen vieren kroch,
dem riß er die Jacke auf
und brüllte: »Du Luder frierst ja noch!«
Und weiter ging's. Man machte doch
in Jugend Ausverkauf...

Er hat mich zum Spaß durch den Sand gehetzt
und hinterher lauernd gefragt:
»Wenn du nun meinen Revolver hättst —
brächtst du mich um, gleich hier und gleich jetzt?«
Da hab ich »Ja!« gesagt.

Wer ihn gekannt hat, vergißt ihn nie.
Den legt man sich auf Eis!
Er war ein Tier. Und er spie und schrie.
Und Sergeant Waurich hieß das Vieh,
damit es jeder weiß.

Der Mann hat mir das Herz versaut.
Das wird ihm nie verziehn.
Es sticht und schmerzt und hämmert laut.
Und wenn mir nachts vorm Schlafen graut,
dann denke ich an ihn.

Zeitgenossen, haufenweise

Es ist nicht leicht, sie ohne Haß zu schildern,
und ganz unmöglich geht es ohne Hohn.
Sie haben Köpfe wie auf Abziehbildern
und, wo das Herz sein müßte, Telefon.

Sie wissen ganz genau, daß Kreise rund sind
und Invalidenbeine nur aus Holz.
Sie sprechen fließend, und aus diesem Grund sind
sie Tag und Nacht — auch sonntags — auf sich stolz.

In ihren Händen wird aus allem Ware.
In ihrer Seele brennt elektrisch Licht.
Sie messen auch das Unberechenbare.
Was sich nicht zählen läßt, das gibt es nicht!

Sie haben am Gehirn enorme Schwielen,
fast als benutzten sie es als Gesäß.
Sie werden rot, wenn sie mit Kindern spielen.
Die Liebe treiben sie programmgemäß.

Sie singen nie (nicht einmal im August)
ein hübsches Weihnachtslied auf offner Straße.
Sie sind nie froh und haben immer Lust
und denken, wenn sie denken, durch die Nase.

Sie loben unermüdlich unsre Zeit,
ganz als erhielten sie von ihr Tantiemen.
Ihr Intellekt liegt meistens doppelt breit.
Sie können sich nur noch zum Scheine schämen.

Sie haben Witz und können ihn nicht halten.
Sie wissen vieles, was sie nicht verstehn.
Man muß sie sehen, wenn sie Haare spalten!
Es ist, um an den Wänden hochzugehn.

Man sollte kleine Löcher in sie schießen!
Ihr letzter Schrei ist noch ein dernier cri.
Jedoch, sie haben viel zuviel Komplicen,
als daß sie sich von uns erschießen ließen.
Man trifft sie nie.

Elegie, ohne große Worte

Man kann sich selber manchmal gar nicht leiden
und möchte sich vor Wut den Rücken drehn.
Wer will, ob das berechtigt ist, entscheiden?
Doch wer sich kennt, der wird mich schon verstehn.

Wenn eine Straßenbahn vorüberfegte,
kann es passieren, daß man sich höchst wundert,
warum man sich nicht einfach drunterlegte.
Und solche Fälle gibt es über hundert.

Man muß sich stets die gleichen Hände waschen!
Und wer Charakter hat, ist schon beschränkt!

Womit soll man sich denn noch überraschen?
Man muß schon gähnen, wenn man an sich denkt.

Man hängt sich meterlang zum Hals heraus.
In Worte läßt sich sowas gar nicht kleiden.
Man blickt sich an — und hält den Blick nicht aus!
Und kann sich (siehe oben!) selbst nicht leiden.

Wie gerne wär man dann dies oder das!
Ein Bild, ein Buch, im Wald ein Meilenstein,
ein Buschwindröschen oder sonst etwas!
Behüt dich Gott, es hat nicht sollen sein.

Jedoch auch solche Tage gehn herum.
Und man fährt fort, sich in die Brust zu werfen.
Der Doktor nickt und sagt: Das sind die Nerven.
Ja, wer zu klug wird, ist schon wieder dumm.

*Anmerkung: Der letzte Vers ist nicht als Berufsbeleidigung
gedacht. Ich sage das ausdrücklich, weil ich mit dem Verband
der weiblichen Bureau- und Handelsangestellten schlechte
Erfahrungen gemacht habe.*

Fantasie von übermorgen

Und als der nächste Krieg begann,
da sagten die Frauen: Nein!
Und schlossen Bruder, Sohn und Mann
fest in der Wohnung ein.

Dann zogen sie, in jedem Land,
wohl vor des Hauptmanns Haus
und hielten Stöcke in der Hand
und holten die Kerls heraus.

Sie legten jeden übers Knie,
der diesen Krieg befahl:
die Herren der Bank und Industrie,
den Minister und General.

Da brach so mancher Stock entzwei.
Und manches Großmaul schwieg.
In allen Ländern gab's Geschrei,
und nirgends gab es Krieg.

Die Frauen gingen dann wieder nach Haus,
zum Bruder und Sohn und Mann,
und sagten ihnen, der Krieg sei aus!
Die Männer starrten zum Fenster hinaus
und sahn die Frauen nicht an...

Wiegenlied für sich selber

Schlafe, alter Knabe, schlafe!
Denn du kannst nichts Klügres tun,
als dich dann und wann auf brave
Art und Weise auszuruhn.

Wenn du schläfst, kann nichts passieren...
Auf der Straße, vor dem Haus,
gehn den Bäumen, die dort frieren,
nach und nach die Haare aus.

Schlafe, wie du früher schliefst,
als du vieles noch nicht wußtest
und im Traum die Mutter riefst.
Ja, da liegst du nun und hustest!

Schlaf und sprich wie früher kindlich:
»Die Prinzessin drückt der Schuh.«
Schlafen darf man unverbindlich.
Drücke beide Augen zu!

Mit Pauline schliefst du gestern.
Denn mitunter muß das sein.
Morgen kommen gar zwei Schwestern!
Heute schläfst du ganz allein.

Hast du Furcht vor den Gespenstern,
gegen die du neulich rangst?

Mensch, bei solchen Doppelfenstern
hat ein Deutscher keine Angst!

Hörst du, wie die Autos jagen?
Irgendwo geschieht ein Mord.
Alles will dir etwas sagen.
Aber du verstehst kein Wort...

Sieben große und zwölf kleine
Sorgen stehen um dein Bett.
Und sie stehen sich die Beine
bis zum Morgen ins Parkett.

Laß sie ruhig stehn und lästern!
Schlafe aus, drum schlafe ein!
Morgen kommen doch die Schwestern,
und da mußt du munter sein.

Schlafe! Mache eine Pause!
Nimm, wenn nichts hilft, Aspirin!
Denn, wer schläft, ist nicht zu Hause,
und schon geht es ohne ihn.

Still! Die Nacht starrt in dein Zimmer
und beschnuppert dein Gesicht...
Andre Menschen schlafen immer.
Gute Nacht, und schnarche nicht!

Geständnis einiger Dichter

Wir sollten lieber mit was andrem handeln!
Das Dichten ist, weiß Gott, nicht mehr modern.
Ach, auf fünf Füßen durch die Neuzeit wandeln,
ist kein Beruf für Herrn.

Wir spielen Harfe auf den eignen Nerven.
Und wenn wir stöhnen, reimt sich das auch schon.
Wir lassen gern mit Steinen nach uns werfen.
Das klingt so schön. Denn Dichter sind aus Ton.

Wir reisen in Gefühl wie Ihr in Seife.
Wir dekorieren jeden Schrei und Schmerz —
geschmackvoll, wie wir sind — mit Kranz und Schleife.
Und schlachten dreimal täglich unser Herz.

Wir sind, pfui Teufel! eine üble Sorte.
Die Sehnsucht wird bei uns nach Maß bestellt.
Was auch geschieht — wir machen daraus Worte.
Was auch passiert — wir machen es zu Geld.

Wir sollten lieber kaufen und verkaufen!
Ob Häuser oder Kuxe wär egal!
Denn als ein Dichter durch die Städte laufen,
ist ein Skandal.

Ein Fräulein beklagt sich bitter

Ich bin sehr schön. Und bin als schön bekannt.
Fast jeder denkt bei mir an Botticelli.
Ich bin nicht hübsch. Und bin nicht intressant.
Nein, ich bin schön! Und dabei heiß ich Elli.

Sobald ich wem zum erstenmal begegne,
so wird er fromm und sieht mich reuig an,
als bäte er darum, daß ich ihn segne...
Die Männer glauben, daß ich segnen kann.

So schön wie ich zu sein, ist kein Vergnügen.
So schön zu sein wie ich, ist eine Qual!
Die Männer wählten mich zum Ideal.
Und wen sie ausersehn, der muß sich fügen.

Man sprach mich heilig, weil man es so wollte.
Und keiner fragte, ob ich heilig sei!
Ich bin ein Mädchen, und gesund dabei,
und weiß nicht recht, warum ich fromm sein sollte.

Ja, ich bin schön! Betrachtet mich genau!
Ihr solltet nicht so edel mit mir sprechen...

Das Frömmste ist an mir der Körperbau,
und mich zu lieben, wäre kein Verbrechen.

Macht Verse! Malt mich ab! Setzt mich in Noten!
Mir ist es recht, da es mir recht sein muß.
Doch gafft nicht nur, als wäre ich verboten!
Kein Mädchen ist zu schön für einen Kuß.

Was soll ich einsam als Profil und Akt?
Mir ist, als ob ich in der Kirche stünde.
Ich bin so schön. Noch keiner sah mich nackt.
Wo ist der Mann, der mich verwegen packt!
Daß ihr so fromm zu mir seid, das ist Sünde.

Offner Brief an Angestellte

Vorgesetzte muß es geben.
Angestellte müssen sein.
Ordnung ist das halbe Leben.
Brust heraus und Bauch hinein!

Vorgesetzte tragen feiste
Bäuche unter dem Jackett.
Feist ist an dem Pack das meiste,
und sie gehn nur quer ins Bett.

Sie sind fett aus Überzeugung.
Und der bloße Anblick schon
zwingt uns andre zur Verbeugung.
Korpulenz wird Religion!

In den runden Händen halten
sie Zigarren schußbereit.
Jede ihrer Prachtgestalten
wirkt, als wäre sie zu zweit.

Manche sagen (wenn auch selten),
sie verstünden unsre Not.
Und wir kleinen Angestellten
schmieren uns den Quatsch aufs Brot.

Atemholen sei nicht teuer,
sagen sie, und nahrhaft auch!
Und dann hinterziehn sie Steuer
und beklopfen sich den Bauch.

Nagelt ihnen auf die Glatzen
kalten Braten und Coupons!
Blast sie auf, und wenn sie platzen!
Gibt es schönre Luftballons?

Laßt sie steigen und sich blähen,
über Deutschland, hoch im Wind!
Bis sie alles übersehen,
weil sie Aufsichtsräte sind.

Wenn sie eines Tags verrecken,
stopft sie aus und weckt sie ein!
Tiere kann man damit necken,
Kinder kann man damit schrecken,
aber euch? Ich hoffe: Nein!

Helden in Pantoffeln

Auch der tapferste Mann, den es gibt,
schaut mal unters Bett.
Auch die nobelste Frau, die man liebt,
muß mal aufs Klosett.

Wer anläßlich dieser Erklärung
behauptet, das sei Infamie,
der verwechselt Heldenverehrung
mit Mangel an Phantasie.

*Anmerkung: »Die Mannschaften reden sich noch immer
darauf hinaus, daß sie bei dem sehr schnellen Fahren der
Autos des Generalkommandos nicht sehen können, ob
jemand darin sitzt oder nicht. Deswegen wird angeordnet,
daß die Mannschaften die Autos in jedem Falle zu grüßen
haben, gleichgültig, ob jemand darin sitzt oder nicht.«
(Befehl des 1. Bayr. Armeekorps, 1917.)*

Heimkehr aus Italien

Nun ist man also glücklich wieder da.
Der Schlüssel paßt noch so wie vor vier Wochen.
Und während man den Turm von Pisa sah,
hat hier inzwischen einer eingebrochen!

Man hat, was man besaß, schon ganz vergessen
und muß sich erst besinnen, was nun fehlt.
Ganz richtig! Porzellan hat man besessen.
Es ist nicht mehr... Der Kerl hat gut gewählt.

Die alte Geige hat er auch entfernt.
Und etwas Geld, um Unterricht zu nehmen.
Man möchte hoffen, daß er es noch lernt.
Sonst müßte er sich seines Diebstahls schämen.

Hat es denn Sinn, zur Polizei zu gehen?
Die Polizei hat so etwas nicht gern.
Sogar das Licht vergaß er auszudrehen!
Es gibt schon, muß man sagen, feine Herrn!

Pfui, so ein Dieb! Man ist doch kein Baron!
Die Badewanne hat er nicht genommen.
Ach, und die Motten sind im Grammophon!
Wie sind die Tiere bloß hineingekommen?

Das soll der Mensch nun noch Erholung nennen.
Man hatte, als man fuhr, schon keine Lust.
Es ist direkt, als hätte man's gewußt.
Und dieses Rindvieh läßt die Lampen brennen!
Wo es so lange hell bleibt im August...

Warnung vor Selbstschüssen

Diesen Rat will ich Dir geben:
Wenn Du zur Pistole greifst
und den Kopf hinhältst und kneifst!
kannst Du was von mir erleben.

Weißt wohl wieder mal geläufig,
was die Professoren lehren?
Daß die Guten selten wären
und die Schweinehunde häufig?

Ist die Walze wieder dran,
daß es Arme gibt und Reiche?
Mensch, ich böte Deiner Leiche
noch im Sarge Prügel an!

Laß doch Deine Neuigkeiten!
Laß doch diesen alten Mist!
Daß die Welt zum Schießen ist,
wird kein Konfirmand bestreiten.

Man ist da. Und man bleibt hier!
Möchtest wohl mit Püppchen spielen?
Hast Du wirklich Lust zum Zielen,
ziele bitte nicht nach Dir.

War Dein Plan nicht: irgendwie
alle Menschen gut zu machen?
Morgen wirst Du drüber lachen.
Aber, bessern kann man sie.

Ja, die Bösen und Beschränkten
sind die Meisten und die Stärkern.
Aber spiel nicht den Gekränkten.
Bleib am Leben, sie zu ärgern!

Bürger, schont eure Anlagen

Arbeit läßt sich schlecht vermeiden,
und sie ist der Mühe Preis.
Jeder muß sich mal entscheiden.
Arbeit zeugt noch nicht von Fleiß.

Arbeit muß es quasi geben.
Denn der Mensch besteht aus Bauch.

Arbeit ist das halbe Leben,
und die andre Hälfte auch.

Seht euch vor, bevor ihr schuftet!
Zieht euch keinen Splitter ein.
Wer behauptet, daß Schweiß duftet,
ist (ganz objektiv) ein Schwein.

Zählt die Arbeit zu den Strafen!
Wer nichts braucht, braucht nichts zu tun.
Legt euch mit den Hühnern schlafen.
Wenn es geht: pro Mann ein Huhn.

Manche geben keine Ruhe,
und sie schuften voller Wut.
Doch ihr Tun ist nur Getue,
und es kleidet sie nicht gut.

Laßt euch auf den Sofas treiben!
Gut geträumt ist halb gelacht.
Hände sind zum Händereiben.
Sprecht schon morgens: »Gute Nacht.«

Laßt die Wecker ruhig rasseln!
Zeigt dem Krach das Hinterteil.
Laßt die Moralisten quasseln.
Bietet euch nicht täglich feil.

Wozu macht ihr Karriere?
Ist die Erde denn kein Stern?
Tut, als ob stets Sonntag wäre,
denn es ist der Tag des Herrn.

Vieles tun heißt vieles leiden.
Lebt, so gut es geht von Luft.
Arbeit läßt sich schlecht vermeiden, —
doch wer schuftet, ist ein Schuft!

Ein Hund hält Reden

Ich hab im Traum mit einem Hund gesprochen.
Erst sprach er spanisch. Denn dort war er her.
Weil ich ihn nicht verstand — das merkte er —
sprach er dann deutsch, wenn auch etwas gebrochen.

Er sah mich ganz entsetzt die Hände falten
und sagte freundlich: »Kästner, wissen Sie,
warum die Tiere ihre Schnauze halten?«
Ich schwieg. Und war verlegen wie noch nie.

Der Hund sprach durch die Nase und fuhr fort:
»Wir können sprechen. Doch wir tun es nicht.
Und wer, außer im Traum, mit Menschen spricht,
den fressen wir nach seinem ersten Wort.«

Ich fragte ihn natürlich nach dem Grund.
(Ich glaube nichts, was man mir nicht erklärt.)
Da sagte mir denn der geträumte Hund:
»Das ist doch klar! Der Mensch ist es nicht wert,
daß man gesellschaftlich mit ihm verkehrt.«

Er hob sein Bein, sprang flink durch krumme Gassen ...
Und so etwas muß man sich bieten lassen!

*Anmerkung: Der Hund war ein Zyniker. Dieser Satz
ist leider nur für ehemalige Gymnasiasten verständlich.
Kurzum, die humanistische Bildung!*

Ein Mann verachtet sich

Wem der Lebenslauf so recht mißlang
(und das ist der Fall im großen ganzen),
der verspürt, mit einem Mal, den Drang,
sich so schnell wie möglich fortzupflanzen.

Alles, was er plante, blieben Pläne.
Ein Jahrzehnt marschierte er an Ort.

Ach, sein Ehrgeiz hatte falsche Zähne!
Und am liebsten spülte er sich fort.

Doch er bleibt. Und geht zur Nacht spazieren.
Und in tausend Fenstern sieht er Licht.
Die dahinter werden auch verlieren!
Doch ein Trost für ihn ist das noch nicht . . .

Er erkennt, weil er im Dunkel steht,
seine Täuschung als die allgemeine.
Zwecklos ist, daß sich der Globus dreht!
Irgend jemand hat ihn an der Leine.

Er verzweifelt in bescheidnen Grenzen,
geht nach Hause und beschließt im Bett,
die Familie endlich zu ergänzen.
Eher hält er sich für nicht komplett.

Und dann freut er sich auf seinen Knaben.
Er, der jeden eignen Wunsch begräbt,
schwört gerührt: Der soll es besser haben!
Er belügt das Kind schon, eh es lebt.

Immer ist die Katastrophe nah.
Und aus Angst, sie könnte uns verderben,
weihen wir ihr, eh wir sterben, Erben.
Bitteschön, wer lacht denn da?

Anmerkung: Es gibt noch immer Leute,
die sich einreden, sie pflanzten sich fort,
um den Kindern damit eine Freude zu machen.

Hochzeitmachen
(Ein altes Kinderspielrezept, modernisiert)

Drei Kinder reichen. Wenn es mehr sind: gut.
Und wer den Pastor macht, muß sich verstecken.
Er und (wenn möglich) ein Zylinderhut
genügen, um die Trauung zu vollstrecken.

Zunächst begibt sich Erna ans Klavier.
Hier wühlt sie mutig in den schwarzen Tasten.
Paul, der sie liebt, steht plötzlich neben ihr,
um sie beim Notenblättern zu entlasten.

Dann tut sie still die Hände in den Schoß,
wobei sie seufzt, als ob sie Leibweh hätte.
Paul meint entzückt, ihr Anschlag sei famos.
Er selber schwärme für die Operette.

Das ist das Stichwort! Erna scheint verstört.
Sie lächelt selig, sowie schräg nach oben.
Und Paulchen flüstert, daß er es kaum hört:
»Wie wär das, wenn Sie sich mit mir verloben?«

Falls noch ein viertes Kind am Lager ist,
so hat das Ernas Eltern zu bedeuten;
es schreit: »Mein Schwiegersohn!« und läßt voll List
auf dem Klavier ganz tief die Glocken läuten.

Das Brautpaar hat das Einzelleben satt.
Das vierte Kind ist gänzlich ihrer Meinung.
Man steigt aufs Sofa, fährt damit zur Stadt,
und jetzt tritt auch der Pastor in Erscheinung.

Er hält die Rede. Alles andere weint.
Paul starrt verlegen auf den Glanzzylinder.
Das vierte Kind (die Eltern) schluchzt und meint:
»Ich freu mich so auf meine Enkelkinder ...«

Dann muß man tun, als sei ein Jahr vorbei.
Deshalb hat Paul die Erna zu verhauen.
Und wenn sie schreit, daß er ein Scheusal sei,
entgegnet er: Er pfiffe auf die Frauen!

Nun stiehlt sich Erna heimlich aus dem Haus.
Und schreibt an Paul: »Es wurde mir zuviel.«
Doch damit ist das »Hochzeitmachen« aus.
Denn Scheidenlassen ist kein — Kinderspiel.

Kleine Sonntagspredigt*

Jeden Sonntag hat man Kummer
und beträchtlichen Verdruß,
weil man an die Montagsnummer
seiner Zeitung denken muß.

Denn am Sonntag sind bestimmt
zwanzig Morde losgewesen!
Wer sich Zeit zum Lesen nimmt,
muß das montags alles lesen.

Eifersucht und Niedertracht
schweigen fast die ganze Woche.
Aber Sonntag früh bis nacht
machen sie direkt Epoche.

Sonst hat niemand Zeit dazu,
sich mit sowas zu befassen.
Aber sonntags hat man Ruh,
und man kann sich gehen lassen.

Endlich hat man einmal Zeit,
geht spazieren, steht herum,
sucht mit seiner Gattin Streit
und bringt sie und alle um.

Gibt es wirklich nichts Gescheitres,
als sich, gleich gemeinen Mördern,
mit den Seinen ohne weitres
in das Garnichts zu befördern?

Ach, die meisten Menschen sind
nicht geeignet, nichts zu machen!
Langeweile macht sie blind.
Dann passieren solche Sachen.

Lebten sie im Paradiese,
ohne Pflicht und Ziel und Not,
wär die erste Folge diese:
Alle schlügen alle tot.

* Vor allem für Dissidenten

Lob des Einschlafens

Man gähnt vergnügt und löscht die Lampen aus.
Nur auf der Straße ist noch etwas Licht.
Man legt sich nieder. Doch man schläft noch nicht.
Der Herr von nebenan kommt erst nach Haus.
Man hört, wie er mit einer Dame spricht.

Nun klappt man seine Augendeckel zu,
und vor den Augen tanzen tausend Ringe.
Man denkt noch rasch an Geld und solche Dinge.
Im Nebenzimmer knarrt ein kleiner Schuh.
Wenn doch die Dame in Pantoffeln ginge!

Man legt den Kopf auf lauter kühle Kissen
und lächelt in den dunklen Raum hinein.
Wie schön das ist: Am Abend müde sein
und schlafen dürfen und von gar nichts wissen!
Und alle Sorgen sind wie Zwerge klein.

Der Herr von nebenan ist froh und munter.
Es klingt, als ob er ohne Anlaß lacht.
Man hebt die Lider schwer und senkt sie sacht
und schließt die Augen — und die Welt geht unter!
Dann sagt man sich persönlich Gute Nacht.

Wenn bloß der Schwarze dieses Mal nicht käme!
Er steigt ins Bett und macht sich darin breit
und geht erst wieder, wenn man furchtbar schreit.
Man wünscht sich Träume, aber angenehme,
und für Gespenster hat man keine Zeit.

Man war einmal ein Kind, ist das auch wahr?
Und sagte mühelos: »Mein Herz ist rein.«
Das würde heute nicht mehr möglich sein.
Es geht auch so, auf eigene Gefahr . . .
Man zählt bis dreiundsiebzig. Und schläft ein.

Chor der Girls

Wir können bloß in Reih und Glied
und gar nicht anders tanzen.
Wir sind fast ohne Unterschied
und tanzen nur im ganzen.

Von unsern sechzig Beinen
sind dreißig immer in der Luft.
Der Herr Direktor ist ein Schuft
und bringt uns gern zum Weinen.

Wir tanzen Tag für Tag im Takt
das ewig gleiche Beinerlei.
Und singen laut und abgehackt,
und sehr viel Englisch ist dabei.

Wer wenig Brust hat, wird sehr gern
und oft als nacktes Bild verwandt.
Vorn sitzen ziemlich dicke Herrn
und haben uns aus erster Hand.

Wir haben seinerzeit gedacht,
daß Tanzen leichter wäre!
Wir haben mancherlei gemacht.
Nur keine Karriere.

Wir haben niemals freie Zeit
und stets ein Bein erhoben.
Was wir verdienen, reicht nicht weit,
trotz Tanz und Film und Proben.

Wir waren lange nicht zu Haus.
Wir leben nur auf Reisen.
Und ziehen ein. Und ziehen aus.
Und fühlen uns wie Waisen.

So tanzen wir von Stadt zu Stadt
und stets vor andren Leuten.
Und wenn uns wer gefallen hat,
hat das nichts zu bedeuten.

Bald fahren wir nach Übersee,
ab Hamburg an der Elbe.
Die Zeit vergeht. Das Herz tut weh.
Wir tanzen stets dasselbe.

Polly oder das jähe Ende

Sie war am ganzen Körper blond,
soweit sie Härchen hatte.
Bis zum Betthimmel reichte ihr Horizont.
Ihre Seele war scheinbar aus Watte.

Sie griff sich an wie teurer Velours
von der allerzartesten Sorte.
Sie war eine waagerechte Natur
und marschierte am liebsten am Orte.

Sie hatte den Mund auf dem rechten Fleck
und viele andere Schwächen.
Sie war das geborene Männerversteck,
zerbrechlich, doch nicht zu zerbrechen.

Noch ehe man klopfte, rief sie Herein
und fand die Natur ganz natürlich.
Doch manchmal wurde sie handgemein —
ich fürchte, ich bin zu ausführlich!

Wie dem auch sei, sie starb zum Schluß
(obwohl sich das nicht schickte)
bei einem komplizierten Kuß,
an welchem sie erstickte.

Das war sehr peinlich für den Mann.
Er pfiff, soviel ich glaube:
»Rasch tritt der Tod den Menschen an.«
Dann machte er sich aus dem Staube.

Möblierte Melancholie

Mancher Mann darf, wie er möchte, schlafen.
Und er möchte selbstverständlich gern!
Andre Menschen will der Himmel strafen,
und er macht sie zu möblierten Herrn.

Er verschickt sie zu verkniffnen Damen.
In Logis. Und manchmal in Pension.
Blöde Bilder wollen aus den Rahmen.
Und die Möbel sagen keinen Ton.

Selbst das Handtuch möchte sauber bleiben.
Dreimal husten kostet eine Mark.
Um die alten Schachteln zu beschreiben,
ist kein noch so starkes Wort zu stark.

Das Klavier, die Köpfe und die Stühle
sind aus Überzeugung stets verstaubt.
Und die Nutzanwendung der Gefühle
ist den Aftermietern nicht erlaubt.

Und sie nicken nur noch wie die Puppen;
denn der Mund ist nach und nach vereist.
Untermieter sind Besatzungstruppen
in dem Reiche, das Familie heißt.

Alles, was erlaubt ist, ist verboten.
Wer die Liebe liebt, muß in den Wald
oder macht, noch besser, einen Knoten
in sein Maskulinum. Und zwar bald.

Die möblierten Herrn aus allen Ländern
stehen fremd und stumm in ihrem Zimmer.
Nur die Ehe kann den Zustand ändern.
Doch die Ehe ist ja noch viel schlimmer.

*Anmerkung: Die möblierte Moral ist ein brennendes
Thema, obwohl man es nicht mehr für möglich
halten sollte. Sogar in Berlin, erzählten Bekannte,
fordern die Wirtinnen die Kastrierung der Untermieter.*

Die andre Möglichkeit

Wenn wir den Krieg gewonnen hätten,
mit Wogenprall und Sturmgebraus,
dann wäre Deutschland nicht zu retten
und gliche einem Irrenhaus.

Man würde uns nach Noten zähmen
wie einen wilden Völkerstamm.
Wir sprängen, wenn Sergeanten kämen,
vom Trottoir und stünden stramm.

Wenn wir den Krieg gewonnen hätten,
dann wären wir ein stolzer Staat.
Und preßten noch in unsern Betten
die Hände an die Hosennaht.

Die Frauen müßten Kinder werfen.
Ein Kind im Jahre. Oder Haft.
Der Staat braucht Kinder als Konserven.
Und Blut schmeckt ihm wie Himbeersaft.

Wenn wir den Krieg gewonnen hätten,
dann wär der Himmel national.
Die Pfarrer trügen Epauletten.
Und Gott wär deutscher General.

Die Grenze wär ein Schützengraben.
Der Mond wär ein Gefreitenknopf.
Wir würden einen Kaiser haben
und einen Helm statt einen Kopf.

Wenn wir den Krieg gewonnen hätten,
dann wäre jedermann Soldat.
Ein Volk der Laffen und Lafetten!
Und ringsherum wär Stacheldraht!

Dann würde auf Befehl geboren.
Weil Menschen ziemlich billig sind.
Und weil man mit Kanonenrohren
allein die Kriege nicht gewinnt.

Dann läge die Vernunft in Ketten.
und stünde stündlich vor Gericht.
Und Kriege gäb's wie Operetten.
Wenn wir den Krieg gewonnen hätten —
zum Glück gewannen wir ihn nicht!

Anmerkung: Dieses Gedicht, das nach dem Weltkrieg
›römisch Eins‹ entstand, erwarb sich damals, außer
verständlichen und selbstverständlichen Feindschaften,
auch unvermutete Feinde. Das »zum Glück« der
letzten Zeile wurde für eine Art Jubelruf gehalten und
war doch eine sehr, sehr bittere Bemerkung. Nun
haben wir schon wieder einen Krieg verloren, und das
Gedicht wird noch immer mißverstanden werden.

Mißtrauensvotum

Ihr sagt, ihr könntet in uns lesen.
Und nickt dazu. Und macht euch klein.
Ihr sagt, auch ihr wärt jung gewesen.
Es kann ja sein.

Ihr tragt Konfetti in den Bärten
und sagt, wir wären nicht allein
und fänden in euch Weggefährten.
Es kann ja sein.

Ihr hüpft wie Lämmer durch die Auen
und tanzt mit Kindern Ringelreihn.
Ihr sagt, wir dürften euch vertrauen.
Es kann ja sein.

Ihr mögt uns lieben oder hassen —
Ihr treibt dergleichen nur aus Pflicht.
Wir sollen uns auf euch verlassen?
Ach, lieber nicht!

Ragout fin de siècle

(Im Hinblick auf gewisse Lokale)

Hier können kaum die Kenner
in Herz und Nieren schauen.
Hier sind die Frauen Männer.
Hier sind die Männer Frauen.

Hier tanzen die Jünglinge selbstbewußt
im Abendkleid und mit Gummibrust
und sprechen höchsten Diskant.
Hier haben die Frauen Smokings an
und reden tief wie der Weihnachtsmann
und stecken Zigarren in Brand.

Hier stehen die Männer vorm Spiegel stramm
und schminken sich selig die Haut.
Hier hat man als Frau keinen Bräutigam.
Hier hat jede Frau eine Braut.

Hier wurden vor lauter Perversion
vereinzelte wieder normal.
Und käme Dante in eigner Person —
er fräße vor Schreck Veronal.

Hier findet sich kein Schwein zurecht.
Die Echten sind falsch, die Falschen sind echt,
und alles mischt sich im Topf,
und Schmerz macht Spaß, und Lust zeugt Zorn,
und Oben ist unten, und Hinten ist vorn.
Man greift sich an den Kopf.

Von mir aus, schlaft euch selber bei!
Und schlaft mit Drossel, Fink und Star
und Brehms gesamter Vögelschar!
Mir ist es einerlei.

Nur, schreit nicht dauernd wie am Spieß,
was ihr für tolle Kerle wärt!
Bloß weil ihr hintenrum verkehrt,
seid ihr noch nicht Genies.

Na ja, das wäre dies.

Maskenball im Hochgebirge

Eines schönen Abends wurden alle
Gäste des Hotels verrückt, und sie
rannten schlagerbrüllend aus der Halle
in die Dunkelheit und fuhren Ski.

Und sie sausten über weiße Hänge.
Und der Vollmond wurde förmlich fahl.
Und er zog sich staunend in die Länge.
So etwas sah er zum erstenmal.

Manche Frauen trugen nichts als Flitter.
Andre Frauen waren in Trikots.
Ein Fabrikdirektor kam als Ritter.
Und der Helm war ihm zwei Kopf zu groß.

Sieben Rehe starben auf der Stelle.
Diese armen Tiere traf der Schlag.
Möglich, daß es an der Jazzkapelle —
denn auch sie war mitgefahren — lag.

Die Umgebung glich gefrornen Betten.
Auf die Abendkleider fiel der Reif.
Zähne klapperten wie Kastagnetten.
Frau von Cottas Brüste wurden steif.

Das Gebirge machte böse Miene.
Das Gebirge wollte seine Ruh.
Und mit einer mittleren Lawine
deckte es die blöde Bande zu.

Dieser Vorgang ist ganz leicht erklärlich.
Der Natur riß einfach die Geduld.
Andre Gründe gibt es hierfür schwerlich.
Den Verkehrsverein trifft keine Schuld.

Man begrub die kalten Herrn und Damen.
Und auch etwas Gutes war dabei:
Für die Gäste, die am Mittwoch kamen,
wurden endlich ein paar Zimmer frei.

Kurzgefaßter Lebenslauf

Wer nicht zur Welt kommt, hat nicht viel verloren.
Er sitzt im All auf einem Baum und lacht.
Ich wurde seinerzeit als Kind geboren,
eh ich's gedacht.

Die Schule, wo ich viel vergessen habe,
bestritt seitdem den größten Teil der Zeit.
Ich war ein patentierter Musterknabe.
Wie kam das bloß? Es tut mir jetzt noch leid.

Dann gab es Weltkrieg statt der großen Ferien.
Ich trieb es mit der Fußartillerie.
Dem Globus lief das Blut aus den Arterien.
Ich lebe weiter. Fragen Sie nicht wie.

Bis dann die Inflation und Leipzig kamen;
mit Kant und Gotisch, Börse und Büro,
mit Kunst und Politik und jungen Damen.
Und sonntags regnete es sowieso.

Nun bin ich zirka 31 Jahre
und habe eine kleine Versfabrik.
Ach, an den Schläfen blühn schon graue Haare,
und meine Freunde werden langsam dick.

Ich setze mich sehr gerne zwischen Stühle.
Ich säge an dem Ast, auf dem wir sitzen.
Ich gehe durch die Gärten der Gefühle,
die tot sind, und bepflanze sie mit Witzen.

Auch ich muß meinen Rucksack selber tragen!
Der Rucksack wächst. Der Rücken wird nicht breiter.
Zusammenfassend läßt sich etwa sagen:
Ich kam zur Welt und lebe trotzdem weiter.

Patriotisches Bettgespräch

Hast du, was in der Zeitung stand, gelesen?
Der Landtag ist mal wieder sehr empört
von wegen dem Geburtenschwund gewesen.
Auch ein Minister fand es unerhört.

Auf tausend Deutsche kämen wohl pro Jahr
gerade 19 Komma 04 Kinder.
04! Und sowas hält der Mann für wahr!
Daß das nicht stimmen kann, sieht doch ein Blinder.

Die Kinder hinterm Komma können bloß
von ihm und anderen Ministern stammen.
Und solcher Dezimalbruch wird mal groß!
Und tritt zu Ministerien zusammen.

Nun frag ich dich: Was kümmert das den Mann?
Er tut, als käm er für uns auf und nieder.
Es geht ihn einen feuchten Kehricht an!
Mir schläft der Arm ein. So. Nun geht es wieder.

Geburtenrückgang, hat er noch gesagt,
sei, die Geschichte lehrt es, Deutschlands Ende,
und deine Fehlgeburt hat er beklagt.
Und daß er, daß man abtreibt, gräßlich fände.

Jawohl, wir sollen Kinder fabrizieren.
Fürs Militär. Und für die Industrie.
Zum Löhnesenken. Und zum Kriegverlieren!
Sieh dich doch vor. Ach so, das war dein Knie.

Na, komm mein Schatz. Wir wollen ihm eins husten.
Dein Busen ist doch wirklich noch famos.
Ob unsere Eltern, was wir wissen, wußten . . .
Wer nicht zur Welt kommt, wird nicht arbeitslos.

Der Kinderreichtum ist kein Kindersegen.
Deck uns schön zu. Ich bild mir ein, es zieht.
Komm, laß uns den Geburtenrückgang pflegen!
Und lösch die Lampe aus. Des Landtags wegen.
Damit er es nicht sieht.

Primaner in Uniform

Der Rektor trat, zum Abendbrot,
bekümmert in den Saal.
Der Klassenbruder Kern sei tot.
Das war das erste Mal.

Wir saßen bis zur Nacht im Park
und dachten lange nach.
Kurt Kern, gefallen bei Langemarck,
saß zwischen uns und sprach.

Dann lasen wir wieder Daudet und Vergil
und wurden zu Ostern versetzt.
Dann sagte man uns, daß Heimbold fiel.
Und Rochlitz sei schwer verletzt.

Herr Rektor Jobst war Theolog
für Gott und Vaterland.
Und jedem, der in den Weltkrieg zog,
gab er zuvor die Hand.

Kerns Mutter machte ihm Besuch.
Sie ging vor Kummer krumm.
Und weinte in ihr Taschentuch
vorm Lehrerkollegium.

Der Rochlitz starb im Lazarett.
Und wir begruben ihn dann.
Im Klassenzimmer hing ein Brett
mit den Namen der Toten daran.

Wir saßen oft im Park am Zaun.
Nie wurde mehr gespaßt.
Inzwischen fiel der kleine Braun.
Und Koßmann wurde vergast.

Der Rektor dankte Gott pro Sieg.
Die Lehrer trieben Latein.
Wir hatten Angst vor diesem Krieg.
Und dann zog man uns ein.

Wir hatten Angst. Und hofften gar,
es spräche einer Halt!
Wir waren damals achtzehn Jahr,
und das ist nicht sehr alt.

Wir dachten an Rochlitz, Braun und Kern.
Der Rektor wünschte uns Glück.
Und blieb mit Gott und den andern Herrn
gefaßt in der Heimat zurück.

Anmerkung: Noch heute erinnern sie sich,
dabei ihre Pensionen verzehrend, gerne der großen Zeit.

Vorstadtstraßen

Mit solchen Straßen bin ich gut bekannt.
Sie fangen an, als wären sie zu Ende.
Trinkt Magermilch! steht groß an einer Wand,
als ob sich das hier nicht von selbst verstände.

Es riecht nach Fisch, Kartoffeln und Benzin.
In diesen Straßen dürfte niemand wohnen.
Ein Fenster schielt durch schräge Jalousien.
Und welke Blumen blühn auf den Balkonen.

Die Häuser bilden Tag und Nacht Spalier
und haben keine weitern Interessen.
Seit hundert Jahren warten sie nun hier.
Auf wen sie warten, haben sie vergessen.

Die Nacht fällt wie ein großes altes Tuch,
von Licht durchlöchert, auf die grauen Mauern.
Ein paar Laternen gehen zu Besuch,
und vor den Kellern sieht man Katzen kauern.

Die Häuser sind so traurig und so krank,
weil sie die Armut auf den Straßen trafen.
Aus einem Hof dringt ganz von ferne Zank.
Dann decken sich die Fenster zu und schlafen.

So sieht die Welt in tausend Städten aus!
Und keiner weiß, wohin die Straßen zielen.
An jeder zweiten Ecke steht ein Haus,
in dem sie Skat und Pianola spielen.

Ein Mann mit Sorgen geigt aus dritter Hand.
Ein Tisch fällt um. Die Wirtin holt den Besen.
Trinkt Magermilch! steht groß an einer Wand.
Doch in der Nacht kann das ja niemand lesen.

Misanthropologie

Schöne Dinge gibt es dutzendfach.
Aber keines ist so schön wie diese:
eine ausgesprochen grüne Wiese
und paar Meter veilchenblauer Bach.

Und man kneift sich. Doch das ist kein Traum.
Mit der edlen Absicht, sich zu läutern,
kniet man zwischen Blumen, Gras und Kräutern.
Und der Bach schlägt einen Purzelbaum.

Also das, denkt man, ist die Natur!
Man beschließt, in Anbetracht des Schönen,
mit der Welt sich endlich zu versöhnen.
Und ist froh, daß man ins Grüne fuhr.

Doch man bleibt nicht lange so naiv.
Plötzlich tauchen Menschen auf und schreien.
Und schon wieder ist die Welt zum Speien.
Und das Gras legt sich vor Abscheu schief.

Eben war die Landschaft noch so stumm.
Und der Wiesenteppich war so samten.
Und schon trampeln diese gottverdammten
Menschen wie in Sauerkraut herum.

Und man kommt, geschult durch das Erlebnis,
wieder mal zu folgendem Ergebnis:

Diese Menschheit ist nichts weiter als
eine Hautkrankheit des Erdenballs.

*Anmerkung: Man sollte die meisten Menschen mit einer
Substanz bestreichen dürfen, die unsichtbar macht.*

Selbstmord im Familienbad

Hier bist du. Und dort ist die Natur.
Leider ist Verschiedenes dazwischen.
Bis zu dir herüber wagt sich nur
ein Parfüm aus Blasentang und Fischen.

Zwischen deinen Augen und dem Meer,
das sich sehnt, von dir erblickt zu werden,
laufen dauernd Menschen hin und her.
Und ihr Anblick macht dir Herzbeschwerden.

Freigelaßne Bäuche und Popos
stehn und liegen kreuz und quer im Sande.
Dicke Tanten senken die Trikots
und sehn aus wie Quallen auf dem Lande.

Wo man hinschaut, wird den Augen schlecht,
und man schließt sie fest, um nichts zu sehen.
Doch dann sieht man dies und das erst recht.
Man beschließt, es müsse was geschehen.

Wütend stürzt man über tausend Leiber
bis ans Meer, und dann sogar hinein —
doch auch hier sind dicke Herrn und Weiber.
Fett schwimmt oben. Muß das denn so sein?

Traurig hängt man in den grünen Wellen,
vor der Nase eine Frau in Blond.
Ach, das Meer hat nirgends freie Stellen,
und das Fett verhüllt den Horizont.

Hier bleibt keine Wahl, als zu ersaufen!
Und man macht sich schwer wie einen Stein.

Langsam läßt man sich voll Wasser laufen.
Auf dem Meeresgrund ist man allein.

Schicksal eines stilisierten Negers

Er war, weil Adelheid nicht ruhte
und weil sie wie am Spieße schrie,
mit ihr (und später ohne sie)
im Spiegelsaal auf der Redoute.

Er ging als stilisierter Neger
mit einer Art von Lendenschurz.
Der war ihm überall zu kurz
und eigentlich ein Bettvorleger.

Er war kein Freund von Maskenbällen.
Er war bedrückt. Und staunte stumm.
Und stand, wie man in solchen Fällen
herumzustehen pflegt, herum.

Er lehnte meistenteils an Säulen.
Die Frauen kamen, Mann für Mann,
und sahen sich den Neger an.
Und kriegten auf dem Busen Beulen.

Sie machten ihm enorm zu schaffen.
Mit Wein und Weib. Auch mit Gesang.
Sein Schurz war, wie gesagt, nicht lang,
und sie durchsuchten ihn nach Waffen.

Sie lockten ihn an dunkle Stellen
und zwangen ihn zu dem und dem.
Er war kein Freund von Maskenbällen
und fand es riesig unbequem.

Die eine wollte gar nicht weichen,
obwohl sie sah, wie sehr er litt,
und nahm sein Lendenschürzchen mit.
Sie sagte nur: »Als Lesezeichen . . .«

Das hätte sie nicht machen sollen!
Er hatte angebornen Takt,
verließ, sofort und völlig nackt,
den Ball — und ist seitdem verschollen.

Wie der Lokal-Anzeiger glaubt,
hat ihn, zwecks unerlaubten Zwecken,
ein Mädchenpensionat geraubt!
Dort wird man ihn schon gut verstecken.

Nächtliches Rezept für Städter

Man nehme irgendeinen Autobus.
Es kann nicht schaden, einmal umzusteigen.
Wohin, ist gleich. Das wird sich dann schon zeigen.
Doch man beachte, daß es Nacht sein muß.

In einer Gegend, die man niemals sah
(das ist entscheidend für dergleichen Fälle),
verlasse man den Autobus und stelle
sich in die Finsternis. Und warte da.

Man nehme allem, was zu sehn ist, Maß.
Den Toren, Giebeln, Bäumen und Balkonen,
den Häusern und den Menschen, die drin wohnen.
Und glaube nicht, man täte es zum Spaß.

Dann gehe man durch Straßen. Kreuz und quer.
Und folge keinem vorgefaßten Ziele.
Es gibt so viele Straßen, ach so viele!
Und hinter jeder Biegung sind es mehr.

Man nehme sich bei dem Spaziergang Zeit.
Er dient gewissermaßen höhern Zwecken.
Er soll das, was vergessen wurde, wecken.
Nach zirka einer Stunde ist's soweit.

Dann wird es sein, als liefe man ein Jahr
durch diese Straßen, die kein Ende nehmen.

Und man beginnt, sich seiner selbst zu schämen
und seines Herzens, das verfettet war.

Nun weiß man wieder, was man wissen muß,
statt daß man in Zufriedenheit erblindet:
daß man sich in der Minderheit befindet!
Dann nehme man den letzten Autobus,
bevor er in der Dunkelheit verschwindet . . .

Höhere Töchter im Gespräch

Die Eine sitzt. Die Andre liegt.
Sie reden viel. Die Zeit verfliegt.
Das scheint sie nicht zu stören.
Die Eine liegt. Die Andre sitzt.
Sie reden viel. Das Sofa schwitzt
und muß viel Dummes hören.

Sie sind sehr wirkungsvoll gebaut
und haben ausgesuchte Haut.
Was mag der Meter kosten?
Sie sind an allen Ecken rund.
Sie sind bemalt, damit der Mund
und die Figur nicht rosten.

Ihr Duft erinnert an Gebäck.
Das Duften ist ihr Lebenszweck,
vom Scheitel bis zur Zehe,
bis beide je ein Mann mit Geld
in seine gute Stube stellt.
Das nennt man dann: die Ehe.

Sie knabbern Pralinees und Zeit;
von ihren Männern Hut und Kleid
und keine Kinder kriegend.
So leben sie im Grunde nur
als 44er Figur,
teils sitzend und teils liegend.

Ihr Kopf ist hübsch und ziemlich hohl.
Sie fühlen sich trotzdem sehr wohl.
Was läßt sich daraus schließen?
Man schaut sie sich zwar gerne an,
doch ganz gefielen sie erst dann,
wenn sie das Reden ließen.

Konferenz am Bett

Ich saß bei dir am Bett und fühlte jede
Bewegung des Plumeaus, als wärst es du.
Wir sprachen klug und deckten mit der Rede
das, was geschehen sollte, auf und zu.

Es war ein Zweikampf in gepflegter Prosa.
Du lagst im Bett. Ich saß und hielt mich stramm.
Es roch nach Puder. Und das Licht war rosa.
Und manches Wort wog zwanzig Kilogramm.

Du wolltest nicht, daß ich bloß bei dir säße ...
Du wolltest aber, wie ich bald erriet,
daß ich dich erst auf dein Kommando fräße!
Du lagst im Bett und machtest Appetit.

Und dabei wußtest du, daß ich das wüßte,
und wußte ich, du wüßtest längst: er weiß.
Und zeigtest du ein bißchen sehr viel Büste,
dann nickte ich und sagte: »Es ist heiß.«

Wir waren ganz und gar nicht zu beneiden.
Wir schütteten die Stimmung durch ein Sieb.
Am Ende wußte keiner von uns beiden,
wer das, was beide wollten, hintertrieb.

Der Morgen dämmerte. Die Vögel sangen.
Bis sechs Uhr dreißig währte das Duett.
Und wie ging's weiter? Dann bin ich gegangen!
Sonst säß ich heute noch bei dir am Bett.

*Anmerkung: Manche Menschen benützen ihre Intelligenz
zum Vereinfachen, manche zum Komplizieren.*

Und wo bleibt das Positive, Herr Kästner?

Und immer wieder schickt ihr mir Briefe,
in denen ihr, dick unterstrichen, schreibt:
»Herr Kästner, wo bleibt das Positive?«
Ja, weiß der Teufel, wo das bleibt.

Noch immer räumt ihr dem Guten und Schönen
den leeren Platz überm Sofa ein.
Ihr wollt euch noch immer nicht dran gewöhnen,
gescheit und trotzdem tapfer zu sein.

Ihr braucht schon wieder mal Vaseline,
mit der ihr das trockene Brot beschmiert.
Ihr sagt schon wieder, mit gläubiger Miene:
»Der siebente Himmel wird frisch tapeziert!«

Ihr streut euch Zucker über die Schmerzen
und denkt, unter Zucker verschwänden sie.
Ihr baut schon wieder Balkons vor die Herzen
und nehmt die strampelnde Seele aufs Knie.

Die Spezies Mensch ging aus dem Leime
und mit ihr Haus und Staat und Welt.
Ihr wünscht, daß ich's hübsch zusammenreime,
und denkt, daß es dann zusammenhält?

Ich will nicht schwindeln. Ich werde nicht schwindeln.
Die Zeit ist schwarz, ich mach euch nichts weis.
Es gibt genug Lieferanten von Windeln.
Und manche liefern zum Selbstkostenpreis.

Habt Sonne in sämtlichen Körperteilen
und wickelt die Sorgen in Seidenpapier!
Doch tut es rasch. Ihr müßt euch beeilen.
Sonst werden die Sorgen größer als ihr.

Die Zeit liegt im Sterben. Bald wird sie begraben.
Im Osten zimmern sie schon den Sarg.
Ihr möchtet gern euren Spaß dran haben?
Ein Friedhof ist kein Lunapark.

Das letzte Kapitel

Am 12. Juli des Jahres 2003
lief folgender Funkspruch rund um die Erde:
daß ein Bombengeschwader der Luftpolizei
die gesamte Menschheit ausrotten werde.

Die Weltregierung, so wurde erklärt, stelle fest,
daß der Plan, endgültig Frieden zu stiften,
sich gar nicht anders verwirklichen läßt,
als alle Beteiligten zu vergiften.

Zu fliehen, wurde erklärt, habe keinen Zweck.
Nicht eine Seele dürfe am Leben bleiben.
Das neue Giftgas krieche in jedes Versteck.
Man habe nicht einmal nötig, sich selbst zu entleiben.

Am 13. Juli flogen von Boston eintausend
mit Gas und Bazillen beladene Flugzeuge fort
und vollbrachten, rund um den Globus sausend,
den von der Weltregierung befohlenen Mord.

Die Menschen krochen winselnd unter die Betten.
Sie stürzten in ihre Keller und in den Wald.
Das Gift hing gelb wie Wolken über den Städten.
Millionen Leichen lagen auf dem Asphalt.

Jeder dachte, er könne dem Tod entgehen.
Keiner entging dem Tod, und die Welt wurde leer.
Das Gift war überall. Es schlich wie auf Zehen.
Es lief die Wüsten entlang. Und es schwamm übers Meer.

Die Menschen lagen gebündelt wie faulende Garben.
Andre hingen wie Puppen zum Fenster heraus.
Die Tiere im Zoo schrien schrecklich, bevor sie starben.
Und langsam löschten die großen Hochöfen aus.

Dampfer schwankten im Meer, beladen mit Toten.
Und weder Weinen noch Lachen war mehr auf der Welt.
Die Flugzeuge irrten, mit tausend toten Piloten,
unter dem Himmel und sanken brennend ins Feld.

Jetzt hatte die Menschheit endlich erreicht, was sie wollte.
Zwar war die Methode nicht ausgesprochen human.
Die Erde war aber endlich still und zufrieden und rollte,
völlig beruhigt, ihre bekannte elliptische Bahn.

Die Entwicklung der Menschheit

Einst haben die Kerls auf den Bäumen gehockt,
behaart und mit böser Visage.
Dann hat man sie aus dem Urwald gelockt
und die Welt asphaltiert und aufgestockt,
bis zur dreißigsten Etage.

Da saßen sie nun, den Flöhen entflohn,
in zentralgeheizten Räumen.
Da sitzen sie nun am Telefon.
Und es herrscht noch genau derselbe Ton
wie seinerzeit auf den Bäumen.

Sie hören weit. Sie sehen fern.
Sie sind mit dem Weltall in Fühlung.
Sie putzen die Zähne. Sie atmen modern.
Die Erde ist ein gebildeter Stern
mit sehr viel Wasserspülung.

Sie schießen die Briefschaften durch ein Rohr.
Sie jagen und züchten Mikroben.
Sie versehn die Natur mit allem Komfort.
Sie fliegen steil in den Himmel empor
und bleiben zwei Wochen oben.

Was ihre Verdauung übrigläßt,
das verarbeiten sie zu Watte.
Sie spalten Atome. Sie heilen Inzest.
Und sie stellen durch Stiluntersuchungen fest,
daß Cäsar Plattfüße hatte.

So haben sie mit dem Kopf und dem Mund
den Fortschritt der Menschheit geschaffen.
Doch davon mal abgesehen und

bei Lichte betrachtet sind sie im Grund
noch immer die alten Affen.

Brief an meinen Sohn

Ich möchte endlich einen Jungen haben,
so klug und stark, wie Kinder heute sind.
Nur etwas fehlt mir noch zu diesem Knaben.
Mir fehlt nur noch die Mutter zu dem Kind.

Nicht jedes Fräulein kommt dafür in Frage.
Seit vielen langen Jahren such ich schon.
Das Glück ist seltner als die Feiertage.
Und deine Mutter weiß noch nichts von uns, mein Sohn.

Doch eines schönen Tages wird's dich geben.
Ich freue mich schon heute sehr darauf.
Dann lernst du laufen, und dann lernst du leben,
und was daraus entsteht, heißt Lebenslauf.

Zu Anfang schreist du bloß und machst Gebärden,
bis du zu andern Taten übergehst,
bis du und deine Augen größer werden
und bis du das, was man verstehen muß, verstehst.

Wer zu verstehn beginnt, versteht nichts mehr.
Er starrt entgeistert auf das Welttheater.
Zu Anfang braucht ein Kind die Mutter sehr.
Doch wenn du größer wirst, brauchst du den Vater.

Ich will mit dir durch Kohlengruben gehn.
Ich will dir Parks mit Marmorvillen zeigen.
Du wirst mich anschaun und es nicht verstehn.
Ich werde dich belehren, Kind, und schweigen.

Ich will mit dir nach Vaux und Ypern reisen
und auf das Meer von weißen Kreuzen blicken.
Ich werde still sein und dir nichts beweisen.
Doch wenn du weinen wirst, mein Kind, dann will ich nicken.

Ich will nicht reden, wie die Dinge liegen.
Ich will dir zeigen, wie die Sache steht.
Denn die Vernunft muß ganz von selber siegen.
Ich will dein Vater sein und kein Prophet.

Wenn du trotzdem ein Mensch wirst wie die meisten,
all dem, was ich dich schauen ließ, zum Hohn,
ein Kerl wie alle, über einen Leisten,
dann wirst du nie, was du sein sollst: mein Sohn!

*Anmerkung: Da der Autor, nach dem Erscheinen des
Gedichts in einer Zeitschrift, Briefe von Frauen und
Mädchen erhielt, erklärt er, vorsichtig geworden, hiermit:
Schriftliche Angebote dieser Art werden nicht berücksichtigt.*

Der Handstand auf der Loreley
(Nach einer wahren Begebenheit)

Die Loreley, bekannt als Fee und Felsen,
ist jener Fleck am Rhein, nicht weit von Bingen,
wo früher Schiffer mit verdrehten Hälsen,
von blonden Haaren schwärmend, untergingen.

Wir wandeln uns. Die Schiffer inbegriffen.
Der Rhein ist reguliert und eingedämmt.
Die Zeit vergeht. Man stirbt nicht mehr beim Schiffen,
bloß weil ein blondes Weib sich dauernd kämmt.

Nichtsdestotrotz geschieht auch heutzutage
noch manches, was der Steinzeit ähnlich sieht.
So alt ist keine deutsche Heldensage,
daß sie nicht doch noch Helden nach sich zieht.

Erst neulich machte auf der Loreley
hoch überm Rhein ein Turner einen Handstand!
Von allen Dampfern tönte Angstgeschrei,
als er kopfüber oben auf der Wand stand.

Er stand, als ob er auf dem Barren stünde.
Mit hohlem Kreuz. Und lustbetonten Zügen.
Man frage nicht: Was hatte er für Gründe?
Er war ein Held. Das dürfte wohl genügen.

Er stand, verkehrt, im Abendsonnenscheine.
Da trübte Wehmut seinen Turnerblick.
Er dachte an die Loreley von Heine.
Und stürzte ab. Und brach sich das Genick.

Er starb als Held. Man muß ihn nicht beweinen.
Sein Handstand war vom Schicksal überstrahlt.
Ein Augenblick mit zwei gehobnen Beinen
ist nicht zu teuer mit dem Tod bezahlt!

P. S. Eins wäre allerdings noch nachzutragen:
Der Turner hinterließ uns Frau und Kind.
Hinwiederum, man soll sie nicht beklagen.
Weil im Bezirk der Helden und der Sagen
die Überlebenden nicht wichtig sind.

Das Führerproblem, genetisch betrachtet

Als Gott am ersten Wochenende
die Welt besah, und siehe, sie war gut,
da rieb er sich vergnügt die Hände.
Ihn packte eine Art von Übermut.

Er blickte stolz auf seine Erde
und sah Tuberkeln, Standard Oil und Waffen.
Da kam aus Deutschland die Beschwerde:
»Du hast versäumt, uns Führer zu erschaffen!«

Gott war bestürzt. Man kann's verstehn.
»Mein liebes deutsches Volk«, schrieb er zurück,
»es muß halt ohne Führer gehn.
Die Schöpfung ist vorbei. Grüß Gott. Viel Glück.«

Nun standen wir mit Ohne da,
der Weltgeschichte freundlichst überlassen.
Und: Alles, was seitdem geschah,
ist ohne diesen Hinweis nicht zu fassen.

Inschrift auf einem
sächsisch-preußischen Grenzstein

Wer hier vorübergeht, verweile!
Hier läuft ein unsichtbarer Wall.
Deutschland zerfällt in viele Teile.
Das Substantivum heißt: Zerfall.

Was wir hier stehngelassen haben,
das ist ein Grabstein, daß ihr's wißt!
Hier liegt ein Teil des Hunds begraben,
auf den ein Volk gekommen ist.

Anmerkung: Solche Grenzsteine gibt es.
Die Inschrift ist natürlich nur ein Vorschlag.

Exemplarische Herbstnacht

Nachts sind die Straßen so leer.
Nur ganz mitunter
markiert ein Auto Verkehr.
Ein Rudel bunter
raschelnder Blätter jagt hinterher.

Die Blätter haschen und hetzen.
Und doch weht kein Wind.
Sie rascheln wie Fetzen und hetzen
und folgen geheimen Gesetzen,
obwohl sie gestorben sind.

Nachts sind die Straßen so leer.
Die Lampen brennen nicht mehr.
Man geht und möchte nicht stören.
Man könnte das Gras wachsen hören,
wenn Gras auf den Straßen wär.

Der Himmel ist kalt und weit.
Auf der Milchstraße hat's geschneit.
Man hört seine Schritte wandern,
als wären es Schritte von andern,
und geht mit sich selber zu zweit.

Nachts sind die Straßen so leer.
Die Menschen legten sich nieder.
Nun schlafen sie, treu und bieder.
Und morgen fallen sie wieder
übereinander her.

Rezitation bei Regenwetter

Der Regen regnet sich nicht satt.
Es regnet hoffnungslosen Zwirn.
Wer jetzt 'ne dünne Schädeldecke hat,
dem regnet's ins Gehirn.

Im Rachen juckt's. Im Rücken zerrt's.
Es blöken die Bakterienherden.
Der Regen reicht allmählich bis ans Herz.
Was soll bloß daraus werden?

Der Regen bohrt sich durch die Haut.
Und dieser Trübsinn, der uns beugt,
wird, wie so manches, subkutan erzeugt.
Wir sind porös gebaut.

Seit Wochen rollen Wolkenfässer
von Horizont zu Horizont.
Der Neubau drüben mit der braunen Front
wird von dem Regen täglich blässer.
Nun ist er blond.

Die Sonne wurde eingemottet.
Es ist, als lebte sie nicht mehr.
Ach, die Alleen, durch die man traurig trottet,
sind kalt und leer.

Man kriecht ins Bett. Das ist gescheiter,
als daß man klein im Regen steht.
Das geht auf keinen Fall so weiter,
wenn das so weiter geht.

Ball im Osten: Täglich Strandfest

Lauter Engel in Trikots.
Lauter Brüste und Popos.
Ohne Halt und Barriere,
folgend dem Gesetz der Schwere,
hängt die Schönheit bis zum Knie.
Und beim Tanzen zittert sie.

Jeder Tisch hat Telefon.
Und da läutet es auch schon.
Was sie sagt, klingt recht gewöhnlich.
Später kommt sie ganz persönlich.
Und sie drückt dich zielbewußt
an die kuhstallwarme Brust.

Nach der Tour schleppt sie dich gar
auf ein Sofa in die Bar.
Ach, die Frau ist schlecht vergittert,
und du siehst, womit sie zittert.
Ungewollt blickst du ihr tief
bis in ihr Geheimarchiv.

Sinnlich beißt sie dich ins Ohr,
säuft Likör und knöpft dich vor.
Nichts am Manne ist ihr heilig.
Was sie hat, das hat sie eilig.
Als du, zu diskretem Zweck,
rauswillst, läßt sie dich nicht weg.

Oben auf der Galerie
sei es dunkel, flüstert sie.
Und sie schürzt die Hemigloben,
nickt dir zu und klimmt nach oben.
Deutscher Jüngling, scher dich fort!
Stürz nach Hause! Treibe Sport!

*Anmerkung: Das Gedicht hat nur noch
historische Bedeutung. Das Tragen von Trikots
in Vergnügungslokalen wurde mittlerweile,
wohl zur Behebung der Arbeitslosigkeit,
von der Regierung verboten.*

Traurigkeit, die jeder kennt

Man weiß von vornherein, wie es verläuft.
Vor morgen früh wird man bestimmt nicht munter.
Und wenn man sich auch noch so sehr besäuft:
Die Bitterkeit, die spült man nicht hinunter.

Die Trauer kommt und geht ganz ohne Grund.
Und angefüllt ist man mit nichts als Leere.
Man ist nicht krank. Und ist auch nicht gesund.
Es ist, als ob die Seele unwohl wäre.

Man will allein sein. Und auch wieder nicht.
Man hebt die Hand und möchte sich verprügeln.
Vorm Spiegel denkt man: ›Das ist dein Gesicht?‹
Ach, solche Falten kann kein Schneider bügeln!

Vielleicht hat man sich das Gemüt verrenkt?
Die Sterne ähneln plötzlich Sommersprossen.
Man ist nicht krank. Man fühlt sich nur gekränkt.
Und hält, was es auch sei, für ausgeschlossen.

Man möchte fort und findet kein Versteck.
Es wäre denn, man ließe sich begraben.
Wohin man blickt, entsteht ein dunkler Fleck.
Man möchte tot sein. Oder Gründe haben.

Man weiß, die Trauer ist sehr bald behoben.
Sie schwand noch jedes Mal, so oft sie kam.
Mal ist man unten, und mal ist man oben.
Die Seelen werden immer wieder zahm.

Der eine nickt und sagt: »So ist das Leben.«
Der andre schüttelt seinen Kopf und weint.
Wer traurig ist, sei's ohne Widerstreben!
Soll das ein Trost sein? So war's nicht gemeint.

Die Ballade vom Nachahmungstrieb

Es ist schon wahr: Nichts wirkt so rasch wie Gift!
Der Mensch, und sei er noch so minderjährig,
ist, was die Laster dieser Welt betrifft,
früh bei der Hand und unerhört gelehrig.

Im Februar, ich weiß nicht am wievielten,
geschah's, auf irgendeines Jungen Drängen,
daß Kinder, die im Hinterhofe spielten,
beschlossen, Naumanns Fritzchen aufzuhängen.

Sie kannten aus der Zeitung die Geschichten,
in denen Mord vorkommt und Polizei.
Und sie beschlossen, Naumann hinzurichten,
weil er, so sagten sie, ein Räuber sei.

Sie steckten seinen Kopf in eine Schlinge.
Karl war der Pastor, lamentierte viel
und sagte ihm, wenn er zu schrein anfinge,
verdürbe er den anderen das Spiel.

Fritz Naumann äußerte, ihm sei nicht bange.
Die andern waren ernst und führten ihn.
Man warf den Strick über die Teppichstange.
Und dann begann man, Fritzchen hochzuziehn.

Er sträubte sich. Es war zu spät. Er schwebte.
Dann klemmten sie den Strick am Haken ein.
Fritz zuckte, weil er noch ein bißchen lebte.
Ein kleines Mädchen zwickte ihn ins Bein.

Er zappelte ganz stumm, und etwas später
verkehrte sich das Kinderspiel in Mord.
Als das die sieben kleinen Übeltäter
erkannten, liefen sie erschrocken fort.

Noch wußte niemand von dem armen Kinde.
Der Hof lag still. Der Himmel war blutrot.
Der kleine Naumann schaukelte im Winde.
Er merkte nichts davon. Denn er war tot.

Frau Witwe Zickler, die vorüberschlurfte,
lief auf die Straße und erhob Geschrei,
obwohl sie doch dort gar nicht schreien durfte.
Und gegen Sechs erschien die Polizei.

Die Mutter fiel in Ohnmacht vor dem Knaben.
Und beide wurden rasch ins Haus gebracht.
Karl, den man festnahm, sagte kalt: »Wir haben
es nur wie die Erwachsenen gemacht.«

*Anmerkung: Der Ballade liegt ein Pressebericht
aus dem Jahre 1930 zugrunde.*

Das Eisenbahngleichnis

Wir sitzen alle im gleichen Zug
und reisen quer durch die Zeit.
Wir sehen hinaus. Wir sahen genug.
Wir fahren alle im gleichen Zug.
Und keiner weiß, wie weit.

Ein Nachbar schläft, ein andrer klagt,
ein dritter redet viel.
Stationen werden angesagt.
Der Zug, der durch die Jahre jagt,
kommt niemals an sein Ziel.

Wir packen aus. Wir packen ein.
Wir finden keinen Sinn.
Wo werden wir wohl morgen sein?
Der Schaffner schaut zur Tür herein
und lächelt vor sich hin.

Auch er weiß nicht, wohin er will.
Er schweigt und geht hinaus.
Da heult die Zugsirene schrill!
Der Zug fährt langsam und hält still.
Die Toten steigen aus.

Ein Kind steigt aus. Die Mutter schreit.
Die Toten stehen stumm
am Bahnsteig der Vergangenheit.
Der Zug fährt weiter, er jagt durch die Zeit,
und niemand weiß, warum.

Die I. Klasse ist fast leer.
Ein feister Herr sitzt stolz
im roten Plüsch und atmet schwer.
Er ist allein und spürt das sehr.
Die Mehrheit sitzt auf Holz.

Wir reisen alle im gleichen Zug
zur Gegenwart in spe.
Wir sehen hinaus. Wir sahen genug.
Wir sitzen alle im gleichen Zug
und viele im falschen Coupé.

Eine Animierdame stößt Bescheid

Ich sitze nachts auf hohen Hockern,
berufen, Herrn im Silberhaar
moralisch etwas aufzulockern.
Ich bin der Knotenpunkt der Bar.

Sobald die Onkels Schnaps bestellen,
rutsch ich daneben, lad mich ein
und sage nur: »Ich heiße Ellen.
Laßt dicke Männer um mich sein!«

Man darf mich haargenau betrachten.
Mein Oberteil ist schlecht verhüllt.
Ich habe nur darauf zu achten,
daß man die Gläser wieder füllt.

Wer über zwanzig Mark verzehrt,
der darf mir in die Seiten greifen
und (falls er solcherlei begehrt)
mich in die beßre Hälfte kneifen.

Selbst wenn mich einer Hure riefe,
obwohl ich etwas Beßres bin,
das ist hier alles inklusive
und in den Whiskys schon mit drin.

So sauf ich Schnaps im Kreis der Greise
und nenne dicke Bäuche Du
und höre, gegen kleine Preise,
der wachsenden Verkalkung zu.

Und manchmal fahr ich dann mit einem
der Jubelgreise ins Hotel.
Vergnügen macht es zwar mit keinem.
Es lohnt sich aber finanziell.

Falls freilich einer glauben wollte,
mir könne Geld im Bett genügen,
also: Wenn ich die Wahrheit sagen sollte,
müßt ich lügen!

Legende, nicht ganz stubenrein

Weihnachten vergangnen Jahres
(17 Uhr präzise) war es:
Daß der liebe Gott nicht, wie gewöhnlich,
den Vertreter Ruprecht runterschickte,
sondern er besuchte uns persönlich.
Und erschrak, als er die Welt erblickte.

Er beschloß dann doch, sich aufzuraffen.
Schließlich hatte er uns ja geschaffen!
Und er schritt (bewacht von Detektiven
des bewährten Argus-Institutes,
die, wo er auch hinging, mit ihm liefen)
durch die Städte und tat nichts als Gutes.

Gott war nobel, sah nicht auf die Preise,
und er schenkte, dies nur beispielsweise,
den Ministersöhnen Dampfmaschinen
und den Kindern derer, die im Jahre

mehr als 60 000 Mark verdienen,
Autos, Boote — lauter prima Ware.

Derart reichten Gottes Geld und Kasse
abwärts bis zur zwölften Steuerklasse.
Doch dann folgte eine große Leere.
Und die Deutsche Bank gab zu bedenken,
daß sein Konto überzogen wäre.
Und so konnte er nichts weiter schenken.

Gott ist gut. Und weiß es. Und wahrscheinlich
war ihm die Geschichte äußerst peinlich.
Deshalb sprach er, etwa zehn Minuten,
zu drei sozialistisch eingestellten
Journalisten, die ihn interviewten,
von der Welt als bester aller Welten.

Und die Armen müßten nichts entbehren,
wenn es nur nicht so sehr viele wären.
Die Reporter nickten auf und nieder.
Und Gott brachte sie bis ans Portal.
Und sie fragten: »Kommen Sie bald wieder?«
Doch er sprach: »Es war das letzte Mal.«

Bilanz per Zufall

Er hatte Geld. Er trank und aß
in dem Hotel, in dem er saß,
vom Teuersten und Besten.
Er war vergnügt und trank und aß
und winkte mit erhobnem Glas
den Kellnern und den Gästen.

Der Blumenfrau, die bei ihm stand,
nahm er die Blumen aus der Hand
und zahlte mit zwei Scheinen.
Die Rosen waren rot und kühl.
Er gab ihr dreißig Mark zuviel.
Da fing sie an zu weinen.

Die Hauskapelle, sechs Mann stark,
erhielt von ihm zweihundert Mark.
Sie konnte kaum noch spielen.
Er gab den Boys und Pikkolos,
den Fräuleins und den Gigolos.
Er gab, ohne zu zielen.

Die Rechnung sah er gar nicht an.
Er warf paar Scheine hin, und dann
verließ er jene Halle.
Bewundernd gingen, Schritt um Schritt,
die Tänzer, Boys und Kellner mit.
So liebten sie ihn alle!

Er freute sich und sprach: »Schon gut«
und nahm den Mantel und den Hut.
Da rief die Garderobiere:
»Ich kriege dreißig Pfennig für
die Kleider-Aufbewahrung hier!
Nicht zahlen, wie? Das wäre!«

Da blieb er stehn. Da lachte er
und suchte Geld und fand keins mehr
und konnte ihr nichts geben.
Die Blumenfrau, die Gigolos,
die Kellner, Boys und Pikkolos,
die standen fremd daneben.

Er blickte sich, fast bittend, um.
Die andern standen steif und stumm,
als sei er nicht mehr da.
Da zog er schnell den Mantel aus,
gab ihn der Frau, trat aus dem Haus
und dachte nur: Na ja.

Spaziergang nach einer Enttäuschung

Da hätte mich also wieder einmal
eine der hausschlachtenen Ohrfeigen ereilt,
die das eigens hierzu gegründete Schicksal

in beliebiger Windstärke und Zahl
an die Umstehenden gratis verteilt.

Na schön. Der Weg des Lebens ist wellig.
Man soll die Steigungen nicht noch steigern.
Es war wieder mal eine Ohrfeige fällig.
Ich konnte die Annahme schlecht verweigern.

So ein Schlag ins vergnügte Gesicht
klingt für den, der ihn kriegt, natürlich sehr laut,
weil das Schicksal mit Liebe zur Sache zuhaut.
Tödlich sind diese Ohrfeigen hingegen nicht.
Der Mensch ist entsprechend gebaut.

Jedoch, wenn ich den See betrachte
und die schneeweiß gedeckten Berge daneben,
muß ich denken, was ich schon häufig dachte:
Diese Art Ohrfeigen brauchte es nicht zu geben.

Da rennt man nun die Natur entlang
und ist froh, daß man keinem begegnet.
Die Vögel verüben Chorgesang.
Die Sonne scheint im Überschwang.
Aber innen hat's ziemlich geregnet.

Die Glockenblumen nicken verständig.
Eine Biene kratzt sich ernst hinterm Ohr.
Und der Wind und die Wellen spielen vierhändig
die Sonnenscheinsonate vor...

Das Schicksal wird mich noch öfter äffen
und schlagen, wie es mich heute schlug.
Vielleicht wird man wirklich durch Schaden klug?
Mich müssen noch viele Schläge treffen,
bevor mich der Schlag trifft! Und damit genug.

Die Großeltern haben Besuch

Für seine Kinder hat man keine Zeit.
(Man darf erst sitzen, wenn man nicht mehr gehn kann.)
Erst bei den Enkeln ist man dann soweit,
daß man die Kinder ungefähr verstehn kann.

Spielt hübsch mit Sand und backt euch Sandgebäck!
Ihr seid so fern und trotzdem in der Nähe,
als ob man, über einen Abgrund weg,
in einen fremden bunten Garten sähe.

Spielt brav mit Sand und baut euch Illusionen!
Ihr und wir Alten wissen ja Bescheid:
Man darf sie bauen, aber nicht drin wohnen.
Ach, bleibt so klug, wenn ihr erwachsen seid.

Wir möchten euch auch später noch beschützen.
Denn da ist vieles, was euch dann bedroht.
Doch unser Wunsch wird uns und euch nichts nützen.
Wenn ihr erwachsen seid, dann sind wir tot.

Hotelsolo für eine Männerstimme

Das ist mein Zimmer und ist doch nicht meines.
Zwei Betten stehen Hand in Hand darin.
Zwei Betten sind es. Doch ich brauch nur eines.
Weil ich schon wieder mal alleine bin.

Der Koffer gähnt. Auch mir ist müd zumute.
Du fuhrst zu einem ziemlich andren Mann.
Ich kenn ihn gut. Ich wünsch dir alles Gute.
Und wünsche fast, du kämest niemals an.

Ich hätte dich nicht gehen lassen sollen!
(Nicht meinetwegen. Ich bin gern allein.)
Und doch: Wenn Frauen Fehler machen wollen,
dann soll man ihnen nicht im Wege sein.

Die Welt ist groß. Du wirst dich drin verlaufen.
Wenn du dich nur nicht allzu weit verirrst...
Ich aber werd mich heute nacht besaufen
und bißchen beten, daß du glücklich wirst.

Zur Fotografie eines Konfirmanden

Da steht er nun, als Mann verkleidet,
und kommt sich nicht geheuer vor.
Fast sieht er aus, als ob er leidet.
Er ahnt vielleicht, was er verlor.

Er trägt die erste lange Hose.
Er spürt das erste steife Hemd.
Er macht die erste falsche Pose.
Zum ersten Mal ist er sich fremd.

Er hört sein Herz mit Hämmern pochen.
Er steht und fühlt, daß gar nichts sitzt.
Die Zukunft liegt ihm in den Knochen.
Er sieht so aus, als hätt's geblitzt.

Womöglich kann man noch genauer
erklären, was den Jungen quält:
Die Kindheit starb; nun trägt er Trauer
und hat den Anzug schwarz gewählt.

Er steht dazwischen und daneben.
Er ist nicht groß. Er ist nicht klein.
Was nun beginnt, nennt man das Leben.
Und morgen früh tritt er hinein.

Die Fabel von Schnabels Gabel

Kannten Sie Christian Leberecht Schnabel?
Ich habe ihn gekannt.
Vor seiner Zeit gab es die vierzinkige,
die dreizinkige
und auch schon die zweizinkige Gabel.

Doch jener Christian Leberecht Schnabel,
das war der Mann,
der in schlaflosen Nächten die einzinkige Gabel
entdeckte, bzw. erfand.

Das Einfachste ist immer das Schwerste.
Die einzinkige Gabel
lag seit Jahrhunderten auf der Hand.
Aber Christian Leberecht Schnabel
war eben der erste,
der die einzinkige Gabel erfand!

Die Menschen sind wie die Kinder.
Christian Leberecht Schnabel
teilte mit seiner Gabel
das Schicksal aller Entdecker, bzw. Erfinder.

Einzinkige Gabeln,
wurde Schnabeln
erklärt,
seien nichts wert.

Sie entbehrten als Teil des Bestecks
jeden praktischen Zwecks,
und man könne, sagte man Schnabeln,
mit seiner Gabel nicht gabeln.

Die Menschen glaubten tatsächlich, daß Schnabel
etwas Konkretes bezweckte,
als er die einzinkige Gabel
erfand, bzw. entdeckte!
Ha!

Ihm ging es um nichts Reelles.
(Und deshalb ging es ihm schlecht.)
Ihm ging es um Prinzipielles!
Und insofern hatte Schnabel
mit der von ihm erfundenen Gabel
naürlich recht.

Stehgeigers Leiden

Ach, wie gern läg ich in meinem Bette!
Nacht für Nacht schläft Hildegard allein.
Wenn mein Fiedelbogen Zähne hätte,
sägte ich die Geige kurz und klein.

Keinen Abend weiß ich, was sie treibt.
Jeden Abend steh ich hier und spiele.
Ob sie, wie sie sagt, zu Hause bleibt?
Schlechte Frauen gibt es ziemlich viele.

Gräßlich haut der Krause aufs Klavier.
Wie sie staunten, wenn ich plötzlich ginge!
Keine Angst, Herr Wirt, ich bleibe hier,
geige mir den Buckel schief und singe:

»Die deutschen Mädchen sind die schönsten.
Hipp hipp hurra, hipp hipp hurra!
Denn bei den blonden deutschen Mädchen
ist alles da, ist alles da!«

Ich trau ihr nicht. Sie lügt. Ich habe Proben.
Ach, wenn sie lügt, sieht sie so ehrlich aus.
Wie im Gefängnis stehe ich hier oben.
Ich muß verdienen und darf nicht nach Haus.

Eines Tages pack ich meine Geige,
denn sie ist mein einziges Gepäck.
Krause spielt Klavier. Ich aber steige
schnell vom Podium und laufe weg.

Und die Gäste und der Wirt und Krause
werden schweigen, bis ich draußen bin.
Und dann seh ich: Sie ist nicht zu Hause!
Und wo gehe ich dann hin?

Der Kümmerer

Der Kümmerer ist zwar ein Mann,
doch seine Männlichkeit hält sich in Grenzen.
Er nimmt sich zwar der Frauen an,
doch andre Männer ziehn die Konsequenzen.

Der Kümmerer ist ein Subjekt,
das Frauen, wenn es sein muß, zwar bedichtet,
hingegen auf den Endeffekt
von vornherein und überhaupt verzichtet.

Er dient den Frauen ohne Lohn.
Er liebt die Frau en gros, er liebt summarisch.
Er liebt die Liebe mehr als die Person.
Er liebt, mit einem Worte, vegetarisch!

Er wiehert nicht. Er wird nicht wild.
Er hilft beim Einkauf, denn er ist ein Kenner.
Sein Blick macht aus der Frau ein Bild.
Die andren Blicke werfen andre Männer.

Die Kümmerer sind nicht ganz neu.
Auch von von Goethe wird uns das bekräftigt.
Sein Clärchen war dem Egmont treu,
doch der war meist mit Heldentum beschäftigt.

So kam Herr Brackenburg ins Haus,
vertrieb die Zeit und half beim Wäschelegen.
Am Abend warf sie ihn hinaus.
Wer Goethes Werke kennt, der weiß weswegen.

Die Kümmerer sind sehr begehrt,
weil sie bescheiden sind und nichts begehren.
Sie wollen keinen Gegenwert.
Sie wollen nichts als da sein und verehren.

Sie heben euch auf einen Sockel,
der euch zum Denkmal macht und förmlich weiht.
Dann blicken sie durch ihr Monokel
und wundern sich, daß ihr unnahbar seid.

Dann knien sie hin und beten an.
Ihr gähnt und haltet euch mit Mühe munter.
Zum Glück kommt dann und wann ein Mann
und holt euch von dem Sockel runter!

Ganz rechts zu singen

Stoßt auf mit hellem hohem Klang!
Nun kommt das Dritte Reich!
Ein Prosit unserm Stimmenfang!
Das war der erste Streich!

Der Wind schlug um. Nun pfeift ein Wind
von griechisch-nordischer Prägung.
Bei Wotans Donner, jetzt beginnt
die Dummheit als Volksbewegung.

Wir haben das Herz auf dem rechten Fleck,
weil sie uns sonst nichts ließen.
Die Köpfe haben ja doch keinen Zweck.
Damit kann der Deutsche nicht schießen.

Kein schönrer Tod ist auf der Welt
als gleich millionenweise.
Die Industrie gibt uns neues Geld
und Waffen zum Selbstkostenpreise.

Wir brauchen kein Brot, und nur eins ist not:
Die nationale Ehre!
Wir brauchen mal wieder den Heldentod
und schwere Maschinengewehre.

Und deshalb müssen die Juden raus!
Sie müssen hinaus in die Ferne.
Wir wollen nicht sterben fürs Ullsteinhaus,
aber für Kirdorf* sehr gerne.

Die Deutsche Welle, die wächst heran
als wie ein Eichenbaum.

Und Hitler ist der richtige Mann.
Der schlägt auf der Welle den Schaum.

Der Reichstag ist ein Schweinestall,
wo sich kein Schwein auskennt.
Es braust ein Ruf wie Donnerhall:
Kreuzhimmelparlament!

Wir brauchen eine Diktatur
viel eher als einen Staat.
Die deutschen Männer kapieren nur,
wenn überhaupt, nach Diktat.

Ihr Mannen, wie man es auch dreht,
wir brauchen zunächst einen Putsch!
Und falls Deutschland daran zugrunde geht,
juvivallera, juvivallera,
dann ist es eben futsch.

* *Geheimrat Kirdorf war, als Exponent der
Schwerindustrie, einer der Finanziers Adolf Hitlers.*

Das Altersheim

Das ist ein Pensionat für Greise.
Hier hat man Zeit.
Die Endstation der Lebensreise
ist nicht mehr weit.

Gestern trug man Kinderschuhe.
Heute sitzt man hier vorm Haus.
Morgen fährt man zur ewigen Ruhe
ins Jenseits hinaus.

Ach, so ein Leben ist rasch vergangen,
wie lang es auch sei.
Hat es nicht eben erst angefangen?
Schon ist's vorbei.

Die sich hier zur Ruhe setzten,
wissen vor allem das eine:
Das ist die letzte Station vor der letzten.
Dazwischen liegt keine.

Im Auto über Land

An besonders schönen Tagen
ist der Himmel sozusagen
wie aus blauem Porzellan.
Und die Federwolken gleichen
weißen, zart getuschten Zeichen,
wie wir sie auf Schalen sahn.

Alle Welt fühlt sich gehoben,
blinzelt glücklich schräg nach oben
und bewundert die Natur.
Vater ruft, direkt verwegen:
»'n Wetter, glatt zum Eierlegen!«
(Na, er renommiert wohl nur.)

Und er steuert ohne Fehler
über Hügel und durch Täler.
Tante Paula wird es schlecht.
Doch die übrige Verwandtschaft
blickt begeistert in die Landschaft.
Und der Landschaft ist es recht.

Um den Kopf weht eine Brise
von besonnter Luft und Wiese,
dividiert durch viel Benzin.
Onkel Theobald berichtet,
was er alles sieht und sichtet.
Doch man sieht's auch ohne ihn.

Den Gesang nach Kräften pflegend
und sich rhythmisch fortbewegend
strömt die Menschheit durchs Revier.
Immer rascher jagt der Wagen.
Und wir hören Vatern sagen:
»Dauernd Wald, und nirgends Bier.«

Aber schließlich hilft sein Suchen.
Er kriegt Bier, wir kriegen Kuchen.
Und das Auto ruht sich aus.
Tante schimpft auf die Gehälter.
Und allmählich wird es kälter.
Und dann fahren wir nach Haus.

Kalenderspruch

Vergiß in keinem Falle,
auch dann nicht, wenn vieles mißlingt:
Die Gescheiten werden nicht alle!
(So unwahrscheinlich das klingt.)

Eine Feststellung

Wir haben's schwer.
Denn wir wissen nur ungefähr,
woher,
jedoch die Frommen
wissen gar, wohin wir kommen!

Wer glaubt, weiß mehr.

Für die Katz

Wenn der Hufschmied den Gaul beschlägt,
wenn sich der Truthahn im Traum bewegt,
wenn die Mutter das Essen aufträgt,
wenn der Großvater Brennholz sägt,
wenn der Wind um die Ecke fegt,
wenn sich im Schober das Liebespaar regt,
wenn das Fräulein die Wäsche legt —
stets meint die Katze, man wollt mit ihr
spielen!

Wie der Katze geht's vielen.

Kleiner Rat für Damokles

Schau prüfend deckenwärts!
Die Nähe des möglichen Schadens
liegt nicht in der Schärfe des Schwerts,
vielmehr in der Dünne des Fadens.

Über den Nachruhm
oder *Der gordische Knoten*

Den unlösbaren Knoten zu zersäbeln,
gehörte zu dem Pensum Alexanders.
Und wie hieß jener, der den Knoten knüpfte?
Den kennt kein Mensch.

(Doch sicher war es jemand anders.)

Das Verhängnis

Das ist das Verhängnis:
Zwischen Empfängnis
und Leichenbegängnis
nichts als Bedrängnis.

In memoriam memoriae

Die Erinn'rung ist eine mysteriöse
Macht und bildet die Menschen um.
Wer das, was schön war, vergißt, wird böse.
Wer das, was schlimm war, vergißt, wird dumm.

Moral

Es gibt nichts Gutes
außer: Man tut es.

Deutsche Gedenktafel 1938

Hier starb einer, welcher an die Menschheit glaubte.
Er war dümmer, als die Polizei erlaubte.

Physikalische Geschichtsbetrachtung

Dem ehernen Gesetz des Falles
gehorcht auf Erden alles.
(Alles!)

Elegie conditionalis

Wenn nur das Vergängliche verginge,
nur das Sterbliche und das Geringe,
nur der Kummer, der uns quält,
nur die Liebe, die uns fehlt,
nur der Mensch, das Millimetermaß der Dinge, —
wenn nur das Vergängliche verginge,
bliebe das zurück, was zählt.
Aber . . .

Die Wirklichkeit als Stoff
Aus der großdeutschen Kunstlehre

Die Zeit zu schildern, ist eure heilige Pflicht.
Erzählt die Taten! beschreibt die Gesinnungen!
Nur, kränkt die Schornsteinfeger nicht!
Und kränkt die Jäger und Briefträger nicht!
Und kränkt die Neger, Schwäger, Krankenpfleger
und Totschläger nicht!

Sonst beschweren sich die Innungen.

Der Selbstwert des Tragischen
Aus der großdeutschen Kunstlehre

Es schwimmt der Held im eignen Blut?
Ende schlimm — alles gut!

Fachmännische Konsequenz

Cogito, ergo sum?
Mag sein! Doch die meisten sind dumm!
Drum
lautet des Fachmanns Befund:
Non cogitant, ergo non sunt!

Die zwei Gebote

Liebe das Leben, und denk an den Tod!
Tritt, wenn die Stunde da ist, stolz beiseite.
Einmal leben zu müssen,
heißt unser erstes Gebot.
Nur einmal leben zu dürfen,
lautet das zweite.

Kopernikanische Charaktere gesucht

Wenn der Mensch aufrichtig bedächte:
daß sich die Erde atemlos dreht;
daß er die Tage, daß er die Nächte
auf einer tanzenden Kugel steht;
daß er die Hälfte des Lebens gar
mit dem Kopf nach unten im Weltall hängt,
indes sich der Globus, berechenbar,
in den ewigen Reigen der Sterne mengt, —
wenn das der Mensch von Herzen bedächte,
dann würd er so, wie Kästner werden möchte.

Marschlied 1945

1.

In den letzten dreißig Wochen
zog ich sehr durch Wald und Feld.
Und mein Hemd ist so durchbrochen,
daß man's kaum für möglich hält.
Ich trag Schuhe ohne Sohlen,
und der Rucksack ist mein Schrank.
Meine Möbel hab'n die Polen
und mein Geld die Dresdner Bank.
Ohne Heimat und Verwandte,
und die Stiefel ohne Glanz, —
ja, das wär nun der bekannte
Untergang des Abendlands!

Links, zwei, drei, vier,
links, zwei, drei —
Hin ist hin! Was ich habe, ist allenfalls:
links, zwei, drei, vier,
links, zwei, drei —
ich habe den Kopf, ich hab ja den Kopf
noch fest auf dem Hals.

2.

Eine Großstadtpflanze bin ich.
Keinen roten Heller wert.
Weder stolz, noch hehr, noch innig,
sondern höchstens umgekehrt.
Freilich, als die Städte starben . . .
als der Himmel sie erschlug . . .
zwischen Stahl- und Phosphorgarben —
damals war'n wir gut genug.
Wenn die andern leben müßten,
wie es uns sechs Jahr geschah —
doch wir wollen uns nicht brüsten.
Dazu ist die Brust nicht da.

Links, zwei, drei, vier,
links, zwei, drei —
Ich hab keinen Hut. Ich habe nichts als:

links, zwei, drei, vier,
links, zwei, drei —
Ich habe den Kopf, ich hab ja den Kopf
noch fest auf dem Hals!

3.

Ich trag Schuhe ohne Sohlen.
Durch die Hose pfeift der Wind.
Doch mich soll der Teufel holen,
wenn ich nicht nach Hause find.
In den Fenstern, die im Finstern
lagen, zwinkert wieder Licht.
Freilich nicht in allen Häusern.
Nein, in allen wirklich nicht ...
Tausend Jahre sind vergangen
samt der Schnurrbart-Majestät.
Und nun heißt's: Von vorn anfangen!
Vorwärts marsch! Sonst wird's zu spät!

Links, zwei, drei, vier,
links, zwei, drei —
Vorwärts marsch, von der Memel bis zur Pfalz!
Links, zwei, drei, vier,
links, zwei, drei —
Denn wir hab'n ja den Kopf, denn wir hab'n ja den Kopf
noch fest auf dem Hals!

Deutsches Ringelspiel 1947

Die Flüchtlingsfrau:

Das Gebirg steht starr. Die Seen sind aus Eis.
Und es schneit. Und mich friert. Und es schneit ...
Kaum weiß ich noch, wer ich bin, wie ich heiß.
Ihr macht euch in euren Stuben breit.
Und es schneit. Und mich friert. Und es schneit ...

Ich steh euch im Weg, wo ich steh, wo ich bin.
Und es schneit. Und mich friert. Und es schneit ...
Wo kam ich her, wo soll ich hin?
Ihr habt für mich keinen Raum, keine Zeit.
Und es schneit. Und mich friert. Und es schneit ...

Ihr redet viel von Jesus Christ.
Und es schneit. Und mich friert. Und es schneit...
Ob euer Herz aus Eisen ist?
Der Mensch tut sich nur selber leid.
Und es schneit. Und mich friert. Und es schneit...

Der Geschäftemacher:
Ich hab alles das, was keiner mehr hat.
Bei irgendwem muß es ja sein.
Ich spiele das Leben am liebsten vom Blatt.
Da klingt nicht jeder Ton rein.
Bei Nacht und Nebel und tonnenweise
macht Fleisch, macht Mehl seine leise Reise.
Ich mache die Preise!
Ich schiebe, ich schob, ich habe geschoben.
Fett — schwimmt oben!

Ich handle mit Holz, mit Brillanten und Speck,
mit Häusern, mit Nägeln und Sprit.
Ich handle, wenn's sein muß, mit Katzendreck
und verkauf ihn als Fensterkitt.
Ich verschieb die Waggons und dann noch die Gleise.
Ihr rennt wie hungrige Mäuse im Kreise.
Ich mache die Preise!
Es liegt mir nicht, mich lange zu loben.
Fett — schwimmt oben!

Der Heimkehrer:
Das ist die Heimkehr dritter Klasse,
ganz ohne Lorbeer und Hurra.
Die Luft ist still. Der Tod macht Kasse.
Du suchst dein Haus. Dein Haus ist nicht mehr da.

Du suchst dein Kind. Man hat's begraben.
Du suchst die Frau. Die Frau ist fort.
Du kommst, und niemand will dich haben.
Du stehst im Nichts. Das Nirgends ist dein Ort.

Du bist dem Tod von der Schippe gesprungen.
Der Abgrund hat dich *nicht* verschlungen,
auch nicht die Große Flut.

Du bist noch da und doch nicht mehr vorhanden.
Jetzt müßte einer schreien:
»Stillgestanden!«
Das täte mir gut.

Das Frauenzimmer:
Diese Zeit ist meine Zeit,
und meine Zeit verrinnt.
Wie lange noch, dann ist's soweit!
Ich nehme, wen ich find.

Diese Zeit ist meine Zeit,
und Sünde ist ein Wort.
Ich habe keine Zeit zum Leid
und jag die Treue fort.

Diese Zeit ist meine Zeit,
ich kämpf gern Brust an Brust.
Mit Lust und Liebe, süß im Streit,
erstreit ich Lieb und Lust.

Diese Zeit ist meine Zeit.
Ich taug soviel wie sie.
Ich bin der Leib. Sie ist das Kleid.
Diese Zeit ist meine Zeit.
So schön war es noch nie!

Der Dichter:
Der letzte Schuß ging längst daneben.
Ihr krocht aus Kellern und aus Gräben.
Das große Sterben war vorbei.
Der Tod war satt, und ihr begannt zu leben
wie einst im Mai.
Ich bin der Dichter, der euch anfleht und beschwört.

Ihr seid das Volk, das nie auf seine Dichter hört.
Die Welt ging diesmal fast zugrunde.
Die Welt ging diesmal beinah vor die Hunde.
Ihr saht das Zweitjüngste Gericht.
Doch die Bedeutung dieser schwarzumwehten Stunde
fühltet ihr nicht!

Ich bin der Dichter, der euch anfleht und beschwört.
Ihr seid das Volk, das nie auf seine Dichter hört.

Die arme Jugend:
Kein Himmel kann es wollen
und auch die Erde nicht,
daß wir zerbrechen sollen,
wie wenn ein Glas zerbricht.

Wär's nicht am End gerechter,
man säh in unser Herz?
Es ist auch nicht viel schlechter
als Herzen anderwärts.

's müßt auch für uns was geben,
und wär es gleich nicht viel:
Wie sollen wir denn leben
ganz ohne Glück und Ziel?

Seid Menschen, nicht Nationen!
Vergeßt den alten Brauch!
Der Himmel wird's euch lohnen
und wir, die arme Jugend, auch.

Der Parteipolitiker:
Während man sich redlich müht,
daß aus den ererbten Trümmern,
frei nach Schiller, Leben blüht,
regen sich, statt mitzuzimmern,
Gruppen, die der Wunsch durchglüht,
was schon schlimm ist, neidlos zu verschlimmern.

Geh nicht in irgendeine Partei,
oder in eine zu kleine Partei,
oder in eine zu feine Partei!
Spiel nicht alleine Partei!
Gründe nicht deine Partei!
Geh auch nicht in seine Partei!
Es gibt nur eine Partei,
sonst gibt es keine Partei, —
es gibt nur meine Partei!

Der Halbwüchsige:

Wer unrecht tut, hat's besser als die Braven.
Er lügt und stiehlt und lacht die andern aus.
Es ist bequemer, nachts im Heu zu schlafen
als hinter Gittern, im Erziehungshaus.

Ich wär ganz gerne fromm und gut und klug.
Ich glaube nur, ich glaube nur, —
ich wünsch mir's nicht genug.

Ich weiß so viel, was ich nicht wissen sollte.
Und was ich wissen sollte, weiß ich nicht.
Ich habe viel getan, was ich nie, nie tun wollte!
Habt ihr auch ein Gewissen, das nicht spricht?

Und hat's noch Sinn, daß man mir hilft und rät?
Ich fürchte fast, ich fürchte fast, —
es ist bereits zu spät.

Der Widersacher:

Wir haben euch gezwungen und verlockt?
Stellt eure Unschuld bloß nicht untern Scheffel!
Wir haben euch die Suppe eingebrockt,
und ihr habt nicht mal einen Löffel!

Ablösung vor! Ihr erbt den Schrott und Schund.
Es ist, als ob wir's abgesprochen hätten!
Wir richten Deutschland jedesmal zugrund —
und dann kommt ihr und dürft es retten.

Dann schaun wir zu und schimpfen euch Verräter
und spotten all der Fehler, die ihr macht.
Habt ihr das Land dann wieder hochgebracht,
entsenden wir die ersten Attentäter
und werben für die nächste Völkerschlacht!
Soviel für heute, alles andre — später!

Die Zeit:

Mein Reich ist klein und unabschreitbar weit.
Ich bin die Zeit.
Ich bin die Zeit, die schleicht und eilt,
die Wunden schlägt und Wunden heilt.
Hab weder Herz noch Augenlicht.
Ich kenn die Gut und Bösen nicht.
Ich trenn die Gut und Bösen nicht.
Ich hasse keinen. Keiner tut mir leid.
Ich bin die Zeit.

Da ist nur eins, — das sei euch anvertraut:
Ihr seid zu laut!
Ich höre die Sekunden nicht,
ich hör den Schritt der Stunden nicht.
Ich hör euch beten, fluchen, schrein,
ich höre Schüsse mittendrein,
ich hör nur euch, nur euch allein.
Gebt acht, ihr Menschen, was ich sagen will:
Seid endlich still!

Ihr seid ein Stäubchen am Gewand der Zeit, —
laßt euren Streit!
Klein wie ein Punkt ist der Planet,
der sich samt euch im Weltall dreht.
Mikroben pflegen nicht zu schrein.
Und wollt ihr schon nicht weise sein,
könnt ihr zumindest leise sein!
Schweigt vor dem Ticken der Unendlichkeit!
Hört auf die Zeit!

Kleines Solo

Einsam bist du sehr alleine.
Aus der Wanduhr tropft die Zeit.
Stehst am Fenster. Starrst auf Steine.
Träumst von Liebe. Glaubst an keine.
Kennst das Leben. Weißt Bescheid.
Einsam bist du sehr alleine —
    und am schlimmsten ist die Einsamkeit zu zweit.

Wünsche gehen auf die Freite.
Glück ist ein verhexter Ort.
Kommt dir nahe. Weicht zur Seite.
Sucht vor Suchenden das Weite.
Ist nie hier. Ist immer dort.
Stehst am Fenster. Starrst auf Steine.
Sehnsucht krallt sich in dein Kleid.
Einsam bist du sehr alleine —
    und am schlimmsten ist die Einsamkeit zu zweit.

Schenkst dich hin. Mit Haut und Haaren.
Magst nicht bleiben, wer du bist.
Liebe treibt die Welt zu Paaren.
Wirst getrieben. Mußt erfahren,
daß es *nicht* die Liebe ist.
Bist sogar im Kuß alleine.
Aus der Wanduhr tropft die Zeit.
Gehst ans Fenster. Starrst auf Steine.
Brauchtest Liebe. Findest keine.
Träumst vom Glück. Und lebst im Leid.
Einsam bist du sehr alleine —
    und am schlimmsten ist die Einsamkeit zu zweit.

Trostlied im Konjunktiv

Wär ich ein Baum, stünd ich droben am Wald.
Trüg Wolke und Stern in den grünen Haaren.
Wäre mit meinen dreihundert Jahren
noch gar nicht sehr alt.

Wildtauben grüben den Kopf untern Flügel.
Kriege ritten und klirrten im Trab
querfeldein und über die Hügel
ins offene Grab.

Humpelten Hunger vorüber und Seuche.
Kämen und schmölzen wie Ostern und Schnee.
Läg ein Pärchen versteckt im Gesträuche
und tät sich süß weh.

Klängen vom Dorf her die Kirmesgeigen.
Ameisen brächten die Ernte ein.
Hinge ein Toter in meinen Zweigen
und schwänge das Bein.

Spränge die Flut und ersäufte die Täler.
Wüchse Vergißmeinnicht zärtlich am Bach.
Alles verginge wie Täuschung und Fehler
und Rauch überm Dach.

Wär ich ein Baum, stünd ich droben am Wald.
Trüg Sonne und Mond in den grünen Haaren.
Wäre mit meinen dreihundert Jahren
nicht jung und nicht alt.

Die Kantate »De minoribus«

Kriege lassen sich nicht vermeiden.
Kriege sind Stürme wie der Taifun.
Katastrophen machen bescheiden.
Bete, wer kann! Er ist zu beneiden.
Kriege lassen sich nicht vermeiden.
Der Mensch muß leiden. Er kann nichts tun.

Was nützt da Vernunft? Was helfen Choräle?
Kriege sind Stürme wie der Taifun.
Stürme erteilen sich selbst die Befehle.
Das ist auch die Ansicht der Generäle.
Was nützen Verträge? Was helfen Choräle?
Der Mensch muß leiden. Er kann nichts tun.

Kriege lassen sich nicht verhindern.
Kriege sind Stürme wie der Taifun.
Doch da ruft es aus tausend Mündern:
»Was wird das nächste Mal aus den Kindern?«
Kriege lassen sich nicht verhindern.
»Was aber wird aus den Kindern? *Nun?*«

So begab es sich, daß am Weihnachtstage des Jahres 1950 nach
Christi Geburt Frauen und Männer, und es waren die Besten,

zusammentraten und Rats hielten. Und sie, die sich selber aufgegeben hatten, gründeten einen in den Registern einzutragen-
den uneigennützigen Verein. Sie nannten ihn »Rettet die Kinder!« und erwirkten in der Folge, daß alle Regierungen der
Erde ihn anerkannten und feierlich versprachen, ihn, gemäß
den Satzungen der Genfer Konvention, zu achten. Dem Haager
Gerichtshof wurde schließlich — noch dazu einstimmig, was selten ist — das Urteilsrecht in Streitfällen überantwortet.

Es war ein guter Plan. Und da gute Pläne einfach sind, war's
ein einfacher Plan. Wenn Vater und Mutter sich streiten, schickt
man die Kinder aus dem Zimmer. Diese Methode, die sich bewährt hat, übertrug man entschlossen ins Große. Jede Regierung suchte, fand und markierte ein angemessenes Areal, sei's
eine Insel, sei es ein fruchtbarer Bezirk im Innern des Landes
und fern der Heerstraßen. Diese Gebiete erhielten die Bezeichnung »Kinderzonen« und wurden auf allen Generalstabskarten
mit dem Vermerk »Unantastbar« versehen.

In summa läßt sich behaupten:
Woran die Völker auch glaubten,
an Mohammed, Buddha, den Christ oder Marx
und den Sieg der Arbeiterklasse, —
sie alle erstellten Naturschutzparks
zur Erhaltung der menschlichen Rasse.

Und es schrieb eine Frau aus Kevelaar:
»Sie wissen, wie Mütter sind!
Mein Junge ist zwar schon achtzehn Jahr, —
doch ich bitte euch . . .
ich bitt euch . . .
Rettet!
Rettet!
Ich bitt euch: Rettet mein Kind!«

Die Frage, wann der Mensch aufhöre, ein Kind zu sein, wurde
vom Haag dahin beantwortet, daß die Kindheit mit dem drei-
zehnten Jahr ende. Dies entspreche etwa dem Beginn der körperlichen Reife. Außerdem sei erwiesen, daß Vierzehnjährige
schon recht gut mit automatischen Leichtmetallwaffen umzugehen verstünden. Mütteraufstände wurden niedergeschlagen.

Sodann begannen die Völker, die Kinderzonen mit der gebotenen Eile herzurichten. Drei Planjahre genügten. Siedlungen, Schulen, Versorgungslager, Kirchen, Viehfarmen, Elektrizitätswerke, Tempel, Textilfabriken und Krankenhäuser wuchsen, schneller als Bohnen, aus dem verbrieften Boden. Einige hundert Erwachsene wurden ins Kinderland abgestellt: im letzten Krieg erblindete Lehrer, einbeinige Ärzte, Beamte mit Prothesen statt Armen, in Straflagern verkrüppelte Priester, — untaugliche Leute für harte Zeiten.

Man hatte versucht, an alles zu denken, und man hatte an alles gedacht. Nun konnte, wenn's schon sein mußte, die Katastrophe kommen.

Und die Katastrophe kam!

Was hilft es, daß ich Ihnen erzähle,
was damals in jener Nacht geschah?
Sämtliche Sender erteilten Befehle.
Sirenen heulten aus voller Kehle.
Das große Abschiednehmen war da.

Soldaten trieben die Kinder wie Herden
in Schiffe und Güterzüge hinein.
Sie schlugen um sich, gleich scheuen Pferden.
Sie wollten gar nicht gerettet werden!
(Sie waren noch dumm. Denn sie waren noch klein.)

Es gab auch Fraun, die ihr Jüngstes versteckten.
Sie glaubten im Ernst, ihr Herz sei im Recht.
Die Suchkommandos aber entdeckten
alle Verstecke und alle Versteckten.
(Ein paarmal kam es zum Feuergefecht.)

Im großen ganzen ging's aber im guten.
Und man verlor nicht einmal viel Zeit.
Mit einer Verspätung von zwanzig Minuten
nahmen die Schiffe den Kurs durch die Fluten
und brachten die Frachten in Sicherheit.

Vor den Häusern gehen Wachen.
Und die Wiegen stehen leer.
Kinderweinen, Kinderlachen
sind vorbei und lange her ...

Mond und Sonne werden scheinen.
Und die Wiegen stehen leer.
Kinderlachen, Kinderweinen
sind vorbei und lange her ...

Viel Zeit zum Nachtrauern blieb den Zurückbleibenden nicht.
Die Gasmasken wurden ausgegeben. Die Geigerzähler, die
Eiserne Ration, die Zyankalikapseln und die Bakterienminen
wurden verteilt. Desgleichen das im Frieden geheimgehaltene
Verhütungsmittel X 4. Denn Lust ist unverbietbar, auch wenn
der Tod auf die Uhr blickt. Doch in seiner Gegenwart Kinder
zu zeugen, galt als Sünde. — Als man dann die Türen der
Bleitürme öffnen wollte, fiel die erste Bombe aus dem leeren
Himmel. Da steckte der Tod die Uhr in die Tasche.

Was nun folgte, wissen Sie. Ich spare mir die Mühe. Zu erwähnen wäre allenfalls, wie zäh die Völker waren. Sie widerstanden den wissenschaftlichen Formeln länger, als man vorher vermutet und in den Laboratorien errechnet hatte. Nach drei Jahren
lebten noch über zweihundert Millionen Menschen, gemessen
an den Vorhersagen ein ansehnlicher Prozentsatz. Freilich kamen auch sie nicht davon. Denn die Felder waren vergiftet, und
die Tiere in Stall und Wald fielen um. Ob man sie schlachtete
oder nicht, ob man Brot buk oder es ließ, man starb an beidem.
Man hatte die Wahl.

Man starb nicht eben »in Schönheit«. Wissen Sie, was Mutatio-
nen sind? Wer, im Schatten des zehntausend Meter hohen, glühenden, qualmenden Atompilzes, mit dem Leben davongekommen war, begann sich zu verändern. Der Körper fing an, mit
sich selber zu spielen. Sinnlos und widerlich. Die Ohren schossen ins Kraut. Die Arme schrumpften wie Gras im Hochsom-
mer. Der Rücken trieb Knollen, als trüge man Kohlensäcke.

So schleppten sich die Überlebenden über die Berge. So ruderten
sie, Männer und Frauen, übers Meer. Den seligen Kinderinseln

entgegen. So knieten sie vor den Wachttürmen und schrien: »Jimmy!« und »Aljoscha!« und »Waldtraut!« Man mußte sie totschlagen. Aus sanitären Gründen. Ihr trauriges Ende war unvermeidlich. Sie hatten die Kinder gerettet, ohne an die Menschen zu glauben. Das war ihr frommes Verbrechen.

Das war's, was sich dereinst begab.
So sieht die Welt von morgen aus:
Halb Massengrab, halb Waisenhaus.

Halb Waisenhaus, halb Massengrab.

Ich habe Angst.
Man darf nicht länger säumen.
Komme, was mag, — mein Kind gehört zu mir.

War's nur geträumt? Dann laßt uns öfter träumen.
Dann wissen Träume mehr von uns als wir.

Wir haben's weit gebracht.
Die Menschheit stirbt modern.

Ich hab einmal gedacht,
die Erde sei — ein Stern . . .

Kleine Epistel

Wie war die Welt noch imposant,
als ich ein kleiner Junge war!
Da reichte einem das Gras
bis zur Nase,
falls man im Grase
stand!

Geschätzte Leser —
das waren noch Gräser!
Die Stühle war'n höher,
die Straßen breiter,
der Donner war lauter,

der Himmel weiter,
die Bäume war'n größer,
die Lehrer gescheiter!
Und noch ein Pfund Butter,
liebe Leute,
war drei- bis viermal schwerer
als heute!
Kein Mensch wird's bestreiten —
das waren noch Zeiten!

Wie dem auch sei,
vorbei ist vorbei.
Nichts blieb beim alten.
Man wuchs ein bißchen.
Nichts ließ sich halten.
Der Strom ward zum Flüßchen,
der Riese zum Zwerg,
zum Hügel der Berg.
Die Tische und Stühle,
die Straßen und Räume,
das Gras und die Bäume,
die großen Gefühle,
die Lehrer, die Träume,
dein Wille und meiner,
der Mond und das übrige
Sternengewölbe —
alles ward kleiner,
nichts blieb dasselbe.

Man sah's. Man ertrug's.
Bloß weil man später
ein paar Zentimeter
wuchs.

Der Prinz auf Zeit

Ich bin der Lieblingswunsch der Götter.
Sie tauften mich — Prinz Karneval.
Ich bin ein Fürst, trotz aller Spötter.
Philipp der Zweite war mein Vetter.
Wir sahn uns oft im Escorial.

Er stets vergrämt, ich immer munter —
teilten wir uns der Sonne Lauf:
In seinem Reich ging sie nicht unter,
in meinem Reich geht sie nicht auf.

Mein Reich ist aus Samt und aus Seide,
bekränzt mit Gestirn und Geschmeide,
verwunschen in Tanz und Gesang.
Nur, ich herrsche nicht ununterbrochen.
Ich regier im Jahr ein paar Wochen,
dies freilich — jahrhundertelang.

Jubelt! Hört nicht den Lärm der Gefechte!
Hört nicht auf das Schleichen der Pest!
Blickt nicht auf die blutroten Nächte!
Liebt euch, Gerechte und Ungerechte!
Lacht und glaubt, die Welt sei ein Fest!

Küßt die Närrinnen! Küßt die Narren!
Greift in die Mieder!
Greift zu den Pritschen! Zupft die Gitarren!
Das Jetzt kommt nicht wieder!
Drückt Mund auf Mund, und laßt das Fragen!
Laßt alle Uhren stillestehn!
Was soll ihr Ticken? Was ihr Schlagen?
Ihr sollt zum Augenblicke sagen:
Verweile doch! Du bist so schön!

Was werden wird, wissen die Götter.
Hebt euer Glas, und hört auf mich!
Ich bin ein Fürst, zum Donnerwetter!
Im Karneval befehle *ich!*

Entzündet die Kerzen und Lichter!
Hängt Masken vor eure Gesichter!
Verzaubert den Raum und die Zeit!
Behängt euch mit Orden und Tressen!
Vergeßt! Denn ihr *wollt* ja vergessen,
was *ist*, und das, was ihr *seid*.

Seid ein paar Wochen *ehrliche* Sünder!
Ehrliche Sünder stimmen mich froh.
Blickt nicht auf die Opfer der Schinder!
Hört nicht auf das Weinen der Kinder
in Korea* und anderswo!

Laßt die Toten die Toten verscharren!
Singt *meine* Lieder!
Morgen kommen die *wirklichen* Narren —
und regieren euch wieder!

* *Der Koreakrieg begann am 27. August 1950.*
Das Chanson stammt aus dem ersten Programm
der ›Kleinen Freiheit‹ im Januar 1951.

Die Maulwürfe

oder *Euer Wille geschehe*

I

Als sie, krank von den letzten Kriegen,
tief in die Erde hinunterstiegen,
in die Kellerstädte, die druntenliegen,
war noch keinem der Völker klar,
daß es ein Abschied für immer war.

Sie stauten sich vor den Türen der Schächte
mit Nähmaschinen und Akten und Vieh,
daß man sie endlich nach unten brächte,
hinab in die künstlichen Tage und Nächte.
Und sie erbrachen, wenn einer schrie.

Ach, sie erschraken vor jeder Wolke!
War's Hexerei, oder war's noch Natur?
Brachte sie Regen für Flüsse und Flur?
Oder hing Gift überm wartenden Volke,
das verstört in die Tiefe fuhr?

Sie flohen aus Gottes guter Stube.
Sie ließen die Wiesen, die Häuser, das Wehr,
den Hügelwind und den Wald und das Meer.
Sie fuhren mit Fahrstühlen in die Grube.
Und die Erde ward wüst und leer.

II

Drunten in den versunkenen Städten,
versunken, wie einst Vineta versank,
lebten sie weiter, hörten Motetten,
teilten Atome, lasen Gazetten,
lagen in Betten und hielten die Bank.

Ihre Neue Welt glich gekachelten Träumen.
Der Horizont war aus blauem Glas.
Die Angst schlief ein. Und die Menschheit vergaß.
Nur manchmal erzählten die Mütter von Bäumen
und die Märchen vom Veilchen, vom Mond und vom Gras.

Himmel und Erde wurden zur Fabel.
Das Gewesene klang wie ein altes Gedicht.
Man wußte nichts mehr vom Turmbau zu Babel.
Man wußte nichts mehr vom Kain und vom Abel.
Und auf die Gräber schien Neonlicht.

Fachleute saßen an blanken, bequemen
Geräten und trieben Spiegelmagie.
An Periskopen hantierten sie
und gaben acht, ob die anderen kämen.
Aber die anderen kamen nie.

III

Droben zerfielen inzwischen die Städte.
Brücken und Bahnhöfe stürzten ein.
Die Fabriken sahn aus wie verrenkte Skelette.
Die Menschheit hatte die große Wette
verloren, und Pan war wieder allein.

Der Wald rückte vor, überfiel die Ruinen,
stieg durch die Fenster, zertrat die Maschinen,
steckte sich Türme ins grüne Haar,
griff Lokomotiven, spielte mit ihnen
und holte Christus vom Hochaltar.

Nun galten wieder die ewigen Regeln.
Die Gesetzestafeln zerbrach keiner mehr.
Es gehorchten die Rose, der Schnee und der Bär.

Der Himmel gehörte wieder den Vögeln
und den kleinen und großen Fischen das Meer.

Nur einmal, im Frühling, durchquerten das Schweigen
rollende Panzer, als ging's in die Schlacht.
Sie kehrten, beladen mit Kirschblütenzweigen,
zurück, um sie drunten den Kindern zu zeigen.
Dann schlossen sich wieder die Türen zum Schacht.

Vom wohltätigen Einfluß des Staats auf das Individuum

Auf der Bühne stilisierte Trümmerszene. Auf dem Schutt, schief aufgepflanzt, ein großes, sehr leserliches Schild: »Gebt mir zwölf Jahre Zeit, und Ihr werdet Deutschland nicht wiedererkennen!« Es tritt auf: Ein völlig abgerissener Großstädter, mit Hut, überm Arm hängt ein elegant gerollter Schirm. Der Mann geht zur Rampe, lüftet grüßend den Hut.

Schon beim ersten Blick merkt jeder,
wenn er mich hier oben sieht:
Zwischen Urmensch und Kulturmensch
ist ein Riesenunterschied!
Noch vor kaum zehntausend Jahren
war der Mensch das schwächste Tier.
Das hat sich dann sehr geändert,
und das Resultat — steht hier!
Einstens hauste er in Höhlen,
ohne Bibliothek und Bad,
und es ging auf Tod und Leben,
wenn er in den Urwald trat.
Tausend Mächten ausgeliefert,
runzelte er seine Stirn;
und so formte sich allmählich,
was ihm fehlte — das Gehirn!

Plötzlich wußte er sich Rat:
Es entstand der erste *Staat!*

Anfangs war das Staatsgebilde
selbstverständlich primitiv.

Denn die Bürger war'n noch Wilde.
Immerhin, die Sache lief!
Man begab sich mancher Rechte,
zog in corpore ins Feld,
aus den Freien wurden Knechte, —
aber »staatlich angestellt«!
Steuern gab es bald und Zölle.
Selbst ein Steinzeit-Staat braucht Geld.
Und auch Raub und Überfälle
wurden — »staatlich angestellt«.
Einzeln gab's nun nichts zu fürchten.
Nur den Staat traf die Gefahr.
Auch der Dümmste wird verstehn, daß
dieser Schritt ein Fortschritt war.

Welch ein Aufstieg! Welche Tat!
Ach, was wär'n wir ohne *Staat!*

Jede bessere Erfindung
braucht, wie alles Gute, Zeit.
Und so gab's auch diesbezüglich
Unordnung und frühes Leid.
Aber zwischen solchen Staaten
und dem großen deutschen Reich,
wie's die Ältren von uns kannten,
ist natürlich kein Vergleich!
Immer weiter auf der Leiter
kletterten die Dynastien.
Und der Bürger goß die Blumen;
denn es ging auch ohne ihn.
Alles war für ihn geregelt
durch des Staates Apparat.
Und der Mensch war sozusagen
ein vergnügter Automat.

Hände an die Hosennaht!
Alles andre tat der *Staat!*

Dann war Krieg in Ost und Westen,
den man unsrerseits verlor.
So etwas kommt in den besten

Staaten und Familien vor.
Immerhin, die Bürger klagten,
schimpften auf die Monarchie,
stampften mit dem Fuß und sagten:
»Wir versuchen's ohne sie!«
Man probierte dies und jenes.
Mancher Unfug schoß ins Kraut.
Doch dann ward ein neues, schönes
Staatsgebäude aufgebaut.
Kaiser, Kirche, Adel, Kenner
wichen vor dem neuen Geist.
Aus dem *Volke* zeigten Männer,
was ein Volk regieren heißt!

Mächtig griff die Zeit ins Rad.
Welch ein Fortschritt! Welch ein *Staat!*

Alles wurde jetzt verstaatlicht:
Kunst und Recht und Religion
und die sch . . . öne braune Farbe
und die Freiheit der Person!
Das Gewissen wurde staatlich,
der Charakter, die Moral,
selbst die Ahnen und die Kinder, —
endlich war der Staat ›total‹!
Folgend diesem größten Siege,
den der Staat errang, entstand
der totalste aller Kriege,
Weltkrieg römisch Zwo genannt!
Krieg nach außen, Krieg nach innen,
Krieg von oben ward geführt.
In dem Buche der Geschichte
sind zwölf Seiten reserviert!

Das war der totale Staat, —
und nun hab'n wir den Salat!

(Der Mann stößt mit dem Schirm auf.
Der Schirm zerbricht.
Der Mann geht ab.)

Surabaya-Johnny II

Frei nach Kipling und Brecht

Du kamst aus den Wäldern bei Pirna.
Du sagtest nicht Frau, sondern Weib.
Du warst tätowiert wie ein Seemann.
Du hattest nichts Warmes im Leib.
Du sagtest, du wärst viel auf Reisen.
Und du führest zu Schiff über Land.
Und du hättest Muskeln aus Eisen.
Und auch sonst hättst du allerhand.

Das war gemein, Johnny.
Ich fiel drauf rein, Johnny.
Du hast gelogen, Johnny, du bist nicht echt.
Du bist nicht gereist, Johnny.
Du bist nicht von Kipling, Johnny.
Nimm die Pfeife raus. Du bist von Brecht.
Surabaya-Johnny!
Kalkutta, Schanghai, Montreux!
Johnny, sunny Johnny,
mein Gott, my God, mon Dieu!

Du konntest vor Kraft nicht laufen.
Du hattest den größten Mund.
Du wolltest mich preiswert verkaufen,
in Dollars und nach Pfund.
Du schwärmtest von fernen Bordellen,
mit Huren und Kunden und Gin.
Dort gäbe es offene Stellen.
Und da gehöre ich hin.

Weil du es wolltest, Johnny,
sagte ich Ja, Johnny.
Ich war so sinnlich, Johnny, mir war es recht.
Doch die Bordelle, Johnny,
warn frei erfunden, Johnny!
Du hast gelogen, wart! Ich sag es Brecht.
Surabaya-Johnny!
Du sprachest von Kolonien,
Johnny, sunny Johnny,
und kanntest nur Berlin.

Du sagtest, du wärst ein Verbrecher.
Und hättest die Konzession
als vereidigter Messerstecher.
Ich glaubte dir jeden Ton.
Du versprachst mir, mich zu ermorden.
Du stachst mich schon in die Haut.
Es ist nichts draus geworden.
Du hast dich nicht getraut.

> Du renommiertest, Johnny,
> sooft du sprachst, Johnny.
> Nur mit dem Maul, Johnny, da warst du schlecht.
> Du warst nicht englisch, Johnny.
> Du warst nicht indisch, Johnny.
> Kauft Kolonialwaren bei Bertolt Brecht!
> Surabaya-Johnny!
> Villon, Kipling, Rimbaud,
> fourniert auf Mahagonny —
> du bist der geborene ›& Co‹!

Kästner auf englisch
Maskenball im Hochgebirge

One fine night the guests went mad and singing
Jazzy numbers headed for a spree.
Through the foyer went the whole lot swinging
Into darkness and began to ski.

Down the slopes caroused the crazy throng.
Looking on, the full moon was affected
With amazement, and his face grew long;
Such a sight was wholly unexpected.

There were ladies clad in nothing but confetti.
Others ran around in underwear.
A director dressed as knight stood ready
In a helmet like a giant pear.

Seven deer collapsed when they beheld them.
Possibly demolished by a stroke,

Or it may be that the music felled them,
For the band had come just for a joke.

Just like frozen beds the fields were scattered,
Hoarfrost fell on gowns of handsome price,
And like castanets those choppers chattered,
Frau von Cotta's bosom turned to ice.

Now the mountains made reproachful eyes
For they wanted peace; so on the spot
They sent down an avalanche of middle size,
Which took care of that idiotic lot.

This is really easy to explain.
Nature lost her patience and reacted.
You would blame the agency in vain.
Other reasons cannot be detected.

Thus the frigid party was interred.
And the agent's joy was justified,
When on Wednesday afternoon he heard
That some rooms were now unoccupied.

Englisch auf kästnersch
Nach einem Gedicht von T. S. Elliot

Wie heißen die Katzen? gehört zu den kniffligsten Fragen
    Und nicht in die Rätselecke für jumperstrickende Damen.
Ich darf Ihnen, ganz im Vertrauen, sagen:
    Eine jede Katze hat *drei verschiedene Namen.*
Zunächst den Namen für Hausgebrauch und Familie,
    Wie Paul oder Moritz (in ungefähr diesem Rahmen),
Oder Max oder Peter oder auch Petersilie —
    Kurz, lauter vernünft'ge, alltägliche Namen.
Oder, hübscher noch, Murr oder Fangemaus
    Oder auch, nach den Mustern aus klassischen Dramen:
Iphigenie, Orest oder Menelaus —
    Also immer noch ziemlich vernünft'ge, alltägliche Namen.

Doch nun zu dem nächsten Namen, dem zweiten:
    Den muß man besonders und anders entwickeln.
Sonst könnten die Katzen nicht königlich schreiten,
    Noch gar mit erhobenem Schwanz perpendikeln.
Zu solchen Namen zählt beispielsweise
    Schnurroaster, Tatzitus, Katzastrophal,
Kralline, Nick Kater und Kratzeleise —
    Und jeden der Namen gibt's nur einmal.
Doch schließlich hat jede noch einen dritten!
    Ihn kennt nur die Katze und gibt ihn nicht preis.
Da nützt kein Scharfsinn, da hilft kein Bitten.
    Sie bleibt die einzige, die ihn weiß.
Sooft sie versunken, versonnen und
    Verträumt vor sich hinstarrt, ihr Herren und Damen,
Hat's immer und immer den gleichen Grund:
    Dann denkt sie und denkt sie an diesen Namen —
    Den unaussprechlichen, unausgesprochenen,
    Den ausgesprochen unaussprechlichen,
Geheimnisvoll dritten Namen.

Kästner auf neumannsch

Ein Sohn, etwas frühreif, schreibt an Frau Großhennig

Liebe Mutter! Das war natürlich sehr freundlich,
daß du mir schriebst. Und ich bin dir durchaus nicht gram.
Im Augenblick war es ja allerdings etwas peinlich,
weil eben ein Mädchen bei mir lag, als der Briefbote kam.

Sie heißt Hilda und ist gesund, da mußt du dich nicht erst erregen.
Das tut dir nicht gut. Sie ist zärtlich, sie hat eine Tante
                und wohnt nebenan Nummer acht.
Diese Mitteilung mache ich dir hauptsächlich des Reimes wegen,
Und weil das mit dem Mädchen sich so reizend natürlich macht.

Du fragst was ich treibe. Ich treibe soziales Gewissen.
Ich treibe auch Kinderseele. Wie, bitte? Danke, es geht.
Dagegen gibt es welche, die wollten meinen Roman lieber missen,
obwohl er so schön ist. Weil er nämlich fast nur
aus zu Prosa gewalzten Kästnergedichten besteht.

So gebe ich eben plauderdings dem Kurfürstendamme,
was des Kurfürstendammes ist, gut für Kunz oder Hinz.
Die halten das dann für Asphalt. Aber gleich darunter
                        flackert mit scheu leuchtender Flamme
die Melancholie. Und ein wenig Moral. Und ein wenig Provinz.

Ist das neu? Lies den Heine, wenn du den Heine liest.
                                  Uns Erwürger
des Gefühls würgt ja doch nur das Gefühl.
Na, schon gut! Halb ein Bürgerschreck und halb ein
                            erschrockener Bürger
dichte ich mich leicht frierend durch das Menschengewühl.

Fabian

Fabian und die Sittenrichter

Dieses Buch ist nichts für Konfirmanden, ganz gleich, wie alt sie sind. Der Autor weist wiederholt auf die anatomische Verschiedenheit der Geschlechter hin. Er läßt in verschiedenen Kapiteln völlig unbekleidete Damen und andre Frauen herumlaufen. Er deutet wiederholt jenen Vorgang an, den man, temperamentloserweise, Beischlaf nennt. Er trägt nicht einmal Bedenken, abnorme Spielarten des Geschlechtslebens zu erwähnen. Er unterläßt nichts, was die Sittenrichter zu der Bemerkung veranlassen könnte: Dieser Mensch ist ein Schweinigel.

Der Autor erwidert hierauf: Ich bin ein Moralist!

Durch Erfahrungen am eignen Leibe und durch sonstige Beobachtungen unterrichtet, sah er ein, daß die Erotik in seinem Buch beträchtlichen Raum beanspruchen mußte. Nicht, weil er das Leben fotografieren wollte, denn das wollte und tat er nicht. Aber ihm lag außerordentlich daran, die Proportionen des Lebens zu wahren, das er darstellte. Sein Respekt vor dieser Aufgabe war möglicherweise ausgeprägter als sein Zartgefühl. Er findet das in Ordnung. Die Sittenrichter, die männlichen, weiblichen und sächlichen, sind wieder einmal sehr betriebsam geworden. Sie rennen, zahllos wie die Gerichtsvollzieher, durch die Gegend und kleben, psychoanalytisch geschult, wie sie sind, ihre Feigenblätter über jedes Schlüsselloch und auf jeden Spazierstock. Doch sie stolpern nicht nur über die sekundären Geschlechtsmerkmale. Sie werden dem Autor nicht nur vorwerfen, er sei ein Pornograph. Sie werden auch behaupten, er sei ein Pessimist, und das gilt bei den Sittenrichtern sämtlicher Parteien und Reichsverbände für das Ärgste, was man einem Menschen nachsagen kann.

Sie wollen, daß jeder Bürger seine Hoffnungen im Topf hat. Und je leichter diese Hoffnungen wiegen, um so mehr suchen sie ihm davon zu liefern. Und weil ihnen nichts mehr einfällt, was, wenn die Leute daran herumkochen, Bouillon gibt, und weil ihnen das, was ihnen früher einfiel, von der Mehrheit längst auf den Misthaufen der Geschichte geworfen wurde, fragen sich die Sittenrichter: Wozu haben wir die Angestellten der Phantasie, die Schriftsteller? Der Autor erwidert hierauf: Ich bin ein Moralist!

Er sieht eine einzige Hoffnung, und die nennt er. Er sieht, daß die Zeitgenossen, störrisch wie die Esel, rückwärts laufen, einem klaffenden Abgrund entgegen, in dem Platz für sämtliche Völker Europas ist. Und so ruft er, wie eine Reihe anderer vor ihm und außer ihm: Achtung! Beim Absturz linke Hand am linken Griff!

Wenn die Menschen nicht gescheiter werden (und zwar jeder höchstselber, nicht immer nur der andere) und wenn sie es nicht vorziehen, endlich vorwärts zu marschieren, vom Abgrund fort, der Vernunft entgegen, wo, um alles in der Welt, ist dann noch eine ehrliche Hoffnung? Eine Hoffnung, bei der ein anständiger Kerl ebenso aufrichtig schwören kann wie beim Haupt seiner Mutter?

Der Autor liebt die Offenheit und verehrt die Wahrheit. Er hat mit der von ihm geliebten Offenheit einen Zustand geschildert, und er hat angesichts der von ihm verehrten Wahrheit eine Meinung dargestellt. Darum sollten sich die Sittenrichter, ehe sie sein Buch im Primäraffekt erdolchen, dessen erinnern, was er hier wiederholt versicherte.

Er sagte, er sei ein Moralist.

Fabian
Die Geschichte eines Moralisten

Erstes Kapitel

Ein Kellner als Orakel
Der andere geht trotzdem hin
Ein Institut für geistige Annäherung

Fabian saß in einem Café namens Spalteholz und las die Schlagzeilen der Abendblätter: Englisches Luftschiff explodiert über Beauvais, Strychnin lagert neben Linsen, Neunjähriges Mädchen aus dem Fenster gesprungen, Abermals erfolglose Ministerpräsidentenwahl, Der Mord im Lainzer Tiergarten, Skandal im Städtischen Beschaffungsamt, Die künstliche Stimme in der Westentasche, Ruhrkohlenabsatz läßt nach, Die Geschenke für Reichsbahndirektor Neumann, Elefanten auf dem Bürgersteig, Nervosität an den Kaffeemärkten, Skandal um Clara Bow, Bevorstehender Streik von 140.000 Metallarbeitern, Verbrecherdrama in Chikago, Verhandlungen in Moskau über das Holzdumping, Starhembergjäger rebellieren. Das tägliche Pensum. Nichts Besonderes.
Er nahm einen Schluck Kaffee und fuhr zusammen. Das Zeug schmeckte nach Zucker. Seitdem er, zehn Jahre war das her, in der Mensa am Oranienburger Tor dreimal wöchentlich Nudeln mit Sacharin hinuntergewürgt hatte, verabscheute er Süßes. Er zündete sich eilig eine Zigarette an und rief den Kellner.
»Womit kann ich dienen?« fragte der.
»Antworten Sie mir auf eine Frage.«
»Bitteschön.«
»Soll ich hingehen oder nicht?«
»Wohin meinen der Herr?«
»Sie sollen nicht fragen. Sie sollen antworten. Soll ich hingehen oder nicht?«
Der Kellner kratzte sich unsicher hinter den Ohren. Dann trat er von einem Plattfuß auf den anderen und meinte verlegen: »Das beste wird sein, Sie gehen nicht hin. Sicher ist sicher, mein Herr.«
Fabian nickte. »Gut. Ich werde hingehen. Zahlen.«
»Aber ich habe Ihnen doch abgeraten!«
»Deshalb geh ich ja hin! Bitte zahlen.«
»Wenn ich zugeraten hätte, wären Sie nicht gegangen?«

»Dann auch. Bitte zahlen!«

»Das versteh ich nicht«, erklärte der Kellner ärgerlich. »Warum haben Sie mich denn überhaupt gefragt?«

»Wenn ich das wüßte«, antwortete Fabian.

»Eine Tasse Kaffee, ein Butterbrot, fünfzig, dreißig, achtzig, neunzig Pfennig«, deklamierte der andere.

Fabian legte eine Mark auf den Tisch und ging. Er hatte keine Ahnung, wo er sich befand. Wenn man am Wittenbergplatz auf den Autobus 1 klettert, an der Potsdamer Brücke in eine Straßenbahn umsteigt, ohne deren Nummer zu lesen, und zwanzig Minuten später den Wagen verläßt, weil plötzlich eine Frau drinsitzt, die Friedrich dem Großen ähnelt, kann man wirklich nicht wissen, wo man ist.

Er folgte drei hastig marschierenden Arbeitern und geriet, über Holzbohlen stolpernd, an Bauzäunen und grauen Stundenhotels entlang, zum Bahnhof Jannowitzbrücke. Im Zug holte er die Adresse heraus, die ihm Bertuch, der Bürochef, aufgeschrieben hatte: Schlüterstraße 23, Frau Sommer. Er fuhr bis zum Zoo. Auf der Joachimsthaler Straße fragte ihn ein dünnbeiniges, wippendes Fräulein, wie er drüber dächte. Er beschied das Anerbieten abschlägig, drohte mit dem Finger und entkam.

Die Stadt glich einem Rummelplatz. Die Häuserfronten waren mit buntem Licht beschmiert, und die Sterne am Himmel konnten sich schämen. Ein Flugzeug knatterte über die Dächer. Plötzlich regnete es Aluminiumtaler. Die Passanten blickten hoch, lachten und bückten sich. Fabian dachte flüchtig an jenes Märchen, in dem ein kleines Mädchen sein Hemd hochhebt, um das Kleingeld aufzufangen, das vom Himmel fällt. Dann holte er von der steifen Krempe eines fremden Hutes einen Taler herunter. »Besucht die Exotikbar, Nollendorfplatz 3, Schöne Frauen, Nacktplastiken, Pension Condor im gleichen Hause«, stand darauf. Fabian hatte mit einem Male die Vorstellung, er fliege dort oben im Aeroplan und sehe auf sich hinunter, auf den jungen Mann in der Joachimsthaler Straße, im Gewimmel der Menge, im Lichtkreis der Laternen und Schaufenster, im Straßengewirr der fiebrig entzündeten Nacht. Wie klein der Mann war. Und mit dem war er identisch! Er überquerte den Kurfürstendamm. An einem der Giebel rollte eine Leuchtfigur, ein Türkenjunge war es, mit den elektrischen Augäpfeln. Da stieß jemand heftig gegen Fabians Stiefelabsatz. Er drehte sich mißbilligend um. Es war die Straßenbahn gewesen. Der Schaffner fluchte.

»Passense auf!« schrie der Polizist.

Fabian zog den Hut und sagte: »Werde mir Mühe geben.«

In der Schlüterstraße öffnete ein grünlivrierter Liliputaner, erklomm eine zierliche Leiter, half dem Besucher aus dem Mantel und verschwand. Kaum war der kleine Grüne weg, rauschte eine üppige Dame, bestimmt Frau Sommer, durch den Vorhang und sagte: »Darf ich Sie in mein Büro bitten?« Fabian folgte.

»Mir wurde Ihr Klub von einem gewissen Herrn Bertuch empfohlen.« Sie blätterte in einem Heft und nickte. »Bertuch, Friedrich Georg, Bürochef, 40 Jahre, mittelgroß, brünett, Karlstraße 9, musikliebend, bevorzugt schlanke Blondinen nicht über fünfundzwanzig Jahre alt.«

»Das ist er!«

»Herr Bertuch verkehrt seit Oktober bei mir und war in dieser Zeit fünfmal anwesend.«

»Das spricht für das Institut.«

»Die Anmeldegebühr beträgt zwanzig Mark. Jeder Besuch kostet zehn Mark extra.«

»Hier sind dreißig Mark.« Fabian legte das Geld auf den Schreibtisch. Die üppige Dame steckte die Scheine in eine Schublade, nahm einen Federhalter und sagte: »Die Personalien?«

»Fabian Jakob, 32 Jahre alt, Beruf wechselnd, zur Zeit Reklamefachmann, Schaperstraße 17, herzkrank, Haarfarbe braun. Was müssen Sie noch wissen?«

»Haben Sie hinsichtlich der Damen bestimmte Wünsche?«

»Ich möchte mich nicht festlegen. Mein Geschmack neigt zu Blond, meine Erfahrung spricht dagegen. Meine Vorliebe gehört großen Frauen. Aber das Bedürfnis ist nicht gegenseitig. Lassen Sie die Rubrik frei.«

Irgendwo wurde Grammophon gespielt. Die üppige Dame erhob sich und erklärte ernst: »Ich darf Sie, bevor wir hineingehen, mit den wichtigsten Statuten bekanntmachen. Annäherungen der Mitglieder untereinander werden nicht übelgenommen, sondern erwartet. Die Damen genießen dieselben Rechte wie die Herren. Von der Existenz, der Adresse und den Gepflogenheiten des Instituts ist nur vertrauenswürdigen Herrschaften Mitteilung zu machen. Den idealen Absichten des Unternehmens ungeachtet sind die Konsumkosten sofort zu begleichen. Innerhalb der Klubräume hat keins der Paare Anspruch, respektiert zu werden. Paare, die ungestört zu bleiben wünschen, werden gebeten, den Klub zu verlassen. Das Etablissement dient der Anbahnung von Beziehungen, nicht den Beziehungen selber. Mitglieder, die einander vorübergehend zu gegenseitigem Befund Gelegenheit gaben, werden ersucht, das wieder zu vergessen, da nur auf diese Weise Komplikationen vermeidbar sind. Haben Sie mich verstanden, Herr Fabian?«

»Vollkommen.«

»Dann bitte ich Sie, mir zu folgen.«

Dreißig bis vierzig Personen mochten anwesend sein. Im ersten Raum wurde Bridge gespielt. Nebenan wurde getanzt. Frau Sommer wies dem neuen Mitglied einen freien Tisch an, sagte, daß man sich notfalls jederzeit an sie wenden könne, und verabschiedete sich. Fabian nahm Platz, bestellte beim Kellner Kognaksoda und sah sich um. War er auf einer Geburtstagsgesellschaft?

»Die Menschen sehen harmloser aus, als sie sind«, bemerkte ein kleines schwarzhaariges Fräulein und setzte sich neben ihn. Fabian bot ihr zu rauchen an.

»Sie wirken sympathisch«, sagte sie. »Sie sind im Dezember geboren.«

»Im Februar.«

»Aha! Sternbild der Fische und paar Tropfen Wassermann. Ziemlich kalte Natur. Sie kommen nur aus Neugierde?«

»Die Atomtheoretiker behaupten, noch die kleinsten Substanzpartikel bestünden aus umeinander kreisenden elektrischen Energiemengen. Halten Sie diese Ansicht für eine Hypothese oder für eine Anschauung, die dem wahren Sachverhalt entspricht?«

»Empfindlich sind Sie auch noch?« rief die Person. »Aber es macht nichts. Sind Sie hier, um sich eine Frau zu suchen?«

Er hob die Schultern. »Ist das ein förmlicher Antrag?«

»Unsinn! Ich war zweimal verheiratet, das genügt vorläufig. Die Ehe ist nicht die richtige Ausdrucksform für mich. Dafür interessieren mich die Männer zu sehr. Ich stelle mir jeden, den ich sehe und der mir gefällt, als Ehemann vor.«

»In seinen prägnantesten Eigenschaften, will ich hoffen.«

Sie lachte, als hätte sie den Schlucken, und legte die Hand auf sein Knie. »Richtig gehofft! Man behauptet, ich litte an stellungsuchender Phantasie. Sollten Sie im Verlauf des Abends das Bedürfnis haben, mich nach Hause zu bringen, meine Wohnung und ich sind klein, aber stabil.«

Er entfernte die fremde und unruhige Hand von seinem Knie und meinte: »Möglich ist alles. Und jetzt will ich mir das Lokal ansehen.«

Er kam nicht dazu. Wie er sich erhob und umwandte, stand eine große, programmäßig gewachsene Dame vor ihm und sagte: »Man wird gleich tanzen.« Sie war größer als er und blond dazu. Die kleine schwarzhaarige Schwadroneuse befolgte die Statuten und verschwand. Der Kellner setzte das Grammophon in Gang. An den Tischen entstand Bewegung. Man tanzte.

Fabian betrachtete die Blondine sorgfältig. Sie hatte ein blasses infantiles Gesicht und sah zurückhaltender aus, als sie, ihrem Tanze nach, zu sein schien. Er schwieg und spürte, daß in wenigen Minuten jener Grad von Schweigsamkeit erreicht wäre, der den Anfang eines Gesprächs, eines belanglosen dazu, unmöglich macht. Glücklicherweise trat er ihr auf den Fuß. Sie wurde gesprächig. Sie zeigte ihm die zwei Damen, die einander neulich wegen eines Mannes geohrfeigt und die Kleider aufgerissen hatten. Sie berichtete, daß Frau Sommer ein Verhältnis mit dem grünen Liliputaner habe, und erklärte, daß sie sich diese Liaison nicht auszumalen wage. Schließlich fragte sie, ob er noch bleiben wolle; sie breche auf. Er ging mit.

Am Kurfürstendamm winkte sie einem Taxi, nannte eine Adresse, stieg ein und nötigte ihn, neben ihr Platz zu nehmen. »Aber ich habe nur noch zwei Mark«, erklärte er.

»Das macht fast gar nichts«, gab sie zur Antwort, und dem Chauffeur rief sie zu: »Licht aus!« Es wurde dunkel. Der Wagen ruckte an und fuhr. Schon in der ersten Kurve fiel sie über ihn her und biß ihn in die Unterlippe. Er schlug mit der Schläfe gegen das Verdeckscharnier, hielt sich den Kopf und sagte: »Aua! Das fängt gut an.«

»Sei nicht so empfindlich«, befahl sie und überschüttete ihn mit Aufmerksamkeiten.

Ihm kam der Überfall zu plötzlich. Und der Schädel tat ihm weh. Fabian war nicht bei der Sache. »Ich wollte eigentlich, bevor Sie mich erwürgen, noch einen Brief schreiben«, röchelte er.

Sie boxte ihn vors Schlüsselbein, lachte, ohne eine Miene zu verziehen, die Tonleiter hinauf und herunter und strangulierte weiter. Seine Bemühung, sich der Frau zu erwehren, wurde zusehends falsch ausgelegt. Jede Wegbiegung führte zu neuen Verwicklungen. Er beschwor das Schicksal, dem Auto weitere Kurven zu ersparen. Das Schicksal hatte Ausgang.

Als der Wagen endlich hielt, überpuderte die Blonde ihr Gesicht, bezahlte die Fahrt und äußerte vor der Haustür: »Erstens ist dein Gesicht voller roter Flecken, und zweitens trinkst du bei mir eine Tasse Tee.«

Er rieb sich die Lippenpomade von den Backen und sagte: »Ihr Antrag ehrt mich, doch ich muß morgen zeitig im Büro sein.«

»Mach mich nicht wütend. Du bleibst bei mir. Das Mädchen wird dich wecken.«

»Aber ich werde nicht aufstehen. Nein, ich muß zu Hause schlafen. Ich erwarte früh sieben Uhr ein dringendes Telegramm. Das bringt die Wirtin ins Zimmer und rüttelt mich, bis ich aufwache.«

»Wieso weißt du schon jetzt, daß du ein Telegramm erhalten wirst?«

»Ich weiß sogar, was drinsteht.«

»Nämlich?«

»Es wird heißen: ›Scher dich aus dem Bett. Dein treuer Freund Fabian.‹ Fabian, das bin ich.« Er blinzelte in das Laub der Bäume und freute sich über den gelben Glanz der Laternen. Die Straße lag ganz still. Eine Katze lief geräuschlos ins Dunkel. Wenn er jetzt die grauen Häuser entlangspazieren könnte!

»Die Geschichte mit dem Telegramm ist doch nicht wahr?«

»Nein, aber das ist der pure Zufall«, sagte er.

»Wozu kommst du in den Klub, wenn dir an den Konsequenzen nichts liegt?« fragte sie ärgerlich und schloß die Tür auf.

»Ich erfuhr die Adresse und bin sehr neugierig.«

»Also hopp!« sagte sie. »Der Neugier sind keine Schranken gesetzt.« Die Tür schloß sich hinter ihnen.

Zweites Kapitel

Es gibt sehr aufdringliche Damen
Ein Rechtsanwalt hat nichts dagegen
Betteln verdirbt den Charakter

Im Fahrstuhl war ein Wandspiegel. Fabian zog das Taschentuch und rieb die roten Flecken aus dem Gesicht. Die Krawatte saß schief. Die Schläfe brannte. Und die blasse Blondine sah auf ihn herunter. »Wissen Sie, was eine Megäre ist?« fragte er. Sie legte den Arm um ihn. »Ich weiß es, aber ich bin hübscher.«

Am Türschild stand: Moll. Das Dienstmädchen öffnete. »Bringen Sie uns Tee.«

»Der Tee steht in Ihrem Zimmer.«

»Gut. Gehen Sie schlafen!« Das Mädchen verschwand im Korridor. Fabian folgte der Frau. Sie führte ihn geradewegs ins Schlafzimmer, schenkte Tee ein, stellte Kognak und Zigaretten zurecht und sagte mit einer umfassenden Geste: »Bediene dich!«

»Mein Gott, ein Tempo haben Sie am Leibe!«

»Wo?« fragte sie.

Er überhörte das. »Sie heißen Moll?«

»Irene Moll sogar, damit Leute mit Gymnasialbildung etwas zu lachen haben. Setz dich. Ich komme gleich wieder.«

Er hielt sie zurück und gab ihr einen Kuß.

»Na, es wird ja langsam«, meinte sie und entfernte sich. Er trank einen Schluck Tee und ein Glas Kognak. Dann musterte er das Zimmer. Das Bett war niedrig und breit. Die Lampe gab indirektes Licht. Die Wände waren mit Spiegelglas bespannt. Er trank noch einen Kognak und trat ans Fenster. Vergittert war es nicht.

Was hatte die Frau mit ihm vor? Fabian war zweiunddreißig Jahre alt und hatte sich nachts fleißig umgetan, auch dieser Abend begann ihn zu reizen. Er trank den dritten Kognak und rieb sich die Hände.

Er betrieb die gemischten Gefühle seit langem aus Liebhaberei. Wer sie untersuchen wollte, mußte sie haben. Nur während man sie besaß, konnte man sie beobachten. Man war ein Chirurg, der die eigene Seele aufschnitt.

»So, nun wird der kleine Junge geschlachtet«, sagte die Blondine. Sie trug jetzt einen Schlafanzug aus schwarzen Spitzen. Er trat einen Schritt zurück. Sie aber rief »Hurra!« und sprang ihm derart an den Hals, daß er die Balance verlor, kippte und samt der Dame auf den Fußboden zu sitzen kam.

»Ist sie nicht schrecklich?« fragte da eine fremde Stimme.

Fabian blickte verwundert hoch. Im Türrahmen stand, mit einem Pyjama bekleidet, ein dürrer großnasiger Mensch und gähnte.

»Was wollen Sie denn hier?« fragte Fabian.

»Entschuldigen Sie, mein Herr, aber ich konnte nicht wissen, daß Sie mit meiner Frau bereits durchs Zimmer kriechen.«

»Mit Ihrer Frau?«

Der Eindringling nickte, gähnte verzweifelt und sagte vorwurfsvoll: »Irene, wie konntest du den Herrn in eine so schiefe Lage bringen! Wenn du schon wünschst, daß ich mir deine Neuerwerbungen anschaue, kannst du sie mir wenigstens gesellschaftsfähig präsentieren. Auf dem Teppich! Das wird dem Herrn sicher nicht recht sein. Und ich schlief so schön, als du mich wecktest... Ich heiße Moll, mein Herr, bin Rechtsanwalt und außerdem«, er gähnte herzzerreißend, »und außerdem der Gatte dieser weiblichen Person, die sich auf Ihnen breitmacht.«

Fabian schob die Blondine von sich herunter, stand auf und ordnete seinen Scheitel. »Hält sich Ihre Gattin einen männlichen Harem? Mein Name ist Fabian.«

Moll kam auf ihn zu und reichte ihm die Hand. »Es freut mich, einen so sympathischen jungen Mann kennenzulernen. Die Umstände sind ebenso gewöhnlich wie ungewöhnlich. Das ist Ansichtssache. Aber falls Sie der Gedanke beruhigt: ich bin daran gewöhnt. Nehmen Sie Platz.«

Fabian setzte sich. Irene Moll rutschte auf die Armlehne, streichelte ihn und sagte zu ihrem Mann: »Wenn er dir nicht gefällt, brech ich den Kontrakt.«

»Aber er gefällt mir ja«, antwortete der Rechtsanwalt.

»Sie reden über mich, als wäre ich ein Stück Streuselkuchen oder ein Rodelschlitten«, meinte Fabian.

»Ein Rodelschlitten bist du, mein Kleiner!« rief die Frau und preßte seinen Kopf gegen ihre volle, schwarz vergitterte Brust.

»Himmeldonnerwetter!« schrie er. »Lassen Sie mich gefälligst in Ruhe!«

»Du darfst deinen Besuch nicht ärgern, liebe Irene«, erklärte Moll. »Ich werde mit ihm in mein Arbeitszimmer gehen und ihm dort alles Wissenswerte mitteilen. Du vergißt, daß er die Situation als merkwürdig empfinden muß. Ich schicke ihn dir dann wieder herüber. Gute Nacht.« Der Rechtsanwalt gab seiner Frau die Hand.

Sie stieg in ihr niedriges Bett, stand betrübt und einsam zwischen den Kissen und sagte: »Gute Nacht, Moll, schlaf gut. Aber red ihn nicht tot. Ich brauch ihn noch.«

»Ja, ja«, antwortete Moll und zog den Gast mit sich fort.

Sie nahmen im Arbeitszimmer Platz. Der Rechtsanwalt zündete sich eine Zigarre an, fröstelte, legte eine Kamelhaardecke über die Knie und blätterte in einem Aktenbündel.

»Mich geht zwar die Sache nichts an«, begann Fabian, »aber was Sie sich von der Frau bieten lassen, steigt auf Bäume. Werden Sie oft von ihr aus dem Bett geholt, um die Liebhaber zu taxieren?«

»Sehr oft, mein Herr. Ursprünglich erwirkte ich mir diese Begutachtung als verbrieftes Recht. Nach dem ersten Jahr unserer Ehe setzten wir einen Kontrakt auf, dessen Paragraph 4 lautet: ›Die Vertragspartnerin verpflichtet sich, jeden Menschen, mit dem sie in intime Beziehungen zu treten wünscht, zuvor ihrem Gatten, Herrn Doktor Felix Moll, vorzuführen. Spricht sich dieser gegen den Betreffenden aus, so ist Frau Irene Moll angewiesen, unverzüglich auf die Ausführung ihres Vorhabens zu verzichten. Jedes Vergehen gegen den Paragraphen wird mit einer hälftigen Kürzung der finanziellen Monatszuwendungen geahndet.‹ Der Kontrakt ist sehr interessant. Soll ich ihn in extenso vorlesen?« Moll holte den Schreibtischschlüssel aus der Tasche.

»Bemühen Sie sich nicht!« Fabian wehrte ab. »Wissen möchte ich nur, wieso Sie auf den Gedanken verfielen, einen solchen Kontrakt überhaupt aufzusetzen.«

»Meine Frau träumte so schlecht.«

»Wie?«

»Sie träumte. Sie träumte entsetzliche Dinge. Es war offensichtlich, daß ihre sexuellen Bedürfnisse proportional der Ehedauer zunahmen und Wunschträume erzeugten, von deren Inhalt Sie, mein Herr, sich glücklicherweise noch keine Vorstellung machen können. Ich zog mich zurück, und sie bevölkerte ihr Schlafzimmer mit Chinesen, Ringkämpfern und Tänzerinnen. Was blieb mir übrig? Wir schlossen einen Vertrag.«

»Meinen Sie nicht, daß eine andere Behandlung erfolgreicher und geschmackvoller gewesen wäre?« fragte Fabian ungeduldig.

»Zum Beispiel, mein Herr?« Der Rechtsanwalt setzte sich aufrecht.

»Zum Beispiel: pro Abend fünfundzwanzig hintendrüber?«

»Ich hab's versucht. Es tat mir zu weh.«

»Das kann ich gut verstehen.«

»Nein!« rief der Rechtsanwalt, »das können Sie nicht verstehen! Irene ist sehr kräftig, mein Herr.«

Moll senkte den Kopf. Fabian zog eine weiße Nelke aus der Schreibtischvase, steckte die Blume ins Knopfloch, erhob sich, lief im Zimmer umher und rückte die Bilder gerade. Vermutlich hatte es dem alten langen Kerl auch noch Vergnügen gemacht, von seiner Frau übers Knie gelegt zu werden.

»Ich will gehen«, sagte er. »Geben Sie mir den Hausschlüssel!«

»Ist das Ihr Ernst?« fragte Moll ängstlich. »Aber Irene erwartet Sie doch. Bleiben Sie, um des Himmels willen! Sie wird außer sich geraten, wenn sie sieht, daß Sie gegangen sind! Sie wird denken, ich hätte Sie weggeschickt. Bleiben Sie, bitte! Sie hat sich so darauf gefreut. Gönnen Sie ihr doch das kleine Vergnügen!«

Der Mann war aufgesprungen und packte den Besucher am Jackett. »Bleiben Sie doch! Sie werden es nicht bereuen. Sie werden wiederkommen. Sie werden unser Freund bleiben. Und ich würde Irene in guten Händen wissen. Tun Sie's mir zu Gefallen.«

»Vielleicht wollen Sie mir auch noch ein sicheres Monatseinkommen garantieren?«

»Darüber ließe sich reden, mein Herr. Ich bin nicht unvermögend.«

»Geben Sie mir den Hausschlüssel, aber etwas plötzlich! Ich eigne mich nicht für den Posten.«

Doktor Moll seufzte, kramte auf dem Schreibtisch, gab Fabian einen Schlüsselbund und sagte: »Jammerschade, Sie waren mir von Anfang an sympathisch. Behalten Sie die Schlüssel ein paar Tage. Vielleicht überlegen Sie sich's. Ich würde mich jedenfalls sehr freuen, Sie wiederzusehen.«

Fabian knurrte: »Gute Nacht«, ging leise durch die Diele, nahm Hut und Mantel, öffnete die Tür, zog sie vorsichtig hinter sich zu und galoppierte die Treppe hinunter. Auf der Straße holte er tief Atem und schüttelte den Kopf. Da spazierten die Menschen hier unten vorüber und hatten keine Ahnung, wie verrückt es hinter den Mauern zuging! Die märchenhafte Gabe, durch Mauern und verhängte Fenster zu blicken, war eine Kleinigkeit gegen die Leistung, das, was man dann sähe, zu ertragen.

»Ich bin sehr neugierig«, hatte er der blonden Person erzählt, und nun lief er auf und davon, statt seine Neugier mit dem Ehepaar Moll zu füttern. Dreißig Mark war er losgeworden. Zwei Mark hatte er noch in der Tasche. Aus dem Abendessen wurde nichts. Er pfiff sich eins, ging kreuz und quer durch düstere unbekannte Alleen und geriet, aus Versehen, vor den Bahnhof Heerstraße. Er fuhr bis zum Zoo, dort sprang er in die Untergrundbahn, stieg am Wittenbergplatz um und kam in der Spichernstraße aus der Unterwelt wieder hinauf unter den freien Himmel.

Er ging in sein Stammcafé. Nein, Doktor Labude sei nicht mehr da. Er habe bis elf Uhr gewartet. Fabian setzte sich, bestellte Kaffee und rauchte.

Der Wirt, ein gewisser Herr Kowalski, erkundigte sich nach dem werten Befinden. Heute abend sei übrigens etwas sehr Komisches passiert. Kowalski lachte, daß die falschen Zähne blitzten. Der Kellner Nietenführ habe es zuerst beobachtet. »Dort drüben am runden Tisch saß ein junges Paar. Die beiden unterhielten sich prächtig. Die Frau streichelte die Hand des Mannes in einem fort. Sie lachte, zündete ihm eine Zigarette an und war von einer Liebenswürdigkeit, die nicht häufig ist.«

»Das ist doch nicht komisch.«

»Warten Sie ab, bester Herr Fabian. Warten Sie nur ab! Die Frau — hübsch war sie, das muß man ihr lassen — poussierte gleichzeitig mit einem Herrn vom Nebentisch. Und das in einer Weise! Nietenführ holte mich unauffällig heran. Der Anblick war toll. Der Kerl steckte ihr schließlich einen Zettel zu. Sie las, nickte, schrieb ihrerseits einen Wisch und warf ihn auf den Nebentisch. Währenddessen sprach sie aber auch auf ihren Freund ein, erzählte ihm Geschichten, über die er sich freute — ich habe schon sehr tüchtige Frauen gesehen, aber diese Simultanspielerin übertraf alle.«

»Warum ließ er sich denn das gefallen?«

»Einen Moment, bester Herr Fabian. Die Pointe kommt sofort! Also, wir wunderten uns natürlich auch, warum er sich das bieten ließ. Er saß zufrieden neben ihr, lächelte einfältig, legte den Arm um ihre Schulter, und währenddem nickte sie dem Mann vom Nebentisch zu. Der nickte zurück, machte Zeichen, und uns blieb die Spucke weg. Nietenführ ging dann hinüber, weil sie zahlen wollten.« Herr Kowalski streckte den massigen Kopf hoch und lachte himmelwärts.

»Nun, woran lag's?«

»Der Mann, mit dem sie zusammensaß, war blind!« Der Wirt machte eine Verbeugung und lief, laut lachend, davon. Fabian blickte erstaunt hinterher. Der Fortschritt der Menschheit war unverkennbar.

An der Tür ging es lebhaft zu. Nietenführ und der Hilfskellner waren damit beschäftigt, einen schäbig gekleideten Mann hinauszudrängen. »Scheren Sie sich auf der Stelle fort. Den ganzen Tag diese Bettelei, das ist ekelhaft«, sagte Nietenführ zischend. Und der Hilfskellner zerrte den Menschen, der blaß war und kein Wort sprach, hin und her.

Fabian sprang auf, lief zu der Gruppe und rief den Kellnern zu: »Lassen Sie sofort den Herrn los!« Die zwei gehorchten widerstrebend.

»Da sind Sie ja«, meinte Fabian und gab dem Bettler die Hand. »Es tut mir außerordentlich leid, daß man Sie gekränkt hat. Entschuldigen Sie und kommen Sie an meinen Tisch.« Er führte den Mann, der nicht wußte, wie ihm geschah, in seine Ecke, hieß ihn Platz nehmen und fragte: »Was möchten Sie haben? Wollen Sie ein Glas Bier trinken?«

»Sie sind sehr freundlich«, sagte der Bettler. »Aber ich werde Ihnen Ungelegenheiten machen.«

»Hier ist die Speisekarte. Suchen Sie sich, bitte, etwas aus.«

»Das geht nicht! Man wird mich vom Tisch wegholen und hinausschmeißen.«

»Das wird man nicht tun! Nehmen Sie sich zusammen! Bloß, weil Ihr Jackett geflickt ist und weil Ihnen der Magen knurrt, wagen Sie nicht, richtig auf dem Stuhl zu sitzen? Sie sind ja selber mitschuldig, daß man Sie nirgends durch die Tür läßt.«

»Wenn man zwei Jahre arbeitslos ist, denkt man anders darüber«, sagte der Mann. »Ich schlafe am Engelufer in der Herberge. Zehn Mark zahlt mir die Fürsorge. Mein Magen ist krank vom vielen Kaviar.«

»Was sind Sie von Beruf?«

»Bankangestellter, wenn ich mich recht entsinne. Im Gefängnis war ich auch schon. Gott, man sieht sich eben um. Das einzige, was ich noch nicht erlebt habe, ist der Selbstmord. Aber das läßt sich nachholen.« Der Mann saß auf der Stuhlkante und hielt die Hände zitternd vor den Westenausschnitt, um das dreckige Hemd zu verbergen.

Fabian wußte nicht, was er sagen sollte. Er probierte, im Kopf, viele Sätze. Keiner war am Platz. Er stand auf und sagte: »Einen Augenblick, der Kellner wünscht, von einer Abordnung geholt zu werden.« Er lief nach dem Büfett, stellte den Oberkellner zur Rede, faßte ihn am Arm und schleppte ihn durchs Lokal.

Der Bettler war fort.

»Ich zahle morgen!« rief Fabian, stürzte aus dem Café und sah sich um. Der Mann war verschwunden.

»Wen suchen Sie denn?« fragte jemand. Es war Münzer, Redakteur Münzer. Er knöpfte den Mantel zu, brannte sich eine Zigarre an und sagte: »So ein Blödsinn. Ich hätte die Partie glatt gewonnen. Schmalnauer hat wie ein Rhinozeros gespielt. Aber ich muß zum Nachtdienst. Das deutsche Volk will morgen früh wissen, wieviel Dachstuhlbrände stattfanden, während es schlief.«

»Sie sind doch politischer Redakteur«, entgegnete Fabian.

»Dachstuhlbrände gibt's auf jedem Gebiet«, sagte Münzer. »Gerade nachts. Das muß an der Konstruktion liegen. Wissen Sie was, kommen Sie mit! Sehen Sie sich mal unsern Zirkus an.«

Münzer stieg in einen kleinen Privatwagen. Fabian setzte sich neben den Redakteur. »Seit wann haben Sie übrigens ein Auto?« fragte er.

»Ich hab es unserm Handelsredakteur abgekauft. Dem wurde das Ding zu teuer«, erklärte Münzer. »Er ärgert sich immer so schön, wenn er mich in sein ehemaliges Prachtstück klettern sieht. Das ist der Spaß schon wert. Wissen Sie, daß Sie auf eigenes Risiko mitfahren? Sollten Sie sich das Genick brechen, tun Sie's auf Ihre Rechnung.«

Dann fuhren sie los.

Drittes Kapitel

Vierzehn Tote in Kalkutta
Es ist richtig, das Falsche zu tun
Die Schnecken kriechen im Kreis

Der Korridor war leer. In der Handelsredaktion brannte Licht, es saß niemand im Zimmer, die Tür stand offen. »Schade, daß Malmy schon im Haus ist«, sagte Münzer verstimmt. »Nun hat er sein Auto wieder nicht gesehen. Moment. Mal horchen, was sich in der Weltgeschichte tut.« Er riß eine Tür auf, Schreibmaschinen klapperten, aus den an einer Zimmerwand aufgereihten Telefonkabinen drangen, wie aus der Ferne, die Stimmen der Stenotypistinnen.

»Was Wichtiges?« schrie Münzer in den Lärm hinein.

»Die Rede des Reichskanzlers«, antwortete eine Frau.

»Richtig«, sagte der Redakteur. »Der Kerl schmeißt mir mit seiner Quasselei die ganze erste Seite über den Haufen. Liegt der Text vollständig vor?«

»Zelle Zwei nimmt das zweite Drittel auf!«

»Sofort in die Maschine damit, dann zu mir!« kommandierte Münzer, schlug die Tür zu und führte Fabian in die Räume der politischen Redaktion. Während sie ablegten, zeigte er auf den Schreibtisch. »Schauen Sie sich die Bescherung an! Erdbeben aus Papier!« Er wühlte in dem Haufen neueingegangener Meldungen, schnitt mit einer Schere, wie ein Zuschneider, einiges ab und legte es beiseite. Den Rest warf er in den Papierkorb. »Marsch ins Körbchen«, sagte er dabei. Dann klingelte er, bestellte bei einem livrierten Boten eine Flasche Mosel mit zwei Gläsern und gab Geld. Der Bote stieß in der Tür mit einem aufgeregten jungen Mann zusammen, der hereinwollte.

»Der Chef hat eben angerufen«, erzählte der junge Mann atemlos. »Ich mußte im Leitartikel fünf Zeilen streichen. Sie wären durch neue Nachrichten überholt. Ich komme gerade aus der Setzerei und habe die fünf Zeilen herausnehmen lassen.«

»Sie sind ein Tausendsassa«, erklärte Münzer. »Ich mache bekannt: Doktor Irrgang, hat noch eine große Zukunft vor sich, Irrgang ist der Künstlername. Herr Fabian.« Die beiden gaben einander die Hand.

»Aber«, sagte Herr Irrgang betreten, »nun sind doch in der Spalte fünf Zeilen frei.«

»Was tut man in einem so außergewöhnlichen Fall?« fragte Münzer.

»Man füllt die Spalte«, erklärte der Volontär.

Münzer nickte. »Steht nichts im Satz?« Er wühlte in den Bürstenabzügen. »Ausverkauft«, erklärte er. »Saure-Gurken-Zeit.« Dann prüfte er die Meldungen, die er eben beiseite gelegt hatte, und schüttelte den Kopf.

»Vielleicht kommt noch etwas Brauchbares herein«, schlug der junge Mann vor.

»Sie hätten Säulenheiliger werden sollen«, sagte Münzer. »Oder Untersuchungsgefangener oder sonst ein Mensch mit viel Zeit. Wenn man eine Notiz braucht und keine hat, erfindet man sie. Passen Sie mal auf!« Er setzte sich hin, schrieb rasch, ohne nachzudenken, ein paar Zeilen und gab das Blatt dem jungen Mann. »So, nun fort, Sie Spaltenfüller. Wenn's nicht reicht, ein Viertel Durchschuß.«

Herr Irrgang las, was Münzer geschrieben hatte, sagte ganz leise: »Allmächtiger Vater« und setzte sich, als sei ihm plötzlich schlecht geworden, auf die Chaiselongue, mitten in einen knisternden Berg ausländischer Zeitungen.

Fabian bückte sich über das Blatt Papier, das in Irrgangs Hand zitterte, und las: »In Kalkutta fanden Straßenkämpfe zwischen Mohammedanern und Hindus statt. Es gab, obwohl die Polizei der Situation bald Herr wurde, vierzehn Tote und zweiundzwanzig Verletzte. Die Ruhe ist vollkommen wiederhergestellt.«

Ein alter Mann schlurfte in Pantoffeln ins Zimmer und legte mehrere Schreibmaschinenblätter vor Münzer hin. »Kanzlerrede, Fortsetzung«, murmelte er. »Den Schluß geben sie in zehn Minuten durch.« Dann schleppte er sich wieder davon. Münzer klebte die sechs Blätter, aus denen die Rede vorläufig bestand, aneinander, bis sie wie ein mittelalterliches Spruchband aussahen, dann begann er zu redigieren. »Mach hurtig, Jenny«, sagte er, mit einem Seitenblick auf Irrgang.

»Aber in Kalkutta haben doch gar keine Unruhen stattgefunden«, entgegnete Irrgang widerstrebend. Dann senkte er den Kopf und meinte fassungslos: »Vierzehn Tote.«

»Die Unruhen haben nicht stattgefunden?« fragte Münzer entrüstet. »Wollen Sie mir das erst mal beweisen? In Kalkutta finden immer Unruhen statt. Sollen wir vielleicht mitteilen, im Stillen Ozean sei die Seeschlange wieder aufgetaucht? Merken Sie sich folgendes: Meldungen, deren Unwahrheit nicht oder erst nach Wochen festgestellt werden kann, sind wahr. Und nun entfernen Sie sich blitzartig, sonst lasse ich Sie matern und der Stadtausgabe beilegen.«

Der junge Mann ging.

»Und so etwas will Journalist werden«, stöhnte Münzer und strich aufseufzend und mit einem Blaustift in der Rede des Reichskanzlers herum. »Privatgelehrter für Tagesneuigkeiten, das wäre was für den Jüngling. Gibt's aber leider nicht.«

»Sie bringen ohne weiteres vierzehn Inder um und zweiundzwanzig andere ins Städtische Krankenhaus von Kalkutta?« fragte Fabian.

Münzer bearbeitete den Reichskanzler. »Was soll man machen?« sagte er. »Im übrigen, wozu das Mitleid mit den Leuten? Sie leben ja noch, alle sechsunddreißig, und sind kerngesund. Glauben Sie mir, mein Lieber, was wir hinzudichten, ist nicht so schlimm wie das, was wir weglassen.« Und dabei strich er wieder eine halbe Seite aus dem Text der Kanzlerrede heraus. »Man beeinflußt die öffentliche Meinung mit Meldungen wirksamer als durch Artikel, aber am wirksamsten dadurch, daß man weder das eine noch das andere bringt. Die bequemste

öffentliche Meinung ist noch immer die öffentliche Meinungslosigkeit.«
»Dann stellen Sie doch das Erscheinen des Blattes ein«, meinte Fabian.
»Und wovon sollen wir leben?« fragte Münzer. »Außerdem, was sollten wir statt dessen tun?«
Dann kam der livrierte Bote und brachte den Wein und die Gläser. Münzer schenkte ein und hob sein Glas. »Die vierzehn toten Inder sollen leben!« rief er und trank. Dann fiel er wieder über den Kanzler her. »Einen Stuß redet unser hehres Staatsoberhaupt wieder einmal zusammen!« erklärte er. »Das ist geradezu ein Schulaufsatz über das Thema: Das Wasser, in dem Deutschlands Zukunft liegt, ohne unterzugehen. In Untersekunda kriegte er dafür die Drei.« Er drehte sich zu Fabian herum und fragte: »Und wie überschreibt man den Scherzartikel?«
»Ich möchte lieber wissen, was Sie drunterschreiben«, sagte Fabian ärgerlich.
Der andere trank wieder, bewegte langsam den Wein im Mund, schluckte hinter und antwortete: »Keine Silbe. Nicht ein Wort. Wir haben Anweisung, der Regierung nicht in den Rücken zu fallen. Wenn wir dagegenschreiben, schaden wir uns, wenn wir schweigen, nützen wir der Regierung.«
»Ich mache Ihnen einen Vorschlag«, sagte Fabian. »Schreiben Sie dafür!«
»O nein«, rief Münzer. »Wir sind anständige Leute. Tag, Malmy.«
Im Türrahmen stand ein schlanker eleganter Herr und nickte ins Zimmer.
»Sie dürfen ihm nichts übelnehmen«, sagte der Handelsredakteur zu Fabian. »Er ist seit zwanzig Jahren Journalist und glaubt bereits, was er lügt. Über seinem Gewissen liegen zehn weiche Betten, und obenauf schläft Herr Münzer den Schlaf des Ungerechten.«
Der alte Bote brachte wieder Schreibmaschinenblätter. Münzer griff nach dem Leimtopf, vervollständigte das Spruchband des Reichskanzlers und redigierte weiter.
»Sie mißbilligen die Indolenz Ihres Kollegen?« fragte Fabian Herrn Malmy. »Was tun Sie außerdem?«
Der Handelsredakteur lächelte, freilich nur mit dem Mund. »Ich lüge auch«, erwiderte er. »Aber ich weiß es. Ich weiß, daß das System falsch ist. Bei uns in der Wirtschaft sieht das ein Blinder. Aber ich diene dem falschen System mit Hingabe. Denn im Rahmen des falschen Systems, dem ich mein bescheidenes Talent zur Verfügung stelle, sind die falschen Maßnahmen naturgemäß richtig, und die

richtigen sind begreiflicherweise falsch. Ich bin ein Anhänger der eisernen Konsequenz, und ich bin außerdem . . .«

»Ein Zyniker«, warf Münzer ein, ohne aufzublicken.

Malmy hob die Schultern. »Ich wollte sagen, ein Feigling. Das trifft noch genauer. Mein Charakter ist meinem Verstand in keiner Weise gewachsen. Ich bedaure das aufrichtig, aber ich tue nichts mehr dagegen.«

Doktor Irrgang, der junge Mann, trat ein und besprach mit Münzer an Hand der Postauflage, welche Meldungen sie aus dem Blatt werfen und welche sie statt dessen in die Stadtausgabe übernehmen wollten. Es waren in der Tat zwei Dachstuhlbrände passiert. In Genf waren außerdem einige nebulose Worte gefallen, die der deutschen Minderheit in Polen galten. Den ostelbischen Großgrundbesitzern waren vom Landwirtschaftsminister Zollerhöhungen in Aussicht gestellt worden. Die Untersuchung gegen die Direktoren des Städtischen Beschaffungsamtes hatte eine einschneidende Wendung erfahren.

»Und wie überschreiben wir die Rede des Reichskanzlers?« fragte Münzer. »Los, Herrschaften. Zehn Pfennig für eine gute Schlagzeile. Die Sache muß in Satz. Wenn die Matern zu spät kommen, kriegen wir wieder Krach mit dem Maschinenmeister.«

Der junge Mann dachte so angestrengt nach, daß seine Stirn schwitzte. »Der Kanzler fordert Vertrauen«, schlug er vor.

»Mäßig!« urteilte Münzer. »Nehmen Sie sich ein Wasserglas, und trinken Sie erst einen Schluck Wein!« Der junge Mann befolgte den Rat, als sei er ein Befehl.

»Deutschland oder Die Trägheit des Herzens«, sagte Malmy.

»Reden Sie keinen Unsinn!« rief der politische Redakteur. Dann schrieb er eine Zeile groß mit dem Blaustift über das Manuskript und erklärte: »Der Groschen gehört mir.«

»Was haben Sie denn geschrieben?« fragte Fabian.

Münzer drückte auf den Klingelknopf und erklärte pathetisch: »Optimismus ist Pflicht, sagt der Kanzler!« Der Bote holte die Papiere. Der Handelsredakteur griff in die Tasche und legte wortlos ein Zehnpfennigstück auf den Schreibtisch.

Sein Kollege blickte verwundert hoch.

»Ich eröffne hiermit eine Aktion, die umgehend notwendig wird«, behauptete Malmy.

»Um welche Aktion handelt es sich?«

»Darum, Ihnen Ihr Schulgeld zurückzuerstatten«, sagte Malmy; und Irrgang, der politische Lehrling, lachte in Grenzen. Dann stürzte er ans Telefon. Es hatte geläutet. »Ein Abonnent möchte etwas wissen«, bekundete er nach einiger Zeit und überdeckte das Sprachrohr mit der Hand. »Sie sitzen am Stammtisch und haben gewettet, ob es die Tür oder die Türe heißt.« Münzer nahm ihm den Hörer weg. »Einen Augenblick«, sagte er. »Wir sagen Ihnen sofort Bescheid, mein Herr.« Dann winkte er Irrgang und flüsterte: »Feuilleton.« Der junge Mann rannte fort, kehrte zurück und zuckte die Achseln. »Ich erfahre soeben, daß es die Tür heißen muß. Bitte schön. Guten Abend.« Münzer legte den Hörer auf die Gabel, schüttelte den Kopf und steckte Malmys Groschen ein.

Hinterher saßen sie in einer kleinen Weinstube, die in der Nähe des Zeitungsgebäudes gelegen war. Münzer hatte sich von einem Setzer, der nach Hause ging, das Blatt bringen lassen, um zu prüfen, ob alles in Ordnung sei. Er hatte sich über ein paar Druckfehler geärgert, über die Schlagzeile auf der ersten Seite hatte er sich gefreut. Dann war Strom, der Theaterkritiker, an den Tisch gekommen. Nun tranken sie fleißig. Irrgang, der junge Mann, war schon fast hinüber. Strom, der Kritiker, verglich einige namhafte Regisseure mit Schaufensterdekorateuren, das Theater der Gegenwart erschien ihm symptomatisch für den Niedergang des Kapitalismus, und als jemand einwarf, es gebe keine Dramatiker, behauptete Strom, es gebe welche.
»Ganz nüchtern sind Sie auch nicht mehr«, bemerkte Münzer schwerzüngig, und Strom lachte ohne Anlaß.
Fabian ließ sich inzwischen, nicht ganz freiwillig, von Malmy über kurzfristige Anleihen aufklären. »Erstens werden Reich und Wirtschaft in wachsendem Maße überfremdet«, behauptete der Redakteur. »Zweitens genügt ein Riß, und die ganze Bude fällt ein. Wenn das Geld mal in großen Posten abgerufen wird, sacken wir alle ab, die Banken, die Konzerne, das Reich.«
»Aber im Blatt schreiben Sie nichts davon«, sagte Irrgang.
»Ich helfe, das Verkehrte konsequent zu tun. Alles, was gigantische Formen annimmt, kann imponieren, auch die Dummheit.« Malmy musterte den jungen Mann. »Gehen Sie mal rasch hinaus, bei Ihnen ist ein kleines Unwetter im Anzug.« Irrgang legte den Kopf auf den Tisch. »Werden Sie Sportredakteur«, riet Malmy. »Dieses Ressort stellt an Ihr zartes Gemüt nicht so große Anforderungen.« Der Volontär stand auf, schwankte durchs Gastzimmer der Hintertür zu und verschwand.
Münzer saß auf dem Sofa und weinte plötzlich. »Ich bin ein Schwein«, murmelte er.

»Eine ausgesprochen russische Atmosphäre«, stellte Strom fest. »Alkohol, Selbstquälerei, Tränen bei erwachsenen Männern.« Er war ergriffen und streichelte dem Politiker die Glatze.

»Ich bin ein Schwein«, murmelte der andere. Er blieb dabei.

Malmy lächelte Fabian zu. »Der Staat unterstützt den unrentablen Großbesitz. Der Staat unterstützt die Schwerindustrie. Sie liefert ihre Produkte zu Verlustpreisen ins Ausland, aber sie verkauft sie innerhalb unserer Grenzen über dem Niveau des Weltmarktes. Die Rohmaterialien sind zu teuer; der Fabrikant drückt die Löhne; der Staat beschleunigt den Schwund der Massenkaufkraft durch Steuern, die er den Besitzenden nicht aufzubürden wagt; das Kapital flieht ohnedies milliardenweise über die Grenzen. Ist das etwa nicht konsequent? Hat der Wahnsinn etwa keine Methode? Da läuft doch jedem Feinschmecker das Wasser im Munde zusammen!«

»Ich bin ein Schwein«, murmelte Münzer und fing mit vorgeschobener Unterlippe die Tränen auf.

»Sie überschätzen sich, Verehrter«, sagte der Handelsredakteur. Münzer zog, während er weiter weinte, ein gekränktes Gesicht. Er war entschieden beleidigt, daß man ihn daran hindern wollte, das zu sein, wofür er sich, wenn auch nur im betrunkenen Zustand, hielt.

Malmy fuhr mit Vergnügen fort, die Situation zu klären. »Die Technik multipliziert die Produktion. Die Technik dezimiert das Arbeitsheer. Die Kaufkraft der Massen hat die galoppierende Schwindsucht. In Amerika verbrennt man Getreide und Kaffee, weil sie sonst zu billig würden. In Frankreich jammern die Weinbauern, daß die Ernte zu gut gerät. Stellen Sie sich das vor! Die Menschen sind verzweifelt, weil der Boden zu viel trägt! Zu viel Getreide, und andere haben nichts zu fressen! Wenn in so eine Welt kein Blitz fährt, dann können sich die historischen Witterungsverhältnisse begraben lassen.«

Malmy stand auf, wankte ein wenig und schlug ans Glas. Die Umsitzenden sahen ihn an.

»Meine Herrschaften«, rief er, »ich will eine Rede halten. Wer dagegen ist, der stehe auf.«

Münzer erhob sich mühsam.

»Der stehe auf«, rief Malmy, »und verlasse das Lokal.«

Münzer setzte sich wieder. Strom lachte.

Nun begann Malmy seine Rede: »Wenn das, woran unser geschätzter Erdball heute leidet, einer Einzelperson zustößt, sagt man schlicht, sie habe die Paralyse. Und sicher ist Ihnen allen bekannt, daß dieser äußerst unerfreuliche Zustand mitsamt seinen Folgen nur durch eine Kur heilbar ist, bei der es um Leben und Tod geht. Was tut man mit unserem Globus? Man behandelt ihn mit Kamillentee. Alle wissen, daß dieses Getränk nur bekömmlich ist und nichts hilft. Aber es tut nicht weh. Abwarten und Tee trinken, denkt man, und so schreitet die öffentliche Gehirnerweichung fort, daß es eine Freude ist.«

»Lassen Sie doch diese ekelhaften medizinischen Vergleiche!« rief Strom. »Ich bin nicht fest auf dem Magen.«

»Lassen wir die medizinischen Vergleiche«, sagte Malmy. »Wir werden nicht daran zugrunde gehen, daß einige Zeitgenossen besonders niederträchtig sind, und nicht daran, daß einige von diesen und jenen mit einigen von denen identisch sind, die den Globus verwalten. Wir gehen an der seelischen Bequemlichkeit aller Beteiligten zugrunde. Wir wollen, daß es sich ändert, aber wir wollen nicht, daß wir uns ändern. ›Wozu sind die andern da?‹ denkt jeder und wiegt sich im Schaukelstuhl. Inzwischen schiebt man von dorther, wo viel Geld ist, dahin Geld, wo wenig ist. Die Schieberei und das Zinszahlen nehmen kein Ende, und die Besserung nimmt keinen Anfang.«

»Ich bin ein Schwein«, murmelte Münzer, hob sein Glas und hielt es vor den Mund, ohne zu trinken. So blieb er sitzen.

»Der Blutkreislauf ist vergiftet«, rief Malmy. »Und wir begnügen uns damit, auf jede Stelle der Erdoberfläche, auf der sich Entzündungen zeigen, ein Pflaster zu kleben. Kann man eine Blutvergiftung so heilen? Man kann es nicht. Der Patient geht eines Tages, über und über mit Pflastern bepflastert, kaputt!«

Der Theaterkritiker wischte sich den Schweiß von der Stirn und sah den Redner bittend an.

»Lassen wir die medizinischen Vergleiche«, sagte Malmy. »Wir gehen an der Trägheit unserer Herzen zugrunde. Ich bin ein Wirtschaftler und erkläre Ihnen: Die Gegenwartskrise ohne eine vorherige Erneuerung des Geistes ökonomisch lösen zu wollen, ist Quacksalberei!«

»Es ist der Geist, der sich den Körper baut«, behauptete Münzer und warf sein Glas um. Dann schluchzte er laut auf. Er bekam jetzt das heulende Elend in ganz großem Maßstab. Und Malmy mußte, um den Kollegen zu übertönen, noch lauter sprechen. »Sie werden einwenden, es gebe ja zwei große Massenbewegungen. Diese Leute, ob sie nun von rechts oder links anmarschieren, wollen die Blutvergiftung heilen, indem sie dem Patienten mit einem Beil den Kopf abschlagen. Allerdings wird die Blutvergiftung dabei aufhören zu existieren, aber auch der Patient, und das heißt, die Therapie zu weit treiben.«

Herr Strom hatte von den Krankheitsbildern endgültig genug und suchte das Weite. Am Ecktisch stand mühsam ein dicker Mann auf, versuchte dem Redner den Kopf zuzuwenden, aber der Hals war zu massiv, und so sagte er in verkehrter Richtung: »Mediziner hätten Sie werden sollen.« Dann plumpste er wieder auf seinen Stuhl. Dort packte ihn plötzlich die helle Wut, und er brüllte: »Geld brauchen wir. Geld. Und wieder Geld!«

Münzer nickte und flüsterte: »Montecuccoli war auch ein Schwein.« Dann weinte er wieder weiter.

Der Dicke vom Ecktisch konnte sich nicht beruhigen. »Einfach lächerlich«, knurrte er. »Geistige Erneuerung, Trägheit des Herzens, einfach lächerlich. Geld her, und wir sind gesund. Das wäre ja gelacht wäre das ja!«

Eine Frau, die ihm gegenübersaß und die genauso dick war wie er, fragte: »Aber wo kriegen wir denn das Geld her, Arthur?«

»Hab ich dich gefragt?« schrie er, schon wieder aufgebracht. Dann beruhigte er sich endgültig, hielt den Kellner, der vorbeiging, am Rockschoß fest und sagte: »Noch ein Sülzkotelett, und Essig und Öl.«

Malmy zeigte zu dem Dicken hinüber und meinte: »Habe ich recht? Wegen solcher Idioten soll man den Kopf hinhalten? Ich denke nicht daran. Es wird weitergelogen. Es ist richtig, das Falsche zu tun.«

Münzer hatte sich's bequem gemacht, lag auf dem Sofa und schnarchte schon, obwohl er noch gar nicht schlief. »Und Ihr Auto habe ich doch«, grunzte er und drehte die Pupillen zu Malmy hinüber.

Kurz darauf kamen Strom und Irrgang zurück. Sie kamen Arm in Arm daher und sahen aus, als hätten sie die Gelbsucht. »Ich vertrage keinen Alkohol«, erläuterte Irrgang entschuldigend. Die zwei nahmen Platz.

»Ein Kriegsprodukt«, sagte Strom. »Eine bedauernswerte Generation.« Dieser Theaterkritiker konnte die selbstverständlichsten und unstreitigsten Dinge äußern, sobald er es war, der sie behauptete, wirkten sie unglaubwürdig und reizten zum Widerspruch. Hätte er, in seinem Pathos von der Stange, erklärt, zweimal zwei sei vier, Fabian hätte plötzlich an der Richtigkeit der Rechnung gezweifelt. Er wandte sich von dem Mann ab und betrachtete Malmy. Der saß steif auf dem Stuhl und war mit dem Blick sonstwo, dann gab er sich, weil er sich beobachtet fühlte, einen Ruck, sah Fabian an und sagte: »Man sollte sich mehr zusammennehmen. Schnaps zerfrißt den Maulkorb.«

Münzer schnarchte jetzt auf erlaubte Weise, er schlief. Fabian erhob sich und gab den Journalisten die Hand, zuletzt dem Handelsredakteur.

»Aber vielleicht haben Sie recht«, meinte Malmy und lächelte traurig.

»Ich bin nicht mehr ganz nüchtern«, sagte Fabian, als er vor der Tür stand, zur Nacht. Er schätzte jenes frühe Stadium der Trunkenheit, das einen glauben machen will, man spüre die Umdrehungen der Erde. Die Bäume und Häuser stehen noch ruhig an ihrem Platz, die Laternen treten noch nicht als Zwillinge auf, aber die Erde dreht sich, endlich fühlt man es einmal! Doch heute mißfiel ihm auch das. Er ging neben seinem Schwips her und tat, als kennten sie einander nicht. Was war das für eine komische Kugel, ob sie sich nun drehte oder nicht! Er mußte an eine Zeichnung von Daumier denken, die »Der Fortschritt« hieß. Daumier hatte auf dem Blatt Schnecken dargestellt, die hintereinander herkrochen, das war das Tempo der menschlichen Entwicklung. Aber die Schnecken krochen im Kreis!
Und das war das Schlimmste.

Viertes Kapitel

Eine Zigarette, groß wie der Kölner Dom
Frau Hohlfeld ist neugierig
Ein möblierter Herr liest Descartes

Am nächsten Morgen kam Fabian müde ins Büro. Außerdem hatte er einen Kater. Fischer, der Kollege, begann die Arbeit damit, daß er zunächst frühstückte.
»Wo nehmen Sie bloß den permanenten Hunger her?« fragte Fabian. »Sie verdienen weniger als ich. Sie sind verheiratet. Sie haben ein Sparkonto. Und dabei essen Sie derartig viel, daß ich davon mit satt werde.«
Fischer kaute hinter. »Das liegt bei uns in der Familie«, erklärte er. »Wir Fischers sind dafür berühmt.«
»Man sollte Ihrer Familie ein Denkmal bauen«, sagte Fabian ergriffen.
Fischer rutschte unruhig auf dem Stuhl umher. »Bevor ich's vergesse, Kunze hat eine Inseratenserie gezeichnet, zu der wir gereimte Zweizeiler liefern sollen. Das liegt Ihnen sicher.«
»Ihr Zutrauen ehrt mich«, sagte Fabian, »aber ich habe noch mit den Schlagworten für die fotomontierten Plakate zu tun. Dichten Sie inzwischen ruhig drauflos. Denn was nützt Ihnen und Ihrer werten Familie das Frühstücken, wenn sich's nicht reimt?« Er sah durchs Fenster, zur Zigarettenfabrik hinüber, und gähnte. Der Himmel war grau wie der Asphalt auf den Radrennbahnen. Fischer ging auf und ab, gab Falten lebhaften Unwillens zum besten und fing Reimwörter.

Fabian rollte ein Plakat auf, befestigte es mit Reißzwecken an der Wand, stellte sich in die entlegenste Zimmerecke und starrte das Plakat an, das mit einer Fotografie des Kölner Doms und einer vom Plakathersteller daneben errichteten, dem Dom an Größe nichts nachgebenden Zigarette bedeckt war. Er notierte: »Nichts geht über ... So groß ist ... Turmhoch über allen ... Völlig unerreichbar ...« Er tat seine Pflicht, obwohl er nicht einsah, wozu.

Fischer fand keinen Reim und keine Ruhe. Er fing eine Unterhaltung an. »Bertuch erzählt, es stünden wieder Kündigungen bevor.«

»Schon möglich«, sagte Fabian.

»Was fangen Sie an«, fragte der andere, »wenn man Sie hier vor die Tür setzt?«

»Denken Sie, ich habe mein Leben seit der Konfirmation damit verbracht, gute Propaganda für schlechte Zigaretten zu machen? Wenn ich hier fliege, such ich mir einen neuen Beruf. Auf einen mehr oder weniger kommt es mir nicht mehr an.«

»Erzählen Sie mal was von sich«, bat Fischer.

»Während der Inflation hab ich für eine Aktiengesellschaft Börsenpapiere verwaltet. Ich mußte jeden Tag zweimal den Effektivwert der Papiere ausrechnen, damit die Leute wußten, wie groß ihr Kapital war.«

»Und dann?«

»Dann hab ich mir für etwas Valuta einen Grünwarenladen gekauft.«

»Warum gerade einen Grünwarenladen?«

»Weil wir Hunger hatten! Überm Schaufenster stand: Doktor Fabians Feinkosthandlung. Frühmorgens, wenn es noch dunkel war, zogen wir mit einem wackligen Handwagen in die Markthalle.«

Fischer stand auf. »Wie? Doktor sind Sie auch?«

»Ich machte die Prüfung in dem gleichen Jahr, in dem ich beim Messeamt als Adressenschreiber angestellt war.«

»Wie hieß denn Ihre Dissertation?«

»Sie hieß ›Hat Heinrich von Kleist gestottert?‹. Erst wollte ich an Hand von Stiluntersuchungen nachweisen, daß Hans Sachs Plattfüße gehabt hat. Aber die Vorarbeiten dauerten zu lange. Genug. Dichten Sie lieber!« Er schwieg und ging vor dem Plakat auf und ab. Fischer schielte neugierig zu ihm hin. Doch er wagte nicht, das Gespräch zu erneuern. Seufzend drehte er sich im Stuhl herum und musterte seine Reimnotizen. Er beschloß, Brauchen auf Rauchen zu reimen, glättete das Schreibpapier, das vor ihm lag, und kniff, der Inspiration vertrauend, die Augen zu.

Aber da klingelte das Telefon. Er hob ab und sagte: »Ja, ist hier.

Einen Augenblick, Doktor Fabian kommt sofort.« Und zu Fabian meinte er: »Ihr Freund Labude.«

Fabian nahm den Hörer. »Tag, Labude, was gibt's?«

»Seit wann betteln dich die Zigarettenfritzen?« fragte der Freund.

»Ich habe aus der Schule geplaudert.«

»Geschieht dir recht. Kannst du heute zu mir kommen?«

»Ich komme.«

»In Wohnung Nummer zwei. Auf Wiedersehen.«

»Auf Wiedersehen, Labude.« Er legte auf. Fischer hielt ihn am Ärmel fest.

»Dieser Herr Labude ist doch Ihr Freund. Warum nennen Sie ihn eigentlich nicht beim Vornamen?«

»Er hat keinen«, meinte Fabian. »Die Eltern haben seinerzeit vergessen, ihm einen zu geben.«

»Er hat überhaupt keinen Vornamen?«

»Nein, denken Sie an! Er will sich seit Jahren nachträglich einen beschaffen. Aber die Polizei erlaubt es nicht.«

»Sie veralbern mich ja«, rief Fischer gekränkt.

Fabian klopfte ihm anerkennend auf die Schulter und sagte: »Sie merken alles.« Dann widmete er sich von neuem dem Kölner Dom, schrieb ein paar Schlagzeilen auf und brachte sie zu Direktor Breitkopf.

»Sie können sich mal ein kleines, hübsches Preisausschreiben ausdenken«, meinte der Direktor. »Ihr Prospekt für Detailhändler hat uns ganz gut gefallen.«

Fabian verbeugte sich leicht.

»Wir brauchen etwas Neues«, fuhr der Direktor fort. »Ein Preisausschreiben oder was Ähnliches. Es darf aber nichts kosten, verstehen Sie? Der Aufsichtsrat hat schon neulich geäußert, er müsse den Reklame-Etat möglicherweise um die Hälfte reduzieren. Was das für Sie bedeuten würde, können Sie sich denken. Ja? Also, junger Freund, an die Arbeit! Bringen Sie mir bald was Neues. Ich wiederhole aber: So billig wie möglich. 'n Morgen.«

Fabian ging.

Als er sein Zimmer — achtzig Mark monatlich, Morgenkaffee inbegriffen, Licht extra — am Spätnachmittag betrat, fand er einen Brief von seiner Mutter auf dem Tisch. Baden konnte er nicht. Das warme Wasser war kalt. Er wusch sich nur, wechselte die Wäsche, zog den grauen Anzug an, nahm den Brief seiner Mutter und setzte sich ans Fenster. Der Straßenlärm trommelte wie ein Regenguß an die Scheiben. In der dritten Etage übte jemand Klavier. Nebenan schrie der alte eingebildete Oberrechnungsrat seine Frau an. Fabian öffnete das Kuvert und las:

»Mein lieber, guter Junge!

Gleich zu Anfang und um Dich zu beruhigen, der Doktor hat gesagt, es ist nichts Schlimmes. Es ist wohl was mit den Drüsen. Und kommt bei älteren Leuten öfter vor. Mach Dir also meinetwegen keine Sorgen. Ich war erst sehr nervös. Aber nun wird es schon wieder werden mit dem alten Lehmann. Gestern war ich ein bißchen im Palais-Garten. Die Schwäne haben Junge. Im Parkcafé verlangen sie siebzig Pfennig für die Tasse Kaffee, so eine Frechheit.

Gott sei Dank, daß die Wäsche vorbei ist. Frau Hase sagte im letzten Augenblick ab. Einen Bluterguß hat sie, glaub ich. Aber es ist mir gut bekommen. Morgen früh bringe ich den Karton zur Post. Hebe ihn gut auf und schnür ihn fester zu als das letzte Mal. Wie leicht kann unterwegs was wegkommen. Die Mieze sitzt mir auf dem Schoß, sie hat eben ein Stück Gurgel gefressen, und nun stößt sie mich mit dem Kopf und will mich nicht schreiben lassen. Wenn Du mir wieder, wie vergangene Woche, Geld in den Brief steckst, reiß ich Dir die Ohren ab. Wir reichen schon, und Du brauchst Dein Geld selber.

Macht es dir wirklich Spaß, für Zigaretten Reklame zu machen? Die Drucksachen, die Du schicktest, haben mir gut gefallen. Frau Thomas meinte, es ist doch ein Jammer, daß Du solches Zeug schreibst. Aber ich sagte, das ist nicht seine Schuld. Wer heute nicht verhungern will, und wer will das schon, der kann nicht warten, bis ihm der richtige Beruf durch den Schornstein fällt. Und dann habe ich noch gesagt, es ist ja nur ein Übergang.

Der Vater hat halbwegs zu tun. Es scheint aber was mit der Wirbelsäule zu sein. Er geht ganz krumm. Tante Martha brachte gestern ein Dutzend Eier aus dem Garten. Die Hühner legen fleißig. Das ist eine gute Schwester. Wenn sie nur nicht so viel Ärger mit dem Mann hätte. Mein lieber Junge, wenn Du doch bald mal wieder nach Hause kommen könntest. Ostern warst Du da. Wie die Zeit vergeht. Da hat man nun ein Kind und hat eigentlich keins. Die paar Tage im Jahr, wo wir uns sehen. Am liebsten setzte ich mich gleich auf die Eisenbahn und käme hinüber. Früher war das schön. Fast jeden Abend vor dem Schlafengehen sehe ich mir die Bilder und die Ansichtskarten an. Weißt du noch, wenn wir den Rucksack nahmen und loszogen? Einmal kamen wir mit einem ganzen Pfennig zurück. Da muß ich gleich lachen, während ich dran denke.

Na, auf Wiedersehen, mein gutes Kind. Vor Weihnachten wird es ja wohl nicht werden. Gehst Du immer noch so spät schlafen? Grüß

Labude. Und er soll auf Dich aufpassen. Was machen die Mädchen? Sieh Dich vor. Der Vater läßt grüßen. Viele Grüße und Küsse von Deiner Mutter.«

Fabian steckte den Brief ein und blickte auf die Straße hinunter. Warum saß er hier in dem fremden, gottverlassenen Zimmer, bei der Witwe Hohlfeld, die das Vermieten früher nicht nötig gehabt hatte? Warum saß er nicht zu Hause, bei seiner Mutter? Was hatte er hier in dieser Stadt, in diesem verrückt gewordenen Steinbaukasten, zu suchen? Blumigen Unsinn schreiben, damit die Menschheit noch mehr Zigaretten rauchte als bisher? Den Untergang Europas konnte er auch dort abwarten, wo er geboren worden war. Das hatte er davon, daß er sich einbildete, der Globus drehe sich nur, solange er ihm zuschaue. Dieses lächerliche Bedürfnis, anwesend zu sein! Andere hatten einen Beruf, kamen vorwärts, heirateten, ließen ihre Frauen Kinder kriegen und glaubten, das gehöre zum Thema. Und er mußte, noch dazu freiwillig, hinterm Zaun stehen, zusehen und ratenweise verzweifeln. Europa hatte große Pause. Die Lehrer waren fort. Der Stundenplan war verschwunden. Der alte Kontinent würde das Ziel der Klasse nicht erreichen. Das Ziel keiner Klasse!

Da klopfte die Witwe Hohlfeld, trat ins Zimmer und sagte: »Pardon, ich dachte, Sie sind noch nicht da.« Sie kam näher. »Haben Sie gestern nacht den Krach gehört, den Herr Tröger veranstaltet hat? Er hatte wieder Frauenzimmer mit oben. Das Sofa sieht aus! Ich werfe ihn hinaus, wenn das noch einmal vorkommt. Was soll die neue Untermieterin denken, die im andern Zimmer wohnt?«

»Wenn sie noch an den Storch glaubt, ist ihr nicht zu helfen.«

»Aber Herr Fabian, meine Wohnung ist doch kein Absteigequartier!«

»Gnädige Frau, es ist weithin bekannt, daß sich, von einem gewissen Alter an, beim Menschen Bedürfnisse regen, die im Widerspruch zur Moral der Vermieterinnen stehen.«

Die Wirtin wurde ungeduldig. »Aber er hatte mindestens zwei Frauenzimmer bei sich!«

»Herr Tröger ist ein Wüstling, gnädige Frau. Das beste wird sein, Sie teilen ihm mit, er dürfe pro Nacht höchstens eine Dame mitbringen. Und wenn er sich nicht danach richtet, lassen wir ihn von der Sittenpolizei kastrieren.«

»Man geht mit der Zeit«, erklärte Frau Hohlfeld nicht ohne Stolz und rückte noch näher. »Die Sitten haben sich geändert. Man paßt sich an. Ich verstehe manches. Schließlich, ich bin ja auch noch nicht so alt.«

Sie stand knapp hinter ihm. Er sah sie nicht, aber vermutlich wogte ihr unverstandener Busen. Das wurde von Tag zu Tag schlimmer. Fand sich denn wirklich niemand für sie? Nachts stand sie vermutlich, auf bloßen Füßen, vor dem Zimmer des Stadtreisenden Tröger und nahm, durchs Schlüsselloch, seinen Orgien Parade ab. Sie wurde langsam verrückt. Manchmal blickte sie ihn an, als wollte sie ihm die Hosen ausziehen. Früher war diese Sorte Damen fromm geworden. Er stand auf und sagte: »Schade, daß Sie keine Kinder haben.«

»Ich gehe schon.« Frau Hohlfeld verließ entmutigt das Zimmer.

Er sah auf die Uhr. Labude war noch in der Bibliothek. Fabian trat zum Tisch. Bücher und Broschüren lagen in Stapeln darauf. Darüber, an der Wand, hing eine Stickerei mit der Inschrift: »Nur ein Viertelstündchen.« Er hatte, als er einzog, den Spruch vom Sofa entfernt und über den Büchern angebracht. Manchmal las er noch ein paar Seiten in irgendeinem der Bücher. Geschadet hatte es fast nie.

Er griff zu. Es war Descartes. ›Betrachtungen über die Grundlagen der Philosophie‹, so hieß das kleine Heft. Sechs Jahre waren es her, seit er sich damit befaßt hatte. Driesch hatte in der mündlichen Prüfung dergleichen wissen wollen. Sechs Jahre waren mitunter eine lange Zeit. Auf der anderen Straßenseite hatte ein Schild gehangen: »Chaim Pines, Ein- und Verkauf von Fellen.«

War das alles, was er von damals wußte? Bevor er vom Examinator aufgerufen wurde, war er, mit dem Zylinder eines anderen Kandidaten auf dem Kopfe, durch die Korridore spaziert und hatte den Pedell erschreckt. Vogt, der Kandidat, war dann durchgefallen und nach Amerika gegangen.

Er setzte sich und schlug das Heft auf. Was hatte Descartes ihm mitzuteilen? »Schon vor Jahren bemerkte ich, wieviel Falsches ich von Jugend auf als wahr hingenommen hatte und wie zweifelhaft alles sei, was ich später darauf gründete. Darum war ich der Meinung, ich müsse einmal im Leben von Grund auf alles umstürzen und ganz von vorn anfangen, wenn ich je irgend etwas Festes und Bleibendes aufstellen wolle. Dieses schien mir aber eine ungeheure Aufgabe zu sein, und so wartete ich jenes reife, für wissenschaftliche Untersuchungen angemessene Alter ab. Darum habe ich so lange gezögert, daß ich jetzt eine Schuld auf mich lüde, wenn ich die Zeit, die mir zu handeln noch übrig ist, mit Zaudern verbringen wollte. Das trifft sich nun sehr günstig. Mein Geist ist von allen Sorgen frei, und ich habe mir eine ruhige Muße verschafft. So ziehe ich mich in die Einsamkeit zurück und will ernst und frei diesen allgemeinen Umsturz aller meiner Meinungen unternehmen.«

Fabian blickte auf die Straße hinunter, sah den Autobussen nach, die, wie Elefanten auf Rollschuhen, die Kaiserallee entlangfuhren, und schloß vorübergehend die Augen. Dann blätterte er und überflog die Einleitung. Fünfundvierzig Jahre war Descartes alt gewesen, als er seine Revolution ankündigte. Am Dreißigjährigen Krieg hatte er sich ein bißchen beteiligt. Ein kleiner Kerl, mit immensem Schädel. »Von allen Sorgen frei.« Revolution in der Einsamkeit. In Holland. Tulpenbeete vorm Haus. Fabian lachte, legte den Philosophen beiseite und zog den Mantel an. Im Korridor begegnete er Herrn Tröger, dem Reisenden mit dem starken Frauenverbrauch. Sie zogen die Hüte.

Labudes zweite Wohnung lag im Zentrum. Wenige wußten davon. Hierhin zog er sich zurück, wenn ihm der Westen, die noble Verwandtschaft, die Damen der guten Gesellschaft und das Telefon auf die Nerven gingen. Und hier hing er seinen wissenschaftlichen und sozialen Neigungen nach.

»Wo hast du denn in der vorigen Woche gesteckt?« fragte Fabian.

»Davon später.«

»Und wie befindet sich das Fräulein Braut?«

»Danke gut«, sagte Labude und trank den Kognak, der vor ihm stand. »Ich war in Hamburg. Leda läßt grüßen.«

»Was vom Geheimrat gehört? Hat er deine Arbeit gelesen?«

»Nein. Er hat keine Zeit, sondern Promotionen, Prüfungen, Vorlesungen, Seminare und Senatssitzungen. Bis er meine Habilitationsschrift gelesen hat, habe ich einen kniefreien Vollbart.« Labude schenkte sich ein und trank.

»Sei nicht nervös. Die Kerle werden sich wundern, wie du aus Lessings Gesammelten Werken das Gehirn und die Denkvorgänge des Mannes rekonstruiert hast, den sie, bis du kamst, als den Logos mit Freilauf dargestellt und noch nie verstanden haben.«

»Ich fürchte, sie werden sich zu sehr wundern. Die geweihte Logik eines toten Schriftstellers psychologisch auswerten, Denkfehler entdecken und individuell und als sinnvolle Vorgänge behandeln, den Typus des zwischen zwei Zeitaltern schwankenden genialen Menschen an einem längst verkaufsfertigen Klassiker demonstrieren, das sind Dinge, die sie nur ärgern werden. Warten wir ab. Lassen wir den ollen Sachsen in Ruhe. Fünf Jahre habe ich diesen Kerl seziert, auseinandergenommen und zusammengesetzt! Auch eine Beschäftigung für einen erwachsenen Menschen, im 18. Jahrhundert wie im Müllkasten herumzufingern! Hol dir ein Glas!«

Fabian nahm ein Likörglas aus dem Schrank und schenkte sich ein. Labude blickte vor sich hin. »Heute morgen war ich dabei, wie sie in der Staatsbibliothek einen Professor festnahmen. Einen Sinologen. Er hat seit einem Jahr seltene Drucke und Bilder der Bibliothek gestohlen und verkauft. Er wurde blaß wie eine Wand, als man ihn verhaftete, und setzte sich erst mal auf die Treppe. Man fütterte ihn mit kaltem Wasser. Dann wurde er abtransportiert.«

»Der Mann hat den Beruf verfehlt«, sagte Fabian. »Wozu lernt er erst Chinesisch, wenn er zum Schluß vom Stehlen lebt? Es steht schlimm. Jetzt räubern schon die Philologen.«

»Trink aus und komm!« rief Labude.

Sie gingen an der Markthalle vorbei, durch tausend scheußliche Gerüche hindurch, zur Autobushaltestelle.

»Wir fahren zu Haupt«, sagte Labude.

Fünftes Kapitel

Ein ernstes Gespräch am Tanzparkett
Fräulein Paula ist insgeheim rasiert
Frau Moll wirft mit Gläsern

In Haupts Sälen war, wie an jedem Abend, Strandfest. Punkt zehn Uhr stiegen, im Gänsemarsch, zwei Dutzend Straßenmädchen von der Empore herunter. Sie trugen bunte Badetrikots, gerollte Wadenstrümpfe und Schuhe mit hohen Absätzen. Wer sich derartig auszog, hatte freien Zutritt zum Lokal und erhielt einen Schnaps gratis. Diese Vergünstigungen waren in Anbetracht des darniederliegenden Gewerbes nicht zu verachten. Die Mädchen tanzten anfangs miteinander, damit die Männer etwas zu sehen hatten.

Das von Musik begleitete Rundpanorama weiblicher Fülle erregte die an der Barriere drängenden Kommis, Buchhalter und Einzelhändler. Der Tanzmeister schrie, man möge sich auf die Damen stürzen, und das geschah. Die dicksten und frechsten Frauenzimmer wurden bevorzugt. Die Weinnischen waren schnell besetzt. Die Barfräuleins hantierten mit dem Lippenstift. Die Orgie konnte beginnen.

Labude und Fabian saßen an der Rampe. Sie liebten dieses Lokal, weil sie nicht hierher gehörten. Das Nummernschild ihres Tischtelefons glühte ohne Unterbrechung. Der Apparat surrte. Man wollte sie sprechen. Labude hob den Hörer aus der Gabel und legte ihn unter den Tisch. Sie hatten wieder Ruhe. Denn der Lärm, der übrigblieb, die Musik, das Gelächter und der Gesang waren nicht persönlich gemeint und konnten ihnen nichts anhaben.

Fabian berichtete von der Nachtredaktion, von der Zigarettenfabrik, von der verfressenen Familie Fischer und vom Kölner Dom. Labude blickte den Freund an und sagte: »Du müßtest endlich vorwärtskommen.«

»Ich kann doch nichts.«

»Du kannst vieles.«

»Das ist dasselbe«, meinte Fabian. »Ich kann vieles und will nichts. Wozu soll ich vorwärtskommen? Wofür und wogegen? Nehmen wir wirklich einmal an, ich sei der Träger einer Funktion. Wo ist das System, in dem ich funktionieren kann? Es ist nicht da, und nichts hat Sinn.«

»Doch, man verdient beispielsweise Geld.«

»Ich bin kein Kapitalist!«

»Eben deshalb.« Labude lachte ein bißchen.

»Wenn ich sage, ich bin kein Kapitalist, dann meine ich: ich habe kein pekuniäres Organ. Wozu soll ich Geld verdienen? Was soll ich mit dem Geld anfangen? Um satt zu werden, muß man nicht vorwärtskommen. Ob ich Adressen schreibe, Plakate bedichte oder mit Rotkohl handle, ist mir und ist überhaupt gleichgültig. Sind das Aufgaben für einen erwachsenen Menschen? Rotkohl en gros oder en detail, wo steckt der Unterschied? Ich bin kein Kapitalist, wiederhole ich dir! Ich will keine Zinsen, ich will keinen Mehrwert.«

Labude schüttelte den Kopf. »Das ist Indolenz. Wer Geld verdient und es nicht liebt, kann es gegen Macht eintauschen.«

»Was fang ich mit der Macht an?« fragte Fabian. »Ich weiß, du suchst sie. Aber was fange ich mit der Macht an, da ich nicht mächtig zu sein wünsche? Machthunger und Geldgier sind Geschwister, aber mit mir sind sie nicht verwandt.«

»Man kann die Macht im Interesse anderer verwenden.«

»Wer tut das? Dieser wendet sie für sich an, jener für seine Familie, der eine für seine Steuerklasse, der andere für diejenigen, die blonde Haare haben, der fünfte für solche, die über zwei Meter groß sind, der sechste, um eine mathematische Formel an der Menschheit auszuprobieren. Ich pfeif auf Geld und Macht!« Fabian hieb mit der Faust auf die Brüstung, aber die war gepolstert und plüschüberzogen. Der Faustschlag blieb stumm.

»Wenn es eine Gärtnerei gäbe, wie ich sie mir erträume! Ich brächte dich, an Händen und Füßen gefesselt, hin und ließe dir ein Lebensziel einpflanzen!« Labude war ernstlich bekümmert und legte die Hand auf den Arm des Freundes.

»Ich sehe zu. Ist das nichts?«

»Wem ist damit geholfen?«

»Wem ist zu helfen?« fragte Fabian. »Du willst Macht haben. Du willst, träumst du, das Kleinbürgertum sammeln und führen. Du willst das Kapital kontrollieren und das Proletariat einbürgern. Und dann willst du helfen, einen Kulturstaat aufzubauen, der dem Paradies verteufelt ähnlich sieht. Und ich sage dir: Noch in deinem Paradies werden sie sich die Fresse vollhauen! Davon abgesehen, daß es nie zustande kommen wird ... Ich weiß ein Ziel, aber es ist leider keines. Ich möchte helfen, die Menschen anständig und vernünftig zu machen. Vorläufig bin ich damit beschäftigt, sie auf ihre diesbezügliche Eignung hin anzuschauen.«

Labude hob sein Glas und rief: »Viel Vergnügen!« Er trank, setzte ab und sagte: »Erst muß man das System vernünftig gestalten, dann werden sich die Menschen anpassen.«

Fabian trank und schwieg.

Labude fuhr erregt fort: »Das siehst du ein, nicht wahr? Natürlich siehst du das ein. Aber du phantasierst lieber von einem unerreichbaren vollkommenen Ziel, anstatt einem unvollkommenen zuzustreben, das sich verwirklichen läßt. Es ist dir bequemer so. Du hast keinen Ehrgeiz, das ist das Schlimme.«

»Ein Glück ist das. Stell dir vor, unsere fünf Millionen Arbeitslosen begnügten sich nicht mit dem Anspruch auf Unterstützung. Stell dir vor, sie wären ehrgeizig!«

Da lehnten sich zwei Trikotengel über die Brüstung. Die eine Frau war dick und blond, und ihre Brust lag auf dem Plüsch, als sei serviert. Die andere Person war mager, und ihr Gesicht sah aus, als hätte sie krumme Beine. »Schenkt uns 'ne Zigarette«, sagte die Blonde. Fabian hielt die Schachtel hin, Labude gab Feuer. Die Frauen rauchten, blickten die jungen Männer abwartend an, und die Magere konstatierte nach einer Pause mit verrosteter Stimme: »Na ja, so ist das.«

»Wer spendiert 'nen Schnaps?« fragte die Dicke.

Sie gingen zu viert der Theke zu. Rebenlaub und gewaltige Weintrauben, alles aus Pappe, umsäumten den Pfad. Sie setzten sich in eine Ecke. Die Wand war mit der Pfalz bei Kaub bemalt. Fabian dachte an Blücher, Labude bestellte Likör. Die Frauen flüsterten miteinander. Vermutlich verteilten sie die zwei Kavaliere. Denn unmittelbar danach schleuderte die dicke Blonde den Arm um Fabian, legte eine Hand auf sein Bein und tat wie zu Hause. Die Magere trank ihr Glas auf einen Zug leer, zupfte Labude an der Nase und kicherte blöde. »Oben sind Nischen«, sagte sie, strich die blauen Trikothosen von den Schenkeln zurück und zwinkerte.

»Woher haben Sie so rauhe Hände?« fragte Labude.

Sie drohte mit dem Finger. »Nicht, was du denkst«, rief sie und verschluckte sich vor Schelmerei.

»Paula hat früher in einer Konservenfabrik gearbeitet«, sagte die Blonde, nahm Fabians Hand und fuhr sich mit dieser so lange über die Brüste, bis die Brustwarzen groß und fest wurden. »Gehen wir dann ins Hotel?« fragte sie.

»Ich bin überall rasiert«, erläuterte die Magere und war nicht abgeneigt, den Nachweis zu erbringen. Labude hielt sie mühsam vor dem Äußersten zurück.

»Man schläft nachher besser«, sagte die Blondine zu Fabian und reckte die fetten Beine.

Lottchen von der Theke füllte die Gläser. Die Frauen tranken, als hätten sie acht Tage nichts gegessen. Die Musik drang gedämpft herüber. An der Bar saß ein riesenhafter Kerl und gurgelte mit Kirschwasser. Der Scheitel reichte ihm bis ins Rückgrat. Hinter der Pfalz bei Kaub brannte eine elektrische Birne und besonnte den Rhein, wenn auch nur von hinten.

»Oben sind Nischen«, sagte die Magere wieder, und man stieg hinauf. Labude bestellte kalten Aufschnitt. Als der Teller mit Fleisch und Wurst vor den Mädchen stand, vergaßen sie alles übrige und kauten darauflos. Unten im Saal wurde die schönste Figur prämiiert. Die Frauen drehten sich mit ihren knappen Badeanzügen im Kreis, spreizten die Arme und die Finger und lächelten verführerisch. Die Männer standen wie auf dem Viehmarkt.

»Der erste Preis ist eine große Bonbonniere«, erklärte die kauende Paula, »und wer sie gekriegt hat, muß sie dann beim Geschäftsführer wieder abliefern.«

»Ich esse lieber, außerdem findet man meine Beine immer zu dick«, sagte die Blondine. »Dabei sind dicke Beine das Beste, was es gibt. Ich war einmal mit einem russischen Fürsten zusammen, der schreibt mir noch jetzt Ansichtskarten.«

»Quatsch!« knurrte Paula. »Jeder Mann will was anderes. Ich habe einen Herrn gekannt, einen Ingenieur, der liebte Lungenkranke. Und Viktorias Freund hat einen Buckel, und sie sagt, das braucht sie zum Leben. Da mach was dagegen. Ich finde, Hauptsache, man versteht seinen Kram.«

»Gelernt ist gelernt«, behauptete die Dicke und angelte das letzte Stück Schinken von der Platte. Unten im Saal wurde gerade die schönste Figur ausgerufen. Die Kapelle spielte einen Tusch. Der Geschäftsführer überreichte der Siegerin eine große Bonbonniere. Sie

dankte ihm beglückt, verneigte sich vor den klatschenden und joh-
lenden Gästen und zog mit ihrem Geschenk davon, wahrscheinlich trug sie's ins Büro zurück.

»Warum arbeiten Sie eigentlich nicht mehr in Ihrer Konservenfabrik?«
fragte Labude, und seine Frage klang recht vorwurfsvoll.

Paula schob den leeren Teller zurück, strich sich über den Magen und
erzählte: »Erstens war es gar nicht meine Fabrik, und zweitens wurde
ich abgebaut. Glücklicherweise wußte ich was über den Direktor. Er
hatte ein vierzehnjähriges Mädchen verführt. Verführt ist übertrieben.
Aber er glaubte den Zimt. Und dann rief ich ihn alle vierzehn Tage
an, ich müsse fünfzig Mark haben, oder ich würde die Sache rum-
reden. Am nächsten Tag ging ich dann jedesmal zur Kasse und holte
das Geld ab.«

»Das ist ja Erpressung!« rief Labude.

»Der Rechtsanwalt, den mir der Direktor auf den Hals schickte, fand
das auch. Ich mußte einen Wisch unterschreiben, bekam hundert Mark,
und aus war's mit der Lebensrente. Na ja, nun bin ich hier und lebe
vom Bauch in den Mund.«

»Es ist furchtbar«, sagte Labude zu Fabian, »es ist schrecklich, wie
viele Direktoren das Angestelltenverhältnis mißbrauchen.«

Die Dicke rief: »Ach Mensch, was redest du da. Wenn ich ein Mann
wäre und ein Fabrikdirektor dazu, ich hätte dauernd Angestellten-
verhältnisse.« Dann fuhr sie Fabian in die Haare, versetzte ihm einen
Kuß, ergriff seine Hand und legte sie platt auf ihren satten Magen.
Labude und Paula tanzten miteinander. Sie hatte tatsächlich krumme
Beine.

In der Nachbarnische sang eine Frau laut und mit betrunkener Stimme:

>»Die Liebe ist ein Zeitvertreib.
>Man nimmt dazu den Unterleib.«

Die Dicke sagte: »Die nebenan ist 'ne Marke. Sie gehört gar nicht
hierher, kommt in teuren Pelzmänteln an, aber darunter trägt sie was
ganz Durchsichtiges. Es soll eine reiche Frau aus dem Westen sein,
sogar verheiratet. Sie holt sich junge Kerle in die Nische, bezahlt für
sie und gibt an, daß die Wände rot werden.« Fabian erhob sich und
blickte über die halbhohe Zwischenwand hinweg nebenan.

Dort saß in einem grünseidenen Badeanzug eine große gutgewachsene
Frau und war, unter Absingung von Liedern, dabei, einen Reichs-
wehrsoldaten, der sich verzweifelt wehrte, auszuziehen. »Kerl!« rief
sie, »mach nicht einen so schlappen Eindruck! Los! Zeig den Ausweis!« Aber der brave Infanterist stieß sie zurück. Fabian fiel jene

bekannte ägyptische Ministergattin ein, die den armen Josef, den
begabten Urenkel Abrahams, so schamlos belästigt hatte. Da stand
die Grüne auf, packte ein Sektglas und taumelte zur Brüstung.
Es war nicht Frau Potiphar, sondern Frau Moll. Jene Irene Moll,
deren Schlüssel er im Mantel hatte.

Schwankend stand sie an der Balustrade, hob das spitze Glas hoch
und warf es in den Saal hinunter. Es zersprang auf dem Parkett. Die
Musiker setzten die Instrumente ab. Die Tanzpaare hoben erschrocken
die Köpfe. Alle blickten zu der Nische herauf.

Frau Moll streckte die Hand aus und rief: »Männer nennt sich das!
Wenn man sie anpackt, gehen sie aus dem Leim! Meine sehr verehrten
Damen, ich schlage vor, die Bande einzusperren. Meine sehr verehrten
Damen, wir brauchen Männerbordelle! Wer dafür ist, der hebe die
Hand!« Sie schlug sich emphatisch vor die Brust und bekam davon
den Schlucken. Im Saal wurde gelacht. Der Geschäftsführer war schon
unterwegs. Irene Moll fing an zu weinen. Das Schwarz der getuschten
Wimpern verflüssigte sich, und die Tränen liniierten ihr Gesicht.
»Laßt uns singen!« schrie sie schluchzend und schluckend. »Wir sin-
gen das schöne Lied vom Klavierspiel!« Sie breitete beide Arme aus
und brüllte:

> »Auch der Mensch ist nur ein Tier,
> immer, und erst recht zu zweit.
> Komm und spiel auf mir Klavier!
> Komm und spieleee auf mir
> die Schule der Geläufigkeit.
> Dazu bin ich ja . . .«

Der Geschäftsführer hielt ihr den Mund zu, sie mißverstand die Bewegung und fiel ihm um den Hals. Dabei sah sie den zu ihr hinblicken-
den Fabian, riß sich los und schrie: »Dich kenn ich doch!« und wollte
zu ihm. Aber der Reichswehrsoldat, der sich inzwischen erholt hatte,
und der Geschäftsführer packten sie und drückten sie auf einen Stuhl.
Im Saal wurde wieder musiziert und getanzt.

Labude hatte während der Szene bezahlt, gab Paula und der Dicken
etwas Geld, faßte Fabian unter und zog ihn fort.

In der Garderobe fragte er: »Sie kennt dich wirklich?«

»Ja«, sagte Fabian, »sie heißt Moll, ihr Mann ist Rechtsanwalt und
zahlt jede Summe, wenn man mit ihr schläft. Die Schlüssel dieser
komischen Familie habe ich noch in der Tasche. Hier sind sie.«

Labude nahm ihm die Schlüssel weg, rief: »Ich komme gleich wieder!«
und lief in Hut und Mantel zurück.

Sechstes Kapitel

Der Zweikampf am Märkischen Museum
Wann findet der nächste Krieg statt?
Ein Arzt versteht sich auf Diagnose

Als sie auf der Straße standen, fragte Labude ärgerlich:»Hast du mit dieser Verrückten etwas gehabt?«

»Nein, ich war nur in ihrem Schlafzimmer, und sie zog sich aus. Plötzlich kam noch ein Mann hinzu, behauptete, mit ihr verehelicht zu sein, ich solle mich aber nicht stören lassen. Dann deklamierte er einen ungewöhnlichen Kontrakt, den die beiden geschlossen haben. Dann ging ich.«

»Warum nahmst du die Schlüssel mit?«

»Weil die Haustür verschlossen war.«

»Ein schauderhaftes Weib«, sagte Labude. »Sie hing besoffen überm Tisch, und ich steckte ihr die Schlüssel schnell in die Handtasche.«

»Sie hat dir nicht gefallen?« fragte Fabian. »Sie ist doch sehr eindrucksvoll gewachsen, und das freche Konfirmandengesicht obendrauf wirkt so wunderbar unpassend.«

»Wenn sie häßlich wäre, hättest du die Schlüssel längst beim Portier abgegeben.« Labude zog den Freund weiter. Sie bogen langsam in eine Nebenstraße ein, kamen an einem Denkmal, auf dem Herr Schulze-Delitzsch stand, und am Märkischen Museum vorbei, der Steinerne Roland lehnte finster in einer Efeuecke, und auf der Spree jammerte ein Dampfer. Oben auf der Brücke blieben sie stehen und blickten auf den dunklen Fluß und auf die fensterlosen Lagerhäuser. Über der Friedrichstadt brannte der Himmel.

»Lieber Stephan«, sagte Fabian leise, »es ist rührend, wie du dich um mich bemühst. Aber ich bin nicht unglücklicher als unsere Zeit. Willst du mich glücklicher machen, als sie es ist? Und wenn du mir einen Direktorenposten, eine Million Dollar oder eine anständige Frau, die ich lieben könnte, verschaffst, oder alle drei Dinge zusammen, es wird dir nicht gelingen.« Ein kleines schwarzes Boot, mit einer roten Laterne am Heck, trieb den Fluß entlang. Fabian legte die Hand auf die Schulter des Freundes. »Als ich vorhin sagte, ich verbrächte die Zeit damit, neugierig zuzusehen, ob die Welt zur Anständigkeit Talent habe, war das nur die halbe Wahrheit. Daß ich mich so herumtreibe, hat noch einen anderen Grund. Ich treibe mich herum, und ich warte wieder, wie damals im Krieg, als wir wußten: Nun werden wir eingezogen. Erinnerst du dich? Wir schrieben Aufsätze und Diktate, wir lernten scheinbar, und es war gleichgültig, ob wir es taten oder unterließen. Wir sollten ja in den Krieg. Saßen wir nicht wie unter einer Glasglocke, aus der man langsam, aber unaufhörlich die Luft herauspumpt? Wir begannen zu zappeln, doch wir zappelten nicht aus Übermut, sondern weil uns die Luft wegblieb. Erinnerst du dich? Wir wollten nichts versäumen, und wir hatten einen gefährlichen Lebenshunger, weil wir glaubten, es sei die Henkersmahlzeit.«

Labude lehnte am Geländer und blickte auf die Spree hinunter. Fabian ging erregt hin und her, als liefe er in seinem Zimmer auf und ab. »Erinnerst du dich?« fragte er. »Und ein halbes Jahr später waren wir marschbereit. Ich bekam acht Tage Urlaub und fuhr nach Graal. Ich fuhr hin, weil ich als Kind einmal dort gewesen war. Ich fuhr hin, es war Herbst, ich lief melancholisch über den schwankenden Boden der Erlenwälder. Die Ostsee war verrückt, und die Kurgäste konnte man zählen. Zehn passable Frauen waren am Lager, und mit sechsen schlief ich. Die nächste Zukunft hatte den Entschluß gefaßt, mich zu Blutwurst zu verarbeiten. Was sollte ich bis dahin tun? Bücher lesen? An meinem Charakter feilen? Geld verdienen? Ich saß in einem großen Wartesaal, und der hieß Europa. Acht Tage später fährt der Zug. Das wußte ich. Aber wohin er fuhr und was aus mir werden sollte, das wußte kein Mensch. Und jetzt sitzen wir wieder im Wartesaal, und wieder heißt er Europa! Und wieder wissen wir nicht, was geschehen wird. Wir leben provisorisch, die Krise nimmt kein Ende!«

»Zum Donnerwetter!« rief Labude, »wenn alle so denken wie du, wird nie stabilisiert! Empfinde ich vielleicht den provisorischen Charakter der Epoche nicht? Ist dieses Mißvergnügen dein Privileg? Aber ich sehe nicht zu, ich versuche, vernünftig zu handeln.«

»Die Vernünftigen werden nicht an die Macht kommen«, sagte Fabian, »und die Gerechten noch weniger.«

»So?« Labude trat dicht vor den Freund und packte ihn mit beiden Händen am Mantelkragen. »Aber sollten sie es nicht trotzdem wagen?«

In diesem Augenblick hörten beide einen Schuß und einen Aufschrei und kurz danach drei Schüsse aus anderer Richtung. Labude rannte ins Dunkel, die Brücke entlang, auf das Museum zu. Wieder klang ein Schuß. »Viel Spaß!« sagte Fabian zu sich selber, während er lief, und suchte, obwohl sein Herz schmerzte, Labude zu erreichen.

Am Fuße des Märkischen Roland kauerte ein Mann, fuchtelte mit dem Revolver und brüllte: »Warte nur, du Schwein!« Und dann schoß er wieder über die Straße weg auf einen unsichtbaren Gegner. Eine Laterne zerbrach. Glas klirrte aufs Pflaster. Labude nahm dem Mann die Waffe aus der Hand, und Fabian fragte: »Warum schießen Sie eigentlich im Sitzen?«

»Weil mich's am Bein erwischt hat«, knurrte der Mann. Es war ein junger, stämmiger Mensch, und er trug eine Mütze. »So ein Mistvieh«, brüllte er. »Aber ich weiß, wie du heißt.« Und er drohte der Dunkelheit.

»Quer durch die Wade«, stellte Labude fest, kniete nieder, zog ein Taschentuch aus dem Mantel und probierte einen Notverband.

»Drüben in der Kneipe ging's los«, lamentierte der Verwundete. »Er schmierte ein Hakenkreuz aufs Tischtuch. Ich sagte was. Er sagte was. Ich knallte ihm eine hinter die Ohren. Der Wirt schmiß uns raus. Der Kerl lief mir nach und schimpfte auf die Internationale. Ich drehte mich um, da schoß er schon.«

»Sind Sie nun wenigstens überzeugt?« fragte Fabian und blickte auf den Mann hinunter, der die Zähne zusammenbiß, weil Labude an der Schußwunde hantierte.

»Die Kugel ist nicht mehr darin«, bemerkte Labude. »Kommt denn hier gar kein Auto? Es ist wie auf dem Dorf.«

»Nicht mal ein Schutzmann ist da«, stellte Fabian bedauernd fest.

»Der hätte mir gerade noch gefehlt!« Der Verletzte versuchte aufzustehen. »Damit sie wieder einen Proleten einsperren, weil er so unverschämt war, sich von einem Nazi die Knochen kaputtschießen zu lassen.«

Labude hielt den Mann zurück, zog ihn wieder zu Boden und befahl dem Freund, ein Taxi zu besorgen. Fabian rannte davon, quer über die Straße, um die Ecke, den nächtlichen Uferweg entlang.

In der nächsten Nebenstraße standen Wagen. Er gab dem Chauffeur den Auftrag, zum Märkischen Museum zu fahren, am Roland gäbe es eine Fuhre. Das Auto verschwand. Fabian folgte zu Fuß. Er atmete tief und langsam. Das Herz schlug wie verrückt. Es hämmerte unterm Jackett. Es schlug im Hals. Es pochte unterm Schädel. Er blieb stehen und trocknete die Stirn. Dieser verdammte Krieg! Dieser verdammte Krieg! Ein krankes Herz dabei erwischt zu haben, war zwar eine Kinderei, aber Fabian genügte das Andenken. In der Provinz verstreut sollte es einsame Gebäude geben, wo noch immer verstümmelte Soldaten lagen. Männer ohne Gliedmaßen, Männer mit furchtbaren Gesichtern, ohne Nasen, ohne Münder, Krankenschwestern, die vor nichts zurückschreckten, füllten diesen entstellten Kreaturen Nahrung ein, durch dünne Glasröhren, die sie dort in wuchernd vernarbte Löcher spießten, wo früher einmal ein Mund gewesen war. Ein Mund, der hatte lachen und sprechen und schreien können.

Fabian bog um die Ecke. Drüben war das Museum. Das Auto hielt davor. Er schloß die Augen und entsann sich schrecklicher Fotografien, die er gesehen hatte und die mitunter in seinen Träumen auftauchten und ihn erschreckten. Diese armen Ebenbilder Gottes! Noch immer lagen sie in jenen von der Welt isolierten Häusern, mußten sich füttern lassen und mußten weiterleben. Denn es war ja Sünde, sie zu töten. Aber es war recht gewesen, ihnen mit Flammenwerfern das Gesicht zu zerfressen. Die Familien wußten nichts von diesen Männern und Vätern und Brüdern. Man hatte ihnen gesagt, sie seien vermißt. Das war nun fünfzehn Jahre her. Die Frauen hatten wieder geheiratet. Und der Selige, der irgendwo in der Mark Brandenburg durch Glasröhren gefüttert wurde, lebte zu Hause nur noch als hübsche Fotografie überm Sofa, ein Sträußchen im Gewehrlauf, und darunter saß der Nachfolger und ließ sich's schmecken. Wann gab es wieder Krieg? Wann würde es wieder soweit sein?

Plötzlich rief jemand »Hallo!«. Fabian öffnete die Augen und suchte den Rufer. Der lag auf der Erde, hatte sich auf den Ellbogen gestützt und preßte seine Hand aufs Gesäß.

»Was ist denn mit Ihnen los?«

»Ich bin der andere«, sagte der Mann. »Mich hat's auch erwischt.«

Da stellte sich Fabian breitbeinig hin und lachte. Von der anderen Seite her, aus dem Gemäuer, lachte ein Echo mit.

»Entschuldigen Sie«, rief Fabian, »meine Heiterkeit ist nicht gerade höflich.« Der Mann zog ein Knie hoch, schnitt eine Grimasse, betrachtete die Hände, die voll Blut waren, und sagte verbissen: »Wie's beliebt. Der Tag wird kommen, wo Ihnen das Lachen vergeht.«

»Warum stehst du denn da herum?« schrie Labude und kam ärgerlich über die Straße.

»Ach, Stephan«, sagte Fabian, »hier sitzt die andere Hälfte des Duells mit einem Steckschuß im Allerwertesten.«

Sie riefen den Chauffeur und transportierten den Nationalsozialisten ins Auto, neben den kommunistischen Spielgefährten. Die Freunde kletterten hinterdrein und gaben dem Chauffeur Anweisung, sie zum nächsten Krankenhaus zu bringen. Das Auto fuhr los.

»Tut's sehr weh?« fragte Labude.

»Es geht«, antworteten die beiden Verwundeten gleichzeitig und musterten sich finster.

»Volksverräter!« sagte der Nationalsozialist. Er war größer als der Arbeiter, etwas besser gekleidet, und sah etwa wie ein Handlungsgehilfe aus.

»Arbeiterverräter!« sagte der Kommunist.

»Du Untermensch!« rief der eine.

»Du Affe!« rief der andere.

Der Kommis griff in die Tasche.

Labude faßte sein Handgelenk. »Geben Sie den Revolver her!« befahl er. Der Mann sträubte sich. Fabian holte die Waffe heraus und steckte sie ein.

»Meine Herren«, sagte er. »Daß es mit Deutschland so nicht weitergehen kann, darüber sind wir uns wohl alle einig. Und daß man jetzt versucht, mit Hilfe der kalten Diktatur unhaltbare Zustände zu verewigen, ist eine Sünde, die bald genug ihre Strafe finden wird. Trotzdem hat es keinen Sinn, wenn Sie einander Reservelöcher in die entlegensten Körperteile schießen. Und wenn Sie besser getroffen hätten und nun ins Leichenschauhaus führen, statt in die Klinik, wäre auch nichts Besonderes erreicht. Ihre Partei«, er meinte den Faschisten, »weiß nur, wogegen sie kämpft, und auch das weiß sie nicht genau. Und Ihre Partei«, er wandte sich an den Arbeiter, »Ihre Partei . . .«

»Wir kämpfen gegen die Ausbeuter des Proletariats«, erklärte dieser, »und Sie sind ein Bourgeois.«

»Freilich«, antwortete Fabian, »ich bin ein Kleinbürger, das ist heute ein großes Schimpfwort.«

Der Handlungsgehilfe hatte Schmerzen, saß, zur Seite geneigt, auf der heilen Sitzhälfte und hatte Mühe, mit seinem Kopf nicht an den des Gegners zu stoßen.

»Das Proletariat ist ein Interessenverband«, sagte Fabian. »Es ist der größte Interessenverband. Daß ihr euer Recht wollt, ist eure Pflicht. Und ich bin euer Freund, denn wir haben denselben Feind, weil ich die Gerechtigkeit liebe. Ich bin euer Freund, obwohl ihr darauf pfeift. Aber, mein Herr, auch wenn *Sie* an die Macht kommen, werden die Ideale der Menschheit im Verborgenen sitzen und weiterweinen. Man ist noch nicht gut und klug, bloß weil man arm ist.«

»Unsere Führer . . .« begann der Mann.

»Davon wollen wir lieber nicht reden«, unterbrach ihn Labude.

Das Auto hielt. Fabian klingelte am Portal des Krankenhauses. Der Portier öffnete. Krankenwärter kamen und trugen die Verletzten aus dem Wagen. Der wachhabende Arzt gab den Freunden die Hand.

»Sie bringen mir zwei Politiker?« fragte er lächelnd. »Heute nacht sind insgesamt neun Leute eingeliefert worden, einer mit einem schweren Bauchschuß. Lauter Arbeiter und Angestellte. Ist Ihnen auch schon aufgefallen, daß es sich meist um Bewohner von Vororten handelt, um Leute, die einander kennen? Diese politischen Schießereien gleichen den Tanzbodenschlägereien zum Verwechseln. Es handelt sich hier wie dort um Auswüchse des deutschen Vereinslebens. Im übrigen hat man den Eindruck, sie wollen die Arbeitslosenziffer senken, indem sie einander totschießen. Merkwürdige Art von Selbsthilfe.«

»Man kann es verstehen, daß das Volk erregt ist«, meinte Fabian.

»Ja, natürlich.« Der Arzt nickte. »Der Kontinent hat den Hungertyphus. Der Patient beginnt bereits zu phantasieren und um sich zu schlagen. Leben Sie wohl!« Das Portal schloß sich.

Labude gab dem Chauffeur Geld und schickte den Wagen weg. Sie gingen schweigend nebeneinander. Plötzlich blieb Labude stehen und sagte: »Ich kann jetzt noch nicht nach Hause gehen. Komm, wir fahren ins Kabarett der Anonymen.«

»Was ist das?«

»Ich kenne es auch noch nicht. Ein findiger Kerl hat Halbverrückte aufgelesen und läßt sie singen und tanzen. Er zahlt ihnen ein paar Mark, und sie lassen sich dafür vom Publikum beschimpfen und auslachen. Wahrscheinlich merken sie es gar nicht. Das Lokal soll sehr besucht sein. Das ist ja auch verständlich. Es gehen sicher Leute hin, die sich freuen, daß es Menschen gibt, die noch verrückter sind als sie selber.«

Fabian war einverstanden. Er blickte noch einmal zum Krankenhaus zurück, über dem der Große Bär funkelte. »Wir leben in einer großen Zeit«, sagte er, »und sie wird jeden Tag größer.«

Siebentes Kapitel

Verrückte auf dem Podium
Die Todesfahrt von Paul Müller
Ein Fabrikant in Badewannen

Vor dem Kabarett parkten viele Privatautos. Ein rotbärtiger Mann, der einen Pleureusenhut trug und eine riesige Hellebarde hielt, lehnte an der Tür des Lokals und rief: »Immer herein in die Gummizelle!« Labude und Fabian traten ein, gaben die Garderobe ab und fanden nach langem Suchen in dem überfüllten, verqualmten Raum an einem Ecktisch Platz.

Auf der wackligen Bühne machte ein zwecklos vor sich hinlächelndes Mädchen Sprünge. Es handelte sich offenbar um eine Tänzerin. Sie trug ein giftgrünes selbstgeschneidertes Kleid, hielt eine Ranke künstlicher Blumen und warf sich und die Ranke in regelmäßigen Zeitabständen in die Luft. Links von der Bühne saß ein zahnloser Greis an einem verstimmten Klavier und spielte die Ungarische Rhapsodie.

Ob der Tanz und das Klavierspiel miteinander in Beziehung standen, war nicht ersichtlich. Das Publikum, ausnahmslos elegant gekleidet, trank Wein, unterhielt sich laut und lachte.

»Fräulein, Sie werden dringend am Telefon verlangt!« schrie ein glatzköpfiger Herr, der mindestens Generaldirektor war. Die anderen lachten noch mehr als vorher. Die Tänzerin ließ sich nicht aus der Unruhe bringen und fuhr fort zu lächeln und zu springen. Da hörte das Klavierspiel auf. Die Rhapsodie war zu Ende. Das Mädchen auf der Bühne warf dem Klavierspieler einen bösen Blick zu und hüpfte weiter, der Tanz war noch nicht aus.

»Mutter, dein Kind ruft!« kreischte eine Dame, die ein Monokel trug.

»Ihr Kind auch«, bemerkte jemand von einem entfernten Tisch.

Die Dame drehte sich um. »Ich habe keine Kinder.«

»Da können die aber lachen!« rief man aus dem Hintergrund.

»Ruhe!« brüllte jemand anders. Der Wortwechsel hörte auf.

Das Mädchen tanzte noch immer, obwohl ihr längst die Beine weh tun mußten. Schließlich fand sie selber, es sei genug, landete in einem mißlungenen Knicks, lächelte noch alberner als vorher und breitete die Arme aus. Ein dicker Herr im Smoking stand auf. »Gut, sehr gut! Sie können morgen zum Teppichklopfen kommen!«

Das Publikum lärmte und klatschte. Das Mädchen knickste wieder und wieder. Da kam ein Mann aus der Kulisse, zog die Tänzerin, die sich heftig sträubte, von der Bühne und trat selber an die Rampe.

»Bravo, Caligula!« rief eine Dame aus der ersten Tischreihe.

Caligula, ein rundlicher junger Jude mit Hornbrille, wandte sich an den Herrn, der neben der Ruferin saß. »Ist das Ihre Frau?« fragte er.

Der Herr nickte.

»Dann sagen Sie Ihrer Frau, sie soll die Schnauze halten!« sagte Caligula. Man applaudierte. Der Mann in der ersten Tischreihe wurde rot. Seine Frau fühlte sich geschmeichelt.

»Ruhe, ihr Armleuchter!« rief Caligula und hob die Hände. Es wurde ruhig. »War die Tanzdarbietung nicht geradezu ein Erlebnis?«

»Jawohl!« brüllten alle.

»Aber es kommt noch besser. Jetzt schicke ich einen heraus, der Paul Müller heißt. Er ist aus Tolkewitz. Das liegt in Sachsen. Paul Müller spricht sächsisch und gibt vor, Rezitator zu sein. Er wird Ihnen eine Ballade vortragen. Machen Sie sich auf das Äußerste gefaßt. Paul Müller aus Tolkewitz ist, wenn nicht alles täuscht, verrückt. Ich habe keine Kosten gescheut, diese wertvolle Kraft für mein Kabarett zu gewinnen. Denn ich kann es nicht dulden, daß nur im Zuschauerraum Verrückte sind.«

»Das geht entschieden zu weit!« rief ein Besucher, dessen Gesicht mit Schmißnarben verziert war. Er war aufgesprungen und zog sich empört das Jackett straff.

»Hinsetzen!« sagte Caligula und verzog den Mund. »Wissen Sie, was Sie sind? Ein Idiot!«

Der Akademiker rang nach Luft.

»Im übrigen«, fuhr der Kabarettinhaber fort, »im übrigen meine ich Idiot nicht in beleidigendem Sinn, sondern als Charakteristikum.«

Die Leute lachten und klatschten. Der Herr mit den Schmissen und der Empörung wurde von seinen Bekannten auf den Stuhl gezogen und beschwichtigt. Caligula nahm eine Klingel in die Hand, schellte wie ein Nachtwächter und rief: »Paul Müller, erscheine!« Dann verschwand er.

Aus dem Hintergrund nahte ein langaufgeschossener, ungewöhnlich blasser Mensch in abgerissener Kleidung.

»Tag, Müller!« brüllte man.

»Er ist zu schnell gewachsen«, meinte jemand.

Paul Müller verbeugte sich, zeigte herausfordernden Ernst im Gesicht, fuhr sich durch die Haare und preßte dann die Hände vor die Augen. Er sammelte sich. Plötzlich zog er die Hände vom Gesicht fort, streckte sie weit von sich, spreizte die Finger, riß die Augen auf und sagte: »Die Todesfahrt — von Paul Müller.« Dann trat er noch einen Schritt vor.

»Fall nicht runter!« rief die Dame, der von Caligula eigentlich befohlen war, die Schnauze zu halten.

Paul Müller machte aus Trotz noch ein Schrittchen, blickte verächtlich auf das Publikum da unten und begann wieder: »Die Todesfahrt — von Paul Müller.«

>»Das war der Graf von Hohenstein.
Der sperrte seine Tochter ein.
Sie liebte einen Offizier.
Der Vater sprach: ›Du bleibst bei mir!‹«

In diesem Augenblick warf jemand aus dem Publikum ein Stück Würfelzucker auf die Bühne. Paul Müller bückte sich, steckte den Zucker ein und fuhr mit unheilschwangerer Stimme fort:

>»Da half nur Flucht, und die Komteß
entfloh in ihrem 10 PS.
Sie steuerte durch Nacht und Not.
Doch auf dem Kühler saß der Tod!«

Wieder warf man Zucker auf die Bühne. Vermutlich saßen Stammgäste in dem Raum, die den Gewohnheiten der Künstler Rechnung trugen. Andere Gäste folgten dem Beispiel, und allmählich kam ein Würfelzuckerbombardement zustande, dem Müller nur dadurch zu begegnen wußte, daß er sich dauernd bückte.

Es entwickelte sich ein Balladenvortrag mit Kniebeugen. Auch mit aufgerissenem Mund versuchte Müller, den ihm zufliegenden Zucker aufzufangen. Sein Gesicht wurde immer drohender. Seine Stimme klang immer schwärzer. Man entnahm der Rezitation, daß in jener schrecklichen Nacht nicht nur die Komteß Hohenstein Auto fuhr, um zu ihrem Offizier zu gelangen, sondern daß auch der Geliebte in seinem Wagen unterwegs war und sich dem Schloß näherte, wo er das Fräulein vermutete, während sie ihm doch entgegeneilte. Da die zwei Liebenden die gleiche Landstraße benutzten, da es sich ferner um eine ausgesprochen regnerische, neblige Nacht handelte, und da das Gedicht ›Todesfahrt‹ hieß, war mit großer Wahrscheinlichkeit zu befürchten, daß die beiden Autos zusammenstoßen würden. Paul Müller beseitigte auch den letzten Zweifel darüber.

»Mach den Mund zu, sonst fallen dir die Sägespäne aus dem Schädel!« brüllte eine Stimme. Aber das Autounglück war nicht mehr aufzuhalten.

> »Das Auto jenes Offizieres
> kam links gefahren, rechts kam ihres.
> Der Nebel war entsetzlich dick.
> Und so vollzog sich das Geschick.
> Von links ein Schrei,
> von rechts ein Schrei —«

»Das macht nach Adam Riese zwei!« schrie jemand. Die Leute johlten und klatschten. Sie hatten von Paul Müller genug und waren auf den Ausgang der Tragödie nicht länger neugierig.

Er deklamierte weiter. Aber man sah nur, daß er den Mund bewegte. Zu hören war nichts, die Todesfahrt ging im Lärm der Überlebenden unter. Da packte den dürren Balladendichter die blasse Wut. Er sprang vom Podium und rüttelte eine Dame derartig an den Schultern, daß ihr die Zigarette aus dem Mund und in den blauseidenen Schoß fiel. Sie sprang schreiend auf. Ihr Begleiter erhob sich ebenfalls und schimpfte. Es klang, als bellte ein Hund. Paul Müller gab dem Kavalier einen Stoß, daß er in den Stuhl zurücktaumelte.

Da tauchte Caligula auf. Er war wütend und glich einem knirschenden Tierbändiger, zog den Mann aus Tolkewitz an der Krawatte und führte ihn ins Künstlerzimmer.

»Pfui Teufel«, sagte Labude, »unten Sadisten und oben Verrückte.«

»Dieser Sport ist international«, meinte Fabian, »in Paris gibt es dieselbe Sache. Dort schreien die Zuschauer: ›Tue-le!‹, und dann schiebt sich eine riesengroße hölzerne Hand aus der Kulisse und schaufelt den Ärmsten aus dem Gesichtskreis. Er wird weggefegt.«

»Caligula nennt sich der Bursche. Er kennt sich aus. Sogar in der römischen Geschichte.« Labude stand auf und ging. Er hatte genug. Auch Fabian erhob sich. Da schlug ihm jemand derb auf die Schulter. Er drehte sich um. Der Mann mit den Schmissen stand vor ihm, strahlte über das ganze Gesicht und rief vergnügt: »Alter Junge, wie geht's dir denn?«

»Danke gut.«

»Nein, wie ich mich freue, dich altes Haus mal wiederzusehen!« Der Akademiker gab Fabian einen Freudenstoß vor den Brustkasten, genau auf einen der Hemdknöpfe.

»Kommen Sie«, meinte Fabian, »prügeln wir uns draußen weiter!« Dann drängte er sich, zwischen Stühlen hindurch, in den Vorraum. »Mein Lieber«, sagte er zu Labude, der sich den Mantel anzog, »wir wollen schnell machen. Eben hat mich einer ununterbrochen geduzt.« Sie nahmen die Hüte. Aber es war schon zu spät.

Der Mann mit den Schmissen schob eine sommersprossige Frau vor sich her, als könne sie nicht allein laufen, und sagte zu ihr: »Siehst du, Meta, der Herr war auf dem Pennal unser Primus.« Und zu Fabian sagte er: »Das ist meine Frau, alter Knabe. Meine bessere Hälfte gewissermaßen. Wir leben in Remscheid. Ich habe den Assessor an den Nagel gehängt und bin im Geschäft meines Schwiegervaters. Wir machen Badewannen. Wenn du mal eine brauchen solltest, kannst du sie zum Engrospreis haben! Haha! Ja, es geht mir gut. Danke. Glückliche Ehe, Wohnung in einem Zweifamilienhaus, großer Garten dahinter, nicht ganz ohne Bargeld, Kind haben wir auch, aber noch nicht lange.«

»Es ist erst so groß«, entschuldigte sich Meta und zeigte mit den Händen, wie klein das Kind war.

»Es wird schon noch wachsen«, tröstete Labude. Die Frau blickte ihn dankbar an und hängte sich bei ihrem Mann ein.

»Also, alter Schwede«, fing der Akademiker wieder an, »nun erzähle mal, was du die ganze Zeit über gemacht hast.«

»Nichts Besonderes«, bemerkte Fabian. »Augenblicklich bastle ich an einer Weltraumrakete. Ich will mir mal den Mond ansehen.«

»Ausgezeichnet!« rief der Mann, der in die Badewannen eingeheiratet hatte. »Deutschland allen voran! Und wie geht's deinem Bruder?«

»Sie überschütten mich mit frohen Neuigkeiten, mein Herr«, sagte Fabian. »Ein Brüderchen habe ich mir schon lange gewünscht. Nur eine bescheidene Zwischenfrage: Wo sind Sie eigentlich aufs Gymnasium gegangen?«

»In Marburg natürlich.«

Fabian hob bedauernd die Schultern. »Es soll eine bezaubernde Stadt sein, aber ich kenne Marburg leider gar nicht.«

»Dann entschuldigen Sie vielmals«, knarrte der andere. »Kleine Verwechslung, täuschende Ähnlichkeit, nichts für ungut.« Er knallte die Absätze zusammen, befahl: »Komm, Meta!« und entfernte sich. Meta blickte Fabian verlegen an, nickte Labude zu und folgte dem Gemahl.

»So ein dämlicher Affe!« Fabian war entrüstet. »Spricht wildfremde Leute an und tut familiär. Ich habe diesen Caligula in Verdacht, daß die Anpöbelei zu seiner Kabarettregie gehört.«

»Das glaube ich nicht«, meinte Labude. »Die Badewannen waren sicher echt und das entsetzlich kleine Kind auch.«

Sie gingen heimwärts. Labude schaute trübselig aufs Pflaster.

»Es ist eine Schande«, sagte er nach einer Weile. »Dieser gewesene Assessor hat eine Wohnung, einen Garten, einen Beruf, eine Frau mit Sommersprossen und was noch alles. Und unsereins vegetiert herum wie ein Landstreicher ohne Land, man hat noch keinen festen Beruf, man hat kein festes Einkommen, man hat kein festes Ziel und nicht mal eine feste Freundin.«

»Du hast doch Leda.«

»Und was mich besonders aufbringt«, fuhr Labude fort, »so ein Kerl hat ein eigenes, selbstgemachtes Kind.«

»Sei nicht neidisch«, sagte Fabian, »dieser juristisch vorgebildete Badewannenfabrikant ist ein Ausnahmefall. Wer von den Leuten, die heute dreißig Jahre alt sind, kann heiraten? Der eine ist arbeitslos, der andere verliert morgen seine Stellung. Der dritte hat noch nie eine gehabt. Unser Staat ist darauf, daß Generationen nachwachsen, momentan nicht eingerichtet. Wem es dreckig geht, der bleibt am besten allein, statt Frau und Kind an seinem Leben proportional zu beteiligen. Und wer trotzdem andere mit hineinzieht, der handelt mindestens fahrlässig. Ich weiß nicht, von wem der Satz stammt, daß geteiltes Leid halbes Leid sei, aber wenn der Quatschkopf noch leben sollte, dann wünsche ich ihm zweihundert Mark monatlich und eine achtköpfige Familie. Da soll er sein Leid so lange durch acht dividieren, bis er schwarz wird.« Fabian sah den Freund von der Seite an. »Übrigens, wozu bedrückt dich das? Dein Vater gibt dir doch Geld. Und wenn du die Venia legendi hast, wirst du noch ein paar Groschen dazuverdienen. Dann heiratest du Leda, und deinen Vaterfreuden steht nichts mehr im Wege.«

»Es gibt ja auch noch andere Schwierigkeiten außer den ökonomi-

schen«, sagte Labude, blieb stehen und winkte einem Taxi. »Sei mir nicht
böse, wenn ich jetzt allein sein will. Kannst du mich morgen bei mei-
nen Eltern abholen? Ich muß dir verschiedenes erzählen.« Er drückte
dem Freund etwas in die Hand und stieg in den wartenden Wagen.
»Handelt es sich um Leda?« fragte Fabian durchs offene Fenster.
Labude nickte und senkte den Kopf. Das Auto fuhr an.
Der andere blickte dem Wagen nach. »Ich komme!« rief er. Doch das
Auto war schon weit weg, und das rote Schlußlicht konnte ein Glüh-
würmchen sein. Dann besann er sich und stellte fest, was er in der
Hand hielt. Es war ein Fünfzigmarkschein.

Achtes Kapitel

Studenten treiben Politik
Labude sen. liebt das Leben
Die Ohrfeige an der Außenalster

Labudes Eltern bewohnten im Grunewald einen großen griechischen
Tempel. Eigentlich war es kein Tempel, sondern eine Villa. Und
eigentlich bewohnten sie die Villa gar nicht. Die Mutter war viel auf
Reisen, meist im Süden, in einem Landhaus bei Lugano. Erstens gefiel es ihr am Lago di Lugano besser als am Grunewaldsee. Und zweitens fand Labudes Vater, die zarte Gesundheit seiner Frau erfordere
südlichen Aufenthalt. Er liebte seine Frau sehr, besonders in ihrer
Abwesenheit. Seine Zuneigung wuchs im Quadrat der Entfernung,
die zwischen ihnen lag.
Er war ein bekannter Verteidiger. Da seine Klienten viel Geld und
viele Prozesse hatten, hatte auch er viele Prozesse und viel Geld. Die
Aufregungen des Berufs, den er liebte, genügten ihm nicht. Fast jede
Nacht saß er in Spielklubs. Die Ruhe, die sein Haus verbreitete, war
ihm höchst zuwider. Und die vorwurfsvollen Augen seiner Frau brachten ihn zur Verzweiflung. Da beide befürchteten, den anderen anzu-
treffen, mieden beide die Villa, so oft das möglich war. Und Stephan,
der Sohn, mußte, wenn er seinen Eltern begegnen wollte, auf die Gesellschaften gehen, die sie im Winter gaben. Da ihn diese Veranstaltungen von Jahr zu Jahr mehr abstießen, bis er sie endlich nicht mehr
besuchte, traf er seine Eltern nur noch aus Versehen.
Das meiste, was er über den Vater wußte, hatte er einmal von einer
jungen Schauspielerin erfahren. Das war auf einem Maskenball gewesen, und sie hatte ihm sehr eingehend den Mann geschildert, der sie

damals finanzierte. Leichtfertige Frauen versuchen ja gelegentlich, Liebhaber zu erwerben, indem sie die intimen Sitten und Gebräuche der ehemaligen Besitzer ausplaudern. Im Laufe des Gesprächs hatte es sich herausgestellt, daß von Justizrat Labude die Rede gewesen war, und Stephan hatte das Fest fluchtartig verlassen.

Fabian kam nicht gern in die Grunewaldvilla. Er empfand den Aufwand, den solche Häuser mit sich treiben lassen, als albern. Er konnte sich überhaupt nicht vorstellen, daß man mitten in derartigem Luxus das Gefühl, man sei nur auf Besuch, jemals loswerden könne. Und er fand es, von allen anderen Gründen abgesehen, schon deshalb vollkommen in der Ordnung, daß sich Labudes Eltern in dem Wohnmuseum entfremdet hatten.

»Schrecklich«, sagte er zu dem Freund, der am Schreibtisch saß, »jedesmal, wenn ich hierher komme, erwarte ich, daß mir euer Diener Filzpantoffeln überzieht und mit einer Schloßführung beginnt. Falls du mir erzählen solltest, daß der Große Kurfürst auf diesem Stuhl hier in die Schlacht von Fehrbellin geritten ist, könnte ich mich bereiterklären, es zu glauben. Im übrigen danke ich dir für das Geld.«

Labude winkte ab. »Du weißt, daß ich mehr davon habe, als notwendig ist. Lassen wir das. Ich bat dich hierher, weil ich dir erzählen will, was mir in Hamburg passiert ist.«

Fabian stand auf und setzte sich aufs Sofa. Jetzt befand er sich hinter Labudes Rücken, und der Freund brauchte ihn während des Sprechens nicht anzusehen.

Sie blickten beide zum Fenster hinaus, auf grüne Bäume und auf rote Villendächer. Das Fenster war offen, und manchmal kam ein Vogel, spazierte auf dem Fensterbrett hin und her, musterte mit schiefgehaltenem Kopf das Zimmer und flog wieder in den Garten zurück. Außerdem hörte man, wie jemand mit einem Rechen die Kieswege harkte. Labude sah starr in die Zweige des nächsten Baumes. »Rassow schrieb mir, er spräche im Hamburger Auditorium maximum, vor Studenten aller Richtungen, über das Thema ›Tradition und Sozialismus‹. Und er schlug mir vor, als Korreferent oder im Rahmen der Diskussion von meinen politischen Plänen zu erzählen. Ich fuhr hinüber. Der Vortrag begann. Rassow berichtete den Studenten von seiner Rußlandreise und von seinen Erfahrungen und Gesprächen mit russischen Künstlern und Wissenschaftlern. Er wurde von den Vertretern der sozialistischen Studentenschaft wiederholt unterbrochen. Anschließend sprach ein Kommunist und wurde seinerseits von den Bürgerlichen gestört. Dann kam ich an die Reihe. Ich skizzierte die kapitalistische Situation Europas und stellte die Forderung auf, daß die bürgerliche Jugend sich radikalisieren und daß sie den kontinentalen Ruin, der von allen Seiten, passiv oder aktiv, vorbereitet wird, aufhalten müsse. Diese Jugend, sagte ich, sei im Begriff, in absehbarer Zeit die Führerschaft in Politik, Industrie, Grundbesitz und Handel zu übernehmen, die Väter hätten abgewirtschaftet, und es sei unsere Aufgabe, den Kontinent zu reformieren: durch internationale Abkommen, durch freiwillige Kürzung des privaten Profits, durch Zurückschraubung des Kapitalismus und der Technik auf ihre vernünftigen Maße, durch Steigerung der sozialen Leistungen, durch kulturelle Vertiefung der Erziehung und des Unterrichts. Ich sagte, diese neue Front, diese Querverbindung der Klassen, sei möglich, da die Jugend, wenigstens ihre Elite, den hemmungslosen Egoismus verabscheue und außerdem klug genug sei, eine Zurückführung in organische Zustände einem unvermeidlichen Zusammenbruch des Systems vorzuziehen. Wenn es schon ohne Klassenherrschaft nicht abgehe, sagte ich, dann solle man sich für das Regime unserer Altersklasse entscheiden. Bei den Vertretern der extremen Gruppen erntete mein Vortrag die übliche Heiterkeit. Aber als Rassow den Antrag zur Bildung einer radikalbürgerlichen Initiativgruppe einbrachte, fand das doch Beifall. Die Gruppe kam zustande. Wir entwarfen einen Aufruf, der an alle europäischen Universitäten verschickt werden wird. Rassow, ich und ein paar andere wollen die deutschen Hochschulen besuchen, Vorträge halten und analoge Gruppen bilden. Wir hoffen, mit den sozialistischen Studenten eine Art Kartellverbindung einzugehen. Wenn wir an allen Universitäten Gruppen gebildet haben, werden von diesen auch andere intellektuelle Körperschaften bearbeitet. Die Sache kommt in Gang. Ich habe dir gestern nichts davon erzählt, weil ich ja deine Skepsis zur Genüge kenne.«

»Ich freue mich«, sagte Fabian, »ich freue mich sehr, daß du nun an die Verwirklichung deines Planes herangehen kannst. Hast du dich schon mit der Gruppe der Unabhängigen Demokraten in Verbindung gesetzt? In Kopenhagen ist ein ›Club Europa‹ gebildet worden, notiere es dir. Und ärgere dich nicht zu sehr über meine Zweifel an der Gutartigkeit der Jugend. Und sei mir nicht böse, wenn ich nicht glaube, daß sich Vernunft und Macht jemals heiraten werden. Es handelt sich leider um eine Antinomie. Ich bin der Überzeugung, daß es für die Menschheit, so wie sie ist, nur zwei Möglichkeiten gibt. Entweder ist man mit seinem Los unzufrieden, und dann schlägt man einander tot, um die Lage zu verbessern, oder man ist, und das ist eine rein theoretische Situation, im Gegenteil mit sich und der Welt einverstanden, dann bringt man sich aus Langeweile um. Der Effekt ist derselbe.

Was nützt das göttlichste System, solange der Mensch ein Schwein ist? Aber was meinte Leda dazu?«

»Sie enthielt sich jeder Meinung. Denn sie war gar nicht dabei.«

»Warum denn nicht?«

»Sie wußte nicht, daß ich in Hamburg war.«

Fabian erhob sich erstaunt, setzte sich aber schweigend wieder hin. Labude breitete die Arme aus und hielt sich an den Ecken der Schreibtischplatte fest. »Ich wollte Leda überraschen. Ich wollte sie heimlich beobachten. Denn ich war mißtrauisch geworden. Wenn man in jedem Monat nur zwei Tage und eine Nacht beisammen ist, dann wird die Beziehung unterminiert, und wenn so ein Zustand, wie bei uns, jahrelang dauert, geht die Beziehung in Brüche. Das hat mit der Qualität der Partner nicht sehr viel zu tun, der Vorgang ist zwangsläufig. Ich machte dir vor Monaten einmal Andeutungen, daß Leda sich verändert habe. Sie fing an, sich zu verstellen. Sie markierte. Die Begrüßung auf dem Bahnhof, die Zärtlichkeit des Gesprächs, die Leidenschaft im Bett, alles war nur noch Theater.«

Labude hob den Kopf kerzengerade. Er sprach sehr leise. »Natürlich entfremdet man sich. Man weiß nicht mehr, welche Sorgen der andere hat. Man kennt die Bekannten nicht, die er findet. Man sieht nicht, daß er sich verwandelt und weswegen er's tut. Briefe sind zwecklos. Und dann reist man hin, gibt sich einen Kuß, geht ins Theater, fragt nach Neuigkeiten, verbringt eine Nacht miteinander und trennt sich wieder. Vier Wochen später vollzieht sich derselbe Unfug. Seelische Nähe, anschließend Geschlechtsverkehr nach dem Kalender, mit der Uhr in der Hand. Es ist unmöglich, sie in Hamburg, ich in Berlin, die Liebe krepiert an der Geographie.«

Fabian nahm eine Zigarette und strich das Zündholz so behutsam an, als fürchte er, der Reibfläche weh zu tun.

»Ich habe in den letzten Monaten vor jeder dieser Zusammenkünfte Angst gehabt. Ich hätte Leda, wenn sie mit geschlossenen Augen dalag, sich zitternd unter mir bewegte und mich mit den Armen umklammerte, das Gesicht wie eine Maske abreißen mögen. Sie log. Aber wen wollte sie belügen? Nur mich oder sich selber auch? Da sie, obwohl ich sie brieflich wiederholt dazu aufforderte, Erklärungen vermied, mußte ich tun, was ich tat. Ich verabschiedete mich in der Nacht, in der wir die Initiativgruppe gegründet hatten, von Rassow und den anderen sehr bald und begab mich zu dem Haus, in dem Leda wohnt. Die Fenster waren dunkel. Vielleicht schlief sie schon. Aber mir war nicht nach Logik zumute. Ich wartete.«

Labudes Stimme schwankte. Er griff auf den Schreibtisch, nahm mehrere Bleistifte und rollte sie nervös zwischen den Händen. Das hölzerne, klappernde Geräusch begleitete den Fortgang des Berichts. »Die Straße ist breit und nur an einer Stelle bebaut. Die andere Seite grenzt an Blumenbeete, Wiesen, Wege und Gebüsch, und dahinter liegt die Außenalster. Dem Haus gegenüber steht eine Bank. Dorthin setzte ich mich, rauchte zahllose Zigaretten und wartete. Sooft jemand die Straße entlangkam, dachte ich, das müsse Leda sein. So saß ich von zwölf Uhr nachts bis drei Uhr morgens, ersann heftige Gespräche und böse Bilder. Und die Zeit verging. Kurz nach drei bog ein Taxi in die Straße und hielt vor dem Haus. Ein großer schlanker Mann stieg aus und bezahlte den Chauffeur. Dann sprang eine Frau aus dem Wagen, eilte zur Tür, schloß auf, trat ins Haus, hielt die Tür, bis der Mann gefolgt war, und schloß von innen wieder zu. Das Auto fuhr in die Stadt zurück.«

Labude war aufgestanden. Er warf die Bleistifte auf den Schreibtisch, ging rasch im Zimmer auf und ab und machte in der äußersten Ecke, dicht vor der Wand, halt. Er blickte auf das Tapetenmuster und zeichnete es mit dem Finger nach. »Es war Leda. In ihren Fenstern wurde Licht. Ich sah, wie sich zwei Schatten hinter den Gardinen bewegten. Das Wohnzimmer wurde wieder dunkel. Jetzt erhellte sich das Schlafzimmer. Die Balkontür stand halb offen. Manchmal hörte ich Leda lachen. Du entsinnst dich, sie lacht so merkwürdig hoch. Manchmal war es ganz still, droben im Haus und unten auf meiner Straße, und ich hörte bloß, wie mein Herz schlug.«

In diesem Augenblick wurde die Tür aufgerissen. Justizrat Labude trat ein, ohne Hut und Mantel. »Tag, Stephan!« sagte er, kam näher und gab seinem Sohn die Hand. »Lange nicht gesehen, was? War paar Tage unterwegs. Mußte mal ausspannen. Die Nerven, die Nerven. Komme eben zurück. Wie geht's? Siehst schlecht aus. Sorgen? Was über die Habilitationsschrift gehört? Nein? Langweilige Bande. Hat Mutter geschrieben? Mag noch ein paar Wochen bleiben. Heißt mit Recht Paradiso, das Nest. Hat's die Frau gut. Tag, Herr Fabian. Seriöse Gespräche, wie? Gibt es ein Fortleben nach dem Tode? Im Vertrauen gesagt, es gibt keins. Muß alles vor dem Tode erledigt werden. Alle Hände voll zu tun. Tag und Nacht.«

»Fritz, nun komm aber endlich!« rief im Treppenhaus eine Frauenstimme. Der Justizrat zuckte die Achseln. »Da habt ihr's. Kleine Sängerin, großes Talent, keine Beschäftigung. Kann sämtliche Opern auswendig. Bißchen laut auf die Dauer. Na, Wiedersehen. Amüsiert euch lieber, statt die Menschheit zu erlösen. Wie gesagt, das Leben muß noch vor dem Tode erledigt werden. Zu näheren Auskünften gern bereit.

Nicht so ernst, mein Junge.« Er gab beiden die Hand, ging und warf die Tür ins Schloß.

Labude hielt sich nachträglich die Ohren zu, trat an den Schreibtisch, dachte eine Weile nach und fuhr dann in seiner Erzählung fort: »Gegen fünf Uhr früh begann es zu regnen. Nach sechs hörte es auf. Der Himmel wurde hell, und der Tag fing an. In dem Schlafzimmer brannte noch immer Licht. Das sah im Morgengrauen seltsam aus. Um sieben verließ der Mensch das Haus. Er pfiff, als er aus der Tür trat, und blickte nach oben. Leda stand in ihrem japanischen Schlafrock auf dem Balkon und winkte. Er winkte wieder. Sie breitete den Schlafrock für einen Augenblick noch einmal auseinander, damit er ihren Körper noch einmal sehe. Er warf ein Kußhändchen, es war zum Speien. Er ging pfeifend die Straße hinunter. Ich senkte den Kopf. Oben wurde die Balkontür geschlossen.«

Fabian wußte nicht, wie er sich verhalten sollte. Er blieb sitzen. Plötzlich hob Labude den Arm und schlug mit der Faust auf den Schreibtisch. »Diese Kanaille!« schrie er. Fabian sprang vom Sofa auf, aber der andere winkte ab und sagte ganz ruhig: »Schon gut. Höre weiter. Mittags telefonierte ich. Sie war erfreut, daß ich wieder einmal bei ihr sei. Warum ich nicht geschrieben habe. Ob ich um fünf Uhr kommen wolle. Die wissenschaftlichen Arbeiter hörten seit ein paar Wochen früher auf. Ich lief durchs Hafenviertel, bis es soweit war. Dann fuhr ich hin. Sie hatte Tee und Kuchen zurechtgestellt und begrüßte mich zärtlich. Ich trank eine Tasse Tee und sprach über gleichgültige Dinge. Dann begann sie sich automatisch zu entkleiden, nahm den Kimono um und legte sich auf die Couch. Da fragte ich, wie sie darüber dächte, wenn wir unsere Beziehung lösten. Sie fragte, was mit mir los sei. Es gelte doch für ausgemacht, daß wir heirateten, sobald ich mich habilitiert habe. Ob ich sie nicht mehr liebe. Ich erklärte, daß es sich darum jetzt nicht handle. Die zunehmende Entfremdung, an der sie die Schuld trage, lasse das Auseinandergehen ratsam erscheinen.

Sie räkelte sich, gab dem Schlafrock Gelegenheit, zur Seite zu gleiten, und meinte mit kindlicher Stimme, ich sei so kalt. Und die Entfremdung scheine, wie die unzweideutige Situation eindeutig beweise, eher an mir als an ihr zu liegen. Sie gab zu, daß es schwer sei, die Strecke zwischen Hamburg und Berlin seelisch zu überbrücken. Und auch in sexueller Beziehung gebe es Konflikte. Wenn sie mich haben wolle, sei ich nicht da, und wenn ich da sei, müsse die Liebe wie ein Mittagbrot erledigt werden, ob man Hunger hat oder nicht. Aber wenn wir erst verheiratet wären, würde das anders. Ich sollte übrigens nicht böse sein. Sie habe vor mehreren Wochen einen ärztlichen Eingriff vornehmen lassen. Sie wolle unsere Kinder als meine Frau zur Welt bringen, nicht vorher. Mitgeteilt habe sie mir diesen kleinen Unfall nicht, um mich nicht zu ängstigen. Sie sei aber wieder auf dem Posten, und ich solle mich nun endlich neben sie setzen. Sie habe Sehnsucht.

›Von wem war das wieder rückgängig gemachte Kind?‹ fragte ich. Sie setzte sich auf und zog ein gekränktes Gesicht.

›Und wer war der Mann, der heute nacht bei dir schlief?‹ fragte ich weiter.

›Du siehst Gespenster‹, sagte sie. ›Du bist eifersüchtig, es ist geradezu albern.‹

Da gab ich ihr eine Ohrfeige und ging fort. Sie lief hinter mir her, die Treppe hinunter, bis vor die Tür. Dort stand sie, nackt, im wehenden Schlafrock, nachmittags gegen sechs, und rief, ich solle bleiben. Aber ich rannte davon und fuhr zur Bahn.«

Fabian trat hinter Labude und legte die Hände auf die Schultern des Freundes. »Warum hast du mir das nicht schon gestern erzählt?«

»Na, ich komme schon darüber weg«, sagte Labude. »Mich so zu belügen.«

»Aber was hätte sie tun sollen? Die Wahrheit sagen?«

»Ich kann nicht mehr darüber nachdenken. Mir ist, als sei ich schwer krank gewesen.«

»Du bist noch krank«, meinte Fabian. »Du hast sie noch lieb.«

»Das ist wahr«, sagte Labude. »Aber ich bin schon mit ganz anderen Kerlen fertig geworden als mit mir.«

»Wenn sie dir nun schreibt?«

»Der Fall ist erledigt. Ich habe fünf Jahre damit zugebracht, unter einer falschen Voraussetzung zu leben, das reicht. Das Schlimmste habe ich dir noch nicht gesagt. Sie liebt mich nicht, und sie hat mich noch nie liebgehabt! Erst jetzt, nach dem Schlußstrich, geht plötzlich die Rechnung auf. Erst als sie neben mir lag und mich kaltblütig belog, verstand ich die vergangenen Jahre. In fünf Minuten verstand ich alles. Zu den Akten!« Labude schob den Freund zur Tür. »Jetzt gehen wir. Ruth Reiter hat uns eingeladen. Komm, ich habe verschiedenes nachzuholen.«

»Wer ist Ruth Reiter?«

»Ich lernte sie heute kennen. Sie hat ein Atelier und bildhauert, wenn man ihr glauben darf.«

»Modellstehen wollte ich schon immer mal«, sagte Fabian und zog den Mantel an.

Neuntes Kapitel

Sonderbare junge Mädchen
Ein Todeskandidat wird lebendig
Das Lokal heißt ›Cousine‹

»Endlich ein paar Männer!« rief die Reiter. »Macht's euch bequem. Die Kulp hat gerade gestöhnt, so ginge das nicht weiter. Sie hat zwei Tage keinen Mann gehabt, und der letzte war auch bloß ein Verkehrsunfall. Sie ist Modezeichnerin, und der Kerl hätte ihr, ohne die kleine Gegenleistung, keinen Auftrag gegeben. Ein beinahe impotenter Lebegreis war's, sagte sie.«

»Das sind die Schlimmsten«, meinte Labude. »Sie probieren ununterbrochen, um nachzusehen, ob sich der Schaden inzwischen behoben hat.« Er blickte sich nach dem Mädchen um, das Kulp hieß. Sie hockte, mit hochgezogenen Beinen, auf einer Chaiselongue und winkte ihm.

Labude setzte sich neben die Kulp. Fabian wartete unschlüssig. Das Atelier war groß. In der Mitte des Raumes, unter der Lampe, vor einer Reihe von Skulpturen, stand ein holzgezimmerter Tisch, und auf dem Tisch saß eine nackte, dunkelhaarige Frau. Die Reiter kauerte sich auf einen Schemel, nahm den Skizzenblock und zeichnete. »Abendakt«, erläuterte sie, ohne sich umzusehen. »Heißt Selow. Neue Position, mein Schatz! Stehend, Beine breit, Oberkörper rechtwinklig drehen. So, Hände im Nacken verschränken. Halt!« Die nackte Frau, die Selow hieß, hatte sich aufgerichtet und stand nun breitbeinig auf dem Tisch. Sie war vorzüglich gebaut und blickte gleichgültig, aus schwermütigen Augen, vor sich hin. »Baron, was zu trinken, mich friert«, sagte sie plötzlich.

»Wahrhaftig, Fräulein Selow hat überall Gänsehaut«, pflichtete Fabian bei. Er war näher getreten und stand vor dem Modell wie ein Kunstkenner vor einer weiblichen Bronze.

»Berühren verboten!« Die Stimme der Bildhauerin klang äußerst unfreundlich.

Fräulein Kulp, die sich in Labudes Armen wie in warmem Badewasser dehnte, rief Fabian zu: »Hand von der Butter. Der Baron ist eifersüchtig. Sie hat mit dem Abendakt ein gutgehendes Verhältnis.«

»Halt den Rand!« knurrte die Reiter. »Labude, wenn Sie mit der Kulp etwas Unaufschiebbares vorhaben sollten, genieren Sie sich nicht. Ich habe nur diesen Raum, aber der ist an Kummer gewöhnt.«

Labude äußerte, er habe moralische Bedenken.

»Was es so alles gibt«, meinte die Kulp traurig.

Die Reiter blickte vorübergehend von ihrem Block hoch und sah Fabian an.

»Falls Sie sich an der Kulp beteiligen wollen, halten Sie sich ran! Ihr braucht weiter nichts dazu als einen Groschen. Labude wählt Wappen. Sie nehmen Zahl. Die Kulp wirft den Groschen hoch, das regt ihr Sonnengeflecht an. Und wer oben liegt, hat den Vortritt.«

»Welche tiefe Wahrheit!« rief die Kulp. »Aber einen Groschen? Du verdirbst mir die Preise!«

Fabian sagte höflich, er sei kein Freund von Glücksspielen.

Die nackte Frau stampfte mit dem Fuß auf. »Was zu trinken!«

»Battenberg, neben deinem Lehnstuhl steht ein Tischchen, und auf dem Tischchen steht Gin. Gib doch mal was rüber.«

»Gern«, sagte eine Stimme. Hinter den Statuen klirrte es. Dann trat ein fremdes Mädchen in den Lichtkreis der Lampe und reichte dem Abendakt ein gefülltes Glas.

Fabian war überrascht. »Wie viele weibliche Wesen sind eigentlich hier?« fragte er.

»Ich bin das einzige«, erklärte Fräulein Battenberg und lachte. Fabian sah ihr ins Gesicht und fand, sie passe nicht in das Milieu. Sie spazierte wieder hinter die Plastiken. Er folgte ihr. Sie setzte sich in den Lehnstuhl. Er stellte sich neben eine Diana aus Gips, legte den Arm um die Hüfte der trainierten Göttin und schaute durch das Atelierfenster auf die Bogen und Veduten der Jugendstilgiebel. Man hörte den Baron kommandieren. »Letzte Position, mein Schatz. Rumpfbeuge vorwärts, Knie einknicken, Gesäß heraus, Hände auf die Knie, gut, halt!« Und aus der vorderen Hälfte des Ateliers klangen kleine, zugespitzte Schreie. Fräulein Kulp litt vorübergehend an Atemnot.

»Wie kommen Sie eigentlich in diesen Saustall?« fragte Fabian.

»Ruth Reiter und ich sind aus derselben Stadt. Wir gingen in die gleiche Schule. Neulich trafen wir uns zufällig auf der Straße. Und weil ich noch nicht lange in Berlin bin, lud sie mich zu Informationszwecken ein. Ich bin das letzte Mal hier oben. Die Information hat genügt.«

»Das freut mich«, sagte er. »Ich bin kein ausgesprochener Tugendbewahrer, und trotzdem betrübt es mich, wenn ich sehen muß, daß eine Frau unter ihrem Niveau lebt.«

Sie sah ihn ernst an. »Ich bin kein Engel, mein Herr. Unsere Zeit ist mit den Engeln böse. Was wollen wir anfangen? Wenn wir einen Mann liebhaben, liefern wir uns ihm aus. Wir trennen uns von allem, was vorher war, und kommen zu ihm. ›Da bin ich‹, sagen wir freundlich lächelnd. ›Ja‹, sagt er, ›da bist du‹, und kratzt sich hinterm Ohr. Allmächtiger, denkt er, nun hab ich sie auf dem Hals. Leichten Herzens schenken wir ihm, was wir haben. Und er flucht. Die Geschenke sind ihm lästig. Erst flucht er leise, später flucht er laut. Und wir sind allein wie nie zuvor. Ich bin fünfundzwanzig Jahre alt, und von zwei Männern wurde ich stehengelassen. Stehengelassen wie ein Schirm, den man absichtlich irgendwo vergißt. Stört Sie meine Offenheit?«

»Es geht vielen Frauen so. Wir jungen Männer haben Sorgen. Und die Zeit, die übrigbleibt, reicht fürs Vergnügen, nicht für die Liebe. Die Familie liegt im Sterben. Zwei Möglichkeiten gibt es ja doch nur für uns, Verantwortung zu zeigen. Entweder der Mann verantwortet die Zukunft einer Frau, und wenn er in der nächsten Woche die Stellung verliert, wird er einsehen, daß er verantwortungslos handelte. Oder er wagt es, aus Verantwortungsgefühl, nicht, einem zweiten Menschen die Zukunft zu versauen, und wenn die Frau darüber ins Unglück gerät, wird er sehen, daß auch diese Entscheidung verantwortungslos war. Das ist eine Antinomie, die es früher nicht gab.«

Fabian setzte sich aufs Fensterbrett. Gegenüber war ein Fenster erleuchtet. Er blickte in ein mäßig möbliertes Zimmer. Eine Frau saß am Tisch und stützte den Kopf in die Hand. Und ein Mann stand davor, gestikulierte mit den Armen, bewegte schimpfend den Mund, riß den Hut von einem Haken und verließ den Raum. Die Frau nahm die Hände vom Gesicht und starrte auf die Tür. Dann legte sie den Kopf auf den Tisch, ganz langsam und ganz ruhig, als warte sie auf ein niederfallendes Beil. Fabian wandte sich ab und betrachtete das Mädchen, das neben ihm im Lehnstuhl saß. Auch sie hatte die Szene drüben im anderen Haus beobachtet und sah ihn traurig an.

»Schon wieder ein verhinderter Engel«, meinte er.

»Der zweite Mann, den ich liebte und damit belästigte«, sagte sie leise, »ging eines schönen Abends aus der Wohnung, um einen Brief in den Kasten zu werfen. Er ging die Treppe hinunter und kam nicht wieder.« Sie schüttelte den Kopf, als verstehe sie das Erlebnis noch immer nicht. »Ich wartete drei Monate darauf, daß er vom Briefkasten zurückkehre. Komisch, nein? Dann schickte er eine Ansichtskarte aus Santiago, mit vielen herzlichen Grüßen. Meine Mutter sagte: ›Du bist eine Dirne!‹, und als ich zu bedenken gab, daß sie ihren ersten Mann mit achtzehn und das erste Kind mit neunzehn Jahren gehabt habe, rief sie entrüstet: ›Das war etwas ganz anderes!‹ Freilich, das war etwas ganz anderes.«

»Warum sind Sie nach Berlin gekommen?«

»Früher verschenkte man sich und wurde wie ein Geschenk bewahrt!

Heute wird man bezahlt und eines Tages, wie jede bezahlte und benutzte Ware, weggetan. Barzahlung ist billiger, denkt der Mann.«
»Früher war das Geschenk etwas ganz anderes als die Ware. Heute ist das Geschenk eine Ware, die null Mark kostet. Diese Billigkeit macht den Käufer mißtrauisch. Sicher ein faules Geschäft, denkt er. Und meist hat er recht. Denn später präsentiert ihm die Frau die Rechnung. Plötzlich soll er den moralischen Preis des Geschenks rückvergüten. In seelischer Valuta. Als Lebensrente zu zahlen.«
»Genauso ist es«, sagte sie. »Genauso denken die Männer. Aber warum nennen Sie dann dieses Atelier einen Saustall? Hier sind doch die Frauen so ähnlich, wie ihr sie haben wollt! Oder etwa nicht? Ich weiß, was euch zu eurem Glück noch fehlt. Wir sollen zwar kommen und gehen, wann ihr es wollt. Aber wir sollen weinen, wenn ihr uns fortschickt. Und wir sollen selig sein, wenn ihr uns winkt. Ihr wollt den Warencharakter der Liebe, aber die Ware soll verliebt sein. Ihr zu allem berechtigt und zu nichts verpflichtet, wir zu allem verpflichtet und zu nichts berechtigt, so sieht euer Paradies aus. Doch das geht zu weit. Oh, das geht zu weit!« Fräulein Battenberg putzte sich die Nase. Dann fuhr sie fort: »Wenn wir euch nicht behalten dürfen, wollen wir euch auch nicht lieben. Wenn ihr uns kaufen wollt, dann sollt ihr teuer dafür bezahlen.« Sie schwieg. Ihr liefen kleine Tränen übers Gesicht.
»Sind Sie deswegen nach Berlin gekommen?« fragte Fabian.
Sie weinte geräuschlos.
Er trat neben sie und streichelte ihre Schulter. »Sie verstehen auch nichts von Geschäften«, sagte er und blickte zwischen zwei Gipsfiguren in den anderen Teil des Ateliers. Der Abendakt saß auf demTisch und trank Gin. Die Bildhauerin beugte sich über die nackte Frau und küßte sie auf den wenig gewölbten Bauch und auf die Brust. Die Selow trank inzwischen das Glas leer und strich der Freundin gleichgültig über den Rücken. Diese küßte, jene trank, keine schien recht zu wissen, was die andere tat. Und im Hintergrund, auf der Chaiselongue, lagen die Kulp und Labude, zu einem flüsternden Knäuel verwickelt.
Jetzt klingelte es draußen. Die Reiter richtete sich auf und ging mit schweren Schritten hinaus. Die Selow zog die Strümpfe an. Ein riesiger Mann kam durch die Tür. Er atmete keuchend, hatte ein Holzbein und ging an einem Stock. »Ist die Kulp da?« fragte er. Die Reiter nickte. Er zog ein paar Geldscheine aus der Tasche, gab sie der Bildhauerin und sagte: »Ihr andern solltet eine Stunde fortgehen. Die Selow kannst du mir eventuell noch dalassen.« Er sank auf einen Stuhl und lachte schwerfällig. »Nein, nein, Baron, es war nur Spaß.«

Die Kulp kroch von der Chaiselongue, strich sich das Kleid glatt und gab dem Mann die Hand. »Tag, Wilhelmy, noch immer nicht tot?« Wilhelmy wischte sich den Schweiß von der Stirn und schüttelte den Kopf.

»Lange kann's aber nicht mehr dauern. Sonst ist das Geld früher zu Ende als ich.« Er gab auch ihr ein paar Geldscheine. »Selow!« rief er, »sauf den Gin nicht aus! Und zieh dich schneller an.«

»Geht in die ›Cousine‹. Ich komme nach«, sagte die Kulp. Dann rüttelte sie Labude munter. »Mein Lieber, du wirst rausgeschmissen. Hier ist einer, dem die Ärzte erzählt haben, daß er noch in diesem Monat stirbt. Er lauert auf den Tod wie unsereins auf die Periode. Ich helf ihm bloß ein Viertelstündchen warten. Später treff ich euch wieder.« Labude stand auf. Die Reiter holte ihren Mantel, Fabian kam mit Fräulein Battenberg hinter den Plastiken hervor. Die Selow war mit Anziehen fertig. Sie gingen. Der Todeskandidat und die Kulp blieben zurück.

»Hoffentlich prügelt er sie nicht so sehr wie beim letzten Mal«, sagte die Bildhauerin auf der Treppe. »Es bringt ihn auf, daß andere länger leben dürfen als er.«

»Die hat nichts dagegen, die liebt die Keile«, meinte die Selow. »Und außerdem, von ihrer Zeichnerei kann sie nicht leben und nicht sterben.«

»Feine Berufe haben wir!« Die Reiter lachte wütend.

Die »Cousine« war ein Klublokal, in dem vorwiegend Frauen verkehrten. Sie tanzten miteinander. Sie saßen Arm in Arm auf kleinen grünen Sofas. Sie sahen einander tief in die Augen. Sie tranken Schnaps, und manche trugen Smokingjacken und hochgeschlossene Blusen, um den Männern recht ähnlich zu sein. Die Inhaberin hieß wie ihr Lokal, rauchte schwarze Zigarren und vermittelte Bekanntschaften. Sie ging von Tisch zu Tisch, begrüßte die Gäste, erzählte handfeste Witze und soff wie ein Budiker.

Labude schien sich vor Fabian und vor sich selber zu schämen. Er tanzte mit dem Abendakt, setzte sich dann mit der Frau an die Theke und drehte dem Freund den Rücken. Ruth Reiter war eifersüchtig, nahm sich aber zusammen. Sie blickte ganz selten nach der Bar, sah blaß aus und begann zu trinken. Später schob sie an einen anderen Tisch und unterhielt sich dort mit einer älteren Dame, die schrecklich geschminkt war und, wenn sie lachte, derartig gackerte, daß man dachte: Gleich legt sie ein Ei.

»Ich kann unser Gespräch noch nicht vergessen«, sagte Fabian zu Fräulein Battenberg. »Halten Sie wirklich alle Frauen, die hier versammelt sind, für gebürtige Abnormitäten? Die Blondine da drüben war jahrelang die Freundin eines Schauspielers, bis er sie ruckartig an die Luft setzte. Dann ging sie ins Büro und schlief mit dem Prokuristen. Sie kriegte ein Kind und verlor den Prozeß. Der Prokurist leugnete die Vaterschaft. Das Kind wurde aufs Land gegeben. Die Blondine bekam eine neue Stellung. Aber sie hat, vielleicht für immer, mindestens vorübergehend, von den Männern genug, und mancher, die außer ihr hier sitzt, erging es ähnlich. Die eine findet keinen Mann, die andere findet zu viele, die dritte hat panische Angst vor den Folgen. Hier sitzen viele Frauen, die mit den Männern nur böse sind. Die Selow, die mit meinem Freunde zusammenhockt, gehört auch zu dieser Sorte. Sie ist nur lesbisch, weil sie mit dem anderen Geschlecht schmollt.«

»Wollen Sie mich nach Hause bringen?« fragte Fräulein Battenberg.

»Es gefällt Ihnen hier nicht?«

Sie schüttelte den Kopf.

Da ging die Tür auf, die Kulp taumelte ins Lokal. Vor dem Tisch, an dem die Bildhauerin saß, blieb sie stehen und öffnete den Mund. Sie schrie nicht, sie sprach nichts. Sie brach zusammen.

Die Frauen drängten sich neugierig um die Ohnmächtige. Die Cousine brachte Whisky. »Der Wilhelmy hat sie wieder geschlagen«, sagte die Reiter.

»Ein Hoch auf die Männer!« schrie ein Mädchen und lachte hysterisch.

»Holt den Doktor aus dem Hinterzimmer!« rief die Cousine. Man rannte durcheinander. Der Klavierspieler, der ebenso witzig wie betrunken war, intonierte den Trauermarsch von Chopin.

»Das soll der Doktor sein?« fragte Fräulein Battenberg. Durch die Seitentür trat eine große, magere Dame im Abendkleid, das Gesicht glich einem weißgepuderten Totenkopf.

»Ja, das ist ein medizinisch vorgebildeter Mann«, sagte Fabian. »Er war sogar einmal Korpsstudent. Sehen Sie die Schmisse unterm Puder? Jetzt ist er Morphinist und hat polizeiliche Erlaubnis, Frauenkleidung zu tragen. Er lebt davon, daß er Morphiumrezepte verschreibt. Eines Tages werden sie ihn erwischen, dann vergiftet er sich.«

Man trug die Kulp ins Hinterzimmer. Der Doktor im Abendkleid folgte. Der Klavierspieler begann einen Tango. Die Bildhauerin holte den Abendakt zum Tanz, preßte die Freundin eng an sich und sprach heftig auf sie ein. Die Selow war völlig betrunken, hörte kaum zu und schloß die Augen. Plötzlich riß sie sich los, überquerte schwankend das Parkett, schlug den Klavierdeckel zu, daß das Instrument jammerte, und brüllte: »Nein!«

Es wurde totenstill. Die Bildhauerin stand allein auf der Tanzfläche und hatte die Hände ineinandergekrampft.

»Nein!« brüllte die Selow noch einmal. »Ich habe genug davon! Bis
dahin! Ich will einen Mann haben! Einen Mann will ich haben!
Rutsch mir doch den Buckel runter, du geile Ziege!« Sie zerrte Labude
von seinem Hocker, gab ihm einen Kuß, hieb sich den Hut auf den
Kopf und zog den jungen Mann, kaum daß er den Mantel mitnehmen
konnte, zur Tür. »Es lebe der kleine Unterschied!« Dann waren die
beiden verschwunden.
»Es ist wirklich besser, wenn wir gehen.« Fabian erhob sich, legte
Geld auf den Tisch und half der Battenberg beim Anziehen. Als sie
gingen, stand Ruth Reiter, auch der Baron genannt, noch immer auf
dem Tanzparkett. Niemand wagte es, sich ihr zu nähern.

Zehntes Kapitel

Topographie der Unmoral
Die Liebe höret nimmer auf!
Es lebe der kleine Unterschied!

»Wieso ist dieser Mensch Ihr Freund?« fragte sie auf der Straße.
»Sie kennen ihn doch gar nicht!« Er ärgerte sich über ihre Frage und
ärgerte sich über seine Antwort. Sie gingen schweigend nebeneinander.
Nach eine Weile sagte er: »Labude hat Pech gehabt. Er ist nach Hamburg gefahren und hat zugesehen, wie ihn seine zukünftige Gattin
betrügt. Er organisiert gern. Seine Zukunft war, nach der familiären
Seite, bis auf die fünfte Stelle nach dem Komma ausgerechnet. Und
nun stellt sich über Nacht heraus, es war alles falsch. Er will das
rasch vergessen und versucht es zunächst auf horizontale Art.«
Sie blieben vor einem Geschäft stehen. Der Laden war trotz der
nächtlichen Stunde hell erleuchtet, und die Kleider und Blusen und
Lackgürtel lagen zwischen den dunklen Häusern wie auf einer klei-
nen, von der Sonne beschienenen Insel.
»Können Sie mir sagen, wie spät es ist?« fragte jemand neben ihnen.
Fräulein Battenberg erschrak und faßte den Arm ihres Begleiters.
»Zehn nach zwölf«, sagte Fabian.
»Danke schön. Da muß ich mich beeilen.« Der junge Mann, der sie
angesprochen hatte, bückte sich und nestelte umständlich an einem
Schnürsenkel. Dann richtete er sich wieder auf und fragte verlegen
lächelnd: »Haben Sie zufällig fünfzig Pfennig, die Sie entbehren
könnten?«
»Zufällig ja«, antwortete Fabian und gab ihm ein Zweimarkstück.

»Oh, das ist schön. Haben Sie vielen Dank, mein Herr. Da brauche ich nicht bei der Heilsarmee zu übernachten.« Der Fremde zuckte entschuldigend die Achseln, lüftete den Hut und lief hastig davon.

»Ein gebildeter Mensch«, meinte Fräulein Battenberg.

»Ja, er fragte nach der Zeit, ehe er uns anbettelte.«

Sie setzten ihren Weg fort. Fabian wußte nicht, wo das Mädchen wohnte. Er ließ sich führen, obwohl er die Gegend besser kannte als sie. »Das Schlimmste an der ganzen Geschichte ist das«, sagte er. »Labude hat, allerdings fünf Jahre zu spät, bemerkt, daß ihn Leda, eben jene Frau aus Hamburg, niemals liebhatte. Sie hat ihn nicht betrogen, weil er zu selten bei ihr war. Sie betrog ihn, weil sie ihn nicht liebte. Er stand ihr nur individuell nahe, er war nicht ihr Typus. Es gibt auch den umgekehrten Fall. Man kann jemanden mögen, weil er den richtigen Typus verkörpert, aber man kann seine Individualität nicht leiden.«

»Und daß jemand in jeder Beziehung der Richtige ist, kommt das nicht vor?«

»Man soll nicht gleich das Äußerste hoffen«, erwiderte Fabian. »Und was führt Sie, außer Ihrem kriegerischen Vorsatz, nach Sodom und Gomorra?«

»Ich bin Referendar«, erklärte sie. »Meine Dissertation betraf eine Frage zum internationalen Filmrecht, und eine große Berliner Filmgesellschaft will mich in ihrer Vertragsabteilung volontieren lassen. Hundertfünfzig Mark im Monat.«

»Werden Sie doch Filmschauspielerin!«

»Wenn es sein muß, auch das«, sagte sie entschlossen. Und beide lachten. Sie gingen durch die Geisbergstraße. Nur selten durchquerte ein Auto die Nachtruhe. In den Vorgärten dufteten Blumenbeete. In einer Haustür streichelte sich ein Liebespaar.

»Sogar der Mond scheint in dieser Stadt«, bemerkte die Kennerin des internationalen Filmrechts.

Fabian drückte ihren Arm ein wenig. »Ist es nicht fast wie zu Hause?« fragte er. »Aber Sie täuschen sich. Der Mondschein und der Blumenduft, die Stille und der kleinstädtische Kuß im Torbogen sind Illusionen. Dort drüben, an dem Platz, ist ein Café, in dem Chinesen mit Berliner Huren zusammensitzen, nur Chinesen. Da vorn ist ein Lokal, wo parfümierte homosexuelle Burschen mit eleganten Schauspielern und smarten Engländern tanzen und ihre Fertigkeiten und den Preis bekanntgeben, und zum Schluß bezahlt das Ganze eine blondgefärbte Greisin, die dafür mitkommen darf. Rechts an der Ecke ist ein Hotel, in dem nur Japaner wohnen, daneben liegt ein Restaurant, wo russische und ungarische Juden einander anpumpen oder sonstwie übers Ohr hauen. In einer der Nebenstraßen gibt es eine Pension, wo sich nachmittags minderjährige Gymnasiastinnen verkaufen, um ihr Taschengeld zu erhöhen. Vor einem halben Jahr gab es einen Skandal, der nur schlecht vertuscht wurde; ein älterer Herr fand in dem Zimmer, das er zu Vergnügungszwecken betrat, zwar, wie er erwartet hatte, ein sechzehnjähriges entkleidetes Mädchen vor, aber es war leider seine Tochter, und das hatte er nicht erwartet ... Soweit diese riesige Stadt aus Stein besteht, ist sie fast noch wie einst. Hinsichtlich der Bewohner gleicht sie längst einem Irrenhaus. Im Osten residiert das Verbrechen, im Zentrum die Gaunerei, im Norden das Elend, im Westen die Unzucht, und in allen Himmelsrichtungen wohnt der Untergang.«

»Und was kommt nach dem Untergang?«

Fabian pflückte einen kleinen Zweig, der über ein Gitter hing, und gab zur Antwort: »Ich fürchte, die Dummheit.«

»In der Stadt, aus der ich bin, ist die Dummheit schon eingetroffen«, sagte das Mädchen. »Aber was soll man tun?«

»Wer ein Optimist ist, soll verzweifeln. Ich bin ein Melancholiker, mir kann nicht viel passieren. Zum Selbstmord neige ich nicht, denn ich verspüre nichts von jenem Tatendrang, der andere nötigt, so lange mit dem Kopf gegen die Wand zu rennen, bis der Kopf nachgibt. Ich sehe zu und warte. Ich warte auf den Sieg der Anständigkeit, dann könnte ich mich zur Verfügung stellen. Aber ich warte darauf wie ein Ungläubiger auf Wunder. Liebes Fräulein, ich kenne Sie noch nicht. Trotzdem, oder vielleicht gerade deswegen, möchte ich Ihnen für den Umgang mit Menschen eine Arbeitshypothese anvertrauen, die sich bewährt hat. Es handelt sich um eine Theorie, die nicht richtig zu sein braucht. Aber sie führt in der Praxis zu verwendbaren Ergebnissen.«

»Und wie lautet Ihre Hypothese?«

»Man halte hier jeden Menschen, mit Ausnahme der Kinder und der Greise, bevor das Gegenteil nicht unwiderleglich bewiesen ist, für verrückt. Richten Sie sich danach, Sie werden bald erfahren, wie nützlich der Satz sein kann.«

»Soll ich bei Ihnen damit beginnen?« fragte sie.

»Ich bitte darum«, meinte er.

Sie schwiegen und überquerten den Nürnberger Platz.

Ein Auto bremste dicht vor ihnen. Das Mädchen zitterte. Sie gingen in die Schaperstraße. In einem verwahrlosten Garten schrien Katzen. An den Rändern der Fußsteige standen Alleebäume, bedeckten den Weg mit Dunkelheit und verbargen den Himmel.

»Ich bin angelangt«, sagte sie und machte vor dem Hause Nummer 17 halt. In dem Hause, in dem auch Fabian wohnte! Er verbarg seine Verwunderung und fragte, ob er sie wiedersehen dürfe.

»Wollen Sie es wirklich?«

»Unter einer Bedingung: daß auch Sie es wünschen.«

Sie nickte und legte einen Augenblick lang den Kopf an seine Schulter. »Ich will es auch.« Er drückte ihre Hand. »Diese Stadt ist so groß«, flüsterte sie und schwieg unschlüssig. »Werden Sie mich falsch verstehen, wenn ich Sie bitte, für eine halbe Stunde zu mir hinaufzukommen? Das Zimmer ist mir noch so fremd. Kein Wort klingt nach und keine Erinnerung, denn ich habe darin noch mit niemandem gesprochen, und nichts ist da, woran ich mich erinnern könnte. Und vor den Fenstern schwanken des Nachts schwarze Bäume.«

Fabian sagte lauter, als er wollte: »Ich komme gern mit. Schließen Sie nur auf.« Sie steckte den Schlüssel ins Schloß und drehte um. Doch ehe sie die Tür aufschob, wandte sie sich noch einmal zu ihm: »Ich bin sehr in Sorge, daß Sie mich mißverstehen.« Er drückte die Tür auf und schaltete die Treppenbeleuchtung ein. Dann ärgerte er sich, daß er sich dadurch verraten haben könnte. Aber sie wurde nicht stutzig, schloß hinter ihm ab und ging voraus. Er folgte und amüsierte sich über die Heimlichkeit, mit der er heute dieses Haus betrat. In welcher Etage mochte sie wohnen? Sie blieb tatsächlich vor der Tür seiner Wirtin, vor der Tür der Witwe Hohlfeld, stehen und öffnete.

Im Flur brannte Licht. Zwei junge Mädchen in rosa Hemdhöschen spielten mit einem grünen Luftballon Fußball. Sie erschraken und begannen vor Schreck zu kichern. Fräulein Battenberg stand starr. Da ging die Toilettentür auf und Herr Tröger, der sinnliche Stadtreisende, erschien im Pyjama.

»Halten Sie Ihren Harem besser unter Verschluß«, brummte Fabian.

Herr Tröger grinste, trieb die Mädchen in seinen Serail und riegelte ab. Fabian legte die Hand versehentlich auf die Klinke zu seinem eigenen Zimmer.

»Um Gottes willen«, flüsterte Fräulein Battenberg. »Da wohnt jemand anderes.«

»Pardon«, sagte Fabian und folgte ihr durch den Korridor in den letzten Raum. Er legte Hut und Mantel aufs Sofa, sie hängte ihren Mantel in den Schrank. »Eine fürchterliche Bude«, sagte sie lächelnd. »Und achtzig Mark im Monat.«

»Ich zahle genausoviel«, tröstete er.

Nebenan wurde gelärmt. Die Sprungfedern knirschten unwillig. »Die Nachbarschaft habe ich gratis«, meinte sie.

»Bohren Sie ein Loch in die Wand und verlangen Sie Eintritt.«

»Ach, ich bin froh«, sie rieb sich die Hände wie vor einem Kamin.

»Wenn ich allein bin, wirkt dieser Salon noch viel häßlicher. Ich bin Ihnen sehr dankbar. Wollen Sie sich mal die schaurigen Bäume anschaun?«

Sie traten ans Fenster. »Heute sind sogar die Bäume freundlicher«, stellte sie fest. Dann sah sie ihn an und murmelte: »Das macht, weil ich sonst allein bin.« Er zog sie behutsam an sich und gab ihr einen Kuß. Sie küßte ihn wieder. »Nun wirst du denken, daß ich dich deshalb bat, mitzukommen.«

»Freilich denke ich das«, gab er zur Antwort. »Aber du wußtest es selber noch nicht.«

Sie rieb ihre Wange an der seinen und blickte durchs Fenster.

»Wie heißt du eigentlich?« fragte er.

»Cornelia.«

Als sie nebeneinander im Bett lagen, sagte er ehrlich bekümmert, während er ihr mit den Händen übers Gesicht strich und dabei die Augen schloß, um das Gepräge des Gesichts zu spüren: »Weißt du noch, daß wir heute abend einmal in einem Atelier saßen, hinter Göttinnen aus Gips, und daß du erzähltest, wie du die Männer für ihren Egoismus bestrafen willst?«

Sie drückte lauter kleine Küsse auf seine Hände. Dann holte sie tief Atem und antwortete: »An dem Vorsatz hat sich nichts geändert, wirklich nicht. Aber mit dir mach ich eine Ausnahme. Mir ist ganz so, als ob ich dich liebhabe.«

Er setzte sich hoch. Aber sie zog ihn wieder zu sich herab. »Vorhin, als wir uns umarmten, habe ich geweint!« flüsterte sie. Und als sie sich dessen erinnerte, traten ihr von neuem Tränen in die Augen, aber sie lächelte unter diesen Tränen, und er war seit langem wieder einmal beinahe glücklich. »Ich habe geweint, weil ich dich liebhabe. Aber daß ich dich liebhabe, das ist meine Sache, hörst du? Und es geht dich nichts an. Du sollst kommen und gehen, wann du willst. Und wenn du kommst, will ich mich freuen, und wenn du gehst, will ich nicht traurig sein. Das versprech ich dir.« Sie drängte sich an ihn und preßte ihren Körper an den seinen, daß beiden der Atem verging. »So«, rief sie, »und jetzt hab ich Hunger!«

Er zog ein so verdutztes Gesicht, daß sie lachte.

Sie erklärte ihm die Sache. »Das ist so: wenn ich wen liebhabe, ich meine, wenn mich jemand liebgehabt hat, aber du verstehst mich schon, ja? Dann hab ich hinterher immer fürchterlichen Hunger. Der

Hunger hat nur einen Haken. Ich habe nichts zu essen da. Ich konnte ja nicht wissen, daß ich in dieser fürchterlichen Stadt so bald solchen Hunger bekäme.« Sie lag auf dem Rücken und lächelte die Zimmerdecke an, die Engelsköpfe aus Stuck inbegriffen.

Fabian stand auf und meinte: »Da müssen wir eben einbrechen.« Dann hob er sie aus dem Bett, öffnete die Tür und zog die widerstrebende Cornelia in den Korridor. Sie sträubte sich, aber er faßte sie unter, und sie spazierten, Adam und Eva zum Verwechseln ähnlich, den Flur enlang, bis vor Fabians Tür.

»Das ist ja entsetzlich«, jammerte sie und wollte entfliehen. Aber er drückte die Klinke nieder und transportierte das Mädchen in sein Zimmer. Sie klapperte kläglich mit den Zähnen. Er machte Licht, verbeugte sich und äußerte feierlich: »Herr Doktor Fabian erlaubt sich, Fräulein Doktor Battenberg in seinen Gemächern willkommen zu heißen.« Dann warf er sich auf sein Bett und biß vor Vergnügen ins Kopfkissen.

»Nein!« sagte sie hinter ihm, »das ist nicht möglich.« Aber dann glaubte sie es doch und begann Schuhplattler zu tanzen.

Er stand auf und sah ihr zu. »Du darfst dir nicht so laut hintendraufklatschen«, erklärte er würdevoll.

»Das ist beim Schuhplattler nicht anders«, meinte sie und tanzte weiter, so echt und so laut es ging. Dann schritt sie gemessen zum Tisch, setzte sich auf einen Stuhl, tat dabei, als ob sie ihr Kleid glattstriche, obwohl sie, augenfällig genug, nichts Derartiges anhatte, und sagte: »Bitte, die Speisekarte.«

Er schleppte Teller, Messer, Gabel, Brot und Wurst und Keks herbei und markierte, während sie aß, den aufmerksamen Oberkellner. Später stöberte sie auf seinem Bücherbrett herum, klemmte sich Lektüre unter den rechten Arm, bot ihm den linken und befahl majestätisch: »Bringen Sie mich unverzüglich in mein Appartement zurück.«

Bevor sie das Licht auslöschten, verabredeten sie noch, daß sie ihn am nächsten Morgen wecken solle. Man entschied sich dafür, daß sie ihn, bis er munter sei, am Ohr zupfen werde. Abends wollten sie sich dann wieder in der Wohnung treffen. Wer zuerst da wäre, würde neben seine Türklinke ein Bleistiftkreuz kritzeln. Man nahm sich vor, die Witwe Hohlfeld nach Möglichkeit nichts merken zu lassen.

Dann löschte Cornelia das Licht aus. Sie bettete sich neben ihn und sagte: »Komm!« Er streichelte ihren Körper. Sie nahm seinen Kopf in ihre Hände, preßte den Mund an sein Ohr und flüsterte: »Komm! Was rief die Selow? Es lebe der kleine Unterschied!«

Elftes Kapitel

Die Überraschung in der Fabrik
Der Kreuzberg und ein Sonderling
Das Leben ist eine schlechte Angewohnheit

Am anderen Morgen war Fabian schon eine Viertelstunde vor Bürobeginn an der Arbeit. Er pfiff vor sich hin und überflog die Notizen zu dem Preisausschreiben, das die Direktion von ihm erwartete.
Die Fabrik sollte dem Einzelhandel hunderttausend sehr billige Sonderpackungen zugänglich machen. Die Schachteln sollten numeriert sein und Zigaretten sechs verschiedener Sorten ohne jeden Schriftaufdruck enthalten. Die Käuferschaft sollte erraten, wieviel Zigaretten der sechs bekannten Marken der Firma in der Packung enthalten wären. Wer eine billige Schachtel erwarb, mußte, wenn er die Aufgabe lösen und einen der Preise gewinnen wollte, notgedrungen je eine der sechs Spezialpackungen kaufen, die seit langem im Handel waren, also sechs Packungen außer der billigen Sonderschachtel. Wenn sich hunderttausend Interessenten fanden, konnten automatisch sechshunderttausend andere Packungen, insgesamt siebenhunderttausend Schachteln umgesetzt werden. Dazu kam die allgemeine Absatzsteigerung, die einem geschickt propagierten Kundenfang zu folgen pflegt.
Fabian begann eine Kalkulation aufzustellen.
Da erschien Fischer, rief: »Nanu?« und blickte dem Kollegen neugierig über die Schulter.
»Der Entwurf fürs Preisausschreiben«, sagte Fabian.
Fischer zog das graue Lüsterjackett an, das er im Büro trug, und fragte: »Darf ich Ihnen nachher mal meine Zweizeiler zeigen?«
»Gern. Heute habe ich Sinn für Lyrik.«
Da klopfte es. Der Hausbote Schneidereit, ein ältliches, wackliges Faktotum, auch ›der Erfinder des Plattfußes‹ geheißen, schob sich ins Zimmer. Er legte mürrisch einen großen gelben Brief auf Fabians Schreibtisch und entfernte sich wieder. Der Brief enthielt Fabians Papiere, eine Anweisung an die Hauptkasse und ein kurzes Schreiben mit dem Inhalt:
»Sehr geehrter Herr, die Firma sieht sich veranlaßt, Ihnen unter dem heutigen Tage die Kündigung auszusprechen. Das am Monatsende zahlbare Gehalt wird Ihnen schon heute an der Kasse ausgefolgt werden. Wir haben uns erlaubt, aus freien Stücken in der Anlage ein Zeugnis beizufügen, und wollen auch an dieser Stelle gern bekunden, daß Sie für die propagandistische Tätigkeit besonders qualifiziert erscheinen.

196

Die Kündigung ist eine bedauerliche Folge der vom Aufsichtsrat beschlossenen Senkung des Reklamebudgets. Wir danken Ihnen für die dem Unternehmen geleistete Arbeit und wünschen Ihnen für Ihr weiteres Fortkommen das Beste.« Unterschrift. Aus.

Fabian saß minutenlang, ohne sich zu rühren. Dann stand er auf, zog sich an, steckte den Brief in den Mantel und sagte zu Fischer: »Auf Wiedersehen. Lassen Sie sich's gut gehen.«

»Wo wollen Sie denn hin?«

»Man hat mir eben gekündigt.«

Fischer sprang auf. Er war grün im Gesicht. »Was Sie nicht sagen! Mensch, da hab ich aber noch mal Glück gehabt!«

»Ihr Gehalt ist kleiner«, meinte Fabian. »Sie dürfen bleiben.«

Fischer trat auf den gekündigten Kollegen zu und drückte ihm mit feuchter Hand sein Bedauern aus. »Na, zum Glück läßt Sie die Sache kalt. Sie sind ein patenter Kerl, und zweitens haben Sie keine Frau auf dem Hals.«

Plötzlich stand Direktor Breitkopf im Zimmer, zögerte, als er sah, daß Fischer nicht allein war, und wünschte schließlich einen guten Morgen.

»Guten Morgen, Herr Direktor«, grüßte Fischer und verbeugte sich zweimal. Fabian tat, als sehe er Breitkopf nicht, wandte sich dem Kollegen zu und sagte: »Auf dem Schreibtisch liegt mein Preisausschreibenprojekt. Ich vermach es Ihnen.« Damit verließ Fabian seine Wirkungsstätte und holte sich an der Kasse zweihundertsiebzig Mark. Bevor er auf die Straße trat, blieb er minutenlang im Tor stehen. Lastautos ratterten vorbei. Ein Depeschenbote sprang vom Rad und eilte ins gegenüberliegende Gebäude. Das Nebenhaus war von einem Gerüst vergittert. Maurer standen auf den Laufbrettern und verputzten den grauen, bröckligen Bewurf. Eine Reihe bunter Möbelwagen bog schwerfällig in die Seitenstraße. Der Depeschenbote kam zurück, stieg hastig auf sein Rad und fuhr weiter. Fabian stand im Torbogen, griff in die Tasche, ob das Geld noch darin sei, und dachte ›Was wird mit mir?‹ Dann ging er, da er nicht arbeiten durfte, spazieren.

Er lief kreuz und quer durch die Stadt, trank gegen Mittag, Hunger hatte er nicht, bei Aschinger eine Tasse Kaffee und setzte sich von neuem in Bewegung, obwohl er sich lieber traurig in den tiefen Wald verkrochen hätte. Aber wo war hier ein tiefer Wald? Er lief und lief und rannte sich den Kummer an den Stiefelsohlen ab. Auf der Belle Alliance-Straße erkannte er das Haus wieder, in dem er zwei Semester lang als Student gelebt hatte. Es stand wie ein alter Bekannter da, den man lange nicht gesehen hat und der verlegen abwartet, ob man ihn grüßen wird oder nicht. Fabian ging die Treppen hinauf und sah nach, ob die alte Geheimratswitwe noch immer hier wohne. Aber es war ein fremdes Schild an der Tür. Er kehrte um. Die alte Dame war ganz weißhaarig und sehr schön gewesen. Er entsann sich des regelmäßigen dummen Greisinnengesichts. Im Inflationswinter hatte er kein Geld zum Heizen gehabt. Er hatte, im Mantel vergraben, dort oben gehockt und an einem Vortrag über Schillers moralästhetisches System gearbeitet. Sonntags war er gelegentlich von der alten Dame zum Mittagessen eingeladen und über die familiären Vorgänge in ihrem umfangreichen Bekanntenkreis aufgeklärt worden. Vorher, damals und heute, er war stets ein armes Luder gewesen, und er hatte große Aussichten, eines zu bleiben. Seine Armut war schon eine schlechte Angewohnheit, wie bei anderen das Krummsitzen oder das Nägelkauen.

Gestern nacht, bevor er einschlief, hatte er noch gedacht: Vielleicht sollte man doch eine kleine Tüte Ehrgeiz säen in dieser Stadt, wo Ehrgeiz so rasch Früchte trug; vielleicht sollte man sich doch ein wenig ernster nehmen und in dem wackligen Weltgebäude, als ob alles in Ordnung sei, eine lauschige Dreizimmerwohnung einrichten; vielleicht war es Sünde, das Leben zu lieben und kein seriöses Verhältnis mit ihm zu haben. Cornelia, der weibliche Referendar, hatte daneben gelegen und ihm noch im Schlaf die Hand gedrückt. Mitten in der Nacht, hatte sie ihm am Morgen berichtet, sei sie zusammengefahren und erwacht. Denn er habe sich im Bett aufgesetzt und energisch erklärt: »Ich werde die Annoncen leuchten lassen!« Dann sei er wieder zurückgesunken.

Er stieg langsam auf das Plateau des Kreuzberges und setzte sich auf eine Bank, die der Pflege des Publikums empfohlen war. Auf einem Schild stand: »Bürger, schont eure Anlagen!« Der Magistrat hatte den außerordentlich zweideutigen Satz unterschrieben, der Magistrat mußte es wissen. Fabian betrachtete den riesigen Stamm eines Baumes. Die Rinde war von tausend senkrechten Falten zerpflückt. Sogar die Bäume hatten Sorgen. Zwei kleine Schüler gingen an der Bank vorbei. Der eine, der die Hände auf dem Rücken verschränkt hielt, fragte gerade empört: »Soll man sich das gefallen lassen?« Der andere ließ sich mit der Antwort Zeit. »Gegen die Bande kannst du gar nichts machen«, meinte er schließlich. Was sie weiter sprachen, war nicht mehr zu hören.

Von der anderen Seite des Platzes näherte sich eine merkwürdige Ge-

stalt: ein alter Herr, mit einem weißen Knebelbart und einem schlechtgerollten Schirm. Statt eines Mantels trug er eine grünliche, ver-
schossene Pelerine, und der Kopf gipfelte in einem steifen grauen Hut,
der vor Jahren schwarz gewesen sein mochte. Der Pelerinenträger
steuerte der Bank zu, ließ sich, eine Begrüßungsformel murmelnd,
neben Fabian nieder, hustete umständlich und zeichnete mit dem
Schirm Kreise in den Sand. Er machte einen der Kreise zu einem Zahn-
rad, brachte dessen Mittelpunkt mit dem Zentrum eines anderen Krei-
ses durch eine Gerade in Verbindung, komplizierte die Skizze durch
Kurven und Linien immer mehr, schrieb Formeln daneben und darüber, rechnete, strich durch, rechnete von neuem, unterstrich eine Zahl
zweimal und fragte: »Verstehen Sie was von Maschinen?«
»Bedaure«, sagte Fabian. »Wer mich sein Grammophon aufziehen
läßt, kann sicher sein, daß es nie mehr funktioniert. Mechanische
Feuerzeuge, mit denen ich mich befasse, brennen nicht. Bis zum heutigen Tage halte ich den elektrischen Strom, wie mir der Name zu bestätigen scheint, für eine Flüssigkeit. Und wie es möglich ist, auf der
einen Seite geschlachtete Ochsen in elektrisch betriebene Metall-
gehäuse zu sperren und auf der Rückseite Corned beef herauszudestil-
lieren, werde ich niemals begreifen. — Übrigens erinnert mich Ihre Pelerine an meine Internatszeit. Jeden Sonntag marschierten wir in solchen Pelerinen und mit grünen Mützen nach der Martin Luther-Kirche
zum Gottesdienst. Während der Predigt schliefen wir alle bis auf den,
der die anderen wecken mußte, wenn der Organist den Choral intonierte oder wenn der Hauslehrer auf die Empore kam.« Fabian blickte
auf die Pelerine des Nachbarn und spürte, wie dieses Kleidungsstück
die Vergangenheit alarmierte. Er sah den blassen dicken Direktor
vor sich, wie der jeden Morgen, zu Beginn der Andacht, bevor er sich
setzte und das Gesangbuch aufschlug, die Knie einknickte und mit der
Hand an die Hose faßte, um sich zu vergewissern, ob der sündige
Erdenrest noch anwesend sei. Und er sah sich selber abends durchs Tor
der Anstalt schleichen, durch die dämmerigen Straßen, an den Kasernen vorbei, über den Exerzierplatz rennen, die Treppe eines Miets-
hauses hinaufjagen und auf eine Klingel drücken. Er hörte die zittern-
de Stimme seiner Mutter hinter der Tür: »Wer ist denn draußen?«
Und er hörte sich, außer Atem, rufen: »Ich bin's, Mama! Ich wollte
bloß nachsehen, ob's dir heute besser geht.«
Der alte Herr fuhr mit der Spitze seines schlechtgerollten Schirmes
so lange über den Sand, bis die Rechnung weggewischt war. »Vielleicht
verstehen Sie mich, da Sie von Maschinen nichts verstehen«, sagte er.
»Ich bin ein sogenannter Erfinder, Ehrenmitglied von fünf wissen-

schaftlichen Akademien. Die Technik verdankt mir erhebliche Fortschritte. Ich habe der Textilindustrie dazu verholfen, pro Tag fünfmal soviel Tuch herzustellen wie früher. An meinen Maschinen haben viele Leute Geld verdient, sogar ich.« Der alte Herr hustete und zupfte sich nervös am Spitzbart. »Ich erfand friedliche Maschinen und merkte nicht, daß es Kanonen waren. Das konstante Kapital wuchs unaufhörlich, die Produktivität der Betriebe nahm zu, aber, mein Herr, die Zahl der beschäftigten Arbeiter nahm ab. Meine Maschinen waren Kanonen, sie setzten ganze Armeen von Arbeitern außer Gefecht. Sie zertrümmerten den Existenzanspruch von Hunderttausenden. Als ich in Manchester war, sah ich, wie die Polizei auf Ausgesperrte losritt. Man schlug mit Säbeln auf ihre Köpfe. Ein kleines Mädchen wurde von einem Pferd niedergetrampelt. Und ich war daran schuld.« Der alte Herr schob den steifen Hut aus der Stirn und hustete. »Als ich zurückkam, stellte mich meine Familie unter Kuratel. Es paßte ihnen nicht, daß ich Geld wegzuschenken begann und daß ich erklärte, ich wolle mit Maschinen nichts mehr zu schaffen haben. Und dann ging ich fort. Sie haben zu leben, sie wohnen in meinem Haus am Starnberger See, ich bin seit einem halben Jahr verschollen. Vorige Woche las ich in der Zeitung, daß meine Tochter ein Kind geboren hat. So bin ich nun Großvater geworden und laufe wie ein Strolch durch Berlin.«

»Alter schützt vor Klugheit nicht«, sagte Fabian. »Leider sind nicht alle Erfinder so sentimental.«

»Ich dachte daran, nach Rußland zu fahren und mich zur Verfügung zu stellen. Aber ohne Paß darf man nicht hinüber. Und wenn man meinen Namen erfährt, hält man mich erst recht zurück. In meiner Brusttasche sind Skizzen und Berechnungen für eine Webstuhlanlage, die alle bisherigen Textilmaschinen in den Schatten stellt. Millionenwerte stecken in meiner geflickten Tasche. Aber lieber will ich verhungern.« Der alte Herr schlug sich stolz an die Brust und hustete wieder. »Heute abend übernachte ich Yorckstraße 93. Kurz bevor das Tor geschlossen wird, betrete ich das Haus. Wenn der Portier fragt, wohin ich will, sage ich, ich besuche Grünbergs. Die Leute wohnen in der vierten Etage. Der Mann ist Oberpostschaffner. Ich steige hinauf. Ich gehe an der Wohnung der Familie Grünberg vorbei und klettere zum Dachboden. Dort setze ich mich auf die Treppe. Vielleicht ist die Bodentür offen. Manchmal liegt gar eine alte Matratze in irgendeiner Ecke. Morgen früh verschwinde ich dann wieder.«

»Woher kennen Sie Grünbergs?«

»Aus dem Adreßbuch«, antwortete der Erfinder. »Ich muß doch einen Hausbewohner nennen können, falls sich der Portier nach meinen Absichten erkundigt. Am nächsten Morgen kommt der Schwindel häufig raus. Aber die jahrtausendealte Aufforderung, vor einem grauen Haupt aufzustehen und die Alten zu ehren, hat Früchte getragen, bis zu den Portiers hinab. Außerdem wechsle ich täglich meine Adresse. Im Winter erteilte ich an einer Privatschule Physikunterricht. Es wurde leider ein Aufklärungskursus gegen die Wunder der Technik daraus. Das gefiel weder den Schülern noch dem Direktor. Ich zog es vor, mich ein Vierteljahr lang in Postämtern zu wärmen. Jetzt brauche ich die Postämter nicht mehr. Es ist warm. Jetzt sitze ich stundenlang auf den Bahnhöfen und schaue den Menschen zu, die fortreisen, ankommen und zurückbleiben. Das ist alles sehr unterhaltend. Ich sitze da und bin froh, daß ich lebe.«

Fabian notierte seine Adresse und gab sie dem alten Mann. »Heben Sie sich den Zettel gut auf. Und wenn Sie mal ein Portier vorzeitig von der Stiege holt, kommen Sie zu mir. Sie können auf meinem Sofa schlafen.«

Der alte Herr las den Zettel und fragte: »Was wird Ihre Wirtin dazu sagen?«

Fabian zuckte die Achseln.

»Wegen meines Hustens brauchen Sie sich nicht zu ängstigen«, meinte der Alte. »Wenn ich nachts in den dunklen Treppenhäusern sitze, huste ich überhaupt nicht. Ich nehme mich dann zusammen, um die Hausbewohner nicht zu erschrecken. Eine komische Lebensführung, was? Ich habe arm angefangen, ich war später ein reicher Mann, ich bin jetzt wieder ein armer Teufel, es spielt keine Rolle. Wie's kommt, wird's gefressen. Ob mich die Sonne auf meiner Terrasse in Leoni bescheint oder hier auf dem Kreuzberg, das ist mir so egal wie der Sonne.« Der alte Herr hustete und streckte die Beine weit von sich.

Fabian stand auf und sagte, er müsse weiter.

»Was sind Sie eigentlich von Beruf?« fragte der Erfinder.

»Arbeitslos«, erwiderte Fabian und schritt einer Allee zu, die in die Straßen Berlins zurückführte.

Als er am Abend, taumelig von dem vielstündigen Marsch, die Wohnung betrat, wollte er sofort zu Cornelia und ihr sein Malheur berichten. Schon die bloße Vorstellung von der kommenden Szene rührte ihn tief. Vielleicht hatte er auch nur Hunger.

Frau Hohlfeld, die Wirtin, vereitelte sein Vorhaben. Sie stand im Korridor und flüsterte, unnötig geheimnisvoll, aber das war ihre Art, Labude sei da. Labude saß in Fabians Zimmer und hatte offensichtlich Kopfschmerzen. Er sei gekommen, sich zu entschuldigen, weil er gestern nacht ohne Gruß den Tisch und das Lokal verlassen habe. Faktisch wollte er etwas ganz anderes. Er wollte wissen, wie Fabian über die Sache mit der Selow dachte.

Labude war ein moralischer Mensch, und es war immer schon sein Ehrgeiz gewesen, seinen Lebenslauf ohne Konzept und ohne Fehler gleich ins reine zu schreiben. Er hatte als Kind niemals Löschblätter bekritzelt. Sein Sinn für Moral war eine Konsequenz der Ordnungsliebe. Die Hamburger Enttäuschung hatte sein privates Ordnungssystem und in der Folge seine Moral lädiert. Der seelische Stundenplan war gefährdet. Dem Charakter fehlte das Geländer. Nun kam er, der die Ziele liebte und brauchte, zu Fabian, dem Fachmann der Planlosigkeit. Er hoffte, von ihm zu lernen, wie man Unruhe erfahren und trotzdem ruhig bleiben kann.

»Du siehst schlecht aus«, sagte Fabian.

»Ich habe die Nacht kein Auge zugemacht«, gestand der Freund. »Diese Selow ist schwermütig und ordinär, beides in einem Atem. Sie kann stundenlang auf dem Diwan sitzen und Schweinereien vor sich hinmurmeln, als bete sie eine Litanei. Es ist nicht zum Anhören. Alkohol trinkt sie in solchen Mengen, daß man vom bloßen Zuschauen besoffen wird. Dann fällt ihr wieder ein, daß sie mit einem Mann allein in der Wohnung ist, und man möchte sich gegen Hagelschlag versichern. Dabei empfindet sie bestimmt nicht wie eine normale Frau. Für lesbisch halte ich sie aber auch nicht. Ich glaube, obwohl das komisch klingt, sie ist homosexuell.«

Fabian ließ den Freund reden. Und weil er sich über nichts wunderte, wurde der andere ruhig. »Morgen fahre ich auf zwei Tage nach Frankfurt«, erzählte Labude noch, bevor er sich verabschiedete. »Rassow kommt auch hin, wir wollen dort eine Initiativgruppe einrichten. Inzwischen mag das Mädchen in der Wohnung Nummer zwei bleiben. Ihr ist's in den letzten Monaten verdammt dreckig gegangen. Sie soll sich mal ausschlafen. Auf Wiedersehen, Jakob.« Dann ging er.

Fabian betrat Cornelias Zimmer. Was würde sie zu der Kündigung sagen? Aber Ruth Reiter, die Bildhauerin, saß da, sah elend aus, war gar nicht erstaunt, ihm hier zu begegnen, und resümierte, was sie der Battenberg ausführlich schon berichtet hatte: Die kleine Kulp war in die Charité gebracht worden. Sie hatte innere Verletzungen davongetragen, und Wilhelmy, der Todeskandidat mit dem Holzbein, lag seit gestern nacht im Atelier, kriegte keine Luft, keuchte und beschäftigte sich mit Sterben.

Cornelia hatte ein paar Tassen, Teller und Bestecke aus ihrem Koffer geholt, etwas zum Essen besorgt und den Tisch hübsch garniert. Sogar eine weiße Decke und ein Blumenstrauß waren vorrätig. Die Reiter sagte, sie gehe jetzt. Aber ehe sie es vergesse: ob denn niemand wisse, wo der junge Labude wohne. Es war klar, daß sie nur deshalb gekommen war. Sie hatte gehofft, von ihrer Schulfreundin Fabians Adresse und durch Fabian Labudes Wohnung zu erfahren, da ihr das Personal der Grunewaldvilla keine Auskunft hatte geben können.

»Ich weiß, wo er wohnt«, meinte Fabian. »Außerdem hat er bis vor wenigen Minuten nebenan in meinem Zimmer gesessen. Die Adresse darf ich nicht sagen.«

»Er war hier?« rief die Bildhauerin. »Auf Wiedersehen!« Sie rannte davon.

»Ihr fehlt die Selow«, sagte Cornelia.

»Ihr fehlt die schlechte Behandlung«, sagte Fabian.

»Mir nicht.« Sie küßte ihn und zog ihn an den Tisch, daß er ihre Vorbereitungen zum Abendessen bewundere. »Gefällt dir das?« fragte sie.

»Großartig. Sehr schön. Sei übrigens so nett und sage mir immer, wenn es etwas zum Bewundern gibt. Hast du etwa ein neues Kleid an? Kenne ich diese Ohrringe schon? Trugst du auch gestern den Scheitel in der Mitte? Was mir gefällt, merke ich nicht. Du mußt mich mit der Nase darauf stoßen.«

»Du hast nichts als Fehler«, rief sie. »Jeden einzelnen deiner Fehler könnte ich hassen, alle miteinander habe ich lieb.« Während des Essens erzählte sie, daß sie morgen ihren Posten antreten solle. Sie war heute einer Reihe von Kollegen, Dramaturgen, Produktionsleitern und Direktoren vorgestellt worden und beschrieb das merkwürdige, weitläufige Haus, in dem bis unters Dach wichtige Leute saßen, aus einer Konferenz in die andere stürzten und der Entwicklung des Tonfilms das Leben sauer machten. Fabian verschob die Mitteilung auf später. Als sie mit dem Essen fertig waren, stellte sie einen Teller mit zwei belegten Broten beiseite und sagte lächelnd: »Die eiserne Ration.«

»Du bist rot geworden«, rief er.

Sie nickte. »Manchmal merkst du also doch, wenn es etwas zum Bewundern gibt.«

Er schlug einen kleinen Spaziergang vor. Sie zog sich an. Er überlegte inzwischen, wie er ihr die Kündigung beibringen sollte. Aber der Spaziergang kam nicht zustande. Als sie vor dem Haus standen, hustete jemand hinter ihnen, und ein fremder Mann wünschte guten Abend. Es war der Erfinder mit der Pelerine. »Die Beschreibung, die Sie mir von Ihrem Sofa gegeben haben, hat mir für heute den Spaß an sämtlichen Treppen und Dachböden verdorben«, erzählte er. »Ich habe um die Yorkstraße einen Bogen gemacht und bin hierhergekommen.

Eigentlich mache ich mir Vorwürfe, daß ich Sie behellige, denn schließlich sind Sie selber arbeitslos.«

»Arbeitslos bist du?« fragte Cornelia. »Ist das wahr?«

Der alte Herr entschuldigte sich umständlich, er habe gedacht, die junge Dame wisse Bescheid.

»Heute morgen hat man mir gekündigt.« Fabian ließ Cornelias Arm los. »Zum Abschied bekam ich zweihundertsiebzig Mark in die Hand gedrückt. Wenn ich meine Miete vorausbezahlt habe, bleiben uns noch hundertneunzig Mark. Gestern hätte ich darüber gelacht.«

Als sie den alten Herrn aufs Sofa gepackt und ihm die Stehlampe danebengestellt hatten, denn er wollte an seiner geheimen Maschine herumrechnen, wünschten sie im gute Nacht und gingen in Cornelias Zimmer. Fabian kam noch einmal zurück und brachte dem Gast ein paar belegte Brote.

»Ich verspreche Ihnen, nicht zu husten«, flüsterte der Alte.

»Hier darf gehustet werden. Ihr Zimmernachbar geht noch ganz anderen Vergnügungen nach, ohne daß die Wirtin, eine gewisse Frau Hohlfeld, die es früher nicht nötig gehabt hat, deshalb aus dem Bett kippte. Nur wie wir's morgen früh machen, weiß ich noch nicht. Die Wirtin findet ihre Möbel reizend, und daß ein Fremder die ganze Nacht auf ihrem Sofa biwakiert, würde sie ernstlich erzürnen. Schlafen Sie gut. Ich wecke Sie morgen früh. Bis dahin wird mir schon was Passendes einfallen.«

»Gute Nacht, junger Freund«, bemerkte der Alte und holte seine kostbaren Papiere aus der Tasche. »Empfehlen Sie mich dem Fräulein Braut.«

Cornelia schien so glücklich, daß Fabian sich wunderte. Eine Stunde später fraß sie bereits die eiserne Ration auf. »Ach, ist das Leben schön!« sagte sie. »Wie denkst du über die Treue?«

»Kau erst fertig, bevor du so große Worte aussprichst!« Er saß neben ihr, hielt sein Knie umschlungen und blickte auf das ausgestreckte Mädchen nieder. »Ich glaube, ich warte nur auf die Gelegenheit zur Treue, und dabei dachte ich bis gestern, ich wäre dafür verdorben.«

»Das ist ja eine Liebeserklärung«, sagte sie leise.

»Wenn du jetzt heulst, zieh ich dir die Hosen stramm!« sagte er.

Sie kugelte aus dem Bett, zog ihren kleinen rosafarbenen Schlüpfer an und stellte sich vor Fabian hin. Sie lächelte unter Tränen. »Ich heule«, murmelte sie. »Nun halte auch du dein Versprechen.« Dann bückte sie sich. Er zog sie aufs Bett. Sie sagte: »Mein Lieber, mein Lieber! Mach dir keine Sorgen.«

Zwölftes Kapitel

Der Erfinder im Schrank
Nicht arbeiten ist eine Schande
Die Mutter gibt ein Gastspiel

Als er am nächsten Morgen den Erfinder wecken wollte, war der schon aufgestanden, gewaschen und angezogen, saß am Tisch und rechnete. »Haben Sie gut geschlafen?«

Der alte Mann war vorzüglicher Laune und schüttelte ihm die Hand. »Das geborene Schlafsofa«, sagte er und streichelte die braune Sofalehne, als handle sich's um einen Pferderücken. »Muß ich jetzt verschwinden?«

»Ich will Ihnen einen Vorschlag machen«, meinte Fabian. »Während ich bade, bringt die Wirtin das Frühstück ins Zimmer, und da darf sie Ihnen nicht begegnen, sonst gibt's Krach. Wenn sie wieder draußen ist, sind Sie mir wieder willkommen. Dann können Sie ruhig noch ein paar Stunden hierbleiben. Ich werde Sie allerdings allein lassen, weil ich mich um Arbeit kümmern muß.«

»Das macht nichts«, erklärte der Alte. »Ich werde in den Büchern blättern, wenn Sie erlauben. Wohin gehe ich aber, während Sie baden?«

»Ich dachte, in den Schrank«, sagte Fabian. »Der Schrank als Wohnstätte, das war bis heute ein Privileg der Ehebruchslustspiele. Brechen wir mit der Tradition, verehrter Gastfreund! Ist Ihnen mein Vorschlag angenehm?«

Der Erfinder öffnete den Schrank, blickte skeptisch hinein und fragte: »Pflegen Sie sehr lange zu baden?«

Fabian beruhigte ihn, schob den zweiten Anzug, den er besaß, beiseite und hieß den Gast einsteigen. Der alte Herr nahm seine Pelerine um, setzte den Hut auf, klemmte den Schirm unter den Arm und kroch in den Schrank, der in allen Fugen krachte. »Und wenn sie mich hier findet?«

»Dann ziehe ich am Ersten aus.«

Der Erfinder stützte sich auf den Schirm, nickte und sagte: »Nun scheren Sie sich in die Wanne!«

Fabian schloß den Schrank zu, nahm vorsichtshalber den Schlüssel an sich und rief im Korridor: »Frau Hohlfeld, das Frühstück!« Als er das Badezimmer betrat, saß schon Cornelia, über und über eingeseift, in der Wanne und lachte. »Du mußt mir den Rücken abreiben«, flüsterte sie. »Ich habe so entsetzlich kurze Ärmchen.«

»Die Reinlichkeit wird zum Vergnügen«, bemerkte Fabian und seifte ihr den Rücken. Später vergalt sie ihm Gleiches mit Gleichem. Zum

Schluß saßen sie sich beide im Wasser gegenüber und spielten hohen Seegang. »Schrecklich«, sagte er, »in meinem Schrank steht inzwischen der König der Erfinder und wartet auf seine Befreiung. Ich muß mich beeilen.« Sie kletterten aus der Wanne und frottierten einander, bis die Haut brannte. Dann trennten sie sich.

»Auf Wiedersehen am Abend«, flüsterte sie.

Er küßte sie. Er verabschiedete sich von ihren Augen, von ihrem Mund und Hals, von jedem Körperteil einzeln. Dann lief er in sein Zimmer. Das Frühstück war eingetroffen. Er sperrte den Schrank auf. Der alte Herr stieg mit steifen Beinen heraus und hustete lange, um das Versäumte nachzuholen.

»Nun der zweite Teil der Komödie«, sagte Fabian, ging in den Korridor, öffnete die Flurtür, schlug sie wieder zu und rief: »Großartig, Onkel, daß du mich mal besuchst. Tritt bitte näher!« Er komplimentierte die imaginäre Person ins Zimmer und nickte dem verwunderten Erfinder zu. »So, nun sind Sie offiziell eingetroffen. Nehmen Sie Platz. Hier ist eine zweite Tasse.«

»Und Ihr Onkel bin ich außerdem.«

»Verwandtschaftliche Beziehungen wirken auf Wirtinnen immer schmerzstillend«, erläuterte Fabian.

»Aber der Kaffee ist gut. Darf ich mir ein Brötchen nehmen?« Der alte Herr begann den Schrank zu vergessen. »Wenn ich nicht unter Kuratel stünde, machte ich Sie zu meinem Universalerben, geehrter Herr Neffe«, sagte er und aß mit großer Andacht.

»Ihr hypothetischer Antrag ehrt mich«, entgegnete Fabian. Sie stießen auf Drängen des neuen Onkels mit den Kaffeetassen an und riefen: »Prost!«

»Ich liebe das Leben«, gestand der Alte und wurde fast verlegen. »Ich liebe das Leben erst recht, seit ich arm bin. Manchmal könnte ich vor Freude in den Sonnenschein hineinbeißen oder in die Luft, die in den Parks weht. Wissen Sie, woran das liegt? Ich denke oft an den Tod, und wer tut das heute? Niemand denkt an den Tod. Jeder läßt sich von ihm überraschen wie von einem Eisenbahnzusammenstoß oder einer anderen unvorhergesehenen Katastrophe. So dumm sind die Menschen geworden. Ich denke täglich an ihn, denn täglich kann er winken. Und weil ich an ihn denke, liebe ich das Leben. Es ist eine herrliche Erfindung, in Erfindungen bin ich sachverständig.«

»Und die Menschen?«

»Der Globus hat die Krätze«, knurrte der Alte.

»Das Leben lieben und zugleich die Menschen verachten, das geht selten gut aus«, sagte Fabian und stand auf. Er verließ den Gast, der noch immer Kaffee trank, bat Frau Hohlfeld, den Onkel nicht zu stören, und ging zum Arbeitsamt seines Bezirks.

Nachdem er drei Beamte absolviert hatte, das heißt nach zwei Stunden, erfuhr er, daß er fehl am Ort sei und sich an eine westliche Filiale zu wenden habe, die speziell für Büroangestellte bestimmt war. Er fuhr mit dem Autobus zum Wittenbergplatz und ging in das angegebene Lokal. Die Auskunft war falsch gewesen. Er geriet mitten in eine Schar arbeitsloser Krankenschwestern, Kindergärtnerinnen und Stenotypistinnen und erregte, als einziger männlicher Besucher, die größte Aufmerksamkeit.

Er zog sich zurück, trat auf die Straße und fand, ein paar Hausnummern weiter, einen Laden, der wie das Geschäft eines Konsumvereins aussah, jetzt aber eben jene Filiale des Arbeitsamts darstellte, in der er sich melden sollte. Hinter dem ehemaligen Ladentisch saß ein Beamter, davor standen, in langer Kette, erwerbslose Angestellte, legten, einer nach dem anderen, die Stempelkarte vor und erhielten den erforderlichen Kontrollvermerk.

Fabian war erstaunt, wie sorgfältig diese Arbeitslosen gekleidet waren, manche konnten geradezu elegant genannt werden, und wer ihnen auf dem Kurfürstendamm begegnet wäre, hätte sie fraglos für freiwillige Müßiggänger gehalten. Vermutlich verbanden die Leute den morgendlichen Gang zur Stempelstelle mit einem Bummel durch die vornehmen Geschäftsstraßen. Vor den Schaufenstern stehenzubleiben, kostete noch immer nichts, und wer wollte erkennen, ob sie nichts kaufen konnten oder ob sie es nur nicht wollten? Sie trugen ihre Feiertagsanzüge, und sie taten recht daran, denn wer hatte so viele Feiertage wie sie?

Ernst und auf Haltung erpicht, standen sie in Reih und Glied und warteten, bis sie ihre Stempelkarte wieder einstecken durften. Dann gingen sie hinaus, als verließen sie eine zahnärztliche Klinik. Manchmal schimpfte der Beamte und legte eine Karte beiseite. Ein Gehilfe trug sie in den Nebenraum. Dort thronte ein Inspektor und zog unregelmäßige Besucher der Kontrollstelle zur Rechenschaft. Von Zeit zu Zeit trat eine Art Portier aus der Tür und rief einen Namen.

Fabian las die Druckschriften, die an den Wänden hingen. Es war verboten, Armbinden zu tragen. Es war verboten, Umsteigebilletts der Straßenbahn von den Erstinhabern zu übernehmen und weiter zu benutzen. Es war verboten, politische Debatten hervorzurufen und sich an ihnen zu beteiligen. Es wurde mitgeteilt, wo man für dreißig Pfennig ein ausgesprochen nahrhaftes Mittagessen erhalten könne. Es wurde mitgeteilt, für welche Anfangsbuchstaben sich die Kontrolltage verschoben hatten. Es wurde mitgeteilt, für welche Berufszweige die Nachweisadressen und die Auskunftzeiten geändert worden waren. Es wurde mitgeteilt. Es war verboten. Es war verboten. Es wurde mitgeteilt.

Das Lokal leerte sich allmählich. Fabian legte dem Beamten seine Papiere vor. Der Mann sagte, Propagandisten seien hier nicht üblich, und er empfehle Fabian, sich an die Stelle zu wenden, die für freie Berufe, Wissenschaftler und Künstler zuständig sei. Er nannte die Adresse.

Fabian fuhr mit dem Autobus bis zum Alexanderplatz. Es war fast Mittag. Er geriet in der neuen Filiale in eine sehr gemischte Gesellschaft. Den Anschlägen entnahm er, daß es sich möglicherweise um Ärzte, Juristen, Ingenieure, Diplomlandwirte und Musiklehrer handelte.

»Ich bin jetzt bei der Krisenfürsorge«, sagte ein kleiner Herr. »Ich kriege 24,50 Mark. Auf jeden Kopf meiner Familie kommen in der Woche 2,72 Mark und auf einen Tag für einen Menschen 38 Pfennig. Ich habe es in meiner chronischen Freizeit genau ausgerechnet. Wenn das so weitergeht, fange ich nächstens an einzubrechen.«

»Wenn das so leicht wäre«, seufzte sein Nachbar, ein kurzsichtiger Jüngling. »Sogar Stehlen will gelernt sein. Ich habe ein Jahr im Gefängnis gesessen. Also, es gibt erfreulichere Milieus.«

»Es ist mir egal, wenigstens vorher«, erklärte der kleine Herr erregt. »Meine Frau kann den Kindern nicht mal ein Stück Brot in die Schule mitgeben. Ich sehe mir das nicht länger mit an.«

»Als ob Stehlen Sinn hätte«, sagte ein großer, breiter Mensch, der am Fenster lehnte. »Wenn der Kleinbürger nichts zu fressen hat, will er gleich zum Lumpenproletariat übergehen. Warum denken Sie nicht klassenbewußt, Sie kleine häßliche Figur? Merken Sie noch immer nicht, wo Sie hingehören? Helfen Sie die politische Revolution vorbereiten.«

»Bis dahin sind meine Kinder verhungert.«

»Wenn man Sie einsperrt, weil Sie geklaut haben, verhungern Ihre werten Herren Kinder noch rascher«, sagte der Mann am Fenster. Der kurzsichtige Jüngling lachte und schaukelte entschuldigend mit der Schulter.

»Meine Sohlen sind völlig zerrissen«, sagte der kleine Herr. »Wenn ich jedesmal hierher laufe, sind die Schuhe in einer Woche hin, und zum Fahren habe ich kein Geld.«

»Kriegen Sie keine Stiefel von der Wohlfahrt?« fragte der Kurzsichtige.

»Ich habe so empfindliche Füße«, erklärte der kleine Herr.

»Hängen Sie sich auf!« meinte der Mann am Fenster.

»Er hat einen so empfindlichen Hals«, sagte Fabian.

Der Jüngling hatte ein paar Münzen auf den Tisch gelegt und zählte sein Vermögen. »Die Hälfte des Geldes geht regelmäßig für Bewerbungsschreiben drauf. Porto braucht man. Rückporto braucht man. Die Zeugnisse muß ich mir jede Woche zwanzigmal abschreiben und beglaubigen lassen. Kein Mensch schickt die Papiere zurück. Nicht einmal Antwort erhält man. Die Bürofritzen legen sich vermutlich mit meinem Rückporto Briefmarkensammlungen an.«

»Aber die Behörden tun, was sie tun können«, sagte der Mann am Fenster. »Unter anderem haben sie Gratiszeichenkurse für Arbeitslose eingerichtet. Das ist eine wahre Wohltat, meine Herren. Erstens lernt man Äpfel und Beefsteaks malen, und zweitens wird man davon satt. Die Kunsterziehung als Nahrungsmittel.«

Der kleine Herr, dem jeder Humor abhanden gekommen zu sein schien, sagte bedrückt: »Das nützt mir gar nichts. Ich bin nämlich Zeichner.«

Dann ging ein Beamter durch den Warteraum, und Fabian erkundigte sich, vorsichtig geworden, ob er Aussicht habe, hier abgefertigt zu werden. Der Beamte fragte nach dem Ausweis des regionalen Arbeitsamts. »Sie haben sich noch nicht gemeldet? Das müssen Sie vorher erledigen.«

»Jetzt geh ich wieder dorthin, wo ich vor fünf Stunden die Tournee begonnen habe«, sagte Fabian. Aber der Beamte war nicht mehr da.

»Die Bedienung ist zwar höflich«, meinte der Jüngling, »aber daß die Auskünfte immer stimmen, kann kein Mensch behaupten.«

Fabian fuhr mit dem Autobus zum Arbeitsamt seines Wohnbezirks. Er hatte bereits eine Mark Fahrgeld verbraucht und blickte vor Wut nicht aus dem Fenster.

Als er ankam, war das Amt geschlossen. »Zeigen Sie mal Ihre Papiere her«, sagte der Portier. »Vielleicht kann ich Ihnen behilflich sein.« Fabian gab dem Biedermann das Zettelpaket. »Aha«, erkläre der Türsteher nach eingehender Lektüre. »Sie sind ja gar nicht arbeitslos.«

Fabian setzte sich auf einen der bronzenen Meilensteine, welche die Einfahrt zierten.

»Sie haben bis zum Monatsende gewissermaßen bezahlten Urlaub. Das Geld haben Sie doch von Ihrer Firma erhalten?«

Fabian nickte.

»Dann kommen Sie mal in vierzehn Tagen wieder«, schlug der andere vor. »Bis dahin können Sie es ja mit Bewerbungsschreiben probieren. Lesen Sie die Stellenangebote in den Zeitungen. Viel Sinn hat es nicht, aber man soll's nicht beschreien.«

»Glückliche Reise«, sprach Fabian, nahm die Papiere in Empfang und begab sich in den Tiergarten, wo er ein paar Brötchen verzehren wollte. Zu guter Letzt verfütterte er sie aber an die Schwäne, die mit ihren Jungen im Neuen See spazierenfuhren.

Als er gegen Abend das Zimmer betrat, fand er seine Mutter vor. Sie saß auf dem Sofa, legte ein Buch beiseite und sagte: »Da staunst du, mein Junge.«

Man umarmte sich. Sie fuhr fort: »Ich mußte nachsehen, was du machst. Vater paßt inzwischen auf, daß niemand ins Geschäft kommt. Ich hatte Sorgen um dich. Du beantwortest meine Briefe nicht mehr. Zehn Tage hast du nicht geschrieben. Es ließ mir keine Ruhe, Jakob.«

Er setzte sich neben die Mutter, streichelte ihre Hände und erklärte, es gehe ihm gut.

Sie betrachtete ihn prüfend. »Komme ich dir ungelegen?« Er schüttelte den Kopf. Sie stand auf. »Die Wäsche habe ich dir schon in den Schrank geräumt. Deine Wirtin könnte mal reinemachen. Ist sie noch immer zu fein dazu? Was denkst du, was ich mitgebracht habe?« Sie öffnete den Spankorb und legte Pakete auf den Tisch. »Blutwurst«, sagte sie, »ein Pfund, aus der Breiten Straße, du weißt schon. Kaltes Schnitzel. Leider kann man hier nicht in die Küche, sonst würde ich's aufbraten. Schinkenspeck. Eine halbe Salamiwurst. Tante Martha läßt grüßen. Ich war gestern bei ihr im Garten. Ein paar Stück Seife aus dem Laden. Wenn das Geschäft bloß nicht so schlecht ginge. Ich glaube, die Leute waschen sich nicht mehr. Und hier eine Krawatte, gefällt sie dir?«

»Du bist so gut«, sagte Fabian. »Aber du sollst nicht so viel Geld für mich ausgeben.«

»Quatsch mit Soße«, sagte die Mutter und legte die Eßwaren auf einen Teller. »Sie mag uns ein bißchen Tee kochen, deine Gnädige. Ich hab's ihr schon erzählt. Morgen abend fahre ich zurück. Ich bin mit dem Personenzug gekommen. Die Zeit verging schnell. Ein Kind war im Abteil. Wir haben viel gelacht. Was macht dein Herz? Du rauchst zuviel! Überall stehen leere Zigarettenschachteln herum.«

Fabian sah der Mutter zu. Sie hantierte vor lauter Rührung wie ein Gendarm.

»Ich mußte gestern daran denken«, sagte er, »wie das damals war, als ich im Internat steckte, und du warst krank, und ich rannte abends davon, über den Exerzierplatz, nur um zu sehen, wie es dir ginge. Einmal, das weiß ich noch, schobst du einen Stuhl vor dir her und stütztest dich darauf, sonst hättest du mir gar nicht öffnen können.«

»Du hast viel durchgemacht mit deiner Mutter«, sagte sie. »Man müßte sich öfter sehen. Wie geht's in der Fabrik?«

»Ich habe ihnen ein Preisausschreiben vorgeschlagen. Daran können sie eine Viertelmillion verdienen.«

»Für zweihundertsiebzig Mark im Monat, diese Bande.« Die Mutter war empört. Dann klopfte es. Frau Hohlfeld brachte den Tee, stellte das Tablett auf den Tisch und sagte:»Ihr Onkel ist schon wieder da.«

»Dein Onkel?« fragte die Mutter erstaunt.

»Ich habe mich auch schon gewundert«, erklärte die Wirtin.

»Hoffentlich haben Sie sich dabei keinen Schaden getan, gnädige Frau«, erwiderte Fabian, und Frau Hohlfeld entfernte sich gekränkt. Fabian holte den Erfinder ins Zimmer und sagte:»Mama, das ist ein alter Freund von mir. Er hat gestern auf dem Sofa geschlafen, und ich habe ihn zu meinem Onkel ernannt, um das Verfahren abzukürzen.« Er wandte sich an den Erfinder. »Das ist meine Mutter, lieber Onkel. Die beste Frau des Jahrhunderts. Nehmen Sie Platz. Aus dem Sofa wird heute freilich nichts. Aber ich möchte Sie für morgen einladen, wenn es Ihnen recht ist.«

Der alte Herr setzte sich, hustete, stülpte den Hut auf den Schirmknauf und drückte Fabian ein Kuvert in die Hand. »Stecken Sie das rasch ein«, bat er. »Es ist meine Maschine. Man ist hinter mir her. Meine Familie will mich wieder einmal ins Irrenhaus bringen. Sie hofft wahrscheinlich, mir dabei die Notizen abzujagen und zu Geld zu machen.«

Fabian steckte den Briefumschlag ein. »Man will Sie ins Irrenhaus sperren?«

»Ich habe nichts dagegen«, bemerkte der Alte. »Man hat seine Ruhe dort. Der Park ist wundervoll. Der leitende Arzt ist ein erträglicher Kerl, selber ein bißchen verrückt, und spielt ausgezeichnet Schach. Ich war schon zweimal dort. Wenn mir's zu dumm wird, rück ich wieder aus. Entschuldigen Sie, meine Dame«, sagte er zu der Mutter. »Ich mache Ihnen Ungelegenheiten. Erschrecken Sie nicht, wenn man mich abholt. Es wird gleich klingeln. Ich bin soweit. Die Papiere sind gut aufgehoben. Verrückt bin ich übrigens nicht, ich bin meinen werten Angehörigen zu vernünftig. Lieber Freund, schreiben Sie mir ein paar Zeilen nach Bergendorf in die Heilanstalt.«

Es klingelte.

»Da sind sie schon«, rief der Alte.

Frau Hohlfeld ließ zwei Herren eintreten.

»Ich bitte, die Störung zu entschuldigen«, sagte der eine und verbeugte sich. »Vollmachten, die Sie gern einsehen können, veranlassen mich, Herrn Professor Kollrepp aus Ihrem Kreise zu entfernen. Unten wartet mein Auto.«

»Wozu die Umstände, lieber Sanitätsrat? Sie sind dünner geworden. Ich merkte es schon gestern, daß ihr mir auf der Spur wart. Tag, Winkler. Da wollen wir mal in Ihren Wagen klettern. Wie geht's meiner lieben Familie?«

Der Arzt hob die Schultern.

Der Alte ging zum Schrank hinüber, öffnete ihn, sah hinein und schloß die Tür wieder. Dann trat er zu Fabian und nahm dessen Hand. »Ich danke Ihnen sehr.« Er schritt zur Tür. »Sie haben einen guten Sohn«, sagte er zu der alten Frau. »Das kann nicht jeder von sich behaupten.« Dann verließ er das Zimmer. Der Arzt und der Wärter folgten ihm. Fabian und seine Mutter blickten durchs Fenster. Ein Auto stand vor dem Haus. Die drei Männer traten aus der Tür. Der Chauffeur half dem alten Erfinder in einen Staubmantel. Die Pelerine wurde verstaut.

»Ein komischer Mann«, sagte die Mutter, »aber verrückt ist er nicht.« Das Auto fuhr davon. »Warum sah er eigentlich in den Schrank?«

»Ich habe ihn heute früh in den Schrank gesperrt, damit die Wirtin nichts merkte«, sagte der Sohn.

Die Mutter goß Tee ein. »Aber leichtsinnig ist es trotzdem von dir, wildfremde Leute hier schlafen zu lassen. Wie schnell kann etwas passieren. Hoffentlich hat er die Sachen im Schrank nicht schmutzig gemacht.«

Fabian schrieb die Adresse der Irrenanstalt auf das Kuvert und schloß es weg. Dann setzte er sich zum Essen.

Nach dem Abendbrot sagte er: »Komm, mach dich fertig. Wir gehen ins Kino.« Während sich die Mutter anzog, besuchte er Cornelia und erzählte ihr, daß seine Mutter da sei. Die Freundin war müde und lag schon im Bett. »Ich schlafe, bis du aus dem Kino zurück bist«, meinte sie. »Siehst du dann noch einmal zu mir herein?« Er versprach es.

Der Tonfilm, den Fabian und seine Mutter sahen, war ein albernes Theaterstück, das in zwei Dimensionen verlief. Abgesehen davon war nicht gespart worden, der vorgeführte Luxus überschritt jede Grenze. Man hatte, obwohl dergleichen anstandshalber nicht gezeigt wurde, den Eindruck, unter den Betten stünden goldene Nachttöpfe. Die Mutter lachte wiederholt, und das freute Fabian so sehr, daß er mitlachte.

Nach Haus gingen sie zu Fuß. Die Mutter war vergnügt. »Wenn ich früher so gesund gewesen wäre wie heute, mein Junge, dann hättest du es besser gehabt«, meinte sie nach einiger Zeit.

»Es war auch so nicht übel«, sagte er. »Und außerdem ist es vorbei.«

Zu Hause stritten sie sich ein bißchen, wer im Bett und wer auf dem Sofa schlafen solle. Endlich siegte Fabian. Die Mutter bereitete das Sofa zur Nacht. Er müsse erst einmal nebenan, sagte er dann. »Dort wohnt eine junge Dame, und ich bin mit ihr befreundet.« Er verabschiedete sich für alle Fälle, gab der Mutter einen Kuß und öffnete leise die Tür.

Eine Minute später kam er wieder. »Sie schläft schon«, flüsterte er und bestieg sein Sofa.

»Früher wäre das nicht möglich gewesen«, bemerkte Frau Fabian.

»Das hat ihre Mutter auch gesagt«, meinte der Sohn und drehte sich nach der Wand. Plötzlich, kurz vor dem Einschlafen, stand er noch einmal auf, tappte durchs dunkle Zimmer, beugte sich über das Bett und sagte wie einst: »Schlaf gut, Muttchen.«

»Du auch«, murmelte sie und öffnete die Augen. Er konnte das nicht sehen. Er tastete sich im Finstern zum Sofa zurück.

Dreizehntes Kapitel

Das Kaufhaus und Arthur Schopenhauer
Das reziproke Bordell
Die zwei Zwanzigmarkscheine

Am anderen Morgen wurde er von seiner Mutter geweckt. »Aufstehen, Jakob! Du kommst zu spät ins Büro!« Er machte sich rasch fertig, trank den Kaffee im Stehen und verabschiedete sich.

»Ich werde inzwischen Ordnung schaffen«, sagte sie. »Sowas von Staub überall. Und an deinem Mantel ist der Henkel abgerissen. Geh ohne Mantel. Es ist ja warm draußen.«

Fabian lehnte an der Tür und sah zu, wie die Mutter hantierte. Ihr aus Nervosität und Ordnungsliebe addierter Fleiß wirkte anheimelnd. Das Zimmer war erfüllt davon, es erinnerte plötzlich an zu Hause.

»Daß du dich ja nicht fünf Minuten hinsetzt und die Hände in den Schoß legst«, warnte er. »Wäre es nicht schöner, wenn ich jetzt Zeit hätte? Wir könnten in den Tiergarten gehen. Oder ins Aquarium. Oder wir blieben hier, und du würdest mir wieder einmal davon erzählen, wie komisch ich als Kind war. Als ich die Bettstelle mit der Stecknadel völlig zerkratzte und dich dann bei der Hand nahm, um dir das herrliche Gemälde zu zeigen. Oder als ich dir zum Geburtstag weißen und schwarzen Zwirn und ein Dutzend Nähnadeln und Druckknöpfe schenkte.«

»Und ein Heft Stecknadeln und weiße und schwarze Nähseide. Es ist mir noch wie heute«, sagte die Mutter und strich sein Jackett glatt. »Der Anzug müßte gebügelt werden.«

»Und eine Frau müßte ich haben und sieben kleine ulkige Kinder«, ergänzte er in weiser Voraussicht.

»Scher dich an die Arbeit!« Die Mutter stemmte die Arme in die Hüften. »Arbeiten ist gesund. Übrigens, ich hole dich am Nachmittag vom Büro ab. Ich warte vor der Tür. Dann bringst du mich zum Bahnhof.«

»Es ist sehr schade, daß du nur einen Tag bleiben kannst.« Er kam noch einmal zurück.

Die Mutter sah ihn nicht an. Sie machte sich am Sofa zu schaffen. »Ich hielt es drüben nicht mehr aus«, murmelte sie. »Aber nun geht's schon wieder, du mußt nur länger schlafen, und du darfst das Leben nicht so schwer nehmen, mein Junge. Es wird dadurch nicht leichter.« »Nun gehe ich aber, sonst komme ich wirklich noch zu spät«, sagte er.

Sie blickte ihm vom Fenster aus nach und nickte. Er winkte und lachte und lief schnell, bis das Haus nicht mehr zu sehen war. Dann verlangsamte er den Schritt und blieb schließlich stehen. Ein hübsches Versteckspiel trieb er da mit der alten Frau! Rannte auf und davon, obwohl er nichts zu tun hatte. Ließ sie da oben allein in dem fremden, häßlichen Zimmer, obwohl er wußte, daß sie jede Stunde, die sie mit ihm zusammensein durfte, bereit war, gegen ein ganzes Jahr ihres Lebens einzutauschen. Am Nachmittag würde sie ihn vom Büro abholen. Er mußte ihr eine Komödie vorspielen. Sie durfte nicht wissen, daß er entlassen war. Der Anzug, den er trug, war der einzige, den er sich in zweiunddreißig Jahren selber gekauft hatte. Ihr Leben lang hatte sie seinetwegen geschuftet und gespart. Sollte das denn nie ein Ende nehmen?

Weil es zu regnen anfing, ging er im Kaufhaus des Westens spazieren. Kaufhäuser sind, obwohl das gar nicht in ihrer Absicht liegt, außerordentlich geeignet, Leuten, die kein Geld und keinen Schirm haben, Unterhaltung zu bieten. Er hörte einer Verkäuferin zu, die sehr gewandt Klavier spielte. Aus der Lebensmittelabteilung vertrieb ihn der Fischgeruch, den er seit seiner Kindheit, vielleicht auf Grund einer embryonalen Erinnerung, nicht ausstehen konnte. In der Möbeletage wollte ihm ein junger Mann unbedingt einen großen Kleiderschrank verkaufen. Das Stück sei preiswert, die Gelegenheit unwiederbringlich. Fabian entzog sich der unerhörten Zumutung und wanderte in die Buchabteilung. Er geriet an einem der Antiquariatstische über einen Auswahlband von Schopenhauer, blätterte und las sich fest. Der Vorschlag dieses verbiesterten Onkels der Menschheit, Europa mit Hilfe einer indischen Heilspraxis zu veredeln, war freilich eine Kateridee, wie bisher alle positiven Vorschläge, ob sie nun von Philosophen des neunzehnten oder von Nationalökonomen des zwanzigsten Jahrhunderts stammten. Aber davon abgesehen war der Alte unübertrefflich. Fabian fand eine typologische Erörterung und las:

»Eben dieser Unterschied ist es, den Plato durch die Ausdrücke εὔκολος und δύσκολος bezeichnete. Derselbe läßt sich zurückführen auf die bei verschiedenen Menschen sehr verschiedene Empfänglichkeit für angenehme und unangenehme Eindrücke, infolge welcher der eine noch lacht bei dem, was den anderen fast zur Verzweiflung bringt, und zwar pflegt die Empfänglichkeit für angenehme Eindrücke desto schwächer zu sein, je stärker sie für unangenehme ist, und umgekehrt. Nach gleicher Möglichkeit des glücklichen und unglücklichen Ausgangs einer Angelegenheit wird der δύσκολος bei dem unglücklichen sich ärgern oder grämen, bei dem glücklichen sich aber nicht freuen; der εὔκολος hingegen wird über den unglücklichen sich nicht ärgern noch grämen, aber über den glücklichen sich freuen. Wenn dem δύσκολος von zehn Vorhaben neun gelingen, so freut er sich nicht über diese, sondern ärgert sich über das eine mißlungene: der εὔκολος weiß, im umgekehrten Fall, sich doch mit dem einen gelungenen zu trösten und aufzuheitern.

Wie nun aber nicht leicht ein Übel ohne alle Kompensationen ist, so ergibt sich auch hier, daß die δύσκολος, also die finsteren und ängstlichen Charaktere, im ganzen zwar imaginäre, dafür aber weniger reale Unfälle und Leiden zu überstehen haben werden als die heiteren und sorglosen; denn wer alles schwarz sieht, stets das Schlimmste befürchtet und demnach seine Vorkehrungen trifft, wird sich nicht so oft verrechnet haben, als wer stets den Dingen die heitere Farbe und Aussicht leiht.«

»Was darf ich Ihnen verkaufen?« fragte ein ältliches Fräulein.

»Haben Sie baumwollene Socken?« fragte Fabian.

Das ältliche Fräulein betrachtete ihn entrüstet und sagte: »Im Erdgeschoß.« Fabian legte das Buch auf den Tisch und stieg eine Treppe abwärts. Hatte Schopenhauer damit recht, daß er, gerade er, jene zwei menschlichen Gattungen als einander ebenbürtig gegenüberstellte? Hatte nicht gerade er in seiner Psychologie behauptet: die Lustempfindung sei nichts anderes als ein seelisches Minimum an Unlust? Hatte er in diesem Satz die Anschauung der δύσκολος wider besseres Wissen verabsolutiert? In der Abteilung für Porzellan und keramisches Kunstgewerbe war ein Auflauf. Fabian trat hinzu. Käufer, Verkäuferinnen und Bummler umstanden ein kleines verheultes Mädchen, das zehn Jahre sein mochte, einen Schulranzen trug und ärmlich angezogen war. Das Kind zitterte am ganzen Körper und blickte entsetzt in die bösen, aufgeregten Gesichter der Erwachsenen ringsum.

Der Abteilungschef kam. »Was ist los?«

»Ich habe das freche Ding erwischt, wie es einen Aschenbecher stahl«, erklärte eine alte Jungfer. »Hier!« Sie hob eine kleine bunte Schale hoch und zeigte sie dem Vorgesetzten.

»Marsch zum Direktor!« kommandierte der Cutaway.

»Jugend von heute«, sagte eine aufgetakelte Gans.

»Marsch zum Direktor!« rief eine der Verkäuferinnen und packte die Kleine an der Schulter. Das Kind weinte sehr.

Fabian schob sich durch die Versammlung. »Lassen Sie auf der Stelle das Kind los!«

»Erlauben Sie mal«, meinte der Abteilungsleiter.

»Was fällt Ihnen ein, sich einzumischen?« fragte jemand.

Fabian gab der Verkäuferin einen Klaps auf die Finger, daß sie das Kind losließ, dann zog er das kleine Mädchen an seine Seite. »Warum hast du denn ausgerechnet einen Aschenbecher weggenommen?« fragte er. »Rauchst du schon Zigarren?«

»Ich hatte kein Geld«, sagte das Mädchen. Dann hob es sich auf die Zehenspitzen. »Mein Papa hat heute Geburtstag.«

»Einfach stehlen, weil man kein Geld hat. Es wird immer schöner«, bemerkte die aufgetakelte Gans.

»Schreiben Sie uns einen Kassenzettel aus«, sagte Fabian zu der Verkäuferin. »Wir behalten den Aschenbecher.«

»Das Kind verdient aber Strafe«, behauptete der Abteilungsleiter. Fabian trat auf den Mann zu. »Wenn Sie sich meinem Vorschlag widersetzen sollten, schmeiße ich Ihnen den ganzen Porzellanladen kaputt.«

Der Cutaway zuckte mit den Schultern, die Verkäuferin schrieb einen Zettel aus und brachte den Aschenbecher zur Auslieferung. Fabian ging zur Kasse, zahlte und nahm das Päckchen in Empfang. Dann begleitete er das Kind bis zum Ausgang. »Hier hast du deinen Aschenbecher«, sagte er. »Aber paß gut auf, daß er nicht entzweigeht. Es war einmal ein kleiner Junge, der kaufte einen großen Kochtopf, um ihn seiner Mutter am Heiligen Abend zu schenken. Als es soweit war, nahm er den Topf in die Hand und segelte durch die halb offene Tür. Der Christbaum schimmerte großartig. ›Da, Mutter, da hast du...‹, sagte er und wollte sagen: ›Da hast du den Topf.‹ Es gab aber einen Krach, der Topf zerbrach an der Tür. ›Da, Mutter, da hast du den Henkel‹, sagte der Junge nun, denn er hatte nur noch den Henkel in der Hand.«

Das kleine Mädchen sah zu ihm auf, hielt das Paket mit beiden Händen fest und meinte: »Mein Aschenbecher hat ja gar keinen Henkel.« Sie knickste und lief fort. Dann drehte sie sich noch einmal um, rief: »Danke schön!« und verschwand.

Fabian trat auf die Straße. Es regnete nicht mehr. Er stellte sich an die Bordschwelle und sah den Autos zu. Ein Wagen hielt. Eine alte Dame, mit Paketen behangen, schob sich schwerfällig vom Sitz und wollte aussteigen. Fabian öffnete den Wagenschlag, half der Dame vom Trittbrett, zog höflich den Hut und trat zur Seite. »Da!« sagte jemand neben ihm. Es war die alte Dame. Sie drückte ihm etwas in die Hand, nickte und ging ins Kaufhaus.. Fabian machte die Hand auf. Er hielt einen Groschen. Er hatte unfreiwillig einen Groschen verdient. Sah er bereits wie ein Bettler aus?

Er steckte die Münze ein, trat trotzig an den Straßenrand und öffnete einen zweiten Wagen. »Da!« sagte jemand und gab ihm wieder einen Groschen. ›Das wächst sich zu einem Beruf aus‹, dachte Fabian und hatte eine Viertelstunde später fünfundsechzig Pfennig verdient. ›Wenn jetzt Labude vorbeikäme und den literarhistorisch vorgebildeten Autoöffner sähe‹, überlegte er. Aber der Gedanke erschreckte ihn nicht. Nur der Mutter hätte er nicht begegnen mögen, und auch Cornelia nicht.

»Eine milde Gabe gefällig?« fragte eine Frau und gab ihm ein größeres Geldstück. Es war Frau Irene Moll. »Ich habe dich lange Zeit beobachtet, mein Junge«, sagte sie und lächelte schadenfroh. »Wir begegnen einander, wo wir können. Geht's dir so dreckig? Du warst voreilig, als du das Angebot meines Mannes ablehntest, und auch die Schlüssel hättest du behalten können. Ich wartete darauf, dich in meinem Bett wiederzusehen. Deine Zurückhaltung macht sinnlich. Hier, hilf mir die Pakete tragen. Das Trinkgeld hast du schon.«

Fabian ließ sich die Pakete aufladen und folgte schweigsam.

»Was kann ich für dich tun?« fragte sie nachdenklich. »Stellung eingebüßt, was? Ich bin nicht nachtragend. Auf Moll ist leider nicht mehr zu zählen. Er ist zu Schiff nach Frankreich oder sonstwohin. Und jetzt wohnt die Kriminalpolizei bei uns. Moll hat die seinem Notariat übergebenen Gelder unterschlagen. Seit Jahren schon, nie hätte ich ihm das zugetraut. Wir haben ihn unterschätzt.«

»Wovon leben Sie denn nun?« fragte Fabian.

»Ich habe eine Pension eröffnet. Große Wohnungen sind jetzt billig. Die Möbel hat mir ein alter Bekannter geschenkt, das heißt, die Bekanntschaft ist jung, der Bekannte ist alt. Ihm gehören nur ein paar Gucklöcher in den Türen.«

»Und wer wohnt in dieser übersichtlichen Pension?«

»Junge Männer, mein Herr. Wohnung und Verpflegung gratis. Außerdem erhalten sie dreißig Prozent der Einnahmen.«

»Welcher Einnahmen?«

»Mein Verein unchristlicher junger Männer wird von Damen der besten Gesellschaft mit wahrer Leidenschaft frequentiert. Die Damen sind nicht immer schön und schlank, und daß sie mal jung waren, glaubt ihnen kein Mensch. Aber sie haben Geld. Und wieviel ich auch verlange, sie zahlen. Und wenn sie vorher ihre Herren Ehemänner bestehlen oder ermorden sollten, sie kommen. Meine Pensionäre verdienen. Der Möbelhändler sieht zu. Die Damen gehen ihren Passionen nach. Drei junge Leute sind mir schon abgekauft worden. Sie haben beträchtliche Einkünfte, eigene Wohnung und kleine Freundinnen nebenher, heimlich, versteht sich. Der eine, ein Ungar, wurde von der Frau eines Industriellen erworben. Er lebt wie ein Prinz. Wenn er klug ist, hat er in einem Jahr ein Vermögen. Dann kann er die alte Schießbudenfigur abschaffen.«

»Also ein Männerbordell«, sagte Fabian.

»So ein Institut hat heute viel mehr Existenzberechtigung als ein Frauenhaus«, erklärte Irene Moll. »Außerdem träumte ich schon als junges Mädchen davon, Besitzerin eines solchen Etablissements zu werden. Ich bin sehr zufrieden. Ich habe Geld, ich engagiere fast täglich neue Kräfte für das Unternehmen, und jeder, der sich um eine Pensionärstelle bewirbt, muß bei mir eine Art Aufnahmeprüfung bestehen. Ich nehme nicht jeden! Wirkliche Talente sind selten. Naturbegabungen gibt es schon eher. Ich werde Fortbildungskurse einrichten müssen.«

Sie blieb stehen. »Ich bin angelangt.« Die Pension lag in einem großen eleganten Mietshaus. »Ich möchte dir einen Vorschlag machen. Als Pensionär kommst du nicht in Frage, mein Lieber. Du bist zu wählerisch, du bist auch schon zu alt für die Branche, meine Kundschaft bevorzugt Zwanzigjährige. Außerdem leidest du an falschem Stolz. Ich könnte dich als Sekretär verwenden. Allmählich wird eine geordnete Buchführung notwendig. Du könntest in meinen Privaträumen arbeiten, wohnen könntest du auch dort. Wie denkst du darüber?«

»Hier sind die Pakete«, sagte Fabian. »Ich möchte meinem Brechreiz nicht zuviel zumuten.«

In diesem Augenblick kamen zwei junge Burschen aus dem Haus. Sie waren schick angezogen, zögerten, als sie Frau Moll erblickten, und nahmen die Hüte ab.

»Gaston, hast du heute Ausgang?« fragte sie.

»Mackie meinte, ich soll mir mal das Auto ansehen, das ihm Nummer sieben versprochen hat. In zwanzig Minuten bin ich wieder da.«

»Gaston, du gehst sofort auf dein Zimmer. Was ist das denn für eine Wirtschaft? Mackie geht allein. Marsch! Für drei Uhr hat sich Nummer zwölf angemeldet. Bis dahin schläfst du, los!«

Der junge Mann ging ins Haus zurück, der andere setzte, nochmals grüßend, seinen Weg fort.

Frau Moll wandte sich Fabian zu. »Du willst wieder nicht?« Sie nahm ihm die Pakete ab. »Ich gebe dir eine Woche Bedenkzeit. Die Adresse weißt du nun. Überlege dir's. Verhungern ist Geschmackssache. Außerdem tätest du mir einen persönlichen Gefallen. Wirklich. Je mehr du dich sträubst, um so mehr reizt mich der Gedanke. Es eilt nicht, Zeitvertreib habe ich mittlerweile genug.« Sie ging ins Haus.

»Das grenzt an Zwangsläufigkeit«, murmelte Fabian und kehrte um.

Er aß in einer Kneipe Bockwurst mit Kartoffelsalat. Dazu las er die Zeitungen, die im Lokal aushingen, und notierte sich Stellenangebote. Dann kaufte er in einem muffigen Papierladen Schreibmaterial und verfaßte vier Bewerbungsschreiben. Als er sie in den Kasten gesteckt hatte, fand er, es sei Zeit. Und pilgerte, recht müde, zu der Zigarettenfabrik.

»Sieht man Sie auch mal wieder?« fragte der Portier.

»Ich will mich mit meiner Mutter hier treffen«, antwortete Fabian. Der Portier kniff ein Auge zu. »Verlassen Sie sich ganz auf mich.«

Es war Fabian peinlich, daß der Mann die Komödie zu durchschauen schien. Er ging rasch ins Verwaltungsgebäude, setzte sich in eine Fensternische und sah alle fünf Minuten auf die Uhr. So oft er Schritte hörte, drückte er sich dicht an den Fensterrahmen. In zehn Minuten war Büroschluß. Die Angestellten hatten es eilig. Sie bemerkten ihn nicht.

Er wollte sein Versteck gerade verlassen, als er wieder Schritte und Stimmen vernahm, die sich näherten.

»Ich werde morgen in der Direktionssitzung von dem Preisausschreiben berichten, das Sie da vorbereitet haben, lieber Fischer«, sagte die eine Stimme. »Der Vorschlag ist beachtlich, man wird Sie würdigen lernen.«

»Herr Direktor sind sehr gütig«, erwiderte die andere Stimme. »Eigentlich habe ich das Projekt ja nur von Herrn Doktor Fabian geerbt.«

»Erbmasse ist ein Besitz wie jeder andere, Herr Fischer!« Der Ton des Direktors war unfreundlich. »Ist Ihnen mein Vorschlag unangenehm? Wäre Ihnen eine Gehaltszulage so zuwider? Nun also! Außerdem bedarf das Projekt einiger Verbesserungen. Ich werde gleich, unter Zugrundelegung Ihres Materials, ein Exposé in die Maschine diktieren. Glauben Sie mir, es wird Effekt machen, unser Preisausschreiben. Sie können jetzt nach Hause gehen. Sie haben es gut.«

»Meister muß sich immer plagen. Von Schiller«, bemerkte Fischer.

Fabian trat aus der Nische. Fischer sprang erschrocken einen Schritt zurück. Direktor Breitkopf fingerte im Kragen. »Ich bin weniger überrascht als Sie«, sagte Fabian und ging zur Treppe.

»Da kommt er ja schon«, meinte der Portier, der sich mit Fabians Mutter unterhielt. Sie hatte den Koffer abgestellt, die Reisetasche, die Handtasche und den Schirm auf den Koffer gelegt und nickte dem

Sohn zu. »Hübsch fleißig gewesen?« fragte sie. Der Portier lächelte gutmütig und spazierte in seinen Verschlag.

Fabian gab der Mutter die Hand. »Wir haben noch eine halbe Stunde Zeit«, sagte er und nahm das Gepäck auf.

Als sie einen Eckplatz im Zug belegt hatten (im mittelsten Wagen, denn Frau Fabian hielt es für angebracht, die üblen Folgen eines etwaigen Eisenbahnunglücks von vornherein zu reduzieren), bummelten sie vor dem Coupé auf und ab.

»Nicht so weit weg.« Sie hielt den Sohn am Ärmel. »Wie leicht wird ein Koffer gestohlen. Kaum dreht man sich um, fort ist er.«

Schließlich wurde Fabian mißtrauischer als die Mutter und spähte unentwegt durchs Fenster zum Gepäcknetz.

»Nun kann's wieder abgehen«, sagte sie. »Der Henkel vom Mantel ist angenäht. Im Zimmer sieht's wieder menschlich aus. Frau Hohlfeld tat beleidigt. Darauf kann man aber keine Rücksicht nehmen.«

Fabian lief zu einem der fahrbaren Büfetts und brachte eine Schinkensemmel, eine Packung Keks und zwei Apfelsinen. »Junge, bist du leichtsinnig«, sagte sie. Er lachte, kletterte ins Abteil, schob ihr heimlich einen Zwanzigmarkschein in die Handtasche und kletterte wieder auf den Bahnsteig.

»Wann wirst du endlich mal wieder nach Hause kommen?« fragte sie. »Ich koche alle deine Lieblingsgerichte, jeden Tag ein anderes, und wir gehen zu Tante Martha in den Garten. Im Geschäft ist ja so wenig los.«

»Ich komme, sobald ich kann«, versicherte er.

Als sie aus dem Coupéfenster blickte, meinte sie: »Bleib recht gesund, Jakob. Und wenn's hier nicht vorwärtsgehen will, pack dein Bündel und komm heim.«

Er nickte. Sie sahen einander an und lächelten, wie man auf Bahnsteigen zu lächeln pflegt, ähnlich wie beim Fotografen, nur daß weit und breit kein Fotograf zu sehen ist. »Laß dir's gut gehen«, flüsterte er. »Es war schön, daß du da warst.«

Auf dem Tisch standen Blumen. Ein Brief lag daneben. Er öffnete ihn. Ein Zwanzigmarkschein fiel heraus, und ein Zettel. »Wenig mit Liebe, Deine Mutter«, war daraufgeschrieben. In der unteren Ecke war noch etwas zu lesen. »Iß das Schnitzel zuerst. Die Wurst hält sich in dem Pergamentpapier mehrere Tage.«

Er steckte den Zwanzigmarkschein ein. Jetzt saß die Mutter im Zug, und bald mußte sie den anderen Zwanzigmarkschein finden, den er ihr in die Handtasche gelegt hatte. Mathematisch gesehen, war das Ergebnis gleich Null. Denn nun besaßen beide dieselbe Summe wie vorher. Aber gute Taten lassen sich nicht stornieren. Die moralische Gleichung verläuft anders als die arithmetische.

Am selben Abend bat ihn Cornelia um hundert Mark. Im Korridor des Filmkonzerns sei ihr Makart begegnet. Er war wegen Verleihverhandlungen ins Gebäude der Konkurrenz gekommen. Er hatte sie angesprochen. Sie sei der Typ, den er schon lange suche. Für den nächsten Film seiner Firma, versteht sich. Sie solle ihn morgen nachmittag im Büro aufsuchen. Der Produktionsleiter und der Regisseur wären auch da. Vielleicht probiere man's mal mit ihr.

»Ich muß mir über Mittag einen neuen Jumper und einen Hut besorgen, Fabian. Ich weiß, du hast fast gar kein Geld mehr. Aber ich kann mir diese Chance nicht entgehen lassen. Denke dir, wenn ich jetzt Filmschauspielerin würde! Kannst du dir das vorstellen?«

»Doch«, sagte er und gab ihr seinen letzten Hundertmarkschein.

»Hoffentlich bringt dir das Glück.«

»Mir?« fragte sie.

»Uns«, korrigierte er ihr zu Gefallen.

Vierzehntes Kapitel

Der Weg ohne Tür
Fräulein Selows Zunge
Die Treppe mit den Taschendieben

In dieser Nacht träumte Fabian. Wahrscheinlich träumte er häufiger, als er glaubte. Aber in dieser Nacht weckte ihn Cornelia, und so entsann er sich des Traumes. Wer hätte ihn, vor Tagen noch, aus seinen Träumen wecken sollen? Wer hätte ihn mitten in der Nacht ängstlich rütteln sollen, bevor er neben Cornelia schlief? Er hatte mit vielen Frauen und Mädchen geschlafen, das war richtig, aber neben ihnen?

Er lief im Traum durch eine endlose Straße. Die Häuser waren unabsehbar hoch. Die Straße war ganz leer, und die Häuser hatten weder Fenster noch Türen. Und der Himmel war weit entfernt und fremdartig wie über einem tiefen Brunnen. Fabian hatte Hunger und Durst und war todmüde. Er sah, die Straße hörte nicht auf, aber er ging und wollte sie zu Ende gehen.

»Es hat keinen Zweck«, sagte da eine Stimme. Er blickte sich um. Der alte Erfinder stand hinter ihm, in der verschossenen Pelerine, mit dem schlechtgerollten Schirm und dem ergrauten steifen Hut.

»Guten Tag, lieber Professor«, rief Fabian. »Ich dachte, Sie wären im Irrenhaus.«

»Hier ist es ja«, sagte der Alte und schlug mit der Schirmkrücke gegen eines der Gebäude. Es hallte blechern, dann ging ein Tor auf, wo keines war.

»Meine neueste Erfindung«, sagte der Alte. »Gestatten Sie, lieber Neffe, daß ich vorausgehe, ich bin hier zu Hause.« Fabian folgte. In der Portierloge hockte Direktor Breitkopf, hielt sich den Bauch und stöhnte: »Ich kriege ein Kind. Die Sekretärin hat sich wieder mal nicht vorgesehen.« Dann schlug er sich dreimal auf die Glatze, und das klang laut wie ein Gong.

Der Professor steckte dem Direktor den schlechtgerollten Schirm tief in den Schlund und spannte den Schirm auf. Breitkopfs Gesicht zerplatzte wie ein Ballon.

»Verbindlichen Dank«, sagte Fabian.

»Nicht der Rede wert«, erwiderte der Erfinder. »Haben Sie meine Maschine schon gesehen?« Er nahm Fabian an der Hand und führte ihn durch einen Gang, in dem bläuliches Neonlicht brannte, ins Freie.

Eine Maschine, groß wie der Kölner Dom, türmte sich vor ihnen auf. Halbnackte Arbeiter standen davor, mit Schaufeln bewaffnet, und schippten Hunderttausende von kleinen Kindern in einen riesigen Kessel, in dem ein rotes Feuer brannte.

»Kommen Sie an das andere Ende«, sagte der Erfinder. Sie fuhren auf laufenden Bändern durch den grauen Hof. »Hier«, sagte der alte Mann und zeigte in die Luft.

Fabian blickte empor. Gewaltige, glühende Bessemerbirnen senkten sich nieder, kippten automatisch um und schüttelten ihren Inhalt auf einen horizontalen Spiegel. Der Inhalt war lebendig. Männer und Frauen fielen auf das glitzernde Glas, stellten sich gerade und starrten wie gebannt auf ihr handgreifliches und doch unerreichbares Abbild. Manche winkten in die Tiefe hinunter, als kennten sie sich. Einer zog eine Pistole aus der Tasche und schoß. Er traf, obwohl er, gestrichen Korn, seinem Bild ins Herz gezielt hatte, seine wirkliche große Zehe und verzog das Gesicht. Ein anderer drehte sich im Kreise. Offensichtlich wollte er seinem Abbild die Kehrseite zuwenden, der Versuch mißlang.

»Hunderttausend am Tage«, erläuterte der Erfinder. »Dabei habe ich die Arbeitszeit verkürzt und die Fünftagewoche eingeführt.«

»Lauter Verrückte?« fragte Fabian.

»Das ist eine Frage der Terminologie«, antwortete der Professor. »Einen Moment, die Kuppelung versagt.« Er trat an die Maschine heran und stocherte mit seinem Schirm in einer Öffnung. Plötzlich verschwand der Schirm, dann verschwand die Pelerine, sie zog den alten Mann hinter sich her. Er war fort. Seine Maschine hatte ihn verschluckt.

Fabian fuhr auf dem laufenden Band zurück, quer durch den grauen Hof. »Es ist ein Unglück passiert!« schrie er einem der halbnackten Arbeiter zu. Da purzelte ein Kind aus dem Kessel. Es trug eine Hornbrille und hielt einen schlechtgerollten Schirm im Händchen. Der Arbeiter nahm den Säugling auf die Schaufel und schleuderte ihn in den glühenden Kessel zurück. Fabian fuhr von neuem den Hof entlang und wartete unter den schwankenden Bessemerbirnen, daß sein alter Freund, erneut verwandelt, wiederkäme.

Er wartete vergebens. Statt dessen fiel er selber, ein zweiter Fabian, aber mit Pelerine, Schirm und Hut, aus einem der gewaltigen Kippkästen, stellte sich zu den anderen Figuren und starrte gleich ihnen, auf die Spiegelbilder. An seinen Sohlen, mit dem Kopf nach unten, hing sein Abbild, ein dritter Fabian, im Spiegel und starrte aufwärts, dem zweiten Fabian ins Gesicht. Dieser zeigte mit dem Daumen hinter sich auf die Maschine und sagte: »Mechanische Seelenwanderung, Patent Kollrepp.« Dann schritt er auf den wirklichen Fabian zu, der im Hofe stand, ging mitten in ihn hinein und war nicht mehr da.

»Wie angegossen«, gestand Fabian, nahm dem Maschinenmenschen, der ihn unsichtbar ausfüllte, den Schirm ab, zog die Pelerine zurecht und war wieder das einzige Exemplar seiner selbst.

Er blickte zu dem glänzenden Spiegel hinüber. Die Menschen versanken plötzlich darin wie in einem durchsichtigen Sumpf. Sie rissen die Münder auf, als ob sie vor Schreck schrien, aber es war nichts zu hören. Sie sanken völlig unter die Spiegelfläche. Ihre Abbilder flohen, wie Fische, mit dem Kopf voran, wurden immer kleiner und verschwanden ganz. Nun standen die wirklichen Menschen unten, und es war, als seien sie in Bernstein gefangen. Fabian trat ganz nahe. Das war kein Spiegelbild mehr, was er sah. Über den untergegangenen Wesen lag eine bloße Glasplatte, und die Leute lebten weiter. Fabian kniete nieder und blickte hinab.

Fette, nackte Frauen, mit Sorgenfalten quer überm Leib, saßen an Tischen und tranken Tee. Sie trugen durchbrochene Strümpfe und, im Genick, geflochtene Hütchen. Armbänder und Ohrgehänge blitzten. Eines der alten Weiber hatte sich einen goldenen Ring durch die Nase gezogen. An anderen Tischen saßen dicke Männer, halbnackt, behaart wie Gorillas, mit Zylindern, manche in lila Unterhosen, alle mit großen Zigarren zwischen den dicken Lippen. Die Männer und Frauen schauten gierig auf einen Vorhang. Er wurde zur Seite gezogen, und junge geschminkte Burschen in enganliegenden Trikots stolzierten wie gezierte Mannequins über einen erhöhten Laufsteg. Den Jünglingen folgten, auch in Trikots, junge Mädchen, sie lächelten affektiert und brachten alles, was an ihnen rund war, angestrengt zur Geltung. Fabian erkannte einige, die Kulp, die Bildhauerin, die Selow, auch Paula aus Haupts Festsälen war dabei.

Die alten Frauen und Männer preßten die Operngläser an die Augen, sprangen auf, stolperten über Stühle und Tische, drängten dem Laufsteg zu, schlugen einander, um vorwärts zu kommen, und wieherten wie geile Pferde. Die dicken mit Schmuck beladenen Weiber rissen junge Burschen vom Steg, warfen sie heulend auf die Erde, knieten flehend nieder, spreizten die fetten Beine, zerrten sich Brillanten von den Armen und Fingern und aus den Ohrlappen und hielten sie bettelnd den verhurt lächelnden Gestalten entgegen. Die alten Männer griffen mit ihren Affenarmen nach den Mädchen, auch nach Jünglingen, und umarmten, blaurot vor Aufregung, wen sie faßten. Unterhosen, Krampfadern, Sockenhalter, zerrissene farbige Trikots, fette und faltige Gliedmaßen, verzerrte Visagen, grinsende Pomademünder, braune schlanke Arme, im Krampf zuckende Füße füllten den Boden aus. Es war, als läge ein lebendiger Perserteppich auf der Erde.

»Deine Cornelia ist auch dabei«, sagte Frau Irene Moll. Sie saß neben ihm, und sie naschte aus einer großen Bonbontüte kleine junge Männer. Sie riß ihnen zuerst die Kleider ab. Das sah aus, als ob sie in Papier gewickelte Napolitains schälte. Fabian suchte Cornelia. Sie stand, während sich alle anderen wild verknäuelt am Boden wälzten, allein auf dem Laufsteg und wehrte sich gegen einen dicken brutalen Mann, der ihr mit der einen Hand den Mund aufsperrte und mit der anderen seine brennende Zigarre, mit der Glut voran, in den Mund stoßen wollte.

»Sträuben nützt bei dem nichts«, meinte die Moll und kramte in ihrer Tüte. »Das ist Makart, ein Filmfabrikant, Geld wie Heu. Seine Frau hat sich vergiftet.« Cornelia wankte und stürzte neben Makart in den Tumult.

»Spring ihr doch nach«, sagte die Moll. »Aber du hast Angst, das Glas zwischen dir und den anderen könnte zerbrechen. Du hältst die Welt für eine Schaufensterauslage.«

Cornelia war nicht mehr zu entdecken. Aber jetzt sah Fabian den Todeskandidaten Wilhelmy. Der war nackt, das linke Bein war eine Prothese. Er stand auf einem Himmelbett und fuhr wie ein Wellenreiter über das Gezappel der Menschen. Er schwang seinen Krückstock und schlug der Kulp, die sich an dem Bett festklammerte, auf den Kopf und auf die Hände, bis das Mädchen blutüberströmt losließ und in die Tiefe sank.

Wilhelmy befestigte eine Schnur am Stock, band einen Geldschein ans Ende der Schnur und warf diese Angel aus. Die Menschen unter ihm sprangen wie Fische in die Luft, schnappten nach der Banknote, fielen ermattet zurück und schnellten wieder hoch. Da! Eine Frau hielt den Schein im Mund. Es war die Selow. Sie schrie gellend. Ein Angelhaken hatte ihre Zunge durchbohrt. Wilhelmy zog die Schnur ein, die Selow näherte sich, verzerrten Gesichts, dem Bett. Aber hinter ihr tauchte die Bildhauerin auf, umschlang die Freundin mit beiden Armen und riß sie rückwärts. Die Zunge glitt weit aus dem Mund. Wilhelmy und die Bildhauerin suchten das Mädchen an sich zu ziehen, jeder auf seine Seite. Die Zunge wurde immer länger, lang wie ein rotes Gummiband, und sie war zum Reißen gespannt. Wilhelmy rang nach Luft und lachte.

»Wunderbar!« rief Irene Moll. »Das grenzt an Tauziehen. Wir leben im Zeitalter des Sports.« Sie zerknüllte die leere Tüte und sagte: »Jetzt freß ich dich.« Sie riß ihm die Pelerine herunter. Ihre Finger griffen wie Scheren ineinander und zerschnitten Fabians Anzug. Er schlug ihr mit der Schirmkrücke auf den Kopf. Sie taumelte und ließ ihn los. »Ich liebe dich doch«, flüsterte sie und weinte. Ihre Tränen drangen wie kleine Seifenblasen aus ihren Augenwinkeln, wurden immer größer und stiegen schillernd in die Luft.

Fabian erhob sich und ging weiter.

Er geriet in einen Saal, der keine Wände hatte. Unzählige Treppenstufen führten von dem einen Ende des Saales hinauf zum anderen Ende. Auf jeder Stufe standen Leute. Sie blickten interessiert nach oben und griffen einander in die Taschen. Jeder bestahl jeden. Jeder wühlte heimlich in den Taschen des Vordermannes, und während er das tat, wurde er vom Hintermann beraubt. Es war ganz ruhig im Saal. Trotzdem war alles in Bewegung. Man stahl emsig, und man ließ sich bestehlen. Auf der untersten Stufe stand ein kleines zehnjähriges Mädchen und zog dem Vordermann einen bunten Aschenbecher aus dem Mantel. Plötzlich war Labude auf der obersten Stufe. Er hob die Hände, blickte die Treppe hinunter und rief: »Freunde! Mitbürger! Die Anständigkeit muß siegen!«

»Aber natürlich!« brüllten die anderen im Chor und kramten einander in den Taschen.

»Wer für mich ist, hebe die Hand!« schrie Labude. Die anderen hoben die Hand. Jeder hob eine Hand, mit der anderen stahl er weiter. Nur das kleine Mädchen auf der untersten Stufe hob beide Hände.

»Ich danke euch«, sagte Labude, und seine Stimme klang gerührt. »Das Zeitalter der Menschenwürde bricht an. Vergeßt diese Stunde nicht!«

»Du bist ein Narr!« rief Leda, stand neben Labude und zog einen großen hübschen Mann hinter sich her.

»Meine besten Freunde sind meine größten Feinde«, sagte Labude traurig. »Mir ist es gleich. Die Vernunft wird siegen, auch wenn ich untergehe.«

Da fielen Schüsse. Fabian sah hoch. Überall waren Fenster und Dächer. Und überall standen finstere Gestalten mit Revolvern und Maschinengewehren.

Die Menschen auf der Treppe warfen sich lang hin, aber sie stahlen weiter. Die Schüsse knatterten. Die Menschen starben, die Hände in fremden Taschen. Die Treppe lag voller Leichen.

»Um die ist es nicht schade«, sagte Fabian zu dem Freund. »Nun komm!« Aber Labude blieb in dem Kugelregen stehen. »Um mich auch nicht mehr«, flüsterte er, drehte sich nach den Fenstern und Dächern um und drohte ihnen.

Aus den Dachluken und aus den Giebeln fielen Schüsse in die Tiefe. Aus den Fenstern hingen Verwundete. Auf einer Giebelkante rangen zwei athletische Männer. Sie würgten und bissen einander, bis der eine taumelte und beide abstürzten. Man hörte den Aufschlag der hohlen Schädel. Flugzeuge schwirrten unter der Saaldecke und warfen Brandfackeln auf die Häuser. Die Dächer begannen zu brennen. Grüner Qualm quoll aus den Fenstern.

»Warum machen das die Leute?« Das kleine Mädchen aus dem Kaufhaus faßte Fabians Hand.

»Sie wollen neue Häuser bauen«, erwiderte er. Dann nahm er das Kind auf den Arm und stieg, über die Toten kletternd, die Stufen hinunter. Auf halbem Weg begegnete er einem kleinen Mann. Der stand da, schrieb Zahlen auf einen Block und rechnete mit den Lippen. »Was machen Sie da?« fragte Fabian.

»Ich verkaufe die Restbestände«, war die Antwort. »Pro Leiche dreißig Pfennige, für wenig getragene Charaktere fünf Pfennige extra. Sind Sie verhandlungsberechtigt?«

»Gehen Sie zum Teufel«, schrie Fabian.

»Später«, sagte der kleine Mann und rechnete weiter. Am Fuß der Treppe setzte Fabian das kleine Mädchen hin. »Nun geh nach Hause«, meinte er. Das Kind lief davon. Es hüpfte auf einem Bein und sang.

Er stieg wieder die Stufen empor. »Ich verdiene keinen Pfennig«, murmelte der kleine Mann, an dem er wieder vorbeikam. Fabian beeilte sich. Oben brachen die Häuser zusammen. Stichflammen stiegen aus den Steinhaufen. Glühende Balken neigten sich und sanken um, als tauchten sie in Watte. Noch immer ertönten vereinzelte Schüsse. Menschen mit Gasmasken krochen durch die Trümmer. Sooft sich zwei begegneten, hoben sie Gewehre, zielten und schossen. Fabian sah sich um. Wo war Labude? »Labude!« schrie er. »Labude!«

»Fabian«, rief eine Stimme. »Fabian!«

»Fabian!« rief Cornelia und rüttelte ihn. Er erwachte. »Warum rufst du Labude?« Sie strich ihm über die Stirn.

»Ich habe geträumt«, sagte er. »Labude ist in Frankfurt.«

»Soll ich Licht machen?« fragte sie.

»Nein, schlaf rasch wieder ein, Cornelia, du mußt morgen hübsch aussehen. Gute Nacht.«

»Gute Nacht«, sagte sie.

Und dann lagen beide noch lange wach. Jeder wußte es vom andern, aber sie schwiegen.

Fünfzehntes Kapitel

Ein junger Mann, wie er sein soll
Vom Sinn der Bahnhöfe
Cornelia schreibt einen Brief

Am nächsten Morgen saß er, als Cornelia ins Büro ging, am offenen Fenster. Sie hatte eine Mappe unterm Arm und schritt eifrig aus. Sie hatte Arbeit. Sie verdiente Geld. Er saß am Fenster und ließ sich von der Sonne kitzeln. Sie schien warm, als sei die Welt in bester Ordnung, nichts brachte sie aus der Fassung.

Cornelia war schon weit. Er durfte sie nicht zurückrufen. Wenn er es getan und wenn er, aus dem Fenster gebeugt, gesagt hätte: ›Komm wieder herauf, ich will nicht, daß du arbeitest, ich will nicht, daß du zu Makart gehst!‹ hätte sie geantwortet: ›Was fällt dir ein? Gib mir Geld oder halte mich nicht auf.‹ Er konnte sich nicht anders helfen, er streckte der Sonne die Zunge heraus.

»Was machen Sie denn da?« fragte Frau Hohlfeld. Sie war unbemerkt eingetreten.

Fabian sagte abweisend: »Ich fange Fliegen. Sie sind heuer groß und knusprig.«

»Gehen Sie nicht ins Geschäft?«

»Ich bin in den Ruhestand getreten. Vom nächsten Ersten an erscheine ich im Defizit des Finanzministeriums, als unvorhergesehene Mehrausgabe.« Er schloß das Fenster und setzte sich aufs Sofa.

»Stellungslos?« fragte sie.

Er nickte und holte Geld aus der Tasche. »Hier sind die achtzig Mark für den nächsten Monat.«

Sie nahm rasch das Geld und meinte: »Das war nicht so eilig, Herr Fabian.«

»Doch.« Er legte die letzten Scheine und Münzen übersichtlich auf den Tisch und zählte, was ihm blieb. »Wenn ich mein Kapital auf die Bank bringe, krieg ich drei Mark Zinsen im Jahr«, sagte er. »Das lohnt sich kaum.«

Die Wirtin wurde gesprächig. »In der Zeitung schlug gestern ein Ingenieur vor, man solle den Spiegel des Mittelmeeres um zweihundert Meter senken, dann kämen große Ländereien ans Licht, wie vor der Eiszeit, und man könne sie besiedeln und Millionen von Menschen darauf ernähren. Außerdem sei, mit Hilfe kurzer Dämme, eine durchgehende Eisenbahnverbindung von Berlin bis Kapstadt möglich!« Frau Hohlfeld war noch jetzt von dem Vorschlag des Ingenieurs eingenommen und sprach voller Feuer.

Fabian pochte auf die Armlehne des Sofas, daß der Staub tanzte. »Na also!« rief er. »Auf, ans Mittelmeer! Laßt uns seinen Spiegel senken! Kommen Sie mit, Frau Hohlfeld?«

»Gern. Ich war seit meiner Hochzeitsreise nicht mehr dort. Eine herrliche Gegend. Genua, Nizza, Marseille, Paris. Paris liegt übrigens nicht am Mittelmeer.« Sie gab dem Gespräch eine Wendung: »Da war das Fräulein Doktor wohl sehr traurig?«

»Schade, daß sie schon fort ist, sonst hätten wir sie fragen können.«

»Ein bezauberndes Mädchen, und so vornehm, ich finde, sie ähnelt der Königin von Rumänien, als sie noch jung war.«

»Erraten.« Fabian erhob sich und brachte die Wirtin zur Tür. »Es soll eine Tochter der Königin sein. Aber bitte nicht weitersagen.«

Nachmittags saß er in einem großen Zeitungsverlag und wartete, daß Herr Zacharias Zeit fände. Herr Zacharias war ein Bekannter, der, nach einer Debatte über den Sinn der Reklame, zu ihm gesagt hatte: »Wenn Sie mich mal brauchen, melden Sie sich.« Fabian blätterte gedankenlos in einer der Zeitschriften, die den Tisch des Warteraums zierten, und entsann sich des Gesprächs. Zacharias hatte damals der Behauptung von H. G. Wells, daß das Wachstum der christlichen Kirche nicht zuletzt auf geschickte Propaganda zurückzuführen sei, begeistert zugestimmt; er hatte auch Wells' Forderung verfochten, daß es an der Zeit sei, die Reklame nicht länger auf die Steigerung des Konsums von Seife und Kaugummi zu beschränken, sondern sie endlich ausreichend in den Dienst von Idealen zu stellen. Fabian hatte geäußert, die Erziehbarkeit des Menschengeschlechts sei eine fragwürdige These; die Eignung des Propagandisten zum Volkserzieher und das Talent des Erziehers zum Propagandisten stünden außerdem in Frage; Vernunft könne man nur einer beschränkten Zahl von Menschen beibringen, und die sei schon vernünftig. Zacharias und er hatten sich förmlich gestritten, bis sie fanden, der Meinungsstreit trage allzu akademischen Charakter, denn beide möglichen Resultate — der Sieg oder die Niederlage jener idealistischen Aufklärung — setzten sehr viel Geld voraus, und für Ideale gebe keiner Geld.

Boten liefen geschäftig durch das Labyrinth der Gänge. Papphülsen fielen klappernd aus Metallröhren. Das Telefon des Aufsichtsbeamten klingelte fortwährend. Besucher kamen und gingen. Angestellte rannten aus einem Zimmer ins andere. Ein Direktor des Betriebes eilte, mit einem Stab untertäniger Mitarbeiter, die Treppe hinunter.

»Herr Zacharias läßt bitten.«

Ein Bote brachte ihn bis zur Tür. Zacharias gab Fabian temperamentvoll die Hand. Es war die hervorstechendste Eigenschaft dieses jungen Mannes, alles, was er tat, außerordentlich lebhaft zu besorgen. Er kam aus der Begeisterung nicht heraus. Ob er sich nun die Zähne putzte oder ob er debattierte, ob er Geld ausgab oder ob er seinen Vorgesetzten Vorschläge machte, stets riß er sich ein Bein aus. Wer in seine Nähe kam, wurde von dieser Humorlosigkeit infiziert. Plötzlich wurde ein Gespräch über das Binden von Krawatten zum aufregendsten Thema der Gegenwart. Und die Vorgesetzten merkten, wenn sie mit Zacharias Geschäftliches erörterten, wie ungeheuer wichtig ihr Beruf, ihr Verlag und ihr Posten eigentlich waren. Die Karriere des Mannes war nicht aufzuhalten. Daß er selbst Wesentliches leistete, war unwahrscheinlich. Er diente dem Betrieb als Katalysator, den Menschen seiner Umgebung als Stimulans. Er wurde unentbehrlich und hatte jetzt schon, mit achtundzwanzig Jahren, ein Monatsgehalt von zweitausendfünfhundert Mark. Fabian erzählte, was es zu erzählen gab.

»Frei ist nichts«, sagte Zacharias, »und ich wäre Ihnen so gern gefällig. Außerdem bin ich überzeugt, daß wir beide glänzend miteinander auskämen. Was machen wir bloß?« Er preßte die Hände an die Schläfen wie ein Wahrsager dicht vor der Erleuchtung. »Was halten Sie von Folgendem: wenn ich Sie bei mir anstelle, als privaten Mitarbeiter, den ich aus eigener Tasche bezahle? Ich könnte eine Kraft wie Sie gut gebrauchen. Man erwartet hier im Hause pro Tag ein Dutzend Anregungen von mir. Bin ich ein Automat? Was kann ich dafür, daß den anderen noch weniger einfällt? Wenn das so weitergeht, läuft sich mein Gehirn einen Wolf. Ich habe seit kurzem ein kleines nettes Auto, Steyr,

Sechszylinder, Spezialkarosserie. Wir könnten jeden Tag ein paar Stunden ins Grüne fahren und Eier legen. Ich chauffiere gern, es beruhigt die Nerven. Dreihundert Mark würde ich für Sie locker machen. Und sobald hier ein Posten frei wird, hätten Sie ihn. Na?«

Ehe Fabian antworten konnte, fuhr der andere fort: »Nein, es geht nicht. Man würde sagen, Zacharias hält sich einen weißen Neger. Ich bin vor keinem dieser Kerle sicher. Sie stehen alle mit der Axt hinter der Tür, um mir eins über den Kürbis zu hauen. Was machen wir bloß? Fällt Ihnen nichts ein?«

Fabian sagte: »Ich könnte mich auf den Potsdamer Platz stellen, mit einem großen Schild vorm Bauch, auf dem etwa stünde: ›Dieser junge Mann macht augenblicklich nichts, aber probieren Sie's, und Sie werden sehen, er macht alles.‹ Ich könnte den Text auch auf einen großen Luftballon malen.«

»Wenn Sie den Vorschlag ernst meinten, wäre er gut!« rief Zacharias. »Aber er ist nichts wert, weil Sie nicht daran glauben. Sie nehmen nur die wirklich ernsten Dinge ernst, und vielleicht nicht einmal die. Es ist ein Jammer. Mit Ihrer Begabung wäre ich heute leitender Direktor.« Zacharias wandte bei Leuten, die ihm überlegen waren, einen höchst raffinierten Trick an: er gab diese Überlegenheit zu, er bestand geradezu auf ihr.

»Was nützt es mir, daß ich begabter bin?« fragte Fabian betrübt. Diese rhetorische Anfrage hatte Zacharias nicht erwartet. Wenn er selber offen war, genügte das. Statt dessen kam einer des Wegs, bat um Rat und wurde obendrein vorlaut.

»Es ist schade, daß Sie mir die Bemerkung übelnehmen«, sagte Fabian. »Ich wollte Sie nicht kränken. Ich bin auf meine Talente nicht eingebildet, sie reichen glatt zum Verhungern. Und so schlecht, daß ich auf sie stolz sein müßte, geht es mir erst in vierzehn Tagen.«

Zacharias stand auf und begleitete den Besucher betont bis zur Treppe. »Rufen Sie mich morgen mal an, gegen zwölf Uhr, nein, da habe ich eine Konferenz, sagen wir nach zwei. Vielleicht fällt mir inzwischen was ein. Servus.«

Fabian hätte gern Labude angerufen, doch der war in Frankfurt. Er hätte ihm beileibe nichts von seinen Sorgen erzählt. Sorgen hatte Labude selber. Die bekannte Stimme wollte er hören, weiter nichts. Zwischen Freunden konnten Gespräche übers Wetter Wunder wirken. Die Mutter war wieder fort. Der ulkige alte Erfinder war, samt Pelerine, auf dem Weg ins Irrenhaus. Cornelia kaufte sich einen neuen Hut, um ein paar Filmleuten zu gefallen. Fabian war allein. Warum konnte man nicht, bis auf Widerruf, vor sich selber davonlaufen? Obwohl er ziellos durch die City wanderte, stand er wenig später vor dem Haus, in dem Cornelia angestellt war. Er setzte, ärgerlich über sich, den Weg fort und ertappte sich dabei, daß er in jedes Hutgeschäft schielte. Saß sie jetzt noch im Büro? Probierte sie bereits Hüte und Jumper?

Am Anhalter Bahnhof kaufte er eine Zeitung. Der Mann, der im Kiosk saß, sah gemütlich aus. »Könnten Sie jemanden brauchen, der Ihnen hilft?« fragte Fabian.

»Nächstens lerne ich Strümpfe stricken«, sagte der Mann, »vor einem Jahr hatte ich den doppelten Umsatz, und auch der war nicht üppig. Die Leute lesen die Zeitungen neuerdings nur noch beim Friseur und im Café. Bäcker hätte man werden sollen. Das Brot kriegen die Leute beim Friseur noch nicht umsonst.«

»Neulich hat jemand vorgeschlagen, das Brot von Staats wegen ins Haus zu liefern, genau wie das Leitungswasser«, erzählte Fabian. »Passen Sie auf, eines Tages schützt nicht mal das Brotbacken vorm Verhungern.«

»Wollen Sie eine Stulle haben?« fragte der Mann im Kiosk.

»Eine Woche reicht's schon noch«, sagte Fabian, bedankte sich und ging zum Bahnhof hinüber. Er studierte den Fahrplan. Sollte er, vom letzten Geld, ein Billett kaufen und zur Mutter kutschieren? Aber vielleicht wußte Zacharias morgen einen Ausweg? Als er aus dem Bahnhof trat und wieder diese Straßenfluchten und Häuserblöcke vor sich sah, dieses hoffnungslose, unbarmherzige Labyrinth, wurde ihm schwindlig. Er lehnte sich neben ein paar Gepäckträgern an die Wand und schloß die Augen. Doch nun quälte ihn der Lärm. Ihm war, als führen die Straßenbahnen und Autobusse mitten durch seinen Magen. Er kehrte wieder um, stieg die Treppe zum Wartesaal hinauf und legte dort den Kopf auf eine harte Bank. Eine halbe Stunde später war ihm wohler. Er ging zur Straßenbahnhaltestelle, fuhr nach Hause, warf sich aufs Sofa und schlief sofort ein.

Abends erwachte er. Die Vorsaaltür schlug laut zu. Kam Cornelia? Nein, jemand lief rasch die Treppe hinunter. Er ging ins andere Zimmer hinüber und erschrak.

Der Schrank stand offen. Er war leer. Die Koffer fehlten. Fabian machte Licht, obwohl es erst dämmerte. Auf dem Tisch, von der Vase beschwert, in der Blumen aufs Wegwerfen warteten, lag ein Brief. Er nickte, nahm den Brief und ging in sein Zimmer zurück.

»Lieber Fabian«, schrieb Cornelia, »ist es nicht besser, ich gehe zu früh als zu spät? Eben stand ich neben Dir am Sofa. Du schliefst, und Du schläfst auch jetzt, während ich Dir schreibe. Ich bliebe gern, aber stell Dir vor, ich bliebe! Ein paar Wochen noch, und Du wärst recht unglücklich. Dich bedrückt nicht das Gewicht der Not, sondern der Gedanke, daß Not so wichtig werden kann. Solange Du allein warst, konnte Dir nichts geschehen, was auch geschah. Es wird wieder werden, wie es war. Bist Du sehr traurig?

Sie wollen mich im nächsten Film herausstellen. Morgen unterschreibe ich den Kontrakt. Makart hat mir zwei Zimmer gemietet. Es ist nicht zu umgehen. Er sprach darüber, als handle es sich um einen Zentner Briketts. Fünfzig Jahre ist er alt, und er sieht aus wie ein zu gut angezogener Ringkämpfer im Ruhestand. Mir ist, als hätte ich mich an die Anatomie verkauft. Wenn ich noch einmal in Dein Zimmer käme und Dich weckte? Ich lasse Dich schlafen. Ich werde nicht zugrunde gehen. Ich werde mir einbilden, der Arzt untersucht mich. Er mag sich mit mir beschäftigen, es muß sein. Man kommt nur aus dem Dreck heraus, wenn man sich dreckig macht. Und wir wollen doch heraus!

Ich schreibe: Wir. Verstehst Du mich? Ich gehe jetzt von Dir fort, um mit Dir zusammenzubleiben. Wirst Du mich liebbehalten? Wirst Du mich noch anschauen wollen und umarmen können trotz dem anderen? Morgen nachmittag werde ich, von vier Uhr an, im Café Schottenhaml auf Dich warten. Was soll aus mir werden, wenn Du nicht kommst? Cornelia.«

Fabian saß ganz still. Es wurde immer finsterer. Das Herz tat weh. Er hielt die Knäufe des Sessels umklammert, als wehre er sich gegen Gestalten, die ihn fortziehen wollten. Er nahm sich zusammen. Der Brief lag unten auf dem Teppich und glänzte im Dunkel.

»Ich wollte mich doch ändern, Cornelia«, sagte Fabian.

Sechzehntes Kapitel

Fabian fährt auf Abenteuer
Schüsse am Wedding
Onkel Pelles Nordpark

Am selben Abend fuhr er mit der Untergrundbahn in den Norden hinauf. Er stand am Fenster des Wagens und blickte unverwandt in den schwarzen Schacht, in dem manchmal kleine Lampen vorbeizogen. Er starrte auf die belebten Bahnsteige der unterirdischen Bahnhöfe. Er starrte, wenn sich der Zug aus dem Schacht emporhob, auf die grauen Häuserzeilen, in düstere Querstraßen und in erleuchtete Zimmer hinein, wo fremde Menschen rund um den Tisch saßen und auf ihr Schicksal warteten. Er starrte auf das glitzernde Gewirr der Eisenbahngleise hinunter, über denen er dahinfuhr; auf die Fernbahnhöfe, in denen die roten Schlafwagenzüge ächzend an die weite Reise dachten; auf die stumme Spree, auf die von grellen Leuchtschriften belebten Theatergiebel und auf den sternlosen violetten Himmel über der Stadt.

Fabian sah das alles, als führen nur seine Augen und Ohren durch Berlin, und er selber sei weit, weit weg. Sein Blick war gespannt, aber das Herz war besinnungslos. Er hatte lange in seinem möblierten Zimmer gesessen. Irgendwo in dieser unabsehbaren Stadt lag jetzt Cornelia mit einem fünfzigjährigen Mann im Bett und schloß ergeben die Augen. Wo war sie? Er hätte die Wände von allen Häusern reißen mögen, bis er die zwei fand. Wo war Cornelia? Warum verdammte sie ihn zur Untätigkeit? Warum tat sie das in einem der wenigen Augenblicke, wo es ihn zu handeln trieb? Sie kannte ihn nicht. Sie hatte lieber falsch gehandelt, als ihm zu sagen: ›Handle du richtig!‹ Sie glaubte, er könne eher tausend Schläge erdulden, als selber einmal den Arm erheben. Sie wußte nicht, daß er sich danach sehnte, Dienst zu tun und Verantwortung zu tragen. Wo aber waren die Menschen, denen er gern gedient hätte? Wo war Cornelia? Unter einem dicken alten Mann lag sie und ließ sich zur Hure machen, damit der liebe Fabian Lust und Zeit zum Nichtstun hatte. Sie schenkte ihm großmütig jene Freiheit wieder, von der sie ihn befreit hatte. Der Zufall hatte ihm einen Menschen in die Arme geführt, für den er endlich handeln durfte, und dieser Mensch stieß ihn in die ungewollte, verfluchte Freiheit zurück. Beiden war geholfen gewesen, und nun war beiden nicht zu helfen. In dem Augenblick, wo die Arbeit Sinn erhielt, weil er Cornelia fand, verlor er die Arbeit. Und weil er die Arbeit verlor, verlor er Cornelia.

Er hatte, durstig, ein Gefäß in der Hand gehalten und es nicht tragen mögen, weil es leer war. Da, als er es kaum noch hoffte, war das Schicksal gnädig gewesen und hatte das Gefäß gefüllt. Er hatte sich darüber geneigt und endlich trinken wollen. ›Nein‹, hatte da das Schicksal gesagt, ›nein, du hieltest ja den Becher nicht gern‹, und das Gefäß war ihm aus den Händen geschlagen worden, und das Wasser war über seine Hände zur Erde geflossen.

Hurra! Nun war er frei. Er lachte so laut und böse, daß die anderen Fahrgäste, leicht verstimmt, von ihm abrückten. Er stieg aus. Es war ja gleichgültig, wo er ausstieg, er war frei, Cornelia erschlief sich, weiß der Teufel wo, eine Karriere oder eine Verzweiflung oder beides. Auf der Chausseestraße, am Trakt der Polizeikasernen, sah er in den geöffneten Toren grüne Autos, Scheinwerfer blitzten. Polizisten kletterten auf die Wagen und standen, entschlossen, in stummer Kolonne. Einige Autos ratterten in nördlicher Richtung davon. Fabian folgte ihnen. Die Straße war voller Menschen. Zurufe flogen den Wagen nach. Zurufe, als wären es schon Steine. Die Mannschaften blickten geradeaus. Am Weddingplatz riegelten sie die Reinickendorfer Straße ab, auf der Arbeitermassen näher zogen. Berittene Polizei wartete hinter der Sperrkette darauf, zur Attacke befohlen zu werden. Uniformierte Proletarier warteten, den Sturmriemen unterm Kinn, auf proletarische Zivilisten. Wer trieb sie gegeneinander? Die Arbeiter waren nahe, ihre Lieder wurden immer lauter, da ging die Polizei schrittweise vor, einen Meter Abstand von Mann zu Mann. Der Gesang wurde von wütendem Gebrüll abgelöst. Man spürte, ohne die Vorgänge sehen zu können, am Lärm und wie er wuchs, daß die Arbeiter und die Polizei dort vorn gleich aufeinanderstoßen würden. Eine Minute später bestätigten Aufschreie die Vermutung. Man war zusammengetroffen, die Polizei schlug zu. Jetzt setzten sich die Pferde schaukelnd in Bewegung und trabten in das Vakuum hinein, die Hufe klapperten übers Pflaster. Von vorn ertönte ein Schuß. Scheiben zersprangen. Die Pferde galoppierten. Die Menschen auf dem Weddingplatz wollten nachdrängen. Eine zweite Postenkette sperrte den Zugang zur Reinickendorfer Straße, rückte langsam vor und säuberte den Platz. Steine flogen. Ein Wachtmeister erhielt einen Messerstich. Die Polizei hob die Gummiknüppel und ging zum Laufschritt über. Auf drei Lastautos kam Verstärkung, die Mannschaften sprangen von den langsam fahrenden Wagen herunter. Die Arbeiter ergriffen die Flucht, an den äußeren Rändern des Platzes und in den Zugangsstraßen machten sie wieder halt. Fabian drängte sich durch die lebendige Mauer. Drei Straßen weiter schien es schon, als herrsche überall Ruhe und Ordnung.

Ein paar Frauen standen in einem Haustor. »He, Sie!« sagte die eine, »stimmt das, am Wedding gibt's Keile?«

»Sie nehmen einander Maß«, antwortete er und ging vorbei.

»Ich laß mich fressen, Franz ist wieder mitten drin«, rief die Frau. »Na, komm du nur nach Hause!«

Mitten in der Straßenfront, unvermutet zwischen alten, soliden Mietskasernen, lag ein Rummelplatz, der Onkel Pelles Nordpark hieß. Leierkastenmusik überspülte die Gespräche der Mädchen, die, Arm in Arm, in langer Kette vor dem Eingang bummelten. Verwegen tuende Burschen mit schiefgezogenen Mützen strichen entlang und riefen Frechheiten. Die Mädchen kicherten geschmeichelt und gaben unmißverständlich Antwort.

Fabian trat durch das Tor. Das Gelände glich einem Trockenplatz. Azetylenflammen zuckten und ließen die Wege und Buden halbfinster.

Der Boden war klebrig und von Grasstoppeln bewachsen. Das Karussell war, wegen mangelnder Nachfrage, mit Zeltbahnen verhangen. Männer in derben Joppen, alte Frauen mit Kopftüchern, Kinder, die längst hätten im Bett liegen müssen, trotteten den Budenweg entlang.

Ein Glücksrad rasselte. Die Menschen standen dicht zusammengedrängt, die Augen hingen an der rotierenden Scheibe. Sie lief langsamer, überwand noch ein paar Nummern, hielt still.

»25!« schrie der Ausrufer.

»Hier, hier!« Eine alte Frau, mit der Brille auf der Nase, hob ihr Los. Man reichte ihr den Gewinn. Was hatte sie gewonnen? Ein Pfund Würfelzucker.

Wieder schnurrte das Rad.

»17!«

»Hallo, das bin ich!« Ein junger Mann schwenkte sein Los. Er bekam ein Viertelpfund Bohnenkaffee. »Was für Muttern«, sagte er zufrieden und zog ab.

»Und jetzt folgt die große Prämie! Der Gewinner darf sich aussuchen!« Das Rad schwankte, tickte, stand still, nein, es rückte noch eine Nummer weiter.

»9!«

»Mensch, hier!« Ein Fabrikmädchen klatschte in die Hände. Sie las die Lotteriebestimmungen. »Der Hauptgewinn besteht aus fünf Pfund prima Weizenmehl oder einem Pfund Butter oder dreiviertel Pfund Bohnenkaffee oder eindreiviertel Pfund magerem Speck.« Sie verlangte ein Pfund Butter. »Allerhand für einen Groschen«, rief sie. »Das kann man mitnehmen.«

»Es folgt die nächste Ziehung!« brüllte der Ausrufer. »Wer hat noch nicht, wer will noch mal? Sie da, Großmutter! Hier ist das Monte Carlo der armen Luder! Keine Mark, keine halbe Mark, sondern einen Groschen!«

Gegenüber war ein ähnliches Unternehmen. Aber die Tombola bestand aus Fleisch und Wurst, und das Los kostete doppelt soviel.

»Der Hauptgewinn, meine Herrschaften, der Hauptgewinn besteht diesmal aus einer halben Hamburger Gans!« kreischte eine Schlächtersgattin. »Zwanzig Pfennige, nur Mut, mein Volk!« Ihr Gehilfe schnitt mit einem Rasiermesser dünne Scheiben von einer Schlackwurst und verteilte an die Loskäufer Kostproben. Den anderen lief das Wasser im Munde zusammen. Sie gruben zwei Groschen aus dem Portemonnaie und griffen zu.

»Wie denkst du über Gänsebraten?« fragte einer ohne Schlips und Kragen eine Frau.

»Schade ums Geld«, sagte sie. »Wir haben kein Glück, Willem.«

»Laß man«, meinte er, »es ist manchmal komisch.« Er nahm ein Los, steckte der Frau die Scheibe Wurst, die er zugekriegt hatte, in den Mund und blickte erwartungsvoll auf das Rad.

»Die Ziehung nimmt hiermit ihren Anfang«, kreischte die Schlächtersgattin. Das Glücksrad surrte. Fabian ging weiter. »Hippodrom und Tanz«, stand über einem großen Zelt. Zwanzig Pfennig Entree. Er ging hinein. Das Lokal bestand aus zwei Kreisen. Der eine war überhöht, wie ein Pfahlbau stand er im Zelt, dort oben wurde getanzt. In der Mitte saß eine Blechkapelle und spielte, als hätten die Musiker miteinander Streit gehabt. Die Mädchen lehnten am Geländer. Die jungen Männer griffen zu. Man machte keine Umstände. Der andere Kreis war eine Sandmanege, in der, zu den Klängen der Kapelle, drei ausrangierte Gäule vor sich hin trabten. Sie wurden von einem zylindergeschmückten Stallmeister, der die Peitsche schwang und wiederholt »Terrab!« schrie, vom Einschlafen abgehalten. Auf einem kleinen einäugigen Schimmel saß eine Frau im Herrensitz. Der Rock war hoch über die Knie gerutscht. Sie trabte deutsch und lachte, sooft sie auf den Sattel fiel.

Fabian setzte sich neben die Manege und trank ein Bier. Die Reiterin zog jedesmal, wenn sie an ihm vorbeikam, den Rock herunter. Die Beschäftigung war sinnlos. Der Rock rutschte immer wieder hoch. Als sie zum vierten Male Fabians Tisch passierte, lächelte sie ein bißchen und ließ den Rock oben. In der fünften Runde blieb der Schimmel vor dem Tisch stehen und glotzte mit dem blinden Auge ins Bierglas. »Da gibt's keinen Zucker«, sagte die Frau und sah Fabian ins Gesicht. Der Stallmeister knallte mit der Peitsche, und der kleine Schimmel schob weiter.

Kaum war die Frau vom Pferd gestiegen, setzte sie sich betont unabsichtlich an den Nebentisch, schräg vor Fabian, so daß er ihre körperlichen Vorzüge nicht übersehen konnte. Sein Blick blieb auf der Figur haften, und da erwachte sein Schmerz aus der Narkose. Wo war Cornelia? War ihr die Umarmung, in der sie jetzt lag, zuwider? Empfand sie, während er hier saß, in einem fremden Bett Vergnügen? Er sprang auf. Der Stuhl fiel um. Die Frau am Nebentisch blickte ihm wieder ins Gesicht, ihre Augen wurden groß, der Mund krümmte und öffnete sich leicht, die Zungenspitze fuhr feucht an der Oberlippe entlang.

»Kommen Sie mit?« fragte er unwillig. Sie kam mit, und sie gingen, ohne viel zu reden, ins ›Theater‹. Das war eine elende Bretterbaracke. »Auftreten der renommierten Rheingoldsänger. Rauchen erlaubt. Zu den Abendvorstellungen haben Kinder keinen Anspruch auf Sitzplätze.« Die Bude war halbvoll. Die Zuschauer hatten die Hüte auf, rauchten Zigaretten und ließen sich im Dunkel von der unüberbietbar albernen und verlogenen Romantik, die ihnen für dreißig Pfennig vorgesetzt wurde, bis zu Tränen rühren. Sie hatten mehr Mitleid mit dem verkitschten Kulissenzauber dort oben als mit ihrer eigenen Not. Fabian legte den Arm um die fremde Frau. Sie schmiegte sich an ihn und atmete schwer, damit er es höre. Das Stück war tieftraurig. Ein flotter Student — Direktor Blasemann, grauhaarig und über fünfzig Jahre alt, spielte die Rolle persönlich — kam jeden Morgen betrunken nach Haus. Das lag an dem verdammten Sekt. Er sang Studentenlieder, bestellte einen sauren Hering, wurde von der Portiersfrau abgekanzelt und schenkte einer alten gichtkranken Hofsängerin, daß sie das Singen lasse, seinen letzten Taler.

Doch das Schicksal schritt, so schnell es konnte. Die alte Hofsängerin war, wer hätte sie sonst sein sollen?, niemand anders als die Mutter des fünfzigjährigen Studenten! Zwölf Jahre lang hatte er sie nicht gesehen, erhielt allmonatlich Geld von ihr und glaubte, sie sei noch immer, wie einst, Hofopernsängerin. Natürlich erkannte er sie nicht. Aber Mutteraugen sehen schärfer, sie wußte sofort: der oder keiner. Jedoch, die Zuspitzung des Dramas verzögerte sich. Eine Liebesaffäre brach herein. Der Student liebte und wurde geliebt, letzteres geschah durch Fräulein Martin, jene bildhübsche Näherin, die gegenüber wohnte, die Nähmaschine trat und wie eine Lerche sang. Ellen Martin, die singende Lerche, wog gut zwei Zentner. Sie hüpfte, daß sich die Bühne bog, aus der Kulisse und sang mit Direktor Blasemann, dem Studenten, Couplets. Der Anfang des erfolgreichen Duetts lautete:

>>Schatzi du, ach Schatzi mein,
sollst mein ein und alles sein!<<

Das junge Paar, das zusammen an die hundert Lenze zählen mochte, schob sich wuchtig auf dem Hof, den die Szene darstellen sollte, hin und her; dann versprach er ihr die Ehe, sie aber wurde traurig, weil er alte Sängerinnen vom Hofe zu treiben pflege. Dann sangen sie das nächste Couplet.

Die Leute klatschten Beifall. Die Frau, um die Fabian seine Hand liegen hatte, machte eine leichte Drehung, sie gab ihm die Brust. >>Ach, ist das schön<<, sagte sie. Vermutlich meinte sie das Stück. Im Zuschauerraum herrschte wieder feierliche Stille. Die alte, gebeugte, gichtkranke Hofsängerin, die den Sohn Medizin studieren und einem feudalen Korps angehören ließ, wackelte aus der Kulisse, erreichte den Hof mit Müh und Not, hob den Zeigefinger, der Pianist gehorchte, und ein rührseliges Mutterlied war im Entstehen begriffen.

»Gehen wir«, sagte Fabian und ließ den Büstenhalter der fremden Frau los. »Schon?« fragte sie erstaunt, aber sie folgte ihm.

»Hier wohne ich«, erklärte sie vor einem großen Haus in der Müllerstraße. Sie schloß auf. Er sagte: »Ich komme mit hinauf.«
Sie sträubte sich, es klang nicht überzeugend. Er drückte sie in den Hausflur. »Was werden bloß meine Wirtsleute sagen? Nein, sind Sie stürmisch. Aber recht leise, ja?« An der Tür stand Hetzer.
»Wieso sind zwei Betten in deinem Zimmer?« fragte er. »Pst, man kann uns hören«, flüsterte sie. »Die Wirtsleute haben keinen Platz zum Abstellen.«
Er zog sich aus. »Mach nicht so viel Umstände«, sagte er.
Sie schien Koketterie für unerläßlich zu halten und zierte sich wie eine späte Jungfrau. Schließlich lagen sie nebeneinander. Sie löschte das Licht, und erst jetzt entkleidete sie sich völlig. »Einen Moment«, flüsterte sie, »nicht böse sein.« Sie knipste eine Taschenlampe an, breitete ein Tuch über sein Gesicht und untersuchte ihn im Schein der Taschenlampe wie ein alter Kassenarzt. »Entschuldigen Sie, man kann heutzutage nicht vorsichtig genug sein«, erklärte sie anschließend. Und nun stand nichts mehr im Wege.
»Ich bin Verkäuferin in einem Handschuhgeschäft«, berichtete sie etwas später. »Willst du bis morgen früh bleiben?« fragte sie nach einer weiteren halben Stunde. Er nickte. Sie verschwand in der Küche; er hörte, wie sie spülte. Sie brachte warmes Seifenwasser, wusch ihn sorgfältig, mit hausfraulichem Eifer, und stieg wieder ins Bett.
»Stört es deine Wirtsleute nicht, wenn du in der Küche Wasser wärmst?« fragte er. »Laß das Licht brennen!«
Sie erzählte belanglose Dinge, fragte, wo er wohne, und nannte ihn »Schatz«. Er musterte die Zimmereinrichtung. Außer den Betten war noch ein leidenschaftlich geschwungenes Plüschsofa anwesend, ferner ein Waschtisch mit Marmorplatte, ein scheußlicher Farbendruck, woselbst eine junge mollige Frau, im Nachthemd, auf einem Eisbärenfell hockend, mit einem rosigen Baby spielte, und ein Schrank mit einem Türspiegel, der schlecht funktionierte. ›Wo ist Cornelia?‹ dachte er und fiel wieder über die nackte erschrockene Verkäuferin her.
»Man sollte Angst vor dir haben«, flüsterte sie danach. »Willst du mich umbringen? Aber es ist wunderbar.« Sie kniete sich neben ihn, betrachtete aus geweiteten Augen sein gleichgültiges Gesicht und küßte ihn.
Als sie, todmüde, eingeschlafen war, lag er noch immer wach, allein in einem fremden Zimmer, blickte angespannt ins Dunkel und dachte: ›Cornelia, was haben wir getan?‹

Siebzehntes Kapitel

Kalbsleber, aber ohne Flechsen
Er sagt ihr die Meinung
Ein Reisender verliert die Geduld

»Ich habe gelogen«, sagte die Frau am anderen Morgen. »Ich gehe gar nicht ins Geschäft. Und die Wohnung gehört mir. Und wir sind ganz allein. Komm in die Küche.«

Sie goß Kaffee ein, strich Brötchen, klopfte ihm zärtlich auf die Wange, band die Schürze ab und setzte sich zu ihm an den Küchentisch. »Schmeckt's?« fragte sie munter, obwohl er nicht aß. »Blaß siehst du aus, Schatz. Es ist aber auch kein Wunder. Greif tüchtig zu, damit du wieder groß und stark wirst.« Sie legte ihren Kopf an seine Schulter und spitzte wie ein Backfisch die Lippen.

»Du hattest Angst, ich könnte dir das Sofa stehlen oder dir den Bauch aufschlitzen?« fragte Fabian. »Und wie kommen die zwei Betten in dein Schlafzimmer?«

»Ich bin verheiratet«, sagte sie. »Mein Mann reist für eine Trikotagenfirma. Augenblicklich ist er im Rheinland. Dann fährt er nach Württemberg. Er ist mindestens noch zehn Tage unterwegs. Willst du solange bleiben?«

Er trank Kaffee und gab keine Antwort.

»Ich brauche wen«, erklärte sie heftig, als hätte ihr jemand widersprochen.

»Nie ist er da, und wenn er da ist, lohnt sich's auch nicht. Bleib die zehn Tage bei mir. Mach dir's bequem. Ich koche gut. Geld habe ich auch. Was willst du heute mittag essen?« Sie begann zu wirtschaften und blickte ängstlich zu ihm hin.

»Ißt du gern Kalbsleber mit Bratkartoffeln? Warum antwortest du denn gar nicht?«

»Habt ihr Telefon?« fragte er.

»Nein«, sagte sie. »Willst du fort? Bleib doch. Es war so schön. Es war so schön wie noch nie.« Sie trocknete sich die Hände und fuhr streichelnd über sein Haar.

»Ich bleib ja«, meinte er. »Aber ich muß telefonieren.«

Sie sagte, telefonieren könne man beim Fleischer Rarisch, und ob er ein halbes Pfund frische Kalbsleber mitbringen wolle, ohne Flechsen. Dann gab sie ihm Geld, öffnete vorsichtig die Vorsaaltür, und weil die Treppe leer war, durfte er aus der Wohnung.

»Ein halbes Pfund frische Kalbsleber, aber ohne Flechsen«, sagte er im Fleischerladen. Dann rief er, während man ihn bediente, Zacharias an. Das Telefon war fettig.

»Nein«, erklärte Zacharias, »mir ist nichts eingefallen. Aber ich gebe die Hoffnung nicht auf, das wäre doch gelacht, mein Lieber. Wissen Sie was, kommen Sie morgen wieder mal vorbei. Es geht manchmal schnell. Schlimmstenfalls plaudern wir ein bißchen. Ist es Ihnen recht? Wiedersehen.«

Fabian nahm die Kalbsleber in Empfang. Das Papier blutete. Er zahlte und trug das Fleischpaket vorsichtig ins Haus. Weil die Nachbarin die Türklinke putzte, stieg er bis zur vierten Etage hinauf. Nach einigen Minuten kam er wieder herunter. Die Frau, mit der er die Nacht zusammengewesen war, öffnete, ohne daß er zu klingeln brauchte, und zog ihn in die Wohnung. »Gott sei Dank«, flüsterte sie. »Ich dachte schon, die Klatschtante würde uns erwischen. Setz dich ins Wohnzimmer, Schatz. Willst du Zeitung lesen? Ich räume inzwischen auf.«

Er legte das Geld, das er zurückbekommen hatte, auf den Tisch, setzte sich ins Wohnzimmer und las die Zeitung. Er hörte die Frau singen. Nach einer Weile brachte sie ihm Zigaretten und Kirschwasser und blickte ihm über die Schulter. »Um eins wird gegessen«, sagte sie. »Hoffentlich fühlst du dich recht behaglich.«

Dann verschwand sie wieder und sang draußen weiter. Er las den Polizeibericht über den Krawall in der Reinickendorfer Straße. Der Wachtmeister, der den Messerstich erhalten hatte, war im Krankenhaus gestorben. Von den Demonstranten waren drei schwer verletzt worden. Einige andere hatte man verhaftet. Die Redaktion schrieb von unverantwortlichen Elementen, welche die Arbeitslosen immer wieder aufzuwiegeln versuchten, und von der bedeutenden Aufgabe, die der Polizei zufalle. Es gehe nicht an, obwohl es von gewissen Kreisen ununterbrochen versucht werde, den Etat für die Schutzpolizei zu senken. Vorkommnisse wie das gestrige führten, hieß es, so recht vor Augen, wie notwendig es sei, prophylaktisch zu denken und zu handeln.

Fabian sah sich in dem kleinen Zimmer um. Die Möbel waren, wo sich dazu Gelegenheit bot, verschnörkelt. Auf dem Vertiko standen drei Leitzordner. Auf dem Tisch prangte ein bunter Glasteller, der schlug Wellen und enthielt Ansichtskarten. Fabian nahm die oberste Karte. Sie zeigte den Kölner Dom, und er dachte an das Zigarettenplakat. »Liebe Mucki«, las er, »geht's dir gut und reicht das Geld? Ich habe ganz hübsche Aufträge gemacht, morgen geht's nach Düsseldorf. Gruß und Kuß, Kurt.« Er legte die Karte auf den Teller zurück und trank ein Glas Kirschwasser.

Mittags aß er, um Mucki nicht zu verstimmen, den Teller leer. Sie war so froh darüber, als habe ein Hund den Napf saubergefressen. Hinterher gab es Kaffee.

»Willst du mir gar nichts von dir erzählen, Schatz?« fragte sie.

»Nein«, sagte er und ging ins Wohnzimmer. Sie lief hinter ihm her. Er stand am Fenster.

»Komm aufs Sofa«, bat sie. »Man könnte dich sehen. Und sei nicht böse.« Er setzte sich aufs Sofa. Sie brachte den Kaffee herein, nahm neben Fabian Platz und knöpfte die Bluse auf. »Jetzt kommt der Nachtisch«, sagte sie. »Aber nicht wieder beißen.«

Gegen drei Uhr ging er.

»Wirst du auch bestimmt wiederkommen?« Sie stand vor ihm, brachte ihren Rock und die Strümpfe in Ordnung und sah ihn bittend an. »Schwöre, daß du wiederkommst.«

»Wahrscheinlich komme ich«, sagte er. »Versprechen kann ich es nicht.«

»Ich warte mit dem Abendbrot«, erklärte sie, dann öffnete sie die Tür. »Rasch!« flüsterte sie. »Die Luft ist rein.«

Er sprang die Treppe hinunter. ›Die Luft ist rein‹, dachte er und empfand Abscheu vor dem Haus, das er verließ. Er fuhr zum Großen Stern, durchquerte den Tiergarten bis zum Brandenburger Tor, verlor sich wieder in den Anlagen, die Rhododendren blühten. Er geriet in die Siegesallee. Die Dynastie der Hohenzollern und der Bildhauer Begas schienen unverwüstlich.

Vor dem Café Schottenhaml machte Fabian kehrt. Was ließ sich hier noch besprechen? Es war zu spät zum Reden. Er ging weiter, kam auf die Potsdamer Straße, stand unentschlossen auf dem Potsdamer Platz, lief die Bellevuestraße hinauf und befand sich wieder vor dem Café. Und jetzt trat er ein. Cornelia saß da, als warte sie seit Jahren, und winkte ein wenig. Er setzte sich. Sie nahm seine Hand. »Ich glaubte nicht, daß du kämst«, sagte sie schüchtern. Er schwieg und sah an ihr vorbei. »Es war nicht recht von mir, nicht wahr?« flüsterte sie und senkte den Kopf. Tränen fielen in ihren Kaffee. Sie schob die Tasse beiseite und trocknete sich die Augen.

Er blickte vom Tisch fort. Die Wände zwischen den zwei Treppen, die, barock gedrechselt, in das Obergeschoß führten, waren mit vielen bunten Papageien und Kolibris bevölkert. Die Vögel waren aus Glas. Sie hockten auf gläsernen Lianen und Zweigen und warteten auf den Abend und seine Lampen, damit der zerbrechliche Urwald zu leuchten beginne.

Cornelia flüsterte: »Warum siehst du mich nicht an?« Dann preßte sie das Taschentuch vor den Mund. Und ihr Weinen klang, als wimmere weit entfernt ein verzweifeltes Kind. Das Lokal war leer. Die

Gäste saßen draußen vor dem Haus, unter großen roten Schirmen. Nur ein Kellner stand in der Nähe. Fabian blickte ihr ins Gesicht. Ihre Augen zitterten vor Aufregung. »Sprich endlich ein Wort«, sagte sie mit rauher Stimme.

Sein Mund war ausgetrocknet. Die Kehle war zusammengepreßt. Er schluckte mühsam.

»Sprich ein Wort«, wiederholte sie ganz leise und faltete auf dem Tischtuch, zwischen dem Nickelgeschirr, die Hände.

»Was soll bloß aus mir werden?« flüsterte sie, als spreche sie zu sich selber und er sei gar nicht mehr da. »Was soll bloß aus mir werden?«

»Eine unglückliche Frau, der es gut geht«, sagte er viel zu laut. »Überrascht dich das? Kamst du nicht deswegen nach Berlin? Hier wird getauscht. Wer haben will, muß hingeben, was er hat.«

Er wartete eine Weile, doch sie schwieg. Sie nahm die Puderdose aus der Tasche, ließ sie dann aber ungeöffnet liegen. Er hatte sich wieder in der Gewalt. Sein leicht ermüdbares Gefühl gab Ruhe und wich dem Drang, Ordnung zu schaffen. Er blickte auf das, was geschehen war, wie auf ein verwüstetes Zimmer und begann kalt und kleinlich aufzuräumen. »Du kamst mit Absichten hierher, die sich rascher erfüllt haben, als zu hoffen stand. Du hast einen einflußreichen Menschen gefunden, der dich finanziert. Er finanziert dich nicht nur, er gibt dir eine berufliche Chance. Ich bezweifle nicht, daß du Erfolg haben wirst. Dadurch verdient er das Geld zurück, das er gewissermaßen in dich hineingesteckt hat; dadurch wirst du auch selber Geld verdienen und eines Tages sagen können: Mein Herr, wir sind quitt.« Fabian wunderte sich. Er erschrak vor sich selber und dachte: Es fehlt nur, daß ich die Interpunktion mitspreche.

Cornelia betrachtete ihn, als sehe sie ihn zum erstenmal. Dann klappte sie die Puderdose auf, musterte sich in dem kleinen runden Spiegel und fuhr mit der weißen stäubenden Quaste über ihr verweintes, kindlich erstauntes Gesicht. Sie nickte, er möge fortfahren.

»Was dann werden wird«, sagte er, »was dann werden wird, wenn du Makart nicht mehr brauchst, läßt sich nicht vorhersagen, es steht auch nicht zur Debatte. Du wirst arbeiten, und dann bleibt von einer Frau nicht viel übrig. Der Erfolg wird sich steigern, der Ehrgeiz wird wachsen, die Absturzgefahr nimmt zu, je höher man steigt. Wahrscheinlich wird er nicht der einzige bleiben, dem du dich ausliefern wirst. Es findet sich immer wieder ein Mann, der einer Frau den Weg versperrt und mit dem sie sich langlegen muß, wenn sie über ihn hinwegwill. Du wirst dich daran gewöhnen, den Präzedenzfall hast du ja seit gestern hinter dir.«

›Ich weinte schon, und er schlägt mich noch‹, dachte sie verwundert.

»Aber die Zukunft ist nicht mein Thema«, sagte er und machte eine abschließende Handbewegung, als erdroßle er den Gedanken. »Zu besprechen bleibt die Vergangenheit. Du fragtest gestern nicht, als du gingst. Warum interessiert dich nun meine Antwort? Du wußtest, daß du mir lästig warst. Du wußtest, daß ich dich los sein wollte. Du wußtest, daß ich darauf brannte, eine Geliebte zu haben, die in anderen Betten das Geld verdient, das ich nicht besitze. Wenn du recht hattest, war ich ein Halunke. Wenn ich kein Halunke war, war alles, was du tatest, falsch.«

»Es war alles falsch«, sagte sie und stand auf. »Leb wohl, Fabian.«

Er folgte ihr und war mit sich sehr zufrieden. Er kränkte sie, weil er ein Recht dazu hatte, aber war das ein Grund? Auf der Tiergartenstraße holte er sie ein. Sie gingen schweigend und taten sich und einander leid. Er dachte noch: ›Wenn sie jetzt fragt, soll ich zu dir zurückkommen, was werde ich antworten? Ich habe noch sechsundfünfzig Mark in der Tasche.‹

»Es war so schrecklich gestern«, sagte sie plötzlich. »Er war so widerwärtig! Was soll erst daraus werden, wenn du mich nicht mehr magst? Nun brauchten wir keine Sorgen zu haben, und sie sind größer als zuvor. Was fange ich an, wenn ich weiß, du willst mich nicht mehr sehen?«

Er faßte ihren Arm. »Vor allem, nimm dich zusammen. Das Rezept ist alt, aber brauchbar. Du hast dir den Kopf abgehackt, gib acht, daß es wenigstens nicht umsonst war. Und entschuldige, daß ich dich vorhin so gekränkt habe.«

»Ja, ja.« Sie war noch traurig und schon wieder froh. »Und darf ich morgen nachmittag zu dir kommen?«

»Es ist gut«, sagte er.

Da umarmte sie ihn mitten auf der Straße, küßte ihn, flüsterte: »Ich danke dir«, und rannte aufschluchzend davon.

Er blieb stehen. Ein Spaziergänger rief: »Sie können lachen!« Fabian wischte mit der Hand über den Mund und ekelte sich. Was hatten Cornelias Lippen inzwischen berührt? Half es ihm, daß sie sich die Zähne geputzt hatte? War seinem Abscheu mit Hygiene beizukommen?

Er überschritt die Straße und trat in den Park. Moral war die beste Körperpflege. Wasserstoffsuperoxyd zum Gurgeln genügte nicht.

Und erst jetzt fiel ihm ein, wo er in der vergangenen Nacht gewesen war.

Er wollte nicht in die Müllerstraße zurück. Aber der bloße Gedanke an sein eigenes Zimmer, an die Neugier der Witwe Hohlfeld, an Cornelias leere Stube, an die ganze einsame Nacht, die ihn erwartete, während ihn Cornelia zum zweitenmal betrog, trieb ihn durch die Straßen, dem Norden zu, in die Müllerstraße hinein, in jenes Haus und zu der Frau, die er nicht wiedersehen wollte. Sie strahlte. Sie war stolz, daß er wiederkam, und froh, daß sie ihn wiederhatte. »So ist's recht«, sagte sie zur Begrüßung. »Komm, du wirst Hunger haben.« Sie hatte im Wohnzimmer gedeckt. »Wir essen sonst in der Küche«, sagte sie. »Aber wozu hat man seine Dreizimmerwohnung?« Es gab Wurst und Schinken und Camembert. Plötzlich legte sie Messer und Gabel beiseite, murmelte »Hokuspokus!« und brachte eine Flasche Mosel zum Vorschein. Sie schenkte ein und stieß mit ihm an. »Auf unser Kind!« rief sie. »Wie du soll es sein, und wenn's kein Junge wird, mußt du strafexerzieren!« Sie trank das Glas leer, goß wieder ein und hatte glänzende Augen. »So ein Glück, daß ich dich traf«, sagte sie und trank weiter. »Wein regt mich schrecklich auf.« Sie fiel ihm um den Hals.

Da klapperten draußen Schlüssel. Schritte kamen den Korridor entlang. Die Tür ging auf. Ein mittelgroßer, untersetzter Mann trat ins Zimmer. Die Frau sprang auf. Sein Gesicht wurde düster. »Wünsche guten Appetit allerseits«, sagte er und näherte sich der Frau.

Sie schob sich rückwärts, und ehe er sie erreicht hatte, riß sie die Tür zum Schlafzimmer auf, sprang hinüber, schlug die Tür zu und riegelte ab.

Der Mann rief: »Du kriegst schon noch den Hintern voll!« Er drehte sich zu Fabian herum, der sich verlegen erhoben hatte, und sagte: »Behalten Sie, bitte, Platz. Ich bin der Gatte.« Sie saßen einander eine Weile gegenüber, ohne zu sprechen. Dann nahm der Mann die Moselflasche in die Hand, betrachtete umständlich das Etikett und schenkte sich ein Glas voll. Er trank und meinte hinterher: »Die Züge sind um diese Zeit schrecklich überfüllt.«

Fabian nickte zustimmend.

»Aber der Wein ist gut. Hat er Ihnen geschmeckt?« fragte der Mann.

»Ich mache mir nicht viel aus Weißwein«, erklärte Fabian und stand auf.

Der andere folgte ihm. »Sie wollen schon gehen?« fragte er.

»Ich möchte nicht länger stören«, erwiderte Fabian.

Plötzlich sprang ihm der Reisende an den Hals und würgte ihn. Fabian gab ihm einen Faustschlag in die Zähne. Der Mann ließ los, setzte sich und hielt die Backe.

»Entschuldigen Sie vielmals«, sagte Fabian betrübt. Der Mann winkte ab, spuckte rot ins Taschentuch und war vollauf mit sich beschäftigt. Fabian verließ die Wohnung. Wo sollte er jetzt noch hingehen? Er fuhr nach Hause.

Achtzehntes Kapitel

Er geht aus Verzweiflung nach Hause
Was mag die Polizei wollen?
Ein trauriger Anblick

Obwohl Fabian sehr leise aufschloß, empfing ihn Frau Hohlfeld im Korridor. Sie trug, weil es Abend war, einen Morgenrock und war außerordentlich aufgeregt. »Ich habe meine Tür offengelassen, um Sie zu hören«, sagte sie. »Die Kriminalpolizei war da. Man wollte Sie holen.«

»Die Kriminalpolizei?« fragte er überrascht. »Wann war sie da?«

»Vor drei Stunden, und vor einer Stunde wieder. Sie sollen sich unverzüglich melden. Ich habe natürlich erzählt, daß Sie in der vorigen Nacht nicht zu Hause waren und daß Fräulein Battenberg gestern, ohne ein Wort zu sagen, das Zimmer geräumt hat und verschwunden ist.« Die Witwe wollte einen Schritt näher kommen, statt dessen trat sie einen Schritt zurück. »Es ist furchtbar«, flüsterte sie ergriffen, »was haben Sie da angestellt?«

»Liebe Frau Hohlfeld«, antwortete er. »Ihre Phantasie hat die Motten. Das möchte Ihnen passen, ein kleines Liebesdrama mit letalem Ausgang, wie? Frau Hohlfeld als Zeugin in Trauerkleidung, ihre beiden Untermieter in allen Zeitungen abgebildet, der Mörder Fabian auf der Anklagebank, bilden Sie sich keine Schwachheiten ein!«

»Nun«, sagte sie, »mich geht es ja nichts an.« Seine Verstocktheit kränkte sie tief. Zwei Jahre wohnte dieser Mensch bei ihr, hatte sie ihn nicht wie ihren Sohn gehegt und gepflegt? Und jetzt hielt er es nicht einmal für nötig, sein Herz auszuschütten.

»Wo soll ich mich melden?« fragte er.

Sie gab ihm einen Zettel.

Er las die Adresse.

»Da haben wir's«, sagte sie triumphierend. »Warum sind Sie denn so blaß geworden?«

Er riß die Tür auf und jagte die Treppe hinunter. Am Nürnberger Platz hielt er ein Auto an, nannte die Adresse und sagte: »Fahren Sie, so schnell Sie können!« Der Wagen war alt und gebrechlich und holperte sogar auf dem Asphalt. Fabian zerrte das Schiebefenster auf: »Fahren Sie doch schneller!« rief er. Dann versuchte er zu rauchen, aber seine Hand zitterte, und der Wind blies ihm die brennenden Streichhölzer aus. Er lehnte sich zurück und schloß die Augen. Von Zeit zu Zeit öffnete er sie und sah nach, wo sie waren. Tiergarten, Tiergarten, Tiergarten. Brandenburger Tor. Unter den Linden. An jeder Straßenecke mußten sie halten. An jeder Verkehrsampel glühte, kurz bevor sie anlangten, das rote Licht auf. Ihm war, als führen sie durch zähen, dickflüssigen Leim. Hinter der Friedrichsstraße wurde es besser. Universität, Staatsoper, Dom und Schloß lagen endlich im Rücken. Das Auto bog rechts ein. Es hielt. Fabian zahlte und lief gehetzt ins Haus.

Ein fremder Mann öffnete. Fabian nannte seinen Namen. »Endlich«, sagte der fremde Mann. »Ich bin Kriminalkommissar Donath. Wir kommen ohne Sie nicht weiter.«

Im ersten Zimmer saßen fünf junge Damen, ein Polizist stand dabei. Fabian erkannte die Selow und die Bildhauerin. »Endlich«, sagte die Selow. Das Zimmer war demoliert, Gläser und Flaschen lagen am Boden. Im nächsten Zimmer stand ein junger Mann vom Schreibtisch auf. »Mein Assistent«, erklärte der Kommissar. Fabian blickte sich um und erschrak. Auf dem Sofa lag Labude, kalkweiß, mit geschlossenen Augen. Labude hatte ein Loch in der Schläfe. Geronnenes Blut verklebte die Haare.

»Stephan«, sagte Fabian leise und setzte sich neben die Leiche. Er legte seine Hand auf die eisigen Hände des Freundes und schüttelte den Kopf.

»Aber Stephan«, sagte er, »das macht man doch nicht.«
Die zwei Beamten traten ans Fenster.

»Doktor Labude hat für Sie einen Brief hinterlassen«, berichtete der Kommissar. »Wir bitten Sie, den Brief zu lesen und uns über den Inhalt, soweit er uns interessiert, zu unterrichten. Wir teilen Ihre Vermutung, daß es sich um einen Selbstmord handelt, und die fünf jungen Damen, die wir vorläufig in der Wohnung zurückbehalten haben, behaupten, im Nebenzimmer gewesen zu sein, als der Schuß fiel. Aber ganz aufgeklärt scheint der Vorfall nicht. Sie werden vielleicht bemerkt haben, daß das Nebenzimmer demoliert worden ist. Was hat es damit für eine Bewandtnis?«

Der Kriminalassistent reichte Fabian ein Kuvert. »Wollen Sie so freundlich sein und den Brief lesen? Die Damen behaupten, das Zimmer sei im Laufe einer privaten Meinungsverschiedenheit in Unordnung geraten. Doktor Labude habe damit nichts zu tun gehabt. Er sei nicht einmal dabeigewesen, sondern habe gesagt, er wolle einen Brief schreiben, und dann sei er in das Zimmer hier gegangen.«

»Die Damen stehen, wie sich aus Andeutungen entnehmen ließ, in einigermaßen ungewöhnlichen Beziehungen zueinander. Ich vermute, es gab eine Art von Eifersuchtsszene zwischen ihnen«, erläuterte der Kommissar. »Sie haben, und auch das spricht gegen ihre konkrete Mittäterschaft, sofort die Polizei verständigt und uns hier erwartet, anstatt davonzulaufen. Wollen Sie, bitte, den Brief lesen?«

Fabian öffnete das Kuvert und nahm den gefalteten Briefbogen heraus. Dabei fiel ein Banknotenbündel zur Erde. Der Assistent hob es auf und legte es aufs Sofa.

»Wir warten nebenan«, sagte der Kommissar rücksichtsvoll, und sie ließen Fabian allein. Er erhob sich und brannte das Licht an. Dann setzte er sich wieder und sah auf den toten Freund, dessen gelbes, in Müdigkeit erfrorenes Gesicht genau unter der Lampe lag. Der Mund war ein wenig geöffnet, der Unterkiefer gab nach. Fabian faltete den Briefbogen auseinander und las:

»Lieber Jakob!

Als ich heute mittag im Institut war, um mich wieder einmal zu erkundigen, war der Geheimrat wieder einmal nicht da. Aber Weckherlin, sein Assistent, war da, und er sagte mir, meine Habilitationsschrift sei abgelehnt worden. Der Geheimrat habe sie als völlig ungenügend charakterisiert und erklärt, sie der Fakultät weiterzugeben, halte er für Belästigung. Außerdem habe es keinen Zweck, meine Blamage populär zu machen. Fünf Jahre hat mich diese Schrift gekostet, es war die fünfjährige Arbeit an einer Blamage, die man nur aus Barmherzigkeit im engsten Kreise begraben will.

Ich dachte daran, Dich anzurufen, aber ich schämte mich. Ich habe kein Talent zum Trostempfänger, auch hierin bin ich talentlos. Das Gespräch über Leda, das wir vor Tagen miteinander hatten, überzeugte mich davon. Du hättest mich über die mikroskopische Bedeutung meines wissenschaftlichen Unfalls aufgeklärt, ich hätte Dir zum Schein recht gegeben, wir hätten einander belogen.

Die Ablehnung meiner Arbeit ist, faktisch und psychologisch, mein Ruin, vor allem psychologisch. Leda wies mich zurück, die Universität weist mich zurück, von allen Seiten erhalte ich die Zensur Ungenügend. Das hält mein Ehrgeiz nicht aus, das bricht meinem Kopf das Herz und meinem Herzen das Genick, Jakob. Mir hilft keine historische Statistik, wie viele bedeutende Männer schlechte Schüler und unglückliche Liebhaber waren.

Mein politischer Ausflug nach Frankfurt war auch zum Bespeien. Am Schluß prügelten wir uns. Als ich gestern wiederkam, lag die Selow mit der Bildhauerin in meinem Bett, ein paar andere Frauenzimmer gaben Hilfestellung. Und jetzt, während ich schreibe, schmeißen sie im Nebenzimmer mit Gläsern und Blumenvasen. Ich kann, wenn ich meinen augenblicklichen Zustand betrachte, sagen: Die ganze Richtung paßt mir nicht! Aus den Bezirken, in die ich gehöre, wies man mich aus. Dort, wo man mich aufnehmen will, will ich nicht hin. Sei mir nicht böse, mein Guter, ich haue ab. Europa wird auch ohne mich weiterleben oder zugrunde gehen, es hat mich nicht nötig. Wir stecken in einer Zeit, wo der ökonomische Kuhhandel nichts ändert, er wird den Zusammenbruch nur beschleunigen oder verzögern. Wir stehen an einem der seltenen geschichtlichen Wendepunkte, wo eine neue Weltanschauung konstituiert werden muß, alles andere ist nutzlos. Ich habe nicht mehr den Mut, mich von den politischen Fachleuten auslachen zu lassen, die mit ihren Mittelchen einen Kontinent zu Tode kurieren. Ich weiß, daß ich recht habe, doch heute genügt mir das nicht mehr. Ich bin eine lächerliche Figur geworden, ein in den Fächern Liebe und Beruf durchgefallener Menschheitskandidat. Laß mich den Kerl umbringen. Der Revolver, den ich neulich am Märkischen Museum dem Kommunisten abnahm, kommt zu neuen Ehren. Ich nahm ihn an mich, damit kein Unglück angerichtet würde. Lehrer hätte ich werden müssen, nur die Kinder sind für Ideale reif. Also, Jakob, leb wohl. Fast hätte ich ganz ernsthaft hingeschrieben: ich werde oft an dich denken. Aber damit ist es ja nun aus. Trag es mir nicht nach, daß ich uns so enttäusche. Du bist der einzige Mensch, den ich liebhatte, obwohl ich ihn kannte. Grüße meine Eltern, und vor allem Deine Mutter. Wenn Du Leda zufällig einmal begegnen solltest, sage ihr nicht, wie schwer mich ihr Betrug traf. Sie mag glauben, ich wäre nur gekränkt gewesen. Es braucht nicht jeder alles zu wissen.

Ich würde Dich bitten, meine Angelegenheiten zu regeln, aber es gibt nichts, was der Regelung bedürfte. Die Wohnung Nummer zwei sollen meine Eltern auflösen, mit den Möbeln können sie tun, was sie wollen. Meine Bücher gehören Dir. Ich fand vorhin in meinem Schreibtisch zweitausend Mark, nimm das Geld, viel ist es nicht, zu einer kleinen Reise wird es reichen.

Leb wohl, mein Freund. Lebe besser als ich. Mach's gut. Dein Stephan.«

Fabian strich dem Toten behutsam über die Stirn. Der Unterkiefer war noch tiefer herabgesunken. Der Mund klaffte auf. »Daß man lebt, ist Zufall; daß man stirbt, ist gewiß«, flüsterte Fabian und lächelte dem Freunde zu, als wollte er ihn jetzt noch trösten.

Der Kommissar öffnete leise die Tür. »Entschuldigen Sie, daß ich schon wieder störe.« Fabian reichte ihm den Brief. Der Beamte las und sagte: »Dann kann ich ja die Mädchen nach Hause schicken.« Er gab den Brief zurück und ging ins Nebenzimmer. »Die Sache ist erledigt, ich will Sie nicht länger aufhalten«, rief er.

»Nur noch einen Augenblick«, sagte eine weibliche Stimme. »Ich habe ein Faible für Tote.« Die fünf Frauen drängten sich durch die Tür und standen schweigend vor dem Sofa.

»Man müßte ihm die Kinnlade hochbinden«, sagte schließlich ein Mädchen, das Fabian nicht kannte. Die Bildhauerin lief ins andere Zimmer und kehrte mit einer Serviette wieder. Sie band Labude den Unterkiefer hoch, so daß der Mund sich schloß, und knüpfte die Enden der Serviette auf seinem Kopfhaar zu einem Knoten.

»Ein Toter mit Zahnschmerzen«, bemerkte die Selow und lachte bösartig. Ruth Reiter sagte: »Es ist eine Schande. Bei mir im Atelier sitzt Wilhelmy und wird von Tag zu Tag gesünder, das Schwein, obwohl die Ärzte jede Hoffnung aufgegeben haben. Und dieser kräftige junge Kerl hier bringt sich um die Ecke.«

Dann schob der Assistent die Frauen aus dem Zimmer. Der Kommissar setzte sich an den Schreibtisch und entwarf einen Polizeibericht. Der Assistent kam zurück. »Ist es nicht das beste, wenn wir einen Wagen bestellen und den Toten in die Villa der Eltern bringen lassen?« fragte er. Dann bückte er sich. Die Geldscheine waren vom Sofa gefallen und lagen wieder auf der Erde. Er hob sie auf und steckte sie Fabian in die Tasche.

»Sind die Eltern eigentlich schon verständigt?« fragte Fabian.

»Sie sind leider nicht erreichbar«, erwiderte der Assistent. »Justizrat Labude befindet sich auf einer kleinen Reise, das Hauspersonal weiß nichts Näheres. Die Mutter ist in Lugano. Man hat ihr depeschiert.«

»Also gut«, sagte Fabian. »Bringen wir ihn nach Hause!«

Der Assistent telefonierte der nächsten Feuerwache. Dann warteten sie alle drei stumm, bis der Wagen kam. Sanitäter packten Labude auf eine Bahre und trugen ihn die Treppe hinunter. Vor dem Haus standen Neugierige aus der Nachbarschaft. Die Bahre wurde in den Wagen gehoben, Fabian setzte sich neben den ausgestreckten Freund. Die Beamten verabschiedeten sich. Er gab ihnen die Hand. Ein Sanitäter klappte die Leiter hoch und schloß die Tür. Fabian und Labude fuhren zum letztenmal gemeinsam durch Berlin.

Das Fenster war heruntergelassen, in seinem Rahmen zeigte sich der

Dom. Dann wechselte das Bild. Fabian sah die Schinkelsche Wache, die Universität, die Staatsbibliothek. Wie lange war das her, daß sie hier miteinander im Autobus gefahren waren?

Am selben Abend hatten sie, draußen am Märkischen Museum, zwei Raufbolden die Revolver abgenommen. Nun lag Labude auf der Bahre, fuhr durchs Brandenburger Tor und wußte nichts mehr davon. Zwei straffe Gurte hielten ihn fest. Der Kopf rutschte langsam schräg. »Denkst du nach?« fragte Fabian leise, schob Labudes Kopf auf dem Kissen wieder zurecht und ließ die Hand dort. »Ein Toter mit Zahnschmerzen«, hatte die Selow gesagt.

Als das Krankenauto vor der Grunewaldvilla hielt, stand das Dienstpersonal an der Tür. Die Haushälterin schluchzte, der Diener ging würdevoll vor den Sanitätern her, die Mädchen folgten, ihre Füße hielten mit der ernsten Stunde Schritt. Labude wurde in sein Zimmer gebracht und auf das Sofa gelegt. Der Diener öffnete die Fenster weit. »Die Leichenfrau kommt morgen früh«, sagte die Haushälterin, und nun schluchzten auch die Mädchen. Fabian gab den Sanitätern Geld. Sie grüßten militärisch und gingen.

»Der Herr Justizrat ist noch immer nicht da«, bemerkte der Diener. »Ich habe keine Ahnung, wo er sich aufhält. Aber er wird es ja in der Zeitung lesen.«

»Es steht schon in der Zeitung?« fragte Fabian.

»Jawohl«, entgegnete der Diener. »Die gnädige Frau ist benachrichtigt. Sie dürfte morgen mittag in Berlin eintreffen, wenn ihr Zustand die Reise gestattet. Der FD-Zug ist um diese Stunde in Bellinzona.«

»Gehen Sie schlafen«, sagte Fabian. »Ich bleibe die Nacht über hier.« Er zog einen Stuhl zum Sofa. Die anderen verließen das Zimmer. Er war allein.

In Bellinzona war Labudes Mutter jetzt? Fabian setzte sich neben den Freund und dachte: ›Welch eine Strafe für eine schlechte Mutter!‹

Neunzehntes Kapitel

Fabian verteidigt den Freund
Ein Lessingporträt geht entzwei
Einsamkeit in Halensee

Labudes Gesicht wurde von der Serviette nur scheinbar zusammengehalten, es veränderte sich. Als werde das Fleisch dickflüssig und als sickere es allmählich ins Körperinnere, so traten die Backenknochen hervor. Die Augen waren tief in die schwärzlichen Höhlen gesunken. Die Nasenflügel fielen ein und wirkten verkniffen.

Fabian beugte sich vor und dachte: ›Warum verwandelst du dich? Willst du mir den Abschied leicht machen? Ich wünschte, du könntest reden, denn ich hätte viel zu fragen, mein Lieber. Ist dir jetzt wohl? Bist du auch jetzt noch, nachdem du starbst, damit zufrieden, daß du tot bist? Oder bereust du, was du tatest? Und möchtest du rückgängig machen, was für ewig geschah? Früher habe ich mir eingebildet, ich könne an der Leiche eines Menschen, den ich liebe, nie begreifen, daß er tot ist. Wie soll man verstehen, daß jemand nicht mehr da ist, obwohl er sichtbar vor einem liegt, mit Schlips und Kragen, im selben Anzug wie kurz vorher? dachte ich. Wie soll man glauben, daß einer, nur weil er zu atmen vergaß, eine Portion Fleisch geworden ist, die man drei Tage später achtlos verscharrt? dachte ich. Wird man, wenn das geschieht, nicht aufschreien: Hilfe, er erstickt! Ich muß dir sagen, Stephan: ich verstehe meine Angst nicht mehr, man könne am Tod und seiner Tragweite zweifeln. Du bist tot, mein Guter, und du liegst da wie eine schlecht fixierte Fotografie von dir, die zusehends vergilbt. Man wird deine Fotografie in einen Ofen werfen, den man Krematorium nennt. Du wirst verbrennen, und niemand wird um Hilfe rufen, und auch ich werde still sein.‹

Fabian trat zum Schreibtisch und nahm aus dem gelben Holzkästchen, das seit Jahren dort stand, eine Zigarette. Ein Kupferstich hing an der Wand, es war ein Porträt von Lessing. »Sie sind schuld daran«, sagte Fabian zu dem Mann mit dem Zopf und zeigte auf Labude. Aber Gotthold Ephraim Lessing übersah und überhörte den Vorwurf, der ihm, hundertfünfzig Jahre nach seinem Tode, gemacht wurde. Er blickte ernst und höchst charaktervoll geradeaus. Sein breites, bäuerisches Gesicht verzog keine Miene. »Schon gut«, sagte Fabian, drehte dem Bild den Rücken und setzte sich wieder neben den Freund.

»Siehst du«, sprach er zu Labude, »das war ein Kerl«, und er wies mit dem Daumen hinter sich. »Der biß zu und kämpfte und schlug mit dem Federhalter um sich, als sei der Gänsekiel ein Schleppsäbel. Der war zum Kämpfen da, du nicht. Der lebte gar nicht seinetwegen, den gab es gar nicht privat, der wollte gar nichts für sich. Und als er sich doch auf sich besann, als er vom Schicksal Frau und Kind verlangte, da brach alles über ihm zusammen und begrub ihn. Und das war in Ordnung. Wer für die anderen da sein will, der muß sich selber fremd bleiben. Er muß wie ein Arzt sein, dessen Wartezimmer Tag und Nacht voller Menschen ist, und einer muß mitten darunter sitzen, der nie an die Reihe kommt und nie darüber klagt: das ist er selber. Hättest du so zu leben vermocht?«

Fabian strich dem Freund übers Knie und schüttelte den Kopf. »Ich wünsche dir Glück, denn du bist tot. Du warst ein guter Mensch, du warst ein anständiger Kerl, du warst mein Freund, aber das, was du vor allem sein wolltest, das warst du nicht. Dein Charakter existierte in deiner Vorstellung, und als die zerstört wurde, blieb nicht mehr übrig als ein Schießeisen und das, was hier auf dem Sofa liegt. Siehst du, nächstens wird ein gigantischer Kampf einsetzen, erst um die Butter aufs Brot und später ums Plüschsofa; die einen wollen es behalten, die anderen wollen es erobern, und sie werden sich wie die Titanen ohrfeigen, und sie werden schließlich das Sofa zerhacken, damit es keiner kriegt. Unter den Anführern werden auf allen Seiten Marktschreier stehen, die stolze Parolen erfinden und die das eigene Gebrüll besoffen macht. Vielleicht werden sogar zwei oder drei wirkliche Männer darunter sein. Sollten sie zweimal hintereinander die Wahrheit sagen, wird man sie aufhängen. Sollten sie zweimal hintereinander lügen, wird man sie aufhängen. Dich hätte man nicht einmal gehängt, dich hätte man totgelacht. Du warst kein Reformator, und du warst kein Revolutionär. Mach dir nichts draus.«

Labude lag, als höre er zu. Aber er tat nur so. Die Ansprache verhallte, Fabian wurde müde. ›Warum genügte es dir nicht, schön zu finden, was schön ist?‹ dachte er. ›Dann hätte dich das Pech mit Herrn Lessing nicht so gekränkt. Dann säßest du vielleicht in Paris, statt hier zu liegen. Dann hättest du die Augen offen und blicktest glücklich von Sacré-Coeur hinunter auf die schimmernden Boulevards, über denen die Luft kocht. Oder wir beide spazierten durch Berlin. Die Bäume sind ganz frisch gestrichen, der blaue Himmel ist mit Gold ausgelegt; die Mädchen sind appetitlich zubereitet, und wenn die eine bei einem Filmdirektor übernachtet, sucht man sich eine bessere. Mein alter Erfinder, der liebte das Leben! Ich habe dir noch gar nicht erzählt, wie er bei mir im Schranke stand. Er hatte den Hut auf und hielt den Schirm in der Hand, als habe er Angst, es könne im Schrank regnen.‹

Fabian konnte nicht lange geschlafen haben, als er aufschreckte. Er hörte Stimmen auf der Straße und trat ans Fenster. Ein Auto hielt vor der Tür, der Diener kam aus dem Haus und öffnete den Schlag. Der Justizrat stieg aus und hielt dem Diener eine Zeitung entgegen. Der Diener nickte und zeigte zu dem Fenster hinauf, an dem Fabian lehnte. Eine Frau wollte aus dem Wagen, der Justizrat stieß sie auf den Sitz zurück. Der Wagen setzte sich in Bewegung. Die Frau preßte, während das Auto sie wegführte, das Gesicht an die Scheibe. Der Justizrat ging ins Haus. Der Diener folgte und hielt die Arme besorgt angehoben, um, wenn es nötig werde, den Justizrat zu stützen.

Fabian trat auf den Korridor hinaus, denn er wollte nicht zugegen sein, wenn der Vater den Sohn liegen sah. Der Justizrat kam die Treppe herauf, er klammerte sich am Geländer fest, und der alte Diener hinter ihm hielt die Hände schützend vorgestreckt, aber Labudes Vater sank nicht um. Er ging, ohne Fabian anzusehen, in das erleuchtete Zimmer. Der Diener schloß die Tür und neigte den Kopf vor, um zu hören, ob er nötig sei. Doch es blieb still in dem Zimmer. Fabian und der Diener standen davor, jeder auf seinem Fleck, sie sahen einander nicht an und lauschten gespannt. Ihre Bereitschaft zum Mitleid wartete auf einen Klagelaut oder dergleichen. Aber sie vernahmen nichts. Die Szene hinter der Tür ließ sich nicht deuten.

Es klingelte. Der Diener verschwand im Zimmer und kam wieder auf den Korridor. »Der Herr Justizrat möchte Sie sprechen.« Fabian trat ein. Der alte Labude saß am Schreibtisch und hatte den Kopf in die Hand gestützt. Nach einer Weile richtete er sich hoch, stand auf, um den Freund seines Sohnes zu begrüßen, und lächelte künstlich. »Ich habe keine Beziehung zu tragischen Erlebnissen«, sagte er gepreßt. »Das bißchen Mitgefühl, das mein Egoismus zuläßt, hat durch die vielen Plädoyers, die ich hielt, und durch die prozessuale Routine überhaupt einen unechten Glanz angenommen, in dem sich alles andere eher spiegelt als wahre Teilnahme.« Er drehte sich um, betrachtete seinen Sohn, und es sah aus, als ob er sich bei dem Toten entschuldigen wolle. »Es hat keinen Zweck, sich Vorwürfe zu machen«, fuhr er fort. »Ich war kein Vater, der für den Sohn lebt. Ich bin ein vergnügungssüchtiger älterer Herr, der in das Leben verliebt ist. Und dieses Leben verliert seinen Sinn keineswegs durch diese Tatsache.« Er zeigte mit dem vorgestreckten Arm auf die Leiche. »Er hat gewußt, was er tat. Und wenn er es für das Klügste hielt, brauchen die anderen nicht zu weinen.«

»Man könnte, gerade weil Sie so nüchtern darüber sprechen, vermuten, daß Sie sich Vorwürfe machen«, sagte Fabian. »Das wäre unangebracht. Der sichtbare Anlaß für Stephans Selbstmord liegt außerhalb unserer Sphäre.«

»Was wissen Sie darüber? Hat er Briefe hinterlassen?« fragte der Justizrat.

Fabian verschwieg den Brief. »Eine kurze Notiz gab Auskunft. Der Geheimrat hat Stephans Habilitationsschrift als ungenügend abgelehnt.«

»Ich habe sie nicht gelesen. Man hat nie Zeit. War sie so schlecht?« fragte der andere.

»Es ist eine der besten und originellsten literarhistorischen Arbeiten, die ich kenne«, erwiderte Fabian. »Hier ist sie.« Er nahm eine Kopie des Manuskriptes vom Bücherbord und legte sie auf den Schreibtisch.

Der Justizrat blätterte darin, dann klingelte er, ließ das Telefonbuch bringen und suchte eine Nummer. »Es ist zwar sehr spät«, sagte er und ging ans Telefon, »aber das kann nichts helfen.« Er bekam Anschluß. »Kann ich den Geheimrat sprechen?« fragte er. Dann holen Sie die gnädige Frau an den Apparat. Ja, auch wenn sie schon schläft. Hier spricht Justizrat Labude.« Er wartete. »Entschuldigen Sie die Störung«, sagte er. »Ich höre, daß Ihr Gatte unterwegs ist. In Weimar? So, zur Tagung der Shakespeare-Gesellschaft. Wann kommt er zurück? Ich werde mir erlauben, ihn morgen im Institut aufzusuchen. Sie wissen nicht, ob er die Habilitationsschrift meines Sohnes schon gelesen hat?« Er hörte lange Zeit zu, dann verabschiedete er sich, legte den Hörer auf die Gabel, drehte sich zu Fabian herum und fragte: »Verstehen Sie das? Der Geheimrat hat neulich während des Essens gesagt, die Arbeit über Lessing sei außerordentlich interessant, und er sei auf die Schlußfolgerung, also auf das Ende der Arbeit, sehr gespannt. Von Stephans Tod scheint man noch nichts zu wissen.«

Fabian sprang erregt auf. »Er hat die Arbeit gelobt? Lehnt man Arbeiten ab, die man gelobt hat?«

»Daß man Arbeiten, die man schlecht findet, annimmt, ist jedenfalls häufiger«, antwortete der Justizrat. »Wollen Sie mich jetzt allein lassen? Ich bleibe bei meinem Jungen und werde sein Manuskript lesen. Fünf Jahre hat er daran gesessen, nicht?« Fabian nickte und gab ihm die Hand. »Da hängt ja die Todesursache«, sagte der alte Labude und zeigte auf das Lessingporträt. Er nahm das Bild von der Wand, betrachtete es und zerschlug es, ohne jede sichtbare Aufregung, am Schreibtisch. Dann klingelte er. Der Diener erschien. »Kehre den Dreck fort, und bringe Heftpflaster«, befahl der Justizrat. Er blutete an der rechten Hand.

Fabian blickte noch einmal auf den toten Freund. Dann ging er hinaus und ließ die beiden allein.

Er war zu müde zum Schlafen, und er war zu müde, die Trauer aufzubringen, die dieser Tag von ihm forderte. Der Trikotagenreisende aus der Müllerstraße hielt sich die Backe, hieß er nicht Hetzer? Seine Frau lag unbefriedigt im Bett, Cornelia war zum zweitenmal bei Makart, Fabian sah die Erlebnisse wie lebende Bilder, ohne dritte Dimension, weit weg am Horizont seines Gedächtnisses. Und auch, daß Labude in irgendeiner Villa draußen tot auf dem Sofa lag, beschäftigte ihn im Augenblick nur als Gedanke. Der Schmerz war wie ein Zündholz heruntergebrannt und erloschen. Er entsann sich aus seiner Kindheit eines ähnlichen Zustandes; wenn er damals eines Kummers wegen, der ihm riesenhaft und unheilbar erschien, lange Zeit geweint hatte, war das Reservoir, aus dem der Schmerz floß, leer geworden. Das Gefühl starb ab, wie später, nach jedem seiner Herzkrämpfe, das Leben in den Fingern erstarb. Die Trauer, die ihn ausfüllte, war empfindungslos, der Schmerz war kalt.

Fabian ging die Königsallee entlang. Er kam an der Rathenau-Eiche vorbei. Zwei Kränze hingen an dem Baum. An dieser Straßenbiegung war ein kluger Mann ermordet worden. »Rathenau mußte sterben«, hatte ein nationalsozialistischer Schriftsteller einmal zu ihm gesagt. »Er mußte sterben, seine Hybris trug die Schuld. Er war Jude und wollte deutscher Außenminister werden. Stellen Sie sich vor, in Frankreich kandidierte ein Kolonialneger für den Quai d'Orsay, das ginge genauso wenig.«

Politik und Liebe, Ehrgeiz und Freundschaft, Leben und Tod, nichts berührte ihn. Er schritt, ganz allein mit sich selber, die nächtliche Allee hinunter. Über dem Lunapark stieg Feuerwerk in den Himmel und sank in bunten feurigen Garben zur Erde. Aber auf halbem Wege lösten sich die Garben auf, sie verschwanden spurlos, und neue Raketen drängten krachend in die Luft. Am Eingang zum Park hing ein Schild: ›Fernando, der Weltmeister im Dauertanzen, überbietet seinen eigenen Rekord. Er will 200 Stunden tanzen. Kein Weinzwang.‹

Fabian setzte sich in ein Bierlokal, dicht vor der Eisenbahnunterführung von Halensee. Die Gespräche der Umsitzenden erschienen ihm vollkommen sinnlos. Ein kleiner illuminierter Zeppelin, auf dem in großer Leuchtschrift ›Trumpfschokolade‹ stand, flog über den Köpfen der Stadt zu. Ein Zug mit hellen Fenstern fuhr unter der Brücke hin. Autobusse und Straßenbahnen passierten in langer Kette die Straße. Am Nebentisch erzählte ein Mann, dem der Nacken über den Kragen gerutscht war, Witze, und ein paar Frauen, die bei ihm saßen, kreischten, als hätten sie Mäuse unterm Rock.

›Was soll das alles?‹ dachte er, zahlte rasch und ging nach Hause.

Auf dem Tisch lagen etliche Briefe. Die Bewerbungsschreiben waren zurückgekommen. Nirgends war ein Posten frei, man bedauerte hochachtungsvoll. Fabian wusch sich. Später ertappte er sich dabei, daß er regungslos, mit dem Handtuch vor dem nassen Gesicht, auf dem Sofa saß und, an der unteren Kante des Tuches vorbei, auf den Teppich stierte. Er trocknete sich ab, warf das Handtuch fort, legte sich um und schlief ein. Das Licht brannte die ganze Nacht.

Zwanzigstes Kapitel

Cornelia im Privatauto
Der Geheimrat weiß von nichts
Frau Labude wird ohnmächtig

Als er am nächsten Morgen erwachte und das Licht brennen sah, waren ihm die Ereignisse des Vortags nicht gegenwärtig. Er fühlte sich bedrückt und elend, doch er wußte noch nicht, warum. Er schloß die Augen, und erst jetzt, und nur ganz allmählich, vergegenständlichte sich sein Kummer. Das, was geschehen war, fiel ihm ein, als werfe es jemand von draußen her durch eine Scheibe. Er wußte wieder, was er vor Müdigkeit vergessen hatte, und vom Bewußtsein aus sanken die Erinnerungen tiefer, wuchsen und verwandelten sich im Fallen; es war, als erhöhe sich ihr spezifisches Gewicht, und dann rollten sie wie Steinschlag auf sein Herz. Er drehte sich zur Wand und hielt sich die Ohren zu. Frau Hohlfeld machte, als sie das Frühstück hereintrug, trotz des brennenden Lichts und obwohl er statt im Bett auf dem Sofa lag, keinen Skandal. Sie setzte das Tablett auf den Tisch, löschte das Licht und vollzog sämtliche Handlungen nach dem Ritus, der in Krankenzimmern üblich ist. »Ich versichere Sie meines tiefsten Beileids«, sagte sie, »ich las es vorhin in der Zeitung. Ein harter Schlag für Sie. Und die armen Eltern.« Der Ton und die Stimmlage waren gut gemeint. Die Teilnahme war ehrlich. Es war nicht zum Aushalten.
Er überwand sich und murmelte: »Danke.« Bis sie das Zimmer verlassen hatte, blieb er liegen, dann stand er auf und fuhr in die Kleider. Er mußte den Geheimrat sprechen. Seit gestern abend marterte ihn ein Verdacht, der, ohne jedes Zutun, immer quälender wurde. Er mußte in die Universität. Als er aus dem Haus trat, fuhr ein großer Privatwagen vor und hielt.
»Fabian!« rief jemand. Es war Cornelia. Sie saß im Wagen und winkte. Während er näher trat, stieg sie aus.
»Mein armer Fabian«, sagte sie und streichelte seine Hand. »Ich hielt es nicht bis zum Nachmittag aus, und er lieh mir den Wagen. Stör ich dich?« Dann senkte sie die Stimme. »Der Schofför paßt auf.« Lauter fragte sie: »Wo willst du hin?«

»Zur Universität. Er hat sich umgebracht, weil seine Arbeit abgelehnt worden ist. Ich muß den Geheimrat sprechen.«

»Ich bringe dich hin. Darf ich?« fragte sie. »Fahren Sie uns bitte zur Universität«, sagte sie zu dem Schofför, sie stiegen in den Wagen und fuhren stadtwärts. »Und wie war es gestern abend bei dir?« fragte Fabian.

»Sprich nicht davon«, bat sie. »Ich hatte immer das Gefühl, dir drohe ein Unheil. Makart erzählte mir von der Rolle, die ich spielen soll; ich hörte kaum zu, so bedrängte mich meine Vorahnung. Es war wie vor einem Gewitter.«

»Was für eine Rolle?« Auf Cornelias Vorahnungen ging er nicht ein. Er haßte die Angewohnheit, die Zukunft wie eine Bettdecke zu lüpfen, und noch mehr haßte er den nachträglichen Stolz, schon vorher rechtgehabt zu haben. Wie plumpvertraulich war diese Art des Umgangs mit dem Schicksal! Seine Abneigung hatte damit, ob Vorahnungen möglich seien oder nicht, nichts zu tun. Er empfand es als Anmaßung, sich mit dem, was noch verhüllt war, herumzuduzen. So passiv er auch zu sein pflegte: mit einer Fügung ins Unvermeidliche hatte das nichts zu schaffen.

»Eine sehr merkwürdige Rolle«, sagte sie. »Stell dir vor, daß ich in dem Film die Frau eines Mannes zu sein habe, der, um seiner verschrobenen Phantasie Genüge zu tun, von mir verlangt, daß ich mich unablässig verwandle. Er ist ein pathologischer Mensch und nötigt mich, bald ein unerfahrenes Mädchen und bald eine raffinierte Frau zu spielen, bald ein ordinäres Weib und dann wieder ein hirnloses, elegantes Luxusgeschöpf. Dabei stellt sich, für mich später als für ihn und die Zuschauer, heraus, daß ich ein ganz anderes Wesen bin, als ich selber glaube. Beide, er und ich, werden überrascht sein, denn ich werde mich unaufhaltsam, schließlich gegen seinen Willen, verändern und erst dadurch das geworden sein, was ich schon immer war. Gemein und herrschsüchtig, stellt sich heraus, bin ich im Grunde, und in dem Konflikt, den er durch seine Befehle beschwor, wird er tragisch unterliegen.«

»Ist der Einfall von Makart? Sieh dich vor, Cornelia, der Mann ist gefährlich. Er wird dich diese Verwandlung zwar nur spielen lassen, aber insgeheim wird er mit sich selber wetten, ob du in Wirklichkeit so wirst.«

»Das wäre kein Unglück, Fabian. Solche Männer wollen überfahren werden. Der Film wird ein Privatkursus fürs Leben.«

Er kramte in den Taschen, fand das Geldbündel, zählte tausend Mark ab und gab sie Cornelia. »Da. Labude hinterließ mir Geld, nimm die Hälfte. Es beruhigt mich.«

»Wenn wir vor drei Tagen zweitausend Mark gehabt hätten«, sagte sie.
Fabian beobachtete den Schofför, der fortwährend in den kleinen konkaven Sucherspiegel blickte und sie darin überwachte. »Deine Gouvernante wird uns noch an einen Baum fahren. Vorn ist die Musik«, schrie er, und der Schofför ließ sie vorübergehend mit dem Blick los.
»Heute nachmittag komme ich ohne ihn«, sagte sie.
»Ich weiß nicht, ob ich zu Hause bin«, erwiderte er.
Sie lehnte sich flüchtig und schüchtern an ihn. »Ich komme auf alle Fälle, vielleicht kannst du mich brauchen.«
Vor der Universität stieg er aus. Sie fuhr mit ihrem Gefängnisinspektor weiter.

Der Institutsdiener öffnete ihm. Der Geheimrat sei noch nicht da, werde aber jeden Augenblick von der Reise zurückerwartet. Ob der Assistent da sei? Jawohl.
Im Vorzimmer saßen Justizrat Labude und seine Frau. Sie sah sehr alt aus, weinte, als Fabian sie begrüßte, und sagte: »Wir haben uns nicht um ihn gekümmert.«
»Es ist sinnlos, sich Vorwürfe zu machen«, entgegnete Fabian.
»War er nicht alt genug?« fragte der Justizrat. Seine Frau schluchzte laut auf und verzog die Stirn. »Ich habe heute nacht Stephans Arbeit gelesen«, erzählte er. »Ich verstehe zwar nichts von eurem Fach, und ich weiß nicht, ob die Grundlagen der Untersuchung stimmen. Aber daß die Folgerungen klug und scharfsinnig sind, steht außer Zweifel.«
»Auch die Grundlagen der Untersuchungen sind in Ordnung«, meinte Fabian. »Die Arbeit ist meisterhaft. Wenn nur der Geheimrat käme!«
Frau Labude weinte vor sich hin. »Warum wollt ihr ihm nun, da er tot ist, die Ursache rauben, derentwegen er starb?« fragte sie. »Kommt, wir wollen von hier fortgehen!« Sie stand auf und packte die zwei Männer. »Laßt ihn in Frieden!«
Aber der Justizrat sagte: »Setz dich hin, Luise.«
Und dann kam der Geheimrat. Er war ein Mann von altväterlicher Eleganz, außerdem standen ihm die Augen etwas zu weit aus dem Kopf. Der Institutsdiener kletterte hinter ihm die Treppe hoch und trug einen Handkoffer. »Das ist ja fürchterlich«, erklärte der Geheimrat und ging, mit seitlich geneigtem Kopf, auf Labudes Eltern zu. Die Frau Justizrat weinte laut, als er ihr die Hand drückte, und auch der Justizrat war ergriffen. »Wir kennen uns«, sagte der alte Literarhistoriker zu Fabian. »Sie waren sein Freund.« Er schloß die Tür zu seinem Zimmer auf, bat näherzutreten, entschuldigte sich für einen Augen-

blick und wusch sich, während die andern stumm um den Tisch saßen, die Hände wie vor einer ärztlichen Ordination. Der Diener hielt das Handtuch bereit.

Der Geheimrat sagte, während er sich abtrocknete: »Ich bin für keinen Menschen zu sprechen.« Der Diener entfernte sich, der Geheimrat nahm Platz. »Ich kaufte mir heute morgen in Naumburg eine Zeitung«, berichtete er, »und das erste, was ich las, war die Meldung von dem tragischen Geschick Ihres Sohnes. Ist es allzu indiskret, wenn ich die nächstliegende Frage an Sie stelle? Was, um des Himmels willen, hat Ihren Sohn zu diesem äußersten Schritt bewogen?«

Der Justizrat ballte die Hand, die auf dem Tisch lag, zur Faust. »Können Sie sich das nicht denken?«

Der Geheimrat schüttelte den Kopf. »Ich habe nicht die geringste Ahnung.«

Labudes Mutter hob die Hände und faltete sie in der Luft. Ihr Blick bat die Männer, innezuhalten.

Aber Labudes Vater beugte sich weit vor. »Mein Sohn hat sich erschossen, weil Sie seine Arbeit abgelehnt haben.«

Der Geheimrat zog das seidene Tuch aus der Tasche und fuhr sich damit über die Stirn. »Was?« fragte er tonlos. Er stand auf und starrte aus seinen vorgewölbten Augen die Umsitzenden an, als befürchte er, sie seien wahnsinnig. »Aber das ist ja gar nicht möglich«, flüsterte er.

»Doch, es ist möglich!« rief der Justizrat. »Nehmen Sie Ihren Mantel, kommen Sie mit, sehen Sie sich unsern Jungen an! Auf dem Sofa liegt er und ist so tot, wie man nur sein kann.«

Frau Labude blickte aus weitgeöffneten, unbeweglichen Augen und sagte: »Sie töten ihn zum zweiten Male.«

»Das ist ja grauenhaft«, murmelte der Geheimrat. Er packte den Arm des Justizrats. »Ich hätte die Arbeit abgelehnt? Wer hat das behauptet? Wer hat das behauptet?« rief er. »Ich habe die Arbeit mit dem Bemerken bei der Fakultät in Umlauf gesetzt, daß sie die reifste literarhistorische Leistung der letzten Jahre darstelle. Ich habe in meinem Votum geschrieben, Doktor Stephan Labude könne, infolge dieser Arbeit, auf das lebhafteste Interesse der Fachkreise Anspruch erheben. Ich habe geschrieben, Doktor Labude leiste, mit diesem Beitrag zur Aufklärung, der modernen Forschung unschätzbare Dienste. Ich habe geschrieben, noch nie sei mir aus Schülerkreisen eine Schrift von ähnlicher Bedeutung vorgelegt worden, und ich ließe sie in der Schriftenreihe des Instituts umgehend als Sonderdruck erscheinen. Wer hat behauptet, die Arbeit sei von mir abgelehnt worden?«

Labudes Eltern saßen regungslos.

Fabian erhob sich. Er zitterte am ganzen Körper. »Einen Augenblick«, sagte er heiser, »ich hole ihn.« Dann rannte er hinaus, die Treppe hinunter, ins Katalogzimmer. Doktor Weckherlin, der wissenschaftliche Gehilfe des Instituts, saß über eine Kartothek gebückt und ordnete Kärtchen ein, auf denen die Neuanschaffungen der Bibliothek verzeichnet waren. Er blickte ungehalten hoch und kniff die kurzsichtigen Augen zusammen. »Was wollen Sie?« fragte er.

»Sie sollen sofort zum Geheimrat kommen«, sagte Fabian, und als der andere keine Anstalten traf, sondern bloß nickte und in der Kartothek zu blättern fortfuhr, faßte er ihn am Kragen, zerrte ihn vom Stuhl und stieß ihn zur Tür hinaus.

»Was erlauben Sie sich eigentlich?« fragte er. Aber Fabian schlug ihm, statt zu antworten, mit der Faust ins Gesicht. Weckherlin hob den Arm, um sich zu schützen, und stolperte, ohne länger zu widersprechen, die Treppe hinauf. Vor dem Zimmer des Geheimrats zögerte er wieder, aber Fabian riß die Tür auf. Der Geheimrat und Labudes Eltern fuhren zusammen. Der Assistent blutete aus der Nase.

»Ich muß in Ihrer Gegenwart einige Fragen an diesen Herrn richten«, sagte Fabian. »Doktor Weckherlin, haben Sie gestern mittag meinem Freund Labude erzählt, seine Arbeit sei abgelehnt worden? Haben Sie erzählt, der Geheimrat habe geäußert, die Arbeit der Fakultät weitergeben, heiße die Professoren belästigen? Haben Sie ihm erzählt, der Geheimrat wolle ihm außerdem durch diese private Ablehnung eine öffentliche Blamage ersparen?«

Frau Labude stöhnte und glitt ohnmächtig vom Stuhl. Keiner der Männer kümmerte sich um sie. Weckherlin war bis zur Tür zurückgewichen. Die drei anderen Männer standen vorgeneigt und warteten auf Antwort.

»Weckherlin«, flüsterte der Geheimrat und stützte sich schwer auf eine Stuhllehne.

Der Assistent verzog das breite, blasse Gesicht, als wollte er lächeln, er öffnete wiederholt den Mund.

»Wird's bald?« fragte der Justizrat drohend.

Weckherlin legte die Hand auf die Klinke und sprach: »Es war nur ein Scherz!«

Da schrie Fabian, es war ein unartikulierter Laut, er klang wie der Schrei eines Tieres. Im nächsten Augenblick sprang er vor und schlug auf den Assistenten ein, mit beiden Fäusten, unablässig, ohne zu überlegen, wohin er traf. Besinnungslos, wie ein automatischer Hammer, schlug er zu, immer wieder. »Du Schuft!« brüllte er und hieb dem anderen beide Fäuste mitten ins Gesicht. Weckherlin lächelte noch immer, als wollte er sich entschuldigen. Er hatte vergessen, daß er die Hand auf der Klinke hielt und aus dem Zimmer fliehen wollte. Er sank unter den Schlägen vorübergehend in die Knie. Er zog sich an der Klinke wieder hoch, die Tür schnappte auf. Jetzt erst besann er sich auf seinen Vorsatz, drängte durch die Tür auf den Korridor; Fabian folgte ihm, sie näherten sich, Schritt für Schritt, der Treppe, die ins Untergeschoß führte, der eine schlug, der andere blutete.

Unten am Fuß der Treppe sammelten sich die Studenten, die der Lärm aus den Institutsräumen gelockt hatte. Sie standen stumm und abwartend, als spürten sie, was dort oben geschah, sei gerecht. »Du Hund!« sagte Fabian und traf den Assistenten unterm Kinn. Weckherlin kippte hintenüber, schlug dumpf mit dem Kopf auf eine Stufe und rollte klappernd die Holztreppe hinunter. Fabian lief hinter ihm her und wollte sich über ihn stürzen. Da sprangen ein paar Studenten vor und hielten ihn fest. »Laßt mich los!« schrie er und riß wie ein Tobsüchtiger an den Armen, die ihn umklammerten. »Laßt mich los, ich schlag ihn tot!« Jemand hielt ihm den Mund zu. Der Institutsdiener kniete neben dem Assistenten. Der versuchte sich aufzurichten, sank aber stöhnend zurück. Man schleppte ihn ins Katalogzimmer.

Im Obergeschoß, dicht an der Treppe, standen der Geheimrat und Labudes Vater. Durch die geöffnete Tür vernahm man langgezogene Klagelaute, Stephans Mutter war aus der Ohnmacht erwacht.

»Ach so, es war nur ein Scherz!« rief der Justizrat und lachte verzweifelt.

Der Geheimrat sagte markig, als habe er endlich einen Ausweg gefunden: »Doktor Weckherlin ist entlassen.« Die Studenten gaben Fabian frei, er senkte den Kopf, vielleicht bedeutete es einen Abschiedsgruß, und verließ das Institut.

Einundzwanzigstes Kapitel

Juristin wird Filmstar
Eine alte Bekannte
Die Mutter verkauft Schmierseife

Es war nur ein Scherz gewesen!

Herr Weckherlin hatte einen dummen Witz gemacht, und Labude war daran gestorben. Es war nur scheinbar ein Selbstmord gewesen. Ein Subalternbeamter des Mittelhochdeutschen hatte den Freund umgebracht. Er hatte ihm vergiftete Worte ins Ohr geträufelt, wie Arsenik ins Trinkglas. Er hatte, zum Spaß, auf Labude gezielt und abgedrückt. Und aus der ungeladenen Waffe war ein tödlicher Schuß gefallen.

Fabian sah, während er durch die Friedrichstraße lief, immer noch Weckherlins feig lächelndes Gesicht vor Augen, und er fragte sich nachträglich überrascht: ›Warum habe ich auf den Kerl eingeschlagen, als müsse alles vernichtet werden? Warum war meine Wut auf ihn größer als die Trauer über Labudes unsinniges Ende? Verdient ein Mensch, der, wie jener, unabsichtlich solches Unheil anstiftet, nicht eher Mitleid als Haß? Wird er jemals wieder ruhig schlafen können?‹ Fabian verstand allmählich seinen Instinkt. Weckherlin hatte es nicht unabsichtlich getan. Er hatte Labude treffen wollen, nicht töten, aber verwunden. Der talentlose Konkurrent hatte sich am Begabten gerächt. Seine Lüge war eine Sprengkapsel gewesen. Er hatte sie in Labude hineingeworfen und war davongelaufen, um, aus der Entfernung, schadenfroh die Explosion zu beobachten.

Weckherlin war entlassen, verprügelt worden war er auch. Aber wäre es nicht besser gewesen, er hätte seinen Posten nicht verloren und die Schläge nicht erhalten? Wäre es nicht besser gewesen, Weckherlins Lüge hätte, wenn Labude schon einmal tot war, weitergelebt? Gestern hatte ihn der Tod des Freundes mit Traurigkeit beseelt, heute erfüllte er ihn mit Unfrieden. Die Wahrheit war an den Tag gekommen, wem war damit gedient? Labudes Eltern etwa, die nun endlich wußten, daß ihr Sohn das Opfer einer Infamie geworden war? Bevor sie erfuhren, was die Wahrheit war, hatte es keine Lüge gegeben. Nun hatte die Gerechtigkeit gesiegt, und aus dem Selbstmord wurde nachträglich ein tragischer Witz. Fabian dachte an Labudes Begräbnis, und ihn schauderte: Er sah sich schon im Trauergefolge, am Sarg erkannte er Labudes Eltern, auch der Geheimrat war in der Nähe, und Labudes Mutter schrie laut auf. Sie riß sich den schwarzen Kreppschleier vom schwarzen Hut und sank jammernd vornüber.

»Obacht!« sagte jemand ärgerlich. Fabian wurde gestoßen und stand still. Hätte er die Sache mit Weckherlin vertuschen sollen, statt sie aufzuklären? Hätte er die Kenntnis des wahren Sachverhalts in sich einschließen sollen, um die Eltern davor zu bewahren? Warum war Labude bis in seine letzten Briefe so gründlich, warum war er so ordnungsliebend gewesen? Warum hatte er sein Motiv beim Namen genannt? Fabian ging weiter. Er bog in die Leipziger Straße ein. Es war Mittag. Die Angestellten der Büros und die Verkäuferinnen umdrängten die Haltestellen und stürmten die Autobusse, die Eßpause war kurz. Wenn dieser Weckherlin nicht dazwischengekommen wäre, wenn Labude erfahren hätte, wie seine Arbeit wirklich eingeschätzt wurde, wäre er jetzt nicht gestorben; mehr noch, der Erfolg hätte ihn befeuert, hätte ihm die Enttäuschung mit Leda erleichtert und seinem politischen Ehrgeiz Luft gemacht. Warum hatte er denn an der Arbeit fünf Jahre gesessen? Sich selbst hatte er beweisen wollen, daß er leistungsfähig war. Er hatte mit diesem Erfolg gerechnet, er hatte ihn psychologisch abwägend in seine Entwicklung einkalkuliert, und die Kalkulation war richtig gewesen. Und doch hatte er Weckherlins Lüge eher geglaubt als seiner eigenen Überzeugung.

Nein, Fabian wollte nicht dabeisein, wenn man den Freund ins Diesseits beförderte. Er mußte fort aus dieser Stadt. Er starrte auf eines der vorüberfahrenden Autos. War es nicht Cornelia? Dort neben dem dicken Mann? Sein Herz setzte aus. Sie war es nicht. Er mußte fort, keine zehn Pferde hielten ihn länger.

Er ging zum Bahnhof. Er fuhr nicht noch einmal zur Witwe Hohlfeld, er ließ in deren Zimmer alles, wie es stand und lag, stehen und liegen. Er besuchte nicht mehr Zacharias, diesen eitlen, verlogenen Menschen. Er ging zum Bahnhof.

Der D-Zug fuhr in einer Stunde. Fabian besorgte sich eine Fahrkarte, kaufte Tageszeitungen, setzte sich in den Wartesaal und durchflog die Blätter.

Auf einer Wirtschaftstagung waren internationale Abkommen großen Stils gefordert worden. War dergleichen nur Schönrederei? Oder begriff man allmählich, was alle wußten? Erkannte man, daß die Vernunft das Vernünftigste war? Vielleicht hatte Labude recht gehabt? Vielleicht war es wirklich nicht nötig, auf die sittliche Hebung der gefallenen Menschheit zu warten? Vielleicht war das Ziel der Moralisten, wie Fabian einer war, tatsächlich durch wirtschaftliche Maßnahmen erreichbar? War die moralische Forderung nur deswegen uneinlösbar, weil sie sinnlos war? War die Frage der Weltordnung nichts weiter als eine Frage der Geschäftsordnung?

Labude war tot. Ihn hätte so etwas begeistert. In seine Pläne hätte es sich eingefügt. Fabian saß im Wartesaal, dachte des Freundes Gedanken und blieb apathisch. Wollte er die Besserung der Zustände? Er wollte die Besserung der Menschen. Was war ihm jenes Ziel ohne diesen Weg dahin? Er wünschte jedem Menschen pro Tag zehn Hühner in den Topf, er wünschte jedem ein Wasserklosett mit Lautsprecher, er wünschte jedem sieben Automobile, für jeden Tag der Woche eins. Aber was war damit erreicht, wenn damit nichts anderes erreicht wurde? Wollte man ihm etwa weismachen, der Mensch würde gut, wenn es ihm gut ginge? Dann mußten ja die Beherrscher der Ölfelder und der Kohlengruben wahre Engel sein!

Hatte er nicht zu Labude gesagt: ›Noch in dem Paradies, das du erträumst, werden sich die Menschen gegenseitig die Fresse vollhauen‹? War das Elysium, mit zwanzigtausend Mark Durchschnittseinkommen pro Barbaren, ein menschenwürdiger Abschluß?

Während er, sitzenderweise, seine moralische Haltung gegen die Konjunkturforscher verteidigte, regten sich wieder jene Zweifel, die seit langem in seinem Gefühl wie Würmer wühlten. Waren jene humanen, anständigen Normalmenschen, die er herbeiwünschte, in der Tat wünschenswert? Wurde dieser Himmel auf Erden, ob er nun erreichbar war oder nicht, nicht schon in der bloßen Vorstellung infernalisch? War ein derartig mit Edelmut vergoldetes Zeitalter überhaupt auszuhalten? War es nicht viel eher zum Blödsinnigwerden? War vielleicht jene Planwirtschaft des reibungslosen Eigennutzes nicht nur der eher zu verwirklichende, sondern auch der eher erträgliche Idealzustand? Hatte seine Utopie bloß regulative Bedeutung, und war sie als Realität ebensowenig zu wünschen wie zu schaffen? War es nicht, als spräche er zur Menschheit, ganz wie zu seiner Geliebten: »Ich möchte dir die Sterne vom Himmel holen?« Dieses Versprechen war lobenswert, aber wehe, wenn der Liebhaber es wahrmachte. Was finge die bedauernswerte Geliebte mit den Sternen an, wenn er sie angeschleppt brächte! Labude hatte auf dem Boden der Tatsachen gestanden, hatte marschieren wollen und war gestolpert. Er, Fabian, schwebte, weil er nicht schwer genug war, im Raum und lebte weiter. Warum lebte er denn noch, wenn er nicht wußte, wozu? Warum lebte der Freund nicht mehr, der das Wozu gekannt hatte? Es starben und es lebten die Verkehrten.

Im Feuilleton des Boulevardblattes, das auf seinen Knien lag, sah er Cornelia wieder. »Juristin wird Filmstar«, stand groß unter dem Foto. »Fräulein Dr. jur. Cornelia Battenberg«, war weiterhin zu lesen, »wurde von Edwin Makart, dem bekannten Filmindustriellen, entdeckt und beginnt schon in den nächsten Tagen mit den Aufnahmen zu dem Film: ›Die Masken der Frau Z.‹«

»Alles Gute«, flüsterte Fabian und nickte dem Bilde zu. In der anderen Zeitung sah er sie noch einmal. Sie trug einen imposanten Sommerpelz und saß in dem Auto, das er schon kannte, am Steuer. Neben ihr hockte ein dicker, großer Mensch, anscheinend der Entdecker persönlich. Die Unterschrift bestätigte die Vermutung. Der Mann wirkte brutal und verschlagen, wie ein Teufel ohne Gymnasialbildung. Edwin

Makart, der Mann mit der Wünschelrute, wurde vom Redakteur behauptet; seine neueste Entdeckung heiße Cornelia Battenberg. Sie repräsentiere als ehemaliger Referendar einen neuen Modetyp, die intelligente deutsche Frau.

»Alles Gute«, wiederholte Fabian und starrte auf das Foto. Wie lange war das her! Er blickte auf das Bild, als betrachte er ein Grab. Eine unsichtbare gespenstische Schere hatte sämtliche Bande, die ihn an diese Stadt fesselten, zerschnitten. Der Beruf war verloren, der Freund war tot, Cornelia war in fremder Hand, was hatte er hier noch zu suchen?

Er trennte die Fotografien sorgfältig aus den Zeitungen, verwahrte die Ausschnitte im Notizbuch und warf die Zeitungen fort. Nichts hielt ihn zurück, er verlangte dorthin, woher er gekommen war: nach Hause, in seine Vaterstadt, zu seiner Mutter. Er war schon lange nicht mehr in Berlin, obwohl er noch immer auf dem Anhalter Bahnhof saß. Würde er wiederkommen? Als sich ein paar Leute an seinem Tisch breitmachten, stand er auf, durchschritt die Sperre und setzte sich in den Zug, der auf das Signal zur Abfahrt wartete.

Nur fort von hier! Der Minutenzeiger der Bahnhofsuhr rückte weiter. Nur fort!

Fabian saß am Fenster und blickte hinaus. Die Felder und Wiesen schwangen wie auf einer Drehscheibe. Die Telegrafenstangen machten Kniebeugen. Manchmal standen kleine barfüßige Bauernkinder mitten in der tanzenden Landschaft und winkten mechanisch. Auf einer Weide graste ein Pferd. Ein Fohlen hüpfte den Zaun entlang und schwenkte den Kopf. Dann fuhren sie durch einen düsteren Fichtenwald. Die Stämme waren von grauen Flechten bewachsen. Die Bäume standen da, als seien sie aussätzig und als habe man ihnen verboten, den Wald zu verlassen.

Ihm war, als suche jemand seine Augen. Er wandte sich um und blickte ins Abteil. Die Mitreisenden, gleichgültige, gleichgültig dasitzende Leute, waren mit sich beschäftigt. Wer sah ihn an? Da entdeckte er, draußen im Gang, Frau Irene Moll. Sie rauchte eine Zigarette und lächelte ihm zu. Als er sich nicht rührte, winkte sie.

Er trat hinaus.

»Es ist skandalös, wie wir beide einander nachlaufen«, sagte sie. »Wo fährst du hin?«

»Nach Hause.«

»Sei höflich«, meinte sie. »Frage mich gefälligst, wo ich hin will.«

»Wo wollen Sie hin?«

Sie lehnte sich an ihn und flüsterte: »Ich türme. Einer der Schlafbur-
schen hat mein Etablissement verpfiffen. Ich erfuhr es heute morgen
von einem Polizeibeamten, dessen Monatsgehalt ich verdoppelt habe.
Kommst du mit nach Budapest?«
»Nein«, sagte er.
»Ich habe hunderttausend Mark bei mir. Wir brauchen nicht nach Bu-
dapest zu fahren. Wollen wir über Prag nach Paris? Wir werden im
›Claridge‹ wohnen. Oder wir gehen nach Fontainebleau und mieten
eine kleine Villa.«
»Nein«, sagte er. »Ich fahre nach Hause.«
»Komm mit«, bat sie. »Ich habe auch Schmuck bei mir. Wenn wir
blank sind, erpressen wir die alten Schachteln, die sich bei mir be-
schlummern ließen. Ich kenne interessante Einzelheiten, Gucklöcher
haben ihr Gutes. Oder willst du lieber nach Italien? Was hältst du von
Bellaggio?«
»Nein«, sagte er, »ich fahre zu meiner Mutter.«
»Du verdammter Esel«, flüsterte sie ärgerlich. »Soll ich vor dir nie-
derknien und dir eine Liebeserklärung machen? Was hast du gegen
mich? Bin ich dir zu aufgeklärt? Ist dir eine dumme Gans lieber? Ich
habe es endlich satt, nach der ersten besten Hose zu greifen. Du ge-
fällst mir. Wir begegnen einander immer wieder. Das kann kein Zufall sein.« Sie faßte seine Hand und streichelte seine Finger. »Ich bitte
dich, komm mit.«
»Nein«, sagte er. »Ich komme nicht mit. Reisen Sie gut.« Er wollte
wieder in sein Abteil.
Sie hielt ihn zurück. »Schade, jammerschade. Vielleicht ein andres
Mal.« Sie öffnete die Handtasche. »Brauchst du Geld?« Sie wollte ihm
ein paar Banknoten in die Hand stecken. Er schloß die Hand zur Faust,
schüttelte den Kopf und ging ins Coupé.
Sie blieb noch eine Weile vor der Tür des Abteils und sah ihn an. Er
blickte durchs Fenster. Man fuhr durch ein Dorf.

Es war gegen sechs Uhr abends, als er ankam. Er trat aus dem Bahnhof und sah die Dreikönigskirche. Ihm schien, sie musterte ihn von
oben herunter: Warum holt dich heute niemand ab, und warum
kommst du ohne Koffer?
Er ging den Dammweg entlang und durchschritt den alten Viadukt.
Ein endloser Güterzug ratterte darüber hin, die Steinwölbung dröhnte.
Das Haus, in dem früher der Lehrer Schanze gewohnt hatte, war frisch
gestrichen. Die anderen Häuser standen unverändert in ihrer grauen,
ihm seit der Kindheit bekannten Front. In dem Eckhaus, das der Heb-

amme Schröder gehörte, war ein neues Geschäft eröffnet worden; ein Fleischerladen, noch standen die Blumenstöcke im Schaufenster.

Langsam näherte er sich dem Hause, in dem er geboren war. Wie vertraut ihm die Straße war. Er kannte die Fassaden, er kannte die Höfe, Keller und Böden, überall war er hier beheimatet. Aber die Menschen, die aus den Häusern und in die Häuser traten, waren ihm fremd. Er blieb stehen. ›Seifengeschäft‹ stand über einem Laden. Ein Zettel klebte am Fenster. Er las: »Nun auch Feinseifen herabgesetzt. Hausmarke Lavendel zwanzig statt zweiundzwanzig Pfennige. Torpedoseife fünfundzwanzig statt achtundzwanzig Pfennige.« Er ging bis zur Tür.

Seine Mutter stand hinter dem Ladentisch, zwei Frauen standen davor. Die Mutter bückte sich gerade und stellte ein Paket Waschpulver auf den Tisch, dann schnitt sie einen Riegel Kernseife mittendurch. Dann nahm sie einen Bogen Packpapier und einen Holzlöffel, schaufelte Schmierseife aus dem Faß, wog sie ab und wickelte sie ein. Er spürte den Seifengeruch bis auf die Straße.

Dann klinkte er die Ladentür auf. Die Glocke bimmelte. Die alte Frau sah auf und ließ erschrocken die Hände sinken.

Er ging auf sie zu und sagte mit zitternder Stimme: »Mutter, Labude hat sich erschossen.« Und plötzlich liefen ihm die Tränen aus den Augen. Er öffnete die Tür, die ins Hinterzimmer führte, schloß sie wieder, setzte sich in den Lehnstuhl vorm Fenster, blickte in den Hof hinaus, legte langsam den Kopf aufs Fensterbrett und weinte.

Zweiundzwanzigstes Kapitel

Besuch in der Kinderkaserne
Kegelschieben im Park
Die Vergangenheit biegt um die Ecke

»Was hat er denn?« fragte der Vater am nächsten Morgen.

»Seine Stellung hat er verloren«, sagte die Mutter. »Und sein Freund hat sich umgebracht.«

»Ich wußte gar nicht, daß er einen Freund hatte«, meinte der Vater. »Man erfährt ja nichts.«

»Du hörst nur nicht zu«, sagte die Mutter. Da läutete die Ladenglocke. Als Frau Fabian wieder ins Zimmer trat, las der Mann die Zeitung.

»Außerdem hat er mit einem jungen Mädchen Pech gehabt«, fuhr sie fort. »Aber darüber spricht er sich nicht näher aus. Sie hat Rechtsanwalt studiert und geht zum Film.«

»Schade um das Geld fürs Studium«, erklärte der Mann.

»Ein hübsches Mädchen«, sagte Fabians Mutter. »Aber sie lebt mit einem dicken Kerl zusammen, einem Filmdirektor, das reinste Brechmittel.«

»Wird er lange hierbleiben?« fragte der Vater.

Die Mutter zuckte die Achseln und goß sich Kaffee ein. »Tausend Mark hat er mir gegeben. Labude hat ihm das Geld hinterlassen. Ich werde es aufheben. Der Junge hat einen Knacks wegbekommen, ich kann mir nicht helfen. Und das hat nichts mit Labude zu tun und nichts mit der Filmschauspielerin. Er glaubt nicht an Gott, es muß damit zusammenhängen. Ihm fehlt der ruhende Punkt.«

»Als ich so alt war wie er, war ich schon fast zehn Jahre verheiratet«, sagte der Vater.

Fabian lief die Heerstraße entlang, an der Garnisonkirche und den Kasernen vorüber. Der runde kiesbestreute Platz vor der Kirche war leer. Wann war das denn gewesen, daß er hier gestanden hatte, ein Soldat unter Tausenden, die Hosen lang, den Helm auf dem Kopf, gerüstet zur feldgrauen Predigt, siebzehnjährig, bereit zu hören, was der deutsche Gott seinen Armeen mitteilen ließ? Er blieb am Tor der ehemaligen Fußartilleriekaserne stehen und lehnte sich an die Eisenstäbe. Antreten zum Dienstverlesen, Geschützexerzieren, Ausmarsch zum Nachtdienst, Vortrag über Kriegsanleihe, Löhnungfassen, was war alles auf diesem öden Hof geschehen. Hatte er hier nicht gehört, wie die alten Soldaten, ehe sie zum dritten und vierten Male feldmarschmäßig abgeführt wurden, miteinander um ein Kommißbrot wetteten, wer am schnellsten zurück sein werde? Und waren sie nicht, eine Woche später, in lumpiger Uniform wieder aufgetaucht, einen Tripper echt Brüsseler Abstammung am Leibe? Fabian ließ das Gitter los und ging weiter an den alten protzigen Grenadier- und Infanteriekasernen vorbei. Hier war der Park und die Schule, in der er jahrelang gesessen und gelebt hatte, ehe er mit Rechtsdrall, Scherenfernrohr und Lafettenschwanz bekannt gemacht wurde. Die Straße, die sich zu der Stadt hinuntersenkte, abends war er sie heimlich entlanggerannt, nach Hause, zur Mutter, auf wenige Minuten. Ob Schule, Kadettenanstalt, Lazarett oder Kirche, an der Peripherie dieser Stadt war jedes Gebäude eine Kaserne gewesen.

Noch immer lag das große graue Gebäude mit den schiefergedeckten spitzen Ecktürmen da, als sei es bis unters Dach mit Kindersorgen angefüllt. Die Fenster der Direktionswohnung waren noch immer mit weißen Gardinen geziert, im Gegensatz zu den vielen schwarzen

schmucklosen Fenstern, hinter denen die Klassenzimmer, die Wohn-
räume der Schüler, die Schrankzimmer und die Schlafsäle lagen. Früher
hatte er immer geglaubt, das riesige Haus müsse nach der Seite, auf
der die Direktorwohnung lag, tief in die Erde sinken, so schwerwie-
gend war ihm die Tatsache erschienen, daß hier Gardinen an den
Fenstern hingen. Er ging durch das Tor und stieg die Stufen hinauf.
Aus den Klassenzimmern drangen dunkle und helle Stimmen. Der
leere Korridor war erfüllt davon. Aus der ersten Etage wehten Chorgesang und Klavierspiel. Fabian verschmähte die breite Freitreppe, er
kletterte im Seitenflügel die schmalen Stufen hinan, zwei kleine Schüler kamen ihm entgegen.
»Heinrich«, rief der eine, »du sollst sofort zum Storch kommen und
die Hefte holen.«
»Der wird's wohl erwarten können«, sagte Heinrich und ging krampfhaft langsam durch die schwankende Glastür.
›Der Storch‹, dachte Fabian, ›es hat sich nichts geändert.‹ Dieselben
Lehrer waren noch da, die Spitznamen waren geblieben. Nur die Schü-
ler wechselten. Ein Jahrgang nach dem andern wurde erzogen und
gebildet. Früh läutete der Hausmeister. Die Jagd begann: Schlafsaal,
Waschsaal, Schrankzimmer, Speisesaal. Die Jüngsten deckten den
Tisch, holten die Butterdosen aus dem Eisschrank und die emaillierten
Kaffeekannen aus dem Aufzug. Die Jagd ging weiter: Wohnzimmer,
Staubwischen, Klassenzimmer, Unterricht, Speisesaal. Die Jüngsten
deckten den Tisch fürs Mittagessen. Die Jagd ging weiter: Freizeit,
Gartendienst, Fußballspiel, Wohnzimmer, Schularbeiten, Klassenzim-
mer, Speisesaal. Die Jüngsten deckten den Tisch fürs Abendbrot. Die
Jagd ging weiter: Wohnzimmer, Schularbeiten, Waschsaal, Schlafsaal.
Die Primaner durften zwei Stunden länger aufbleiben und rauchten im
Park Zigaretten. Es hatte sich nichts geändert, nur die Jahrgänge wechselten.
Fabian stand in der dritten Etage und öffnete die Tür zur Aula. Mor-
genandacht, Abendandacht, Orgelspiel, Kaisers Geburtstag, Sedan-
feier, Schlacht bei Tannenberg, Fahnen im Turm, Osterzensuren, Ent-
lassung der Einberufenen, Eröffnung der Kriegsteilnehmerkurse, im-
mer wieder Orgelspiel und Festreden voller Frömmigkeit und Würde.
Einigkeit und Recht und Freiheit hatte sich in der Atmosphäre dieses
Raumes festgebissen. Ob es noch so wie früher war, daß man, kam
ein Lehrer vorüber, strammstehen mußte? Mittwochs gab es zwei und
sonnabends drei Stunden Ausgang. Ob man immer noch, wenn der
Ausgang entzogen worden war, vom Inspektor angehalten wurde,
Zeitungen mit Hilfe einer Schere in Abortpapier zu verwandeln?

War es denn nicht auch manchmal schön gewesen? Hatte er immer nur die Lüge gespürt, die hier umging, und die böse heimliche Gewalt, die aus ganzen Kindergenerationen gehorsame Staatsbeamte und bornierte Bürger machte? Es war manchmal schön gewesen, aber nur trotzdem. Er verließ die Aula und stieg die düstere Wendeltreppe zu den Wasch- und Schlafsälen hinauf. In langer Front standen die eisernen Bettstellen. An den Wänden hingen die Nachthemden militärisch ausgerichtet. Ordnung mußte sein. Nachts waren die Primaner aus dem Park heraufgekommen und hatten sich zu erschrockenen Quintanern und Quartanern ins Bett gelegt. Die Kleinen hatten geschwiegen. Ordnung mußte sein. Er trat ans Fenster. Unten im Flußtal schimmerte die Stadt mit ihren alten Türmen und Terrassen. Wie oft war er, wenn die anderen schliefen, hierher geschlichen, hatte hinabgeblickt und das Haus gesucht, in dem die Mutter krank lag. Wie oft hatte er den Kopf an die Scheiben gepreßt und das Weinen unterdrückt. Es hatte ihm nicht geschadet, das Gefängnis nicht und das unterdrückte Heulen nicht, das war richtig. Damals hatte man ihn nicht klein gekriegt. Ein paar hatten sich erschossen. Es waren nicht viele gewesen. Im Krieg hatten schon mehr daran glauben müssen. Später waren noch etliche gestorben. Heute war die Hälfte der Klasse tot. Er stieg die Treppen hinunter, verließ das Gebäude und ging in den Park. Mit Reisigbesen und Schaufeln und spitzen Stöcken waren sie hinter einem Handwagen hergetrabt, hatten welkes Laub zusammengekehrt und Papier, das herumlag, aufgespießt. Der Park war groß, er senkte sich zu einem kleinen Bach hinab.

Fabian lief auf den alten, vertrauten Pfaden, setzte sich auf eine Bank, blickte in die Wipfel der Bäume, ging weiter und wehrte sich vergeblich dagegen, daß ihn das, was er sah, zurückverwandelte. Die Säle und Zimmer und Bäume und Beete, die ihn umgaben, waren keine Wirklichkeit, sondern Erinnerungen. Hier hatte er seine Kindheit zurückgelassen, und nun fand er sie wieder. Sie sank von den Zweigen und Wänden und Türmen auf ihn herab und bemächtigte sich seiner. Er schritt immer tiefer hinein in den melancholischen Zauber. Er kam zur Kegelbahn, die Kegel standen schußfertig. Fabian sah sich um, er war allein, da nahm er eine Kugel aus dem Kasten, holte aus, lief vor und ließ die Kugel über die Bahn rollen. Sie machte ein paar kleine Sprünge. Die Bahn war immer noch uneben. Sechs Kegel fielen klappernd um.

»Was soll denn das?« fragte jemand ärgerlich. »Fremde haben hier nichts zu suchen!« Es war der Direktor. Er hatte sich kaum verändert. Sein assyrischer Bart war nur noch grauer geworden.

»Entschuldigen Sie«, sagte Fabian, zog den Hut und wollte sich entfernen.

»Einen Augenblick«, rief der Direktor. Fabian drehte sich um. »Sind Sie nicht ein ehemaliger Schüler von uns?« fragte der Mann. Dann streckte er die Hand aus. »Natürlich, Jakob Fabian! Herzlich willkommen! Das ist nett. Haben Sie Sehnsucht nach Ihrer alten Schule gehabt?« Sie begrüßten sich.

»Eine böse Zeit«, sagte der Direktor. »Eine gottlose Zeit. Die Gerechten müssen viel leiden.«

»Wer sind die Gerechten?« fragte Fabian. »Geben Sie mir ihre Adresse.«

»Sie sind immer noch der alte«, meinte der Direktor. »Sie waren immer einer der besten Schüler und einer der frechsten. Und wie weit haben Sie es damit gebracht?«

»Der Staat ist im Begriff, mir eine kleine Pension zu bewilligen«, sagte Fabian.

»Arbeitslos?« fragte der Direktor streng. »Ich hatte mehr von Ihnen erwartet.«

Fabian lachte. »Die Gerechten müssen viel leiden«, erklärte er.

»Hätten Sie nur damals Ihr Staatsexamen gemacht«, sagte der Direktor. »Dann stünden Sie jetzt nicht ohne Beruf da.«

»Ich stünde in jedem Fall ohne Beruf da«, entgegnete Fabian erregt. »Auch wenn ich ihn ausübte. Ich kann Ihnen verraten, daß die Menschheit mit Ausnahme der Pastoren und Pädagogen nicht mehr weiß, wo ihr der Kopf steht. Der Kompaß ist kaputt, aber hier, in diesem Hause, merkt das niemand. Ihr fahrt nach wie vor in eurem Lift rauf und runter, von der Sexta bis zur Prima, wozu braucht ihr einen Kompaß?«

Der Direktor schob die Hände unter die Flügel seines Gehrocks und sagte: »Ich bin entsetzt. Es gäbe keine Aufgabe für Sie? Gehen Sie hin und bilden Sie Ihren Charakter, junger Mensch! Wozu haben wir Geschichte getrieben? Wozu haben wir die Klassiker gelesen? Runden Sie Ihre Persönlichkeit ab!«

Fabian betrachtete den wohlgenährten, selbstgefälligen Herrn und lächelte. Dann sagte er: »Sie mit Ihrer abgerundeten Persönlichkeit!« und ging.

Auf der Straße traf er Eva Kendler. Sie kam mit zwei Kindern daher und war ziemlich dick geworden. Er wunderte sich, daß er sie überhaupt erkannte.

»Jakob!« rief sie und wurde rot. »Du hast dich gar nicht verändert.

Sagt dem Onkel guten Tag!« Die Kinder gaben ihm die Hand und machten Knickse. Es waren zwei Mädchen. Sie sahen ihrer Mutter ähnlicher als sie sich selber.

»Wir sind uns mindestens zehn Jahre nicht begegnet«, sagte er. »Wie geht's dir? Wann hast du geheiratet?«

»Mein Mann ist Oberarzt im Carolahaus«, erzählte sie. »Da kann man keine großen Sprünge machen. Zu einer eigenen Praxis reicht es nicht. Vielleicht geht er mit Professor Wandsbeck nach Japan. Wenn es sich lohnt, fahre ich mit den Kindern nach.« Er nickte und betrachtete die beiden kleinen Mädchen.

»Damals war es schöner«, sagte sie leise. »Weißt du noch, wie meine Eltern verreist waren? Siebzehn Jahre war ich alt. Wie die Zeit vergeht.« Sie seufzte und strich den kleinen Mädchen die Matrosenkragen glatt. »Ehe man recht dazu kommt, sein eigenes Leben zu haben, trägt man schon wieder Verantwortung für seine Kinder. Dieses Jahr fahren wir nicht einmal an die See.«

»Das ist natürlich schrecklich«, meinte er.

»Ja«, sagte sie, »da wollen wir mal gehen. Auf Wiedersehen, Jakob.«

»Auf Wiedersehen!«

»Gebt dem Onkel die Hand!«

Die kleinen Mädchen machten Knickse, drängten sich an die Mutter und zogen mit ihr davon. Fabian blieb noch eine Weile stehen. Die Vergangenheit bog um die Ecke, mit zwei Kindern an der Hand, fremd geworden, kaum wiederzuerkennen. »Du hast dich gar nicht verändert«, hatte die Vergangenheit zu ihm gesagt.

»Wie war's?« fragte die Mutter. Sie standen, nach dem Mittagessen, im Laden und packten eine Kiste mit Bleichpulver aus.

»Ich war oben bei den Kasernen. In der Schule war ich auch. Und dann habe ich die Eva getroffen. Zwei kleine Kinder hat sie. Der Mann ist Arzt.«

Die Mutter zählte die Pakete, die sie ins Regal geräumt hatte. »Die Eva? Das war einmal ein hübsches Mädchen. Wie war das gleich? Du kamst doch damals zwei Tage nicht nach Hause.«

»Ihre Eltern waren verreist, und ich mußte einen mehrtägigen Aufklärungskursus abhalten. Es war ihr erster, und ich löste meine Aufgabe sehr gewissenhaft und mit wahrhaft sittlichem Ernst.«

»Ich war damals in Sorge«, sagte die Mutter.

»Aber ich schickte dir doch eine Depesche!«

»Depeschen sind etwas Unheimliches«, erklärte sie. »Über eine halbe Stunde saß ich davor und traute mich nicht, sie zu öffnen.« Er reichte die Pakete, die Mutter schichtete auf. »Wäre es nicht besser, wenn du hier eine Stellung suchtest?« fragte sie. »Gefällt es dir gar nicht mehr bei uns? Du könntest in die Wohnstube ziehen. Hier sind auch die Mädchen netter und nicht so verrückt. Vielleicht findest du doch eine Frau.«

»Ich weiß noch nicht, was ich mache«, sagte er. »Es kann sein, daß ich hierbleibe. Ich will arbeiten. Ich will mich betätigen. Ich will endlich ein Ziel vor Augen haben. Und wenn ich keines finde, erfinde ich eines. So geht es nicht weiter.«

»Zu meiner Zeit gab es das nicht«, behauptete sie. »Da war Geldverdienen ein Ziel, und Heiraten und Kinderkriegen.«

»Vielleicht gewöhne ich mich daran«, meinte er. »Wie sagst du immer?« Sie hielt im Packen inne und sagte mit Nachdruck: »Der Mensch ist ein Gewohnheitstier.«

Dreiundzwanzigstes Kapitel

Pilsner Bier und Patriotismus
Türkisches Biedermeier
Fabian wird gratis behandelt

Gegen Abend ging Fabian in die Altstadt hinüber. Von der Brücke aus sah er die weltberühmten Gebäude wieder, die er, seit er denken konnte, kannte: das ehemalige Schloß, die ehemalige Königliche Oper, die ehemalige Hofkirche, alles war hier wunderbar und ehemalig. Der Mond rollte ganz langsam von der Spitze des Schloßturms zur Spitze des Kirchturms, als gleite er auf einem Draht. Die Terrasse, die sich am Flußufer erstreckte, war mit alten Bäumen und ehrwürdigen Museen bewachsen. Diese Stadt, ihr Leben und ihre Kultur befanden sich im Ruhestand. Das Panorama glich einem teuren Begräbnis. Auf dem Altmarkt traf er Wenzkat. »Nächsten Freitag ist Klassenzusammenkunft im Ratskeller«, erzählte Wenzkat. »Bist du dann noch hier?«

»Ich hoffe«, sagte Fabian. »Wenn es irgend geht, erscheine ich.« Er wollte rasch weiter, aber der andere lud ihn ein. Seine Frau sei seit vierzehn Tagen im Bad. Sie gingen zu Gaßmeier und tranken Pilsner.

Nach dem dritten Glas wurde Wenzkat politisch. »So geht das nicht weiter«, schimpfte er. »Ich bin im Stahlhelm. Das Abzeichen trage ich nicht. Ich kann mich, bei meiner Zivilpraxis, öffentlich nicht festlegen. Doch das ändert nichts an der Sache. Es gilt einen Verzweiflungskampf.«

»Zum Kampf kommt es gar nicht erst, wenn ihr anfangt«, sagte Fabian. »Es kommt gleich zur Verzweiflung.«

»Vielleicht hast du recht«, rief Wenzkat und schlug auf die Tischplatte. »Dann gehen wir eben unter, Kreuznochmal!«

»Ich weiß nicht, ob das dem ganzen Volk recht ist«, wandte Fabian ein. »Wo nehmt ihr die Dreistigkeit her, sechzig Millionen Menschen den Untergang zuzumuten, bloß weil ihr das Ehrgefühl von gekränkten Truthähnen habt und euch gern herumhaut?«

»So war es immer in der Weltgeschichte«, sagte Wenzkat entschieden und trank sein Glas leer.

»Und so sieht sie auch aus von vorn bis hinten, die Weltgeschichte!« rief Fabian. »Man schämt sich, dergleichen zu lesen, und man sollte sich schämen, den Kindern dergleichen einzutrichtern. Warum muß es immer so gemacht werden, wie es früher gemacht wurde? Wenn das konsequent geschehen wäre, säßen wir heute noch auf den Bäumen.«

»Du bist kein Patriot«, behauptete Wenzkat.

»Und du bist ein Hornochse«, rief Fabian. »Das ist noch viel bedauerlicher.«

Dann tranken sie noch ein Bier und wechselten vorsichtshalber das Thema.

»Ich habe einen glänzenden Einfall«, meinte Wenzkat. »Wir gehen ein bißchen ins Bordell.«

»Gibt es denn so etwas noch? Ich denke, sie sind gesetzlich verboten.«

»Freilich«, sagte Wenzkat. »Verboten sind sie, aber es gibt noch welche. Das eine hat mit dem andern nichts zu tun. Du wirst dich amüsieren.«

»Ich denke gar nicht daran«, erklärte Fabian.

»Wir trinken eine Flasche Sekt mit den Mädchen. Das übrige ist fakultativ. Sei nett. Komm mit. Gib gut auf mich acht, damit ich meiner Frau keinen Kummer mache.«

Das Haus lag in einer kleinen schmalen Gasse. Fabian erinnerte sich, als sie davorstanden, daß hier die Offiziere der Garnison ihre Orgien gefeiert hatten. Das war zwanzig Jahre her. Das Haus sah unverändert aus. Wenn alles gut ging, wohnten noch dieselben Mädchen drin. Wenzkat läutete. Im Haus näherten sich Schritte. Ein Auge blickte starr durchs Guckloch. Die Tür ging auf. Wenzkat sah sich besorgt um. Die Gasse war leer. Sie traten ein.

Sie gingen an einer alten Frau vorbei, die einen Gruß murmelte, und stiegen eine schmale hölzerne Treppe hinauf. Die Haushälterin erschien und sagte: »Guten Tag, Gustav, läßt du dich auch wieder mal bei uns blicken?«

»Flasche Sekt!« rief Wenzkat. »Ist die Lilly noch bei euch?«

»Nein, aber die Lotte. Ihr Hintern ist breit genug für dich. Nehmt Platz!«

Das Zimmer, in das sie geführt wurden, war sechseckig und in türkischem Biedermeier eingerichtet. Die Lampe gab rotes Licht. Die Wände waren getäfelt und mit ornamentalen Intarsien und nackten Frauen geschmückt, und zu beiden Seiten zogen sich niedrige Polster hin. Die zwei setzten sich.

»Anscheinend schlechter Geschäftsgang«, sagte Fabian.

»Kein Mensch hat Geld«, erklärte Wenzkat. »Außerdem hat sich die Branche überlebt.«

Dann traten drei junge Frauen ins Zimmer und begrüßten den Stammgast. Fabian saß in einer Ecke und betrachtete die Szene. Die Haushälterin brachte einen Kübel, goß Sekt ein, rief »Prost!«, und man trank.

»Lotte«, sagte Wenzkat, »zieht euch aus!«

Lotte war eine dicke Person mit lustigen Augen. »Gut«, erklärte sie und ging mit den anderen aus dem Zimmer. Dann kamen sie nackt zurück und setzten sich zwischen die Gäste.

Wenzkat sprang auf und schlug mit der flachen Hand auf Lottes Hinterteil. Sie kreischte, küßte ihn und drängte ihn, Beschwörungen murmelnd, aus dem Zimmer. Sie verschwanden.

Nun saß Fabian mit der Haushälterin und zwei nackten Frauen am Tisch, trank Sekt und unterhielt sich. »Ist hier immer so wenig los?« fragte er.

»Neulich, zum Sängerfest, waren wir gut besucht«, sagte die Blondine und spielte nachdenklich mit ihren Brustwarzen. »Da hatte ich an einem Tag achtzehn Männer. Aber sonst ist es zum Sterben langweilig.«

»Wie im Kloster«, meinte die kleine Dunkle verloren und schob sich näher.

»Noch eine Flasche?« fragte die Haushälterin.

»Ich glaube nicht«, sagte er. »Ich habe nur ein paar Mark eingesteckt.«

»Ach Quatsch!« rief die Blondine. »Gustav hat Geld genug. Außerdem hat er hier Kredit.« Die Haushälterin entfernte sich, um die zweite Flasche zu holen.

»Kommst du zu mir rauf?« fragte die Blondine.

»Ich bemerkte schon ganz richtig, daß ich kein Geld habe«, sagte er und war froh, daß er nicht zu lügen brauchte.

»Es ist zum Verzweifeln«, rief die Blondine. »Bin ich dazu in den

Puff gegangen, daß ich wieder zuwachse? Komm und bring das Geld in den nächsten Tagen vorbei!« Fabian lehnte ab.

Wenig später kam Wenzkat wieder ins Zimmer und placierte sich neben die Blondine. »Jetzt brauchst du dich auch nicht zu mir zu setzen«, sagte sie beleidigt.

Nun erschien auch Lotte. Sie hielt mit beiden Händen ihre Sitzfläche. »So ein Schwein!« jammerte sie: »Immer diese Prügelei! Jetzt kann ich wieder drei Tage nicht sitzen.«

»Da hast du noch zehn Mark«, sagte Wenzkat. Sie steckte das Geld in den Halbschuh, und er schlug ihr, während sie sich bückte, wieder hintendrauf. Sie machte böse Augen und wollte auf ihn losgehen.

»Setz dich hin!« befahl er. Dann legte er den Arm um die Hüfte der Blondine und fragte: »Na, wollen wir?«

Sie betrachtete ihn prüfend und sagte: »Aber geprügelt wird bei mir nicht. Ich bin für die richtige Machart.«

Er nickte. Sie erhob sich und ging, die Anatomie schwenkend, voran.

»Ich sollte auf dich Obacht geben«, meinte Fabian.

»Ach, Mensch«, sagte der andere, »wer Sorgen hat, hat auch Likör.« Dann folgte er der Frau.

Die Haushälterin brachte die zweite Flasche und schenkte ein. Lotte schimpfte auf Wenzkat und zeigte die Striemen. Die kleine Dunkelhaarige zupfte Fabian an der Jacke und flüsterte: »Komm mal mit in mein Zimmer.« Er sah sie an, ihre Augen waren groß und ernst auf ihn gerichtet. »Ich will dir was zeigen«, erklärte sie ruhig, und dann gingen sie zusammen hinaus.

Das Zimmer der kleinen nackten Person war genauso türkisch und geschmacklos eingerichtet wie der Salon, aus dem sie kamen. Das Bett war über und über geblümt und mit Spitzen besät. Die Bilder an der Wand waren sehr lächerlich. Ein elektrischer Ofen erwärmte die Luft. Das Fenster war offen. Drei blühende Blumenstöcke standen davor. Die Frau schloß das Fenster, trat zu Fabian, umarmte ihn und streichelte sein Gesicht.

»Was wolltest du mir denn zeigen?« fragte er. Sie zeigte nichts. Sie sagte nichts. Sie sah ihn an.

Er klopfte ihr freundlich den Rücken. »Ich habe doch aber kein Geld«, sagte er. Sie schüttelte den Kopf, knöpfte ihm die Weste auf, legte sich aufs Bett und betrachtete ihn abwartend, ohne sich zu rühren.

Er zuckte die Achseln, zog den Anzug aus und legte sich zu ihr. Sie umfing ihn aufatmend. Sie gab sich ganz behutsam hin, und ihre Augen hingen ernst an seinem Gesicht. Er wurde verlegen, als habe er eine Jungfer zur Leichtfertigkeit überredet. Sie blieb stumm. Nur etwas später öffnete sich ihr Mund, und sie stöhnte, doch auch das tat sie voller Zurückhaltung.

Hinterher brachte sie Wasser, träufelte aus zwei Flaschen Chemikalien in die Schüssel und hielt dienstfertig ein Handtuch bereit.

Wenzkat saß zwischen Lotte und der Blondine, nickte Fabian zu und war müde. Sie tranken die Flasche leer und verabschiedeten sich. Fabian drückte der kleinen Dunkelhaarigen zwei Zweimarkstücke in die Hand. »Ich habe nicht mehr bei mir«, sagte er leise. Sie sah ihn ernst an.

Dann gingen alle miteinander zur Treppe. Wenzkat wurde wieder laut, er war beschwipst. Plötzlich spürte Fabian eine Hand in seiner Tasche. Als er auf der Straße stand, griff er in die Tasche und fand seine zwei Zweimarkstücke wieder.

»Hältst du das für möglich?« fragte er den andern. »Ich habe der Kleinen ein paar Mark gegeben, und nun hat sie mir das Geld wieder zugesteckt.«

Wenzkat gähnte laut und sagte: »Wo die Liebe hinfällt. Sie hat es wahrscheinlich nötig gehabt. Übrigens, Jakob, wenn du zur Klassenzusammenkunft kommen solltest, daß du nichts erzählst! Und vergiß nicht, Freitag abend im Ratskeller.« Dann ging er.

Fabian machte noch einen Spaziergang. Die Straßen waren kaum besucht. Die Straßenbahnen fuhren leer in die Depots. Auf der Brücke blieb er stehen und sah auf den Fluß hinunter. Die Bogenlampen spiegelten sich zitternd und waren wie eine Serie kleiner ins Wasser gefallener Monde. Der Fluß war breit. Es mußte im Gebirge geregnet haben. Auf den Hügeln, welche die Stadt umgaben, brannten viele zwinkernde Lichter.

Während er hier stand, lag Labude aufgebahrt in einer Grunewaldvilla, und Cornelia lag bei Herrn Makart im Himmelbett. Sehr weit weg lagen sie beide. Fabian stand unter einem anderen Himmel. Hier hatte Deutschland kein Fieber. Hier hatte es Untertemperatur.

Vierundzwanzigstes Kapitel

Herr Knorr hat Hühneraugen
Die Tagespost braucht tüchtige Leute
Lernt schwimmen!

Tags darauf war er beim Bäcker und rief von dort aus im Büro von Wenzkat an. Der hatte wenig Zeit. Er mußte aufs Gericht. Fabian fragte, ob er keinen wüßte, der einen Direktionsposten zu vergeben hätte.

»Geh doch mal zu Holzapfel«, meinte Wenzkat. »Der ist in der ›Tages-post‹.«

»Was treibt er denn dort?«

»Erstens ist er Sportredakteur, zweitens schreibt er Musikkritiken. Vielleicht weiß er etwas. Und erinnere ihn an Freitag abend. Auf Wiedersehen.«

Fabian ging nach Hause und erzählte, er wolle mal in die Altstadt zu Holzapfel, der sei bei der Tagespost Redakteur. Vielleicht könnte ihm der behilflich sein. Die Mutter stand im Laden und wartete auf Kunden. »Das wäre sehr schön, mein Junge«, sagte sie. »Geh mit Gott!«

Auf der Straßenbahn karambolierte er, infolge einer Kurve, mit einem baumlangen Herrn. Sie sahen einander mißgelaunt an. »Wir kennen uns doch«, meinte der Herr und streckte die Hand hin. Es war ein gewisser Knorr, ehemaliger Oberleutnant der Reserve. Ihm hatte die Ausbildung jener Einjährigen-Kompanie obgelegen, der Fabian angehört hatte. Er hatte die Siebzehnjährigen geschunden und schinden lassen, als bezöge er von Tod und Teufel Tantieme.

»Stecken Sie rasch Ihre Hand wieder weg«, sagte Fabian, »oder ich spuck Ihnen drauf.«

Herr Knorr, Spediteur von Beruf, befolgte den ernstgemeinten Rat und lachte betreten. Denn sie waren nicht allein auf der Plattform. »Was hab ich Ihnen denn getan?« fragte er, obwohl er das wußte.

»Wenn Sie nicht so groß wären, würde ich Ihnen jetzt eine herunterhauen«, sagte Fabian. »Da ich aber nicht bis zu Ihrer geschätzten Wange hinaufreiche, muß ich mich anders behelfen.« Und damit trat er Herrn Knorr derartig auf die Hühneraugen, daß der die Lippen zusammenpreßte und ganz blaß wurde. Die Umstehenden lachten, Fabian stieg ab und lief den Rest des Weges.

Holzapfel, der Klassenkamerad von einst, wirkte außerordentlich erwachsen, trank Flaschenbier und versah ein paar Bürstenabzüge mit Hieroglyphen. »Setz dich, Jakob«, sagte er. »Ich muß die Vorschau fürs Rennen korrigieren und einen Sammelbericht über Klavierkonzerte. Lange nicht gesehen. Wo hast du gesteckt? Berlin, wie? Ich führe gern mal wieder hinüber. Man kommt nicht dazu. Dauernd viel zu tun und dauernd Bier. Schwielen im Gehirn, Schwielen am Gesäß, die Kinder werden immer älter, die Freundinnen werden immer jünger, wenn das mal keine Lungenentzündung gibt.« Während er so vor sich hinfaselte, korrigierte und trank er ruhig weiter. »Koppel hat sich scheiden lassen, er kam dahinter, daß ihn seine Frau mit zwei anderen betrog. Er war ja immer schon ein guter Mathematiker. Bretschneider

278

hat die Apotheke verkauft und sich eine Klitsche angeschafft. Er züchtet rote Grütze und Salzkartoffeln. Jedem für sein Geld, was ihm schmeckt. So, die Klavierkonzerte können warten.« Er klingelte nach dem Boten und schickte die Fahne mit der Rennvorschau in die Setzerei. Dann erzählte Fabian, daß er eine Stellung suche, zuletzt habe er Propaganda gemacht. Aber ihm sei schon alles gleich, Hauptsache, er finde hier in der Stadt ein Unterkommen.

»Von Musik verstehst du nichts. Vom Boxen auch nicht«, stellte Holzapfel fest. »Vielleicht kann man dich im Feuilleton brauchen, für die zweite Theaterkritik oder etwas Ähnliches.« Er hängte sich ans Telefon und sprach mit dem Direktor. »Geh mal hin zu dem Kerl«, schlug er vor. »Erzähl ihm was Hübsches. Er ist eingebildet, aber gelehrig.« Fabian bedankte sich, erinnerte den andern an die Klassenzusammenkunft und ließ sich bei Direktor Hanke melden. »Doktor Holzapfel ist ein Klassenkamerad von Ihnen?« fragte der Direktor. »Sie haben Literaturgeschichte studiert? Augenblicklich ist keine Stellung frei. Doch das besagt nichts. Sollten Sie tüchtig sein, tüchtige Leute kann ich immer brauchen. Arbeiten Sie vierzehn Tage auf eigenes Risiko. Ich mache Sie mit dem Feuilletonchef bekannt. Wenn der Ihre Beiträge ablehnt, haben Sie Pech gehabt. Sonst sind Sie mir als externer Mitarbeiter willkommen.« Er wollte auf die Klingel drücken.

»Einen Moment, Herr Direktor«, sagte Fabian. »Ich danke Ihnen für die Chance. Noch lieber würde ich als Propagandist arbeiten. Man könnte beispielsweise eine Beratungsstelle für Inserenten einrichten, der Kundschaft zugkräftige Texte vorschlagen und eventuell ganze Werbefeldzüge organisieren. Man könnte die Auflageziffer des Blattes durch geschickte und systematische Reklame vorteilhaft beeinflussen. Man könnte, in Kompagnie mit Großinserenten, lohnende Preisausschreiben durchführen. Man könnte für die Abonnenten Boxabende und ähnliche Volksfeste veranstalten.«

Der Direktor hörte aufmerksam zu. Dann sagte er: »Unsere Großaktionäre sind nicht für die Berliner Methoden.«

»Aber die Herren sind dafür, daß die Auflageziffer wächst!«

»Nicht mit Hilfe von Fisimatenten«, erklärte der Direktor. »Immerhin, ich werde mit unserem Insertionschef sprechen. In bescheidener Dosierung sollte man vielleicht doch Maßnahmen ergreifen, denen wir uns auf die Dauer nicht völlig werden entziehen können. Kommen Sie morgen um elf wieder. Ich will sehen, was ich tun kann. Bringen Sie ein paar Arbeiten mit. Und Zeugnisse, falls Sie solches Gemüse auf Lager haben.«

Fabian stand auf und bedankte sich für das erwiesene Interesse.

»Wenn wir Sie engagieren«, sagte der Direktor, »erwarten Sie keine phantastischen Summen. Zweihundert Mark sind heute sehr viel Geld.«
»Für die Angestellten?« fragte Fabian neugierig.
»Nein«, sagte der Direktor, »für die Aktionäre.«

Fabian saß im Café Limberg, trank einen Kognak und machte sich Gedanken. Es war hirnverbrannt, was er plante. Er wollte, falls man die Gnade hatte, ihn zu nehmen, einer rechtsstehenden Zeitung behilflich sein, sich auszubreiten. Wollte er sich etwa einreden, ihn reize die Propaganda schlechthin, ganz gleich, welchen Zwecken sie diente? Wollte er sich so betrügen? Wollte er sein Gewissen, wegen zweier Hundertmarkscheine im Monat, Tag für Tag chloroformieren? Gehörte er zu Münzer und Konsorten?
Die Mutter würde sich freuen. Sie wünschte, daß er ein nützliches Glied der Gesellschaft würde. Ein nützliches Glied dieser Gesellschaft, dieser G. m. b. H.! Es ging nicht. So marode war er noch nicht. Geldverdienen war für ihn noch immer nicht die Hauptsache.
Er beschloß, den Eltern zu verschweigen, daß er bei der ›Tagespost‹ unterkriechen konnte. Er wollte nicht unterkriechen. Zum Donnerwetter. Er kroch nicht zu Kreuze! Er beschloß, dem Direktor abzusagen, und kaum hatte er sich dazu entschieden, wurde ihm wohler. Er konnte die restlichen tausend Mark von Labude nehmen, ins Erzgebirge hinauffahren und in irgendeinem stillen Gehöft bleiben. Das Geld reichte ein halbes Jahr oder länger. Er konnte wandern, soweit sein krankes Herz nichts dagegen hatte. Er kannte den Gebirgskamm, die Gipfel und die Spielzeugstädte von Schülerfahrten her. Er kannte die Wälder, die Bergwiesen, die Seen und die armen geduckten Dörfer. Andere Leute fuhren an die Südsee, das Erzgebirge war billiger. Vielleicht kam er dort oben zu sich. Vielleicht wurde er dort oben so etwas Ähnliches wie ein Mann. Vielleicht fand er auf den einsamen Waldpfaden ein Ziel, das den Einsatz lohnte. Vielleicht reichten sogar fünfhundert Mark. Die andere Hälfte konnte er der Mutter lassen.
Also los, an den Busen der Natur, marsch, marsch! Bis Fabian wiederkehrte, war die Welt einen Schritt vorangekommen oder zwei Schritte zurück. Wohin sie sich auch drehte, jede andere Lage war richtiger als die gegenwärtige. Jede andere Situation war für ihn aussichtsreicher, ob es Kampf galt oder Arbeit. Er konnte nicht mehr danebenstehen wie das Kind beim Dreck. Er konnte noch nicht helfen und zupacken, denn wo sollte er zupacken, und mit wem sollte er sich verbünden? Er wollte in die Stille zu Besuch und der Zeit vom Gebirge her zuhören, bis er den Startschuß vernahm, der ihm galt und denen, die ihm glichen.

Er trat aus dem Café. Aber war das nicht Flucht, was er vorhatte? Fand sich für den, der handeln wollte, nicht jederzeit und überall ein Tatort? Worauf wartete er seit Jahren? Vielleicht auf die Erkenntnis, daß er zum Zuschauer bestimmt und geboren war, nicht, wie er heute noch glaubte, zum Akteur im Welttheater?

Er blieb an Geschäften stehen, er sah Kleider, Hüte und Ringe, und er sah doch nichts. An einem Korsettgeschäft kam er wieder zu sich. Das Leben war eine der interessantesten Beschäftigungen, trotz alledem. Die Barockgebäude der Schloßstraße standen noch immer. Die Erbauer und die ersten Mieter waren lange tot. Ein Glück, daß es nicht umgekehrt war.
Fabian ging über die Brücke.
Plötzlich sah er, daß ein kleiner Junge auf dem steinernen Brückengeländer balancierte.
Fabian beschleunigte seine Schritte. Er rannte.
Da schwankte der Junge, stieß einen gellenden Schrei aus, sank in die Knie, warf die Arme in die Luft und stürzte vom Geländer hinunter in den Fluß.
Ein paar Passanten, die den Schrei gehört hatten, drehten sich um. Fabian beugte sich über das breite Geländer. Er sah den Kopf des Kindes und die Hände, die das Wasser schlugen. Da zog er die Jacke aus und sprang, das Kind zu retten, hinterher. Zwei Straßenbahnen blieben stehen. Die Fahrgäste kletterten aus den Wagen und beobachteten, was geschah. Am Ufer rannten aufgeregte Leute hin und wider.
Der kleine Junge schwamm heulend ans Ufer.
Fabian ertrank. Er konnte leider nicht schwimmen.

Prosa

Belletristik

Der Zauberlehrling
Ein Fragment

Erstes Kapitel

Mintzlaff setzte langsam die Tasse nieder, lehnte sich in dem sanft-
geblümten Ohrenstuhl zurück und blickte, während er die Lider
senkte, hinter den kleinen freundlichen Empfindungen, die in ihm
schwebten, drein, als wären es bunte Kinderballons an einem in-
wendigen Himmel.

›Du müßtest öfter reisen‹, sprach er zu sich selber. ›Nicht aus geo-
graphischen Erwägungen; nicht wegen irgendwelcher Fernsichten,
Gletscher, Gemäldegalerien, Tropfsteinhöhlen und Ritterburgen. Du
müßtest öfter reisen, um zuweilen nicht daheim zu sein. Nur unterwegs erfährt man das Gefühl märchenhafter Verwunschenheit. Nur
der Fremdling ist einsam und fröhlich in einem!‹

Ihm war nicht ganz klar, ob diese einigermaßen romantische Deutung
des Reisens nur für Menschen Geltung hatte, die, wie er, eigentlich
lieber zu Hause blieben; es reizte ihn im Augenblick auch gar nicht,
der Frage auf den Grund zu gehen.

Er musterte statt dessen die anheimelnd eingerichtete Teestube, in
der er seit zehn Minuten saß, schaute dann durch die Fensterscheiben
und nickte anerkennend; denn draußen schneite es still vor sich hin,
und er liebte seit seiner Kindheit das schwerelose weiße Zauberballett
der Flocken, als werde es von Anbeginn eigens für ihn getanzt.

Ach, und niemand konnte in dieser Stadt, wo ihn keiner kannte, kommen,
ihm auf die Schulter klopfen und, ob nun klug oder dumm, entbehr-
liche Mitteilungen machen! Es war, um allein im Chor zu singen!

Belustigt zog er die Brauen hoch. ›Rubrik römisch eins‹, ging es ihm
durch den Kopf. ›Seelischer Tatbestand: Der Mensch im natürlichen
Einklang mit Eigenschicksal und Umwelt. Antwort des Gemüts: Je
nach Temperament, Empfindungstiefe und -dauer abgewandelt; alle
heiteren Stimmungen von Glückseligkeit bis Zufriedenheit möglich;
Nullpunkt, wie in sämtlichen Sparten des Mintzlaffschen Systems, die
Indolenz. Künstlerische Antwort: Die apollinische Haltung und das
harmonische Werk, vom Hymnischen bis zum Idyllischen.‹

Er griff mit ironischem Schwung in die innere Rocktasche und zog etwas hervor, das einem vielfach gefalteten Stadtplan glich. Es war freilich nichts dergleichen; außer man brächte es zuwege, Seelen und Städte einander für ähnlich zu erachten.

Nein, es war das Mintzlaffsche Schema, und das bedeutet: ein System, in dem die Skala der menschlichen Gemütslagen und das Spektrum gewisser künstlerischer Kategorien — wie beispielsweise des Tragischen, des Komischen, des Satirischen, des Humoristischen — einander rechtwinklig und übersichtlich zugeordnet wurden. Das Ganze war, wenn man so will, eine Klima- und Wetterkarte wichtiger ästhetischer Grundbegriffe; und der Herr Begriffsstutzer, wie Mintzlaff sich selber nannte, tat sich, im Rahmen des Statthaften, mitunter einiges darauf zugute.

Ästhetiker sind seltsame Leute. Sie lieben die Künste und die Ordnung und bringen deshalb Ordnung in die Kunst. Sie rücken der Kultur zuleibe wie Linné seinerzeit den Blumen und Bäumen. Nun täte man solchen Fanatikern der Ordnung schweres Unrecht, wenn man sie für Pedanten halten wollte. Nein, sie wissen um das Urgeheimnis der ordnenden Tätigkeit, und das lautet: Wer Ordnung schafft, schafft!

Wer Ordnung schafft, gewinnt Einblick in die Zusammenhänge und Einsicht in die Bedeutung der Gegenstände. Indem er die Vielfalt ordnet, findet er ihre Gesetze. Die Kenntnisse kristallisieren sich zur Erkenntnis, und diese zeugt aus sich heraus oft überraschende, vorher nie gewußte, durch bloßes Suchen niemals auffindbare neue Kenntnisse.

Nun, solch ein Kauz war Herr Mintzlaff, der Vater des Mintzlaffschen Schemas. Man sah es ihm nicht an. Seine äußere Erscheinung entsprach kaum der Vorstellung, die man sich unwillkürlich von einem Kunstgelehrten macht. Weit eher glich er einem melancholisch angehauchten Eishockeyspieler.

Er war vor knapp zwei Stunden in München eingetroffen, hatte die Koffer in einem Hotelzimmer untergebracht und wollte am nächsten Tag die Reise, deren Ziel Davos war, über Stuttgart und Zürich fortsetzen.

Er liebte an München besonders, daß er es so gut wie gar nicht kannte. Als Student hatte er während dreier Tage die Münchner Museen heimgesucht. Später, als Dreißigjährigem, war ihm in dieser Stadt, im Verlauf eines halbwöchigen Aufenthalts, eine Art Braut, ein bildschönes und unkluges Mädchen, mit einem feurigen Bildhauer durchgegangen, und die beiden hatten diesen Schritt sowie die folgenden Schritte später noch sehr bereut.

Weiter kannte Mintzlaff München nicht. So konnte er heute recht von Herzen den ersten Tag der Reise, jenes friedvollen Untertauchens in der Anonymität, auskosten.

Er lehnte sich wieder in den bequemen Ohrenstuhl zurück. Draußen schneite es noch immer. Der Himmel zuckerte die Hüte der Damen und Herren in der Brienner Straße ein, als seien's keine Kleidungsstücke, sondern kandierte Früchte.

Da! Einem würdigen Passanten flog die eingezuckerte Melone vom Kopf! Hatte der Wind Appetit?

Der Passant setzte sich in Trab. Wenn er nun, nach vielen höchst unwilligen Sprüngen, den Hut wiederfände und feststellen müßte, daß ein unsichtbares Wesen ein Stück Krempe abgebissen hätte?

Mintzlaff streckte die Beine von sich. Wie schön, wie unheimlich schön das Leben war, empfand man doch wohl erst, nachdem man erfahren hatte, wie schlimm, wie abgründig schlimm es war, dieses selbe Leben!

Da nahm jemand an Mintzlaffs Tische Platz.

Ausgerechnet in einem so einsichtsvollen Augenblick! Es war ein Mann, schön wie ein Schrank. Mit lackschwarzem, nach hinten gekämmtem Haar und einem jener ein wenig zu eleganten Schnurrbärte, denen man am ehesten in Südamerika und im Film begegnet. Mintzlaff griff hastig nach dem Mintzlaffschen Schema, faltete es zusammen und verstaute es sorgfältig in der inneren Rocktasche. Er beschloß, die Teestube umgehend zu verlassen.

Der Fremde schien davon, daß er störte, nichts zu spüren. Er bestellte etwas zu trinken, rieb sich das Kinn, musterte die manikürten Nägel, schnippte ein Stäubchen von seinem sehr neuen Anzug und blieb eine Weile sinnend sitzen. Dann beugte er sich über den Tisch und fragte: »Haben Sie einen Spiegel bei sich?«

Mintzlaff schüttelte den Kopf und sagte unnötig laut: »Nein!«

»Schade«, erwiderte der Fremdling. »Sie müssen wissen, daß ich bis vor einer halben Stunde einen wunderschönen Vollbart trug. Der Friseur nahm daran Anstoß; und das junge Mädchen, das mir die Nägel kurzschnitt, fand sogar, ich sähe unmöglich aus.«

Mintzlaff schwieg und dachte bitter: ›Daran hat sich mittlerweile nicht das mindeste geändert!‹

Da lachte der Fremde.

Der Kunstgelehrte schaute mißtrauisch auf. In diesem Moment trat die Kellnerin herzu und bediente den neuen Gast. Ehe Mintzlaff den Wunsch zu zahlen geäußert hatte, war sie weitergeglitten.

Der Fremde trank einen Schluck, wandte sich dem gekränkten Nachbarn zu und sagte freundlich: »Entschuldigen Sie, daß ich gelacht habe. Ich halte es auf alle Fälle für angebracht, Ihnen beizeiten mitzuteilen, daß ich Gedanken lesen kann.«

Mintzlaff schaute dem anderen zum ersten Male voll ins Gesicht und wurde rot. Der Mann hatte große, herrliche Augen; Augen, denen so leicht kein Blick gewachsen war. Mintzlaff war verwirrt. ›Gedankenlesen ist ein höchst unanständiges Talent‹, dachte er noch. Da antwortete der Fremde, als habe der Nachbar den Satz nicht etwa nur gedacht, sondern laut und vernehmlich ausgesprochen: »Sie haben nicht ganz unrecht. Doch man mag von einem Talent, das man hat, halten, was man will — man besitzt es eben! Man kann es nicht fortwerfen, nicht verbrennen und nicht wegschenken. Ein Talent ist kein Vollbart.«

Mintzlaff war rechtschaffen unheimlich zumute. Was war das für ein Mann? Woher kam er? Gab es denn überhaupt Telepathie von solcher Sehschärfe? Noch dazu zwischen einander völlig unbekannten Menschen? Das beste wäre, schnellstens zu zahlen und davonzulaufen!

»Bleiben Sie«, sagte der Fremde. »Der Gedanke, Sie verjagt zu haben, wäre mir recht ärgerlich. Bleiben Sie! Machen Sie mir die Freude!« Ohne eine Antwort abzuwarten, fuhr er fort: »Ich heiße übrigens Lamotte. Baron Lamotte.«

Mintzlaff verbeugte sich und nannte seinen Namen. ›Eigentlich ist es blödsinnig, den Mund aufzutun‹, dachte er währenddem. ›Er weiß ja doch, was man sagen will, ehe man sich um die Erzeugung von Schallwellen bemüht.‹

Baron Lamotte nickte nachdenklich und meinte: »Trotzdem ist ein Zwiegespräch, bei dem nur einer den Mund auftut, eine etwas absurde Angelegenheit. Außerdem fällt derartiges in einem Lokal natürlich auf. Und ich möchte, offen gestanden, keineswegs, daß mein, um mit Ihren Gedanken zu reden, unanständiges Talent bekannt wird.« Er unterbrach sich. »Sie wollten etwas denken«, sagte er. »Sprechen Sie es ruhig aus!«

»Ich habe eine Frage.«

»Bitte?«

»Bin ich, ohne es zu wissen, ein ungewöhnlich telepathisches Medium?«

»Nein, mein Herr.«

»Wenn Ihr Talent dann also wirklich vor keinem Menschen haltmacht ...«

»Vor keinem, mein Herr.«

Mintzlaff griff sich an die Schläfen. »Es ist nicht auszudenken!« Er dämpfte seine Stimme. »Es ist eine überwältigende Vorstellung! Sie könnten in kurzer Zeit die Börsen aller Kontinente beherrschen, vielleicht um Millionär zu werden, vielleicht um die Pest der Spekulation auszurotten! Sie könnten der genialste Diplomat Ihres Landes werden, oder der unfehlbarste Kriminalist!«

»Ich könnte sogar im Varieté auftreten«, sagte der Baron. »Ich weiß. Aber, sehen Sie, ich mag nicht. Ich finde es zweitklassig, aus dem, was andere ängstlich verschweigen, Ruhm oder Geld zu münzen. Überdies besitze ich schon zuviel Geld und sowieso zuwenig Ehrgeiz. Liegenschaften habe ich auch; mit Seen, Wäldern und Tieren. Nicht einmal die Langeweile könnte mich also dazu überreden, ein Genie, ein Milliardär oder noch Schlimmeres zu werden.« Er blickte lächelnd zu seinem verstörten Nachbarn hinüber.

Mintzlaff, der sich schon wieder durchröntgt fühlte, zuckte verlegen die Schultern.

Lamotte kniff belustigt das rechte Auge zu. »Es gibt auch andere Gründe, zu arbeiten, nicht nur die Flucht vor der Langeweile? Gewiß, mein Herr. Aber ich erinnere mich nicht, gesagt zu haben, daß ich ein notorischer Faulenzer bin. Oder habe ich es etwa gedacht?« Er drohte mit dem Zeigefinger. »Sollten Sie mir das Gedankenlesen schon abgeguckt haben?«

»Es ist allen Ernstes schrecklich«, erklärte Mintzlaff. »In Ihrer Gegenwart müßte man sich aus purer Höflichkeit das Denken abgewöhnen! Oder man müßte bereits lügen können, während man denkt — doch das ist ein Ding der Unmöglichkeit.«

»So unzulänglich sind die Menschen«, meinte der Baron. Doch schien es ihm nicht allzu nahezugehen. »Und von einer Unzulänglichkeit soll ich profitieren?« fragte er. »Man sollte nie durch Schlüssellöcher schauen, auch nicht, wenn sie sich in leeren oder schlecht möblierten Schädeln befinden! — Außer zum eigenen Vergnügen. Da haben Sie recht!« Er lachte entwaffnend.

Mintzlaff stimmte schüchtern ein. »Entschuldigen Sie, Herr Baron«, sagte er dann, »Sie sind der erste Mensch, dem ich den Vorschlag gemacht habe, auf unmoralische Weise vorwärtszukommen.«

»Aber, aber!« Baron Lamotte hob beschwörend beide Hände. »Machen Sie keine Geschichten! Sie brauchen sich nicht zu entschuldigen! Ich weihte Sie in ein Geheimnis ein, und Ihre Phantasie spielt Ihnen einen Streich — das ist doch nur natürlich!« Er schwieg einige Sekunden, beugte sich dann vor und fragte leise: »Sehen Sie den Mann mit der grünen Jägerjoppe?«

»Gewiß.«

»Haben Sie zufällig gehört, was der Kerl eben gedacht hat?«

Ehe Mintzlaff etwas erwidern konnte, schüttelte der andere den Kopf.

»Pardon, ich vergaß ganz, daß Sie ja gar nicht... Da sitzt also ein Mann in einer grünen Joppe mit beinernen Knöpfen harmlos am Nebentisch, macht Augen wie ein verfrühtes Veilchen und wird seinem Gegenüber noch heute abend zwanzigtausend Mark abpressen wollen!«

»Man sollte den anderen ins Bild setzen!« meinte Mintzlaff.

»Zu spät«, erklärte Lamotte und betrachtete angelegentlich die Nymphenburger Vase, die, mit Alpenrosen gefüllt, auf dem Nebentisch stand.

»Zu spät?«

»Ja. Er weiß schon Bescheid. Durch die Gemahlin des Mannes in der Joppe. Aha, eine echte Rotblondine.« Der Baron lächelte nachsichtig. »Männer sind komische Leute. Während sie einander an der Gurgel packen, denkt der eine an die Haarfarbe der Frau des anderen!«

Mintzlaff versank in Schweigen. Über seiner Nasenwurzel erschien eine senkrechte Falte, schmal und tief wie eine Fechternarbe. »Halt!« sagte der Baron hastig. »Vorsicht, mein Herr! Denken Sie rasch etwas anderes! Ich möchte mich unter keinen Umständen in Ihre augenblicklichen Gedanken mischen!«

Der Kunstgelehrte zuckte zusammen. Und eine schlanke Dame namens Hedwig, die eben noch, schön und bloß, durch sein Innenleben geschwebt war, verschwand erschrocken in einer unzugänglichen Dimension, fortgehext wie durch einen Zaubertrick. Und aus Angst, die junge Dame könne, womöglich noch immer unbekleidet, erneut hinter der Wolke des Unterbewußtseins hervorschweben, nicht ahnend, daß die Erinnerung an sie von einem wildfremden Herrn mitgedacht würde, begann Mintzlaff angestrengt das Einmaleins mit der Dreizehn in Gedanken herzubeten. ›13, 26, 39, 52, 65, 88...‹

»Falsch«, sagte der Baron. »78!« Er wandte den Kopf und zog die Brauen hoch.

Die beiden Männer am Nebentisch hatten sich erhoben. Eine große elegante Frau trat zu ihnen und gab ihnen die Hand.

»Sie ist tatsächlich rotblond!« flüsterte Mintzlaff.

Der Baron meinte nachlässig: »Aber die Haarfarbe ist nicht echt. Obwohl der Liebhaber es glaubt. Sie sehen, daß man auch durch Gedankenlesen nicht immer die Wahrheit erfährt!«

Die drei am Nebentisch hatten Platz genommen, unterhielten sich leise und lächelten höflich. Der junge Mann in der grünen Joppe hatte die Hand leicht auf den Arm seiner Gattin gelegt. Der andere Mann reichte ihr sein Zigarettenetui, gab gewandt Feuer, und sie sahen einander dabei flüchtig und scheinbar völlig konventionell in die Augen.

»Großartige Komödianten«, murmelte der Baron. »Artisten der Lüge. Man hat Mühe, ihren lautlosen und unsichtbaren Kunststücken zu folgen. Sie dürfen nicht vergessen, mein Herr, daß die drei zwar nacheinander sprechen, aber gleichzeitig denken.«

»Die Herrschaften pokern ohne Karten«, meinte Mintzlaff.

»Und sie spielen um verflucht hohe Beträge«, erwiderte Lamotte.

»Um die Existenz; der eine ums Leben.«

Mintzlaff blickte gespannt zum Nebentisch hinüber. ›Wenn die undurchsichtigen Vorhänge vor diesen Köpfen plötzlich weggezogen würden‹, dachte er, ›und die drei könnten einander in die Köpfe schauen, wie durch gardinenlose Fenster in gespenstische Zimmer, nur eine Minute lang, und dann rauschten die Vorhänge ebenso plötzlich wieder zusammen — was geschähe wohl? Würfen die Männer und die Frau, als hätten sie Feuerbrände in den bloßen Händen, die unsichtbaren Spielkarten von sich?‹

»Sie haben gefährliche Wünsche, mein Herr«, sagte der Baron. »Sie wollen ernstlich, daß drei Menschen sechzig Sekunden lang in die Hölle blicken?«

»Entschuldigen Sie, Herr Baron! Ich dachte nur . . .«

»Sie dachten nur?«

In diesem Moment fiel ein Stuhl um. Tassen klirrten. Der Mann in der grünen Joppe war aufgesprungen und griff sich langsam an die Kehle. Er starrte aus weitaufgerissenen, glasigen Augen auf die zwei am Tisch.

Der andere beugte sich weit vor, krallte eine Hand ins Tischtuch und wollte sich erheben. Das Tischtuch gab nach. Die Nymphenburger Vase torkelte und fiel ganz langsam um. Das Wasser lief über seine Finger und tropfte lautlos in den Teppich.

Das Gesicht der Frau sah jetzt aus, als sei es mit zerknittertem Seidenpapier überklebt. »Nein!« schrie sie plötzlich und schielte vor Entsetzen. »Nein!«

Die übrigen Gäste zuckten zusammen und blickten verständnislos auf das abwegige Schauspiel, das man ihnen bieten zu wollen schien.

Die drei waren jetzt in ihren Bewegungen erstarrt und glichen vorübergehend einer seltsamen Gruppe in einem Wachsfigurenkabinett. Sie atmeten nicht. Sie waren gelähmt.

Dann, mit einem Ruck, fiel der Zauberbann von ihnen ab. Die Frau stand wie eine Nachtwandlerin auf, ergriff ihre Handtasche und wankte aus dem Lokal. Die Tasche war offen. Die Puderdose fiel zu Boden.

Der Mann mit der grünen Joppe brach schwer in seinem Sessel zusammen.

Der andere erhob sich, ging ein paar Schritte, bückte sich nach der Puderdose, hob sie auf, ließ sie wieder fallen und schritt ohne Hut und Mantel hinaus in das Schneetreiben.

Man hörte, als er die Straße überquerte, die Bremsen eines Autos kreischen.

Mintzlaff fuhr sich über die Augen. »Um Gottes willen, Herr Baron!« flüsterte er. Aber der Fremde saß nicht mehr am Tisch.

Zweites Kapitel

Die Nacht, die dem einigermaßen seltsamen Tage gefolgt war — zum Überfluß eine erste Reisenacht in einem Hotelbett, das an der verkehrten Zimmerseite stand —, diese Nacht war für Herrn Mintzlaff schlaflos verlaufen.

Am Nachmittag hatte er, nachdem der rätselhafte Baron vom Tisch verschwunden war, noch erleben müssen, daß der Mann in der grünen Joppe von zwei Sanitätern aus der aufgeregten Teestube in einen Krankenwagen getragen worden war. »Linksseitiger Schlaganfall«, hatte vorher ein als Gast zufällig anwesender Arzt festgestellt gehabt.

Es müßte Tage ohne Nacht geben. Es gibt keine Tage ohne Nacht. Es gibt statt dessen Nächte ohne Schlaf . . .

Was mochte inzwischen aus der rotblonden Frau, die gellend »Nein!« geschrien hatte, geworden sein? Und was aus dem Mann, der ohne Hut und Mantel auf die Straße gelaufen war?

Wie hatte er nur jenen bösen Wunsch zu Ende denken können! Gewiß, er hatte nicht geglaubt, daß der Wunsch erfüllbar sei; jedenfalls nicht, daß ihn irgendein Gedankenleser in einer Münchner Teestube erfüllen werde! Gedanken lesen zu können, das blieb, so gespenstisch es wirkte, im Rahmen des Vorstellbaren, aber dann, das andere?

Das war viel, viel ärger. Denn das war überhaupt nicht möglich, und es war trotzdem geschehen. Drei fremde Menschen derart zu verhexen, war übernatürlich.

Selbstverständlich gab es Wunder. Im Grunde gab es überhaupt nichts außer Wundern. Doch das waren Wunder anderer Art. Es waren traditionelle, es waren, übertrieben ausgedrückt, natürliche Wunder, ganz gleich, ob es sich um Zellteilung, Schneeglöckchen, Lichtjahre, Liebe, Mord oder Elektrizität handelte.

Doch der Vorgang in der Teestube war ein ungehöriges Wunder gewesen. Mintzlaff hatte versucht, das Erlebnis einzuordnen. Es war ihm nicht gelungen. Daß ein Apfelbaum Äpfel trägt, ist ein normales, ein angemessenes Wunder. Daß ein Apfelbaum aber Seil springt oder Klavier spielt, ist, außer im Traum und im Märchen, ganz einfach unzulässig! So etwas schickte sich nicht!

Oder hatte er die Szene zwischen den dreien völlig mißdeutet? Stand sie mit dem geheimnisvollen Baron nur im zeitlichen, nicht in ursächlichem Einklang?

Der junge Mann war zweifellos aus dem Gleichgewicht geraten, und dieser beunruhigende Zustand währte bereits zwanzig Stunden, obwohl Mintzlaff München früh am Morgen verlassen und sowohl Stuttgart als auch Zürich — die Stadt mit der Märchenbrücke, von der aus man den See und die eisige Kette der im Himmelblau liegenden Bergriesen sah — im Rücken hatte.

Der Zug, in dem er nun saß, hatte längst das westliche Ufer des Sees passiert und stürmte dem weißen, stummen Gebirge entgegen. Manchmal blätterte Mintzlaff in Bergsons Untersuchung über ›Das Lachen‹. Zuweilen schaute er aus dem Zugfenster, als suche er draußen, außer sich, Hilfe und Halt. Doch Landschaften und Bücher, die man bereits kennt, wirkten wohl nicht sensationell genug, um die Erinnerung an ein neues, zudem durchaus unfaßliches Erlebnis fortzuzaubern.

Er schob jetzt seine Gedanken behutsam, förmlich auf Zehenspitzen, in eine andere Bahn. Warum lasen Menschen, wie er einer war, eigentlich immer wieder in den fünfhundert oder tausend Büchern, die sie längst gelesen hatten? Warum reiste er am allerliebsten immer wieder in die gleichen fünf, sechs Landschaften, die er schon kannte? Und nun: War Lesen und Reisen nicht dasselbe? Warum also reiste er, wenn er sich schon dazu aufraffte, in Gebiete, die er bereits entdeckt hatte? Was waren das für seltsam rückläufige Expeditionen?

Andere, die es abenteuernd von einer Neuigkeit zur nächsten und übernächsten lockte und trieb, hatte er zwar nie, fast nie, beneidet, aber besser, fast besser, begriffen als sich und seinesgleichen. Die anderen galoppierten, während der Sand unaufhaltsam durch das allzu kleine Stundenglas ihres Lebens rann, durch die imaginäre Landschaft der erfüllbaren und der unerfüllbaren Wünsche. Es war zu verstehen.

Mintzlaff lächelte schmerzlich. ›Ihre Neugier‹, dachte er, ›gilt dem Drum, die unsere dem Dran.‹ Im Ernst, es war eine Zumutung des Schicksals, daß es den Menschen, kaum geboren, wieder auslöschte! Welcher namenlosen Macht lag daran, die Spanne des Lebens zu kurz zu bemessen? Wem, um alles in oder über der Welt, machte denn diese Unzulänglichkeit Vergnügen? Es war doch wohl nicht anzunehmen, daß das waltende Geschick oder Gesetz schadenfroh zu sein beliebte!

Warum durfte der Mensch nicht zweihundert oder dreihundert Jahre alt werden? Was würde er leisten können und was alles erleben! Die Vorstellung war überwältigend und atemberaubend, und der Schmerz darüber, daß dem nicht so war, griff mitten ins Herz. Der Mensch war eine zweibeinige Eintagsfliege. Und wurde einer wirklich einmal neunzig Jahre, verbrachte er gewiß das letzte Jahrzehnt seines Daseins mehr oder weniger verblödet und trostloser als ein wasserköpfiges Kind.

Um nicht verzweifeln zu müssen, durfte man an nichts glauben. So weit war es gekommen.

Da öffnete sich die Tür des Abteils, und Mintzlaff schaute hoch.

Im Türrahmen stand Baron Lamotte!

Er nickte freundlich und fragte: »Ist es heute erlaubt, bei Ihnen Platz zu nehmen, oder störe ich Sie schon wieder?«

Er wartete keinerlei Antwort ab und setzte sich, nachdem er den Koffer ins Gepäcknetz geworfen hatte, Mintzlaff gegenüber ans Fenster.

»Ich fahre auch nach Davos«, erklärte er beiläufig, während er die Handschuhe abstreifte. »Im übrigen sollten Sie sich wegen des gestrigen kleinen Abenteuers wirklich nicht so viele Gedanken machen. Die drei waren, wenn man genau nachrechnet, weniger wert als die Brillantohrringe der Frau.«

»Mag sein.«

»Dabei waren die Ohrringe keineswegs besonders wertvoll.«

»Mag sein«, wiederholte Mintzlaff. »Mich interessiert im Augenblick etwas anderes viel mehr.«

»Warum ich so plötzlich verschwand? Vielleicht wollte ich Ihrem maßlos erstaunten Gesicht entgehen. — Ganz recht, ich war nicht gesonnen, Ihnen auf auch nur gedachte Fragen zu antworten. Das hätte dort in der Teestube zu weit geführt. Außerdem mußte ich den Mann, der ohne Hut und Mantel und, wie ich Ihnen versichern kann, ziemlich von Sinnen auf die Straße hinausgestürzt war, davor bewahren, daß er von einem Automobil überfahren wurde.« Der Baron holte ein goldenes Etui hervor und bot Zigaretten an.

Mintzlaff schüttelte beinahe unhöflich den Kopf.

Lamotte setzte eine Zigarette in Brand, schlug ein Bein über das andere und fuhr plaudernd fort: »Dann wurde der Mann zur Polizeiwache gebracht, und auch ich hatte das Vergnügen, mitkommen zu dürfen. Er sollte angeben, aus welchem Grund er sein kostbares Leben und das von drei Autoinsassen gefährdet habe. Es war kein vernünftiges Wort aus ihm herauszubringen. Er stammelte unzusammenhängendes Zeug, und niemand wurde aus ihm klug. Ein Beamter sprach mir für mein unerschrockenes Verhalten seine uneingeschränkte Anerkennung aus. Er bat mich um meine Adresse. Doch ich hatte es eilig; denn ich mußte zum Schneider, um den neuen Frack abzuholen.« Baron Lamotte versenkte sich in den Anblick seiner manikürten Nägel. »Der Frack sitzt übrigens ausgezeichnet«, fügte er hinzu.

Mintzlaff schwieg. Er hatte die Finger ineinander verkrampft, daß die Gelenke weiß glänzten.

Der Baron lachte kurz auf. »Falsch gedacht, mein Herr! Heute werde ich Sie um keinen Spiegel bitten. Es ist unangenehm, nicht genau zu wissen, wie man aussieht; aber mittlerweile habe ich mich schon an mein neues Gesicht gewöhnt.« Er schaute zum Zugfenster hinaus. »Ich liebe die Berge mehr als die Menschen. Sie sind größer, haben Zeit und Geduld und können schweigen.«

Mintzlaff hatte einen heißen Kopf. Seine Lider zitterten. Er wich dem gelassenen Blick des Fremden aus, dem Blick aus diesen großen herrischen Augen. Er senkte das Gesicht, starrte angelegentlich auf das Muster des Sitzpolsters und begann plötzlich hastig zu sprechen. Seine Stimme klang rauh vor Erregung.

»Warum verfolgen Sie mich?« fragte er halblaut. »Haben Sie mich denn noch nicht genug verwirrt? Ich habe Angst vor Ihnen, wenn Sie es nun schon wissen wollen; aber es macht mir keinen Spaß, vor anderen Menschen Angst zu haben, und ich bin es nicht gewöhnt, zum Teufel! Gehen Sie, bitte, ins nächste Abteil! Erschrecken Sie andere Leute, falls Sie ohne dies nicht leben können! Es gibt dankbareres Publikum für stellungslose Zauberkünstler als ausgerechnet mich.«

»Das glaube ich nicht«, hörte er den Baron sagen.

»Ich weiß, daß ich mich im Ton vergreife«, fuhr er heiser fort. »Ich habe auch nicht vergessen, daß es ausreichen würde, das, was ich Ihnen jetzt mitteile, nur zu denken. Aber ich habe genug davon, Ihnen gegenüber einen Taubstummen zu spielen, der den Mund allenfalls zum Gähnen besitzt. Halten Sie es denn nicht für unter Ihrer Würde, Ihre Überlegenheit an mir auszulassen? Ich will es Ihnen gern schriftlich geben, daß ich Sie für einen ungewöhnlichen Menschen halte, obwohl Ihnen bestimmt an meiner Meinung nichts liegt.«

Er stand auf und ging zur Tür. »Entschuldigen Sie meine Ungezogenheit! Ich habe ein wenig die Nerven verloren. Und da ich Ihnen nicht zumuten will, mir das Feld zu räumen, werde ich selber gehen!« Er wollte die Tür aufreißen.

Doch die Tür öffnete sich nicht, so sehr er an der Klinke rüttelte. Er versuchte es noch einmal. Dann drehte er sich langsam um und sah, mit blassem Gesicht, den Baron an.

Lamotte zuckte die Achseln und lächelte, als wisse er, daß es ja doch vergeblich sein werde, sich herauszureden. »Es stimmt«, sagte er dann. »Die Tür geht tatsächlich nur deshalb nicht auf, weil ich es so wünsche. Ein kleiner, dummer Trick, das gebe ich zu. Aber was soll ein stellungsloser Zauberkünstler wie ich schließlich weiter tun, als ein bißchen zaubern? Auch ein Talent kann zur schlechten Angewohnheit werden.« Er schien geradezu verlegen. »Versetzen Sie sich, bitte, in meine Lage! Ich kann Sie doch nicht im Bösen aus dem Abteil laufen lassen! Ich möchte, daß Sie hierbleiben, denn Sie sind mir doch sympathisch! Sagte ich Ihnen das nicht schon in München? Ich wollte Sie wirklich nicht erschrecken, sondern ich wollte Eindruck auf Sie machen, das war es! Rührt Sie dieses Selbstbekenntnis gar nicht?«

Seine Augen strahlten. Er wies auf die Bank. »Nehmen Sie wieder Platz! Immer wollen Sie vor mir davonlaufen. Es wird Ihnen nicht gelingen, das können Sie mir glauben! Denn ich brauche einen Menschen, der weiß, wer ich bin; und der Mensch, der es erfahren soll, sind Sie!«

Mintzlaff stand noch einen Augenblick unschlüssig an der Tür.

»Nein«, sagte der Baron, »auch das Einschlagen der Glasscheibe in der Tür wird Ihnen nichts nützen. Sie sollten allmählich einsehen, daß ich mehr kann als Gedankenlesen.«

Mintzlaff setzte sich zögernd in seine alte Ecke am Fenster und ärgerte sich. Wie hatte er sich nur so undiszipliniert aufführen können! Dergleichen widersprach absolut seinem vornehmsten Ziel: der Selbsterziehung. Es stand außer Frage, daß er sich, so betrachtet, schlecht benommen hatte.

»Nicht nur ich, auch Sie sind eitel!« sagte der Baron nicht ohne Genugtuung. »Ein Mensch, der nicht mehr erschrecken kann, ist kein Mensch, sondern ein Narr oder ein Fleischerhund. Davon abgesehen, will ich trotzdem versuchen, Ihnen neue Ängste zu ersparen; denn Sie empfänden sie als Demütigung, und das liegt völlig außer meiner

Absicht. Das beste wird sein, wenn ich die Mitteilung, die ich Ihnen machen möchte, vorsichtig dosiere.«

Der junge Kunstgelehrte runzelte die Stirn. »Ich komme mir vor, als sei ich beim Zahnarzt, der eine schmerzhafte Behandlung, aus Rücksicht auf den Patienten, über Wochen ausdehnt.«

»Tun Sie das! Kommen Sie sich wie beim Zahnarzt vor!« bemerkte der andere. »Und nehmen Sie, bitte, die erste Dosis zur Kenntnis: Ich heiße nicht Lamotte, und ich bin kein Baron.«

»Diese Eröffnung«, meinte Mintzlaff, »bestürzt mich keineswegs. Was ich viel mehr als solche Lügen fürchte, ist die Wahrheit.«

Der Fremde fuhr nach einer Pause, anscheinend über sich selber belustigt, fort: »Manchmal ist es ungleich schwerer, zu bekennen, wer man ist, als zu erklären, wer man nicht ist!« Er nagte an der Unterlippe und blickte nachdenklich in den stahlblauen Himmel, der sich über der tiefverschneiten, glitzernden Landschaft wolkenlos heiter ausspannte. In diesem Augenblick fuhr der Zug in einen Berg hinein. Die Lampe an der Decke des Abteils glomm auf. Die Tunnelwände glänzten vor Nässe.

Stumm saßen die beiden Männer einander im Halbdunkel gegenüber. Der Fremde hatte den Kopf gesenkt und starrte auf seine Schuhe.

Allmählich verfärbte sich die künstliche Dämmerung, bis dann, am Ausgang des Tunnels, die Sonne wieder, und nun mit noch mehr Gewalt, über die Erde herfiel.

Mintzlaff schloß geblendet die Augen. Hinter seinen Lidern kreisten funkelnde Transmissionen, und goldene Garben stiegen wie bei einem phantastischen Feuerwerk empor.

»Sehen Sie den einsamen Baum?« fragte der andere.

Mintzlaff öffnete die Augen halb und blinzelte zum Fenster hinaus. Der Zug fuhr soeben in einer weiten Schleife um eine weiße Bergkuppe herum, auf deren höchstem Punkt eine riesige Tanne stand. »Menschen sind nicht in der Nähe«, sagte der falsche Baron so leise, als spreche er mit sich selber. »Man kann es wohl riskieren.« Lauter fügte er hinzu: »Schenken Sie dem Baum, bitte, eine Minute lang Ihre Aufmerksamkeit!«

Mintzlaff faßte die Tanne fest ins Auge.

Plötzlich war ihm, als zucke ein greller Blitz aus dem wolkenlosen Himmel zur Erde nieder. Konnte das möglich sein?

Und da! Der Tannenwipfel wankte, als komme Sturm auf. Schneewolken stoben aus den Zweigen. Der Riesenbaum neigte sich zur Seite. Die Verbeugung wurde immer tiefer. Und dann fiel er schließlich, als werde er von unsichtbaren Waldarbeitern gefällt, langsam und lautlos in das weiße Feld. Der Schnee stieg wie brauender Nebel hoch und sank wie eine Fontäne, die abgedreht worden ist, zur Erde zurück.

Nach einer Spanne des Schweigens sagte der Baron recht sachlich: »Entschuldigen Sie das kleine Naturschauspiel!«

Mintzlaff versuchte leichthin zu lachen. »O bitte, das macht nichts. Ihre Art, sich dosiert vorzustellen, entbehrt jedenfalls nicht einer gewissen Originalität.«

»Ich hätte Ihnen gern etwas Imposanteres geboten«, erklärte der andere. »Indessen kennt der verantwortungsbewußte Zauberkünstler Grenzen, die er zwar zu überschreiten fähig wäre, die er aber, um nicht fahrlässig zu handeln, nicht ohne Not, sondern nur in Ausnahmefällen verletzt. Unbedachte Eingriffe in den eigengesetzlichen Ablauf des Naturgeschehens können allzuleicht unvorhergesehene Wirkungen haben.«

»Vorausgesetzt, daß ich Sie richtig verstanden habe, hängt also die von Jahrhundert zu Jahrhundert sinkende Effektivquote der Wunder mindestens zum Teil mit der wachsenden Humanisierung der Herren Zauberer zusammen?«

Der Baron zupfte an seinem Schnurrbart. »Wenn ich nicht wüßte, wer Sie sind, zöge ich allmählich strengere Saiten auf!«

»Sie wissen, wer ich bin?«

»Ziemlich genau, mein Herr. Sie sind, trotz Ihres jugendlich ironischen Wesens, Universitätsprofessor, ja, Sie sind es bereits nicht mehr, weil Ihnen, fanden Sie eines Tages, mehr daran liegt, im eigenen Kopf Ordnung zu schaffen als in nicht immer hierzu bestimmten fremden Köpfen.«

Mintzlaff wagte kaum Atem zu holen.

»Sie schreiben Aufsätze und Bücher über grundlegende Kunstbegriffe, und jetzt fahren Sie nach Davos, um vor dem dortigen Kunstverein, auf dessen Einladung hin, einen Vortrag zu halten. Ursprünglich wollten Sie schon vor vierzehn Tagen reisen, doch dann baten Sie um vier Wochen Aufschub, weil Sie, einen Tag vor der Abfahrt, eine hübsche junge Dame, die auf den Vornamen Hedwig hört, zufällig wiedertrafen. Sie empfanden, übrigens zu Recht, daß die neuerliche Begegnung kein Zufall war, und blieben in Berlin, bis Sie vor nunmehr drei Tagen ein merkwürdiges Telegramm erhielten, in dem Ihnen von unbekannter Seite geraten wurde, sich sofort und unangekündigt in Davos einzufinden. Habe ich recht?«

»Wozu fragen Sie noch?« Mintzlaff zögerte. »Stammte die Depesche etwa von Ihnen?«

»Ich kenne Sie doch erst seit gestern. Wie hätte ich Ihnen denn, Tage zuvor, telegrafieren können?«

»Mich nähme auch das nicht wunder«, sagte Mintzlaff. »Und nun, wenn Sie gestatten, eine weitere Frage: Auf welchem ungewöhnlichen Wege verschafften Sie sich Einblick in mein Privatleben? Ich muß bekennen, daß es mich nachgerade eher beruhigen als noch mehr beunruhigen würde, wenn ich nun endlich erführe, mit wem ich das Vergnügen habe! Sie verbieten einer Coupétür der Schweizer Bundesbahn, sich zu öffnen. Sie zeigen mir einen Baum und fällen ihn, indem Sie ihn im Vorüberfahren anschauen. Sie kennen, obwohl ich Ihnen erst gestern über den Weg gelaufen bin, meinen Lebensweg, als hätten Sie seit Monaten ein Dutzend Detektive hinter mir hergejagt! Gestern noch hielt ich Sie für einen Mann mit ungewöhnlichen Fähigkeiten, aber heute...«

Der Herr, der nicht Baron Lamotte hieß, beugte sich verbindlich vor. »Aber heute?«

»Aber heute glaube ich das nicht mehr. Sondern ich bin, höchst widerwillig, zu einer Überzeugung gelangt, die sich mit meiner Weltanschauung leider nicht vereinen läßt.« Mintzlaff blickte dem anderen beinahe finster ins Gesicht und sah, daß sich dessen Pupillen eng zusammengezogen hatten. »Es liegt mir fern, Sie zu beleidigen. Trotzdem muß ich folgendes behaupten: Herr Baron, Sie sind kein ungewöhnlicher Mensch — Sie sind, so unsinnig das klingen mag, überhaupt kein Mensch!«

Lamotte sagte: »Auch das vorurteilsfreie Denken bringt Vorurteile mit sich. Wer das nicht weiß, ist übel dran. Also, Sie halten auf Grund einiger sonderbarer, aus dem Rahmen fallender Wahrnehmungen für möglich, daß ich, trotz meines menschlichen Äußeren, gar kein Mensch bin. Sie werden sich, will mir scheinen, genötigt sehen, einen Schritt weiterzugehen.«

Mintzlaff nickte traurig. »Ich werde wohl müssen. Denn es ist nicht meine Art, mich übermäßig lange bei negativen Feststellungen aufzuhalten. Da Sie kein Mensch sind, erhebt sich die bedrohliche, aber unausweichliche Frage, wer oder was sonst Sie sein könnten.«

»So will es die Logik«, bemerkte der Baron. »Diese Frage erhebt sich in der Tat. Ich fürchte, daß Ihnen keine andere Wahl bleiben wird, als mutig darauf zu antworten. Kommen Sie mir jedoch nicht mit der Gattung ›Übermensch‹! Ich bin kein Mensch, kein Un- und kein Übermensch. Behalten Sie das tunlichst im Auge!«

Der andere verbeugte sich knapp und murmelte: »Ich werde nicht verfehlen.«

»Darf ich einen Vorschlag machen?« fragte Lamotte. »Sie haben in der letzten halben Stunde erfahren, daß ich unter falschem Namen und Rang reise und daß ich kein Mensch bin. Ich habe Hemmungen, mich Ihnen ohne Umschweife vorzustellen, und schlage ein Verfahren vor, das sich der Spannkraft Ihrer Phantasie anpassen mag. Ich schlage vor, daß Sie täglich drei Mal raten, wer ich sein könnte, und sobald Sie das Richtige raten, ist das Fragespiel zu Ende.«

»Drei Mal raten?«

»Ich bitte darum. Sie brauchen Ihre Vermutungen ja auch gar nicht auszusprechen; es genügt ja, sie nur zu denken.«

»Also gut«, meinte Mintzlaff. »Wollen wir sofort damit beginnen?« Der Baron stimmte zu.

Der andere dachte: ›Jetzt müßte ich mich nur noch, wie in Kindertagen, mit dem Gesicht zur Wand stellen und warten, bis er ›Huhu!‹ ruft.‹

»Auch das ist mir recht«, sagte Lamotte.

Mintzlaff wehrte ab. »Wir wollen es kurz machen. Geben Sie bitte acht! Ich fange an.« Er senkte den Kopf.

»Falsch geraten!« erklärte der Baron nach einer Weile. »Wie lautet Ihre zweite Vermutung?«

Der junge Mann schloß, um sich besser zu konzentrieren, die Augen.

»Nein! Auch falsch! Aber nicht uninteressant. — Und drittens?«

In Mintzlaffs Phantasie kreisten Dutzende von halbdeutlich gedachten Namen umeinander. ›Es ist aussichtslos‹, dachte er und zwang, ziemlich wahllos, einen der Namen aus dem Nebel ins klare Bewußtsein.

»Wieder falsch!« erklärte der Herr, der kein Mensch war. »Sehr falsch sogar!« Es klang, als triumphiere er, daß sein Rätsel vorläufig ungelöst blieb. »Morgen werden wir weitersehen!«

Da rüttelte jemand an der Coupétür. Es war ein Kellner aus dem Speisewagen, mit Fleischbrühe und Kaffee.

»Darf ich Sie darauf aufmerksam machen, daß die Tür noch verhext ist?« flüsterte Mintzlaff.

»Richtig!« sagte der Baron. »Einen Augenblick, Herr Ober!«

Eine Sekunde später flog die Tür auf, und der Kellner wäre beinahe samt dem Tablett voll dampfender Tassen lang hingeschlagen. Das Geschirr klirrte heftig.

Der Mann steckte sein hochrotes Gesicht ins Abteil. »Entschuldigen Sie«, bat er. »Die Tür muß sofort geölt werden. Fleischbrühe gefällig?«

Drittes Kapitel

In Davos-Platz, der Endstation der Rhätischen Bahn, verließen die beiden den Zug.

Ganze Rudel sonnengebräunter junger Leute sprangen lachend aus den Abteilen. In das Holzkonzert der klappernden Skibretter, die man aus den Wagen hob und schulterte, mischte sich das Gepolter und Getrampel schwerer Stiefel. Die Metallspitzen von Skistöcken schepperten auf dem Bahnsteig, und ein nahezu babylonisches Sprachengewirr erfüllte die Luft.

Der Baron und Mintzlaff warteten lächelnd, bis die wilde Jagd vorüber war. Dann trugen sie Sorge, daß ihre Koffer im Gepäckraum untergestellt wurden, und erst, nachdem das zu ihrer Zufriedenheit erledigt war, traten sie ins Freie.

Noch schien die Nachmittagssonne. Blaue Schatten lagen auf den meterhohen Schneematratzen. Die kalte, klare Gebirgsluft ließ sich merkwürdig leicht atmen. Von irgendwoher drang Walzermusik. Wahrscheinlich war eine Eisbahn in der Nähe.

Sie spazierten, am Rathaus vorbei, bergan, bis sie eine Straße erreicht hatten, auf der sich Autos und Autobusse hupend ihren Weg bahnten. Es unterlag keinem Zweifel: Sie befanden sich, obwohl sechzehnhundert Meter hoch, in einer Stadt!

Vielfenstrige Hotelpaläste lehnten an den weißen Hängen. Geschäftshäuser und Konsulatsgebäude flankierten die Straße. Bunte Plakate kündigten für den Abend amerikanische Filme an. In den Schaufenstern gab es Pariser Abendkleider und Fracks nach dem neuesten Schnitt zu bewundern. Eine Kavalkade von zehn Schlitten kam daher. Mit Peitschenknall, fröhlich klingenden Glöckchen und schnaubenden Rössern.

Der Baron war stehengeblieben und schaute hinterdrein. »So viele schöne Frauen!« sagte er begeistert. »Es war eine gute Idee, hierherzufahren.«

Mitten in dem vergnügten Gewimmel der heimkehrenden Sportler standen drei Neger. Sie umrahmten einen in einem Eisbärenfell steckenden Einheimischen, zeigten ihre weißen Zähne und ließen sich von dem Bärenführer fotografieren. Der Eisbär sprach Deutsch, Englisch und Französisch.

Mintzlaff atmete die kühle Luft so selig ein, daß es klang, als ob er seufze. Hoch über dem Gebirgstal und der Stadt, die sich langsam in Dämmerung hüllten, funkelten sonnige Eisgipfel. Es war wie im Märchen.

»Nun, Sie Traumprinz!« meinte Lamotte gutmütig. »Dort drüben sehe ich das Büro des Verkehrsvereins. Wenn ich nicht irre, werden Sie sich melden wollen.«

Sie überquerten die Straße.

»Ich werde vor der Tür auf Sie warten«, sagte der Baron.

Doch Mintzlaff blieb, statt das Haus zu betreten, wie angewurzelt davor stehen und starrte entgeistert auf ein Plakat, das an der Hauswand klebte. Auf dem Plakat war folgendes zu lesen:

Mittwoch!   Mittwoch!

Auf Einladung der Kunstgesellschaft
und des Verkehrsvereins Davos findet
im Großen Saal des Kurhauses
ein einmaliger Vortrag des bekannten Kunstgelehrten
Prof. Dr. Alfons Mintzlaff statt.
Das Thema des Vortrags lautet
›DER HUMOR ALS WELTANSCHAUUNG‹
Anschließend Diskussion!
Kartenverkauf in den Geschäftstellen
der veranstaltenden Vereine.
Beginn des Vortrags 9 Uhr abends

Mittwoch!   Mittwoch!

Mintzlaff rieb sich die Augen und trat einen Schritt näher. Dann las er das Plakat, das ihn so in Erstaunen gesetzt hatte, noch einmal. Darnach sagte er nur: »Das verstehe, wer will.«

Der Baron führte den Fassungslosen die Stufen zum Kurhauscafé hinauf, schob ihn durch die Tür, half ihm sogar aus dem Mantel und drückte ihn in einen Stuhl.

Nachdem er zwei Hennessy bestellt hatte, sagte er: »So, und nun erleichtern Sie Ihr vom Donner gerührtes Gemüt!«

»Das Plakat!« murmelte der andere.

»Ganz recht, das Plakat!«

Mintzlaff riß sich zusammen und holte tief Luft, ehe er fortfuhr: »Hier glaubt man doch, daß ich erst in vierzehn Tagen eintreffe! Wenn dem aber so ist – wie kann man dann meinen Vortrag für Mittwoch ansetzen?« Er sah dem Baron mißtrauisch in die Augen.

Dieser schüttelte belustigt den Kopf. »Nein, nein! Ich habe mit dem Plakat ebensowenig zu schaffen wie mit der Depesche!«

»Richtig, die Depesche!« Mintzlaff fröstelte. »Davos entpuppt sich als Rätselecke! Oder sollte ich dem Verkehrsbüro versehentlich ein falsches Datum mitgeteilt haben?«

»Das glaube ich nicht«, sagte der Baron.

Die Kellnerin brachte die Kognaks.

Nachdem sie getrunken hatten, fragte Mintzlaff: »Könnten Sie mich über meine mir völlig unübersichtliche Lage aufklären? Sie wissen vermutlich ungefähr, wie die Dinge zusammenhängen.«

Lamotte wehrte entschieden ab. »Ich werde Ihnen, obwohl ich in der Tat einiges weiß, kein Wort im voraus verraten.«

»Und weswegen nicht?«

»Sie lehnen es doch sonst ab, der Zukunft in die Karten zu sehen! Bleiben Sie standhaft, junger Mann!«

»Auch gut, Herr Baron. Dann werde ich, da Sie mich so taktvoll im Stich lassen, zunächst einmal versuchen, die Gefechtslage zu skizzieren. Ich komme, auf Grund einer Depesche, die keinen Absender nennt, unangemeldet und zwei volle Wochen vor dem hier bekannten Termin nach Davos. Da sehe ich ein Plakat und muß feststellen, daß mein Vortrag bereits in drei Tagen stattfindet und daß ich, der ja sozusagen am Mittwoch noch gar nicht da sein wird, über ein Thema zu sprechen gedenke, über das ich gar nicht sprechen will.«

Plötzlich stand er auf.

»Gehen Sie nur!« meinte der Baron. »Es wird das beste sein. Ich warte.«

Mintzlaff lief ohne Hut und Mantel aus dem Café.

Der Baron ließ sich noch einen Hennessy bringen und schaute sich geruhsam um.

In der Mitte des großen Raums spielten ältere Holländer und Engländer Billard. Sie waren zwar schon im Abenddreß, hatten jedoch die Smokingjacken ausgezogen und an Garderobeständern aufgehängt. Nun standen sie, hemdsärmelig und die Queues pflegend, ernst und schweigsam den Kellnern im Wege oder beugten sich, merkwürdig verrenkt und wie zielende Wilddiebe dreinblickend, über die mit grünem Tuch bezogenen Tische und stießen zu. Die Elfenbeinkugeln klapperten; manchmal gehorchten sie, manchmal nicht.

Wer aufhören mußte, räumte dem Gegner wortlos und gottergeben das Feld, markierte den Punktgewinn und verlegte sich von neuem aufs Warten.

»Da bin ich wieder«, sagte Mintzlaff und nahm Platz.

Lamotte sah ihn prüfend an. »Wenn ich nicht irre, machen Sie ein noch verdutzteres Gesicht als vorher.«

»Machen Sie sich über mich lustig?«

»Nein.«

Mintzlaff lachte ärgerlich. »Der Direktor des Verkehrsvereins war nicht im Büro. Ich fragte einen der Angestellten, seit wann der Herr Professor Mintzlaff in Davos weile.«

»Und was wurde Ihnen geantwortet?«

»Darf ich vorher eine Frage stellen?«

»Ich bitte darum.«

»Wissen Sie ganz sicher, daß ich, mit Ihnen gemeinsam, erst vor knapp einer Stunde in Davos eingetroffen bin?«

»Ich kann es beschwören«, sagte der Baron.

»Trotzdem befinden wir uns beide in einem grundlegenden Irrtum. Es ist nicht wahr, daß ich eben erst in Davos eingetroffen bin. Ich bin bereits seit einer Woche hier!« Mintzlaff runzelte die Stirn. »Man gab mir bereitwilligst nähere Auskünfte. So wohne ich – dies nur als Beispiel – im Grandhotel Belvedere. Ich habe ein Zimmer mit Bad sowie einen Balkon nach der Südseite.«

»Das ist doch großartig.«

»Tagsüber macht man mit mir Schlittenausflüge in romantisch abgelegene Täler, frühstückt dort in Sonne und Schnee und fotografiert mich nach Herzenslust. Wenn ich allein sein will, um in Ruhe nachzudenken, kann ich, mit Freifahrkarten ausgestattet, die Drahtseilbahnen benützen und von dort aus einsame Skitouren unternehmen.«

»Was wollen Sie mehr?« fragte der Baron. »Die Leute geben sich doch wirklich alle erdenkliche Mühe.«

»Abends bin ich sehr viel eingeladen. Denn die gebildeten Kreise hierorts sind künstlerisch ungewöhnlich interessiert. Und außerdem gelte ich als guter Gesellschafter.«

»Welch angenehme Überraschung!« sagte der Baron. »Und was gedenken Sie nun zu tun?«

»Genau weiß ich das noch nicht. Aber wenn mich nicht alles trügt, gedenke ich auf der Stelle ins Grandhotel zu gehen, um mir dort selber einen Besuch abzustatten und bei dieser Gelegenheit eins hinter die Ohren zu hauen!«

»Das dürfen Sie nicht! Gerade Sie dürfen das nicht!«

»Weshalb nicht?«

»Weil Sie, als berufener Erforscher der Komik, des Witzes und des Humors, die verdammte Pflicht und Schuldigkeit haben, über der Situation zu stehen.«

»Sie verlangen ein bißchen viel von mir!« Mintzlaff schlug mit dem Zeigefinger mehrmals auf die Tischkante. »Sie müssen wissen...«

»Daß Sie, weil Sie vom Davoser Verkehrsverein eingeladen worden sind, nur wenig Geld bei sich haben.« Der Baron klopfte dem anderen auf die Schulter. »Wenn Sie jetzt zum Verkehrsverein stürzen und den Direktor aufklärten, verdürben Sie sich selber und auch mir den Spaß. Stellen Sie sich vor, wie lustig das sein wird, wenn wir am Mittwoch, hier im Kurhaus, oben im Großen Saal, unter den Zuschauern sitzen und den lichtvollen Ausführungen Ihres anderen Ichs lauschen werden!«

»Aber...«

»Es gibt kein Aber«, erklärte Lamotte kategorisch. »Da ich ein Zauberer bin, spielt Geld keine Rolle. Sie können sich im nobelsten Hotel einquartieren — ich hexe Ihnen jeden Betrag in die Brieftasche.« Er streckte die Hand über den Tisch.

Mintzlaff schlug ein. »Ich nehme Ihren Vorschlag an.«

»Bravo!«

»Gilt gezaubertes Geld eigentlich als Falschgeld?«

»Jawohl.«

»Können Sie denn kein echtes Geld zaubern?«

»Ob Geld echt oder falsch ist, richtet sich nur darnach, wer es hergestellt hat. Wenn es der Staat druckt oder prägt, ist es echt.«

»Aber dann sind Sie ja ein Falschmünzer!«

»Ich? Wieso?«

»Haben Sie denn ein Münzprivileg?«

»Ich brauche kein Privileg. Denn ich bin keinem Staat und keinem Gesetz untertan.«

»Richtig!« Mintzlaff rieb sich befriedigt die Hände. »Es ist mir lieb, daß die Angelegenheit, wenn auch auf außergewöhnliche Art, ihre Ordnung hat. Ich schwärme für beides: für das Außergewöhnliche und für die Ordnung.«

»Ich weiß«, sagte der Baron.

»Dann kann die Stegreifkomödie ihren Anfang nehmen!«

»Nachdem wir uns Quartiere gesucht und zu Abend gegessen haben werden, wollen wir versuchen, die flüchtige Bekanntschaft des falschen Herrn Mintzlaff zu machen. Ich glaube, daß uns das unschwer gelingen wird.«

»Ich bin gespannt, wie ich aussehe.«

Der Baron winkte der Kellnerin und zahlte. Dann gingen sie. Die hemdsärmeligen Herren aus Holland und England spielten noch immer Billard.

Draußen war es mittlerweile dunkel geworden. Laternen brannten. Die Straße lag fast menschenleer. In den Hotels und Pensionen waren, in langen schimmernden Reihen, die Zimmerfenster erleuchtet. Die Gäste kleideten sich wohl zum Dinner um.

Der Schnee knirschte ärgerlich. Es war so kalt, daß die Nasenflügel engfroren.

»Ehe wir es vergessen«, sagte der Baron plötzlich, »wie werden Sie denn nun heißen?«

»Was?« Mintzlaff blieb stehen. Unmittelbar darauf lachte er schallend. »Tatsächlich! Ich muß mir ja einen anderen Namen beilegen!«

»Zwei Professoren Mintzlaff sind für Davos entschieden zuviel. Was halten Sie von dem klangvollen Namen Kilian Perathoner?«

»Kilian Perathoner? Ein bißchen zu bombastisch, finden Sie nicht?«

»Suchen wir weiter! Wie wäre es mit Erwin Jennewein?«

»Jennewein ist gut«, sagte Mintzlaff. »Aber Erwin geht leider nicht. Ich habe nämlich eine Freundin, das heißt, ich hatte eine Freundin . . .«

»Und diese Freundin, die Sie haben oder hatten, heißt unglücklicherweise Erwin?« meinte Lamotte und blinzelte.

»Nein, sie heißt Hallo.«

»Das ist doch kein Name!«

»Eigentlich heißt sie Sumatra. Sie wurde nämlich dort geboren. Sie fand, schon als Kind, daß eine Insel kein Vorname ist. Und wenn man nach ihr rief, kam sie nicht zum Vorschein; es sei denn, man rief sie nicht beim Namen, sondern ›Hallo!‹ Und so heißt sie Hallo, bis auf den heutigen Tag.«

»Mir soll es recht sein«, meinte der Baron.

»Und wenn Hallo und ich mit dem Rucksack auf dem Rücken durch das, was man Gottes freie Natur nennt, pilgerten oder, wie eben jetzt Sie und ich, unter dem nächtlichen, sternbesäten Himmelsgewölbe standen und nicht wußten, wer an Gut und Böse schuld ist, nannten wir diese verborgene Macht nicht Gott, nicht Schicksal und nicht das Unbekannte, sondern — Erwin! Vielleicht, um jener Macht näher zu sein; vielleicht, weil wir uns vor großen Worten noch mehr fürchteten als vor dem Unbegreiflichen; vielleicht, um trotz allem lächeln zu können.«

»Aha«, sagte der Baron. »Nun, über Hallo und Erwin sprechen wir ein andermal. Dann taufen wir Sie Ludwig Jennewein?«

Mintzlaff war in Gedanken versunken.

»Oder ist der Vorname Ludwig auch schon in Ihrem weltanschaulichen System verankert?«

»Nein, nein. Ludwig Jennewein ist mir recht. Vorausgesetzt, daß ich nicht bis an mein Lebensende so heißen muß.«

»Das verspreche ich Ihnen«, erklärte der Baron. »Kommen Sie, Herr Jennewein! Und heute abend besuchen wir Herrn Mintzlaff, falls Ihr sogenannter Erwin nichts dagegen einzuwenden hat.«

Eine Sternschnuppe fiel aus dem glitzernden Himmel heraus, beschrieb eine geheimnisvolle Bahn und löste sich im Nichts auf.

»Bei Erwin weiß man nie, woran man ist«, sagte der junge Kunstgelehrte.

Viertes Kapitel

Der Baron, der kein Baron war, hatte es sich nicht nehmen lassen, Mintzlaff, der nun Jennewein hieß, in ein ruhiges Hotel, das vorwiegend von Engländern und Engländerinnen bewohnt schien, zu begleiten und dort in einem netten Zimmer unterzubringen, zu dem eine geräumige Südloggia und ein Bad gehörten.

Dann erst hatten sich die Herren getrennt, nicht ohne sich für später in der Bar des Hotels, das zu Ehren der langlebigen englischen Königin ›Hotel Victoria‹ hieß, verabredet zu haben.

Nachdem Lamotte seinen Schützling hinreichend versorgt wußte, war er mit einem Pferdeschlitten davongefahren. Näheres hatte er nicht mitgeteilt, und Mintzlaff hatte nicht weiter gefragt; denn seine Neugier war vorläufig besänftigt. Die Rätsel der letzen Tage und Stunden beschäftigten ihn vollauf.

Außerdem mußte er die Koffer auspacken, den Smoking zum Bügeln geben, dem Schweizer Stubenmädchen klarmachen, daß er erstaunlicherweise kein Angelsachse sei, und baden mußte er auch. Schließlich erwuchs ihm die keineswegs leichte Aufgabe, den Anmeldezettel auszufüllen. So schwer es ihm ein Leben lang gefallen war, sich mit dem Namen Mintzlaff abzufinden, so viel Mühe machte es nun wieder, plötzlich anders zu heißen.

Endlich war das Formular vollgelogen.

Er war nun also ein Dr. Ludwig Jennewein, von Beruf Verlagsbuchhändler, in Leipzig wohnhaft. Er nahm sich noch vor, falls das Gespräch gelegentlich auf den Zweck seiner Reise kommen sollte, beiläufig zu erklären, daß er Davos besuche, um, wenn möglich, neues Material über Robert Louis Stevenson zu sammeln, dessen bündige Biographie herauszugeben ihn seit langem beschäftige.

Stevenson war, das wußte Mintzlaff, in den achtziger Jahren des vorigen Jahrhunderts wiederholt in Davos gewesen, hatte hier, hoch oben im Gebirge, Heilung gesucht und ›The Silverado Squatters‹ zu schreiben begonnen. Daß ein gründlicher Verleger nach Davos kam, um Ermittlungen anzustellen, mochte durchaus plausibel erscheinen.

Als er später, auf dem Weg zum Speisesaal, von dem freundlichen Hotelier begrüßt wurde, brachte er kurz entschlossen die Sprache auf die angebliche Absicht seiner Reise.

Kaum daß ihm vom Oberkellner ein kleiner Tisch angewiesen worden war, tauchte der Herr des Hauses von neuem auf und legte ihm strahlend ein Buch neben den Suppenteller. Das Buch hieß: ›Robert Louis Stevenson at Davos‹ und stammte von einem Mann namens Lockett, der über dreißig Jahre in Davos als englischer Konsul gelebt hatte.

Mintzlaff tat natürlich so, als ob er diese Quelle längst kenne, versprach aber, gelegentlich darin zu blättern.

Das besorgte er dann auch schleunigst, und zwar während der ganzen Mahlzeit. Denn wenn er schon für einen Kenner Stevensons gelten wollte, konnte ihm eine solche Lektüre nur nützlich sein.

Er blätterte noch darin, als er in der Bar saß und auf Lamotte wartete.

Die englischen Gäste — die meisten in Abendkleidern, andere noch im Sportdreß — tranken Whisky und warfen mit spitzen Metallbolzen nach einer an der Wand hängenden hölzernen Scheibe. Das Spiel schien, so einfach es aussah, nicht ganz leicht zu sein.

Die Gattin und der Sohn des Hoteliers kamen, um zu fragen, ob Herr Doktor Jennewein an der Tischtenniskonkurrenz des Hotels teilnehmen wolle. Nachmeldungen würden noch angenommen. Seiner Versicherung, daß er für einen Wettbewerb zu schlecht spiele, wurde wenig Glauben geschenkt. Sie erkundigten sich anschließend höflich nach den sonstigen sportlichen Absichten des neuen Gastes.

Als er ihnen erklärt hatte, daß er wegen eines organischen Herzleidens nicht skifahren, höchstens eislaufen dürfe und sich am ehesten darauf freue, allein durch verschneite Wälder zu spazieren oder irgendwo in der Sonne zu liegen, maßen sie seine große, kräftige Gestalt mit unverhohlener Anteilnahme. Nun verstanden sie wohl, daß er Bücher verlegte.

Endlich kam Lamotte.

Er wirkte, im gutsitzenden zweireihigen Smoking, wie ein eleganter Riese, wie ein Jason oder Theseus der Neuzeit.

Die in der Bar anwesenden Damen waren fasziniert. Sie nahmen ihm mit den Blicken förmlich Maß. Er hatte nichts dagegen, aber es interessierte ihn auch nicht über Gebühr.

»Sind Sie gut untergebracht, Doktor?« fragte er, während er sich in einem der bequemen Sessel niederließ.

»Ausgezeichnet, Herr Baron. Man ist nur nicht ganz damit einverstanden, daß ich wie ein Sportsmann wirke, ohne einer zu sein!«

Lamotte blickte einer großen blonden Engländerin, die auf einem Barhocker saß und ihn kühl musterte — es sah eher aus, als sei sie auf dem Pferdemarkt und schätze einen Zuchthengst ab — streng in die eisblauen Augen.

Jetzt beugte sie sich weit vor. Ihr Nachbar sprach auf sie ein. Sie nahm keine Notiz davon.

»Ein Verleger aus Leipzig ist nicht verpflichtet, Wintersport zu treiben«, erklärte der Baron. »Noch dazu, wenn der Ärmste einen Herzfehler hat. Ihr Herz ist übrigens nicht nur organisch in Unordnung; es ist überhaupt nicht in Ordnung.«

Mintzlaff wollte fragen, was Lamotte meine, aber er kam nicht dazu.

Denn die Engländerin glitt von ihrem Barhocker herunter, ging zwei Schritte auf den Baron zu und blieb dann, wie angenagelt, mitten im Raum stehen. Ihre Augen waren starr auf Lamotte gerichtet. Sie trug ein silbernes Abendkleid und sah aus wie eine Amazone.

»So«, sagte der Baron halblaut. »Dort mag sie stehen bleiben! — Ich kann diese Sorte Frauen nicht leiden, müssen Sie wissen. Dafür, daß sie keinen Funken Gefühl im Leibe haben, kann man sie vielleicht nicht verantwortlich machen. Doch daß sie sogar noch stolz darauf sind und ihre kalte Lebensgier staunend bewundern, statt sich ein wenig zu schämen, erbost mich stets von neuem.«

»Ihre Fähigkeit, Gedanken zu lesen, hat zu dieser Abneigung gewiß nicht wenig beigetragen.«

»Es sind Menschenfresserinnen«, sagte der Baron. Dann erhob er sich. »Wir wollen gehen. Lots Weib mag sich noch ein Weilchen als Salzsäule betätigen.«

Sie verließen die Bar und nahmen draußen im Flur ihre Mäntel vom Haken. Als sie, wenig später, auf die Hoteltür zuschritten, hörten sie noch, wie der Hotelier zu seiner Frau sagte: »Was ist denn in der Bar geschehen? Sie sitzen und stehen herum wie im Dornröschenschlaf!«

»Und Mrs. Gaunt weint!« ergänzte die Frau.

Der Mann schüttelte ratlos das international erfahrene Haupt. »Mrs. Gaunt weint? Das ist doch unmöglich!«

Und die Frau erwiderte: »Vielleicht weint sie nur aus Versehen?«

Lamotte und Mintzlaff spazierten seit einer Viertelstunde die Hauptstraße auf und ab. Die kalte Nachtluft und der klare Sternhimmel taten gut. Der Schnee war jetzt glatter als Parkett. Die beiden Herren mußten einander unterhaken.

Schlittenglöckchen klingelten. Tanzmusik drang aus verschiedenen Himmelsrichtungen in die Nacht, so daß sich die Tonarten und Rhythmen bunt vermischten. Seltsamerweise störte es nicht.

»Wollen Sie mir einen Gefallen tun?« fragte der Baron. »Achten Sie, bitte, darauf, daß ich mich etwas mehr beherrsche. Ich zaubere zuviel!« Es klang fast zerknirscht. »Ich hatte mir fest vorgeommen, mich weitgehend im Rahmen des Menschlichen zu halten. Ob es nun Gewohnheit oder, was ich eher vermute, Eitelkeit ist — ich benehme mich falsch. Die Szene in der Bar war überflüssig.«

»Steht die kühle Dame aus England eigentlich immer noch auf dem gleichen Fleck?« fragte Mintzlaff. »Und weint sie noch immer?«

»Da haben wir es«, meinte der Baron ärgerlich. »Es ist ein wahres Glück, daß Sie mir begegnet sind!« Er schwieg einen Augenblick, dann fuhr er fort: »So, das wäre erledigt! Nun kann die kleine Gesellschaft aufwachen und tun, als sei nichts gewesen.«

»Warum haben Sie die Dame weinen lassen?«

»Damit sie endlich einmal traurig wurde«, erklärte Lamotte.

»Mit mir scheinen Sie auch nicht zufrieden zu sein«, sagte Mintzlaff. »Mein Herz, meinten Sie vorhin, sei nicht nur organisch, sondern in keiner Weise in Ordnung.«

»Sie haben die letzten zehn Jahre Ihres bisherigen Lebens sorgfältig darauf verwendet, Ihr wahres Wesen zugrunde zu richten.« Die Stimme des Barons klang ernst. »Ihre Energie ist bewundernswert. Sie wollten sich erziehen. Und Sie haben sich erzogen! Sie waren einmal ein empfindsamer Mensch und konnten lieben. Wenn anderen Leid widerfuhr, litten Sie mit ihnen. Sie halfen, ob man Sie gerufen hatte oder nicht. Sie hatten keine Angst, sich selber zu verlieren. Damals hatten Sie noch Gefühl im Leibe und spürten, daß man nicht ärmer wird, wenn man sich verschenkt.«

Mintzlaff ging schweigend neben Lamotte her.

»Welcher Teufel ritt Sie, sich zu verleugnen?« fragte der Baron heftig. »Warum hielten Sie Menschlichkeit für Schwäche, warum Gemüt für Unzulänglichkeit? Sie errichteten zwischen sich und dem Leben eine chinesische Mauer aus unzerbrechlichem Glas und beschlossen, ein Charakter zu werden. Als ob die Welt ein Schaufenster wäre!«

»Es war nicht leicht.«

»Das hätte noch gefehlt, junger Mann! Sie trieben mutwillig Ihr Gefühl in die Verbannung — und das sollte auch noch leicht sein? War es denn für die leicht, die Ihnen nahestanden? Die Ihnen vielmehr nahestehen wollten und es nicht durften, weil Ihre verdammte gläserne Mauer zwischen denen und Ihnen stand? Die sich an der Mauer den Kopf einrannten, wenn sie trotz allem versuchten, zu Ihnen zu kommen? Sie haben Ihr Herz erwürgt. Sie haben Ihre Seele amputiert. Ebensogut hätten Sie sich, um ein bedeutender Mann zu werden, ein

Bein abhacken können, Sie deutscher Fakir! Aber freilich, ein Bein wächst nicht nach, nicht wahr? Glauben Sie nur nicht, daß es die Seele anders hält!«

»Sie haben gut reden! Sie sind kein Mensch!« Mintzlaff blieb stehen. »Sie können unsere Gedanken lesen und sich über uns lustig machen. Haben Sie sich schon einmal vorgestellt, wie das wohl sein mag, wenn man weiß, daß man sechzig Jahre atmen darf und dann zu Staub zerfällt? Wie das ist, wenn man eines Tages dreißig Jahre alt wird und auf die beiden Wege blickt, die der Mensch gehen muß — den Weg aus dem Nichts und den Weg in das Nichts? Da steht man dann, auf der Anhöhe des Lebens, betrachtet seine Pläne und mustert seine Wünsche. Da steht man dann, bedenkt seine Ziele und schlägt die Hände vors Gesicht!« Mintzlaffs Augen funkelten zornig. »Jawohl, ich habe mich erzogen! Ich wollte mein Leben nicht vertun wie einen Sonntagnachmittag! Ich wollte keinen Ruhm, kein Geld und auch kein Glück, aber ich wollte werden, was ich war, weiter nichts, aber auch nicht weniger! Was ich versuchte, war dumm und sinnlos? Daß ich anderen wehtat, war niederträchtig? Und daß ich selber nicht glücklich war, hatte seine Richtigkeit?« Er lachte bitter. »Sie haben sicher ausgezeichnete Beziehungen zu den Instanzen, die es sich zur Ehre anrechnen, die Erdkugel mit Vollkommenheit und Segen tapeziert zu haben. Bestellen Sie den Herrschaften meine Grüße!«

»Na, na«, sagte Lamotte. »Beruhigen Sie sich, bitte. Den Sie und Ihre kleine Freundin Erwin nennen, den kenne auch ich nicht. Sie überschätzen meine Beziehungen.« Er hielt Mintzlaff am Ärmel fest. »Ich lasse Sie jetzt nicht gehen!«

Mintzlaff wollte sich losreißen.

Der Baron lächelte. »Aber Herr Professor! Sie werden doch einen stellungslosen Zauberkünstler nicht schlagen wollen! Geben Sie den Gedanken schnell wieder auf!«

»Lassen Sie mich in Frieden!«

»Ich bin Ihr Freund, ob Sie wollen oder nicht. Darum habe ich das Recht, Sie zu kränken. Ich tue es, damit Sie merken, daß Sie noch leben. Jetzt sind Sie außer sich, und außer sich zu sein, ist schon etwas! Es war notwendig, Sie zu quälen; denn das Notwendige muß geschehen.«

»Soll ich, alten Bräuchen folgend, ins Kloster gehen, damit ich niemanden mehr enttäuschen kann? Hinter die Mauer aus Stein, statt hinter die aus Glas?«

»Sie sollen nichts als leben«, sagte der Baron ruhig. »Es ist ganz einfach, und Sie müssen es wieder lernen. Verlangen Sie meinetwegen zu

viel von den anderen, nie wieder zu wenig! Sperren Sie das Vorhänge-
schloß zu Ihrem Herzen auf, bevor es zu spät ist! Sie sind Ihrem Ziel
bedenklich nahegekommen. Das Weinen haben Sie schon verlernt, das
war ein schweres Stück Arbeit. Nun ist das Lachen an der Reihe. Das
verlernt sich schon leichter. Nicht mehr lange, und Sie werden noch
atmen wie ein Mensch, aber fühllos sein wie Ihre Fotografie.«

»Sie ärgern mich nur, obwohl Sie mich eigentlich erschrecken wollen.
Sie haben nicht recht, und Sie wissen, daß Sie nicht recht haben. Was
habe ich, bei Licht besehen, getan? Ich habe, meiner Arbeit zuliebe,
die Professur aufgegeben und mein Privatleben abgebaut. So liegen
die Dinge.«

»So liegen die Dinge«, wiederholte Lamotte spöttisch. »Der Herr Professor hat zum Lachen und Weinen leider keine Zeit, weil er über diese
und ähnliche lästige Angewohnheiten des Menschen Bücher schreiben
muß.« Er lachte vor sich hin. »Vielleicht können wir den Herrn, der
am Mittwoch in Ihrem Namen einen Vortrag hält, dazu überreden,
daß er Ihnen, außer dem Namen, auch noch das Nachdenken und das
Bücherschreiben abnimmt! Dann könnten Sie sich unbesorgt wieder
Ihrem geschätzten Privatleben widmen, Herr Doktor Jennewein!«

»Diesen Hochstapler habe ich ganz vergessen«, sagte Mintzlaff. »Wo
finden wir ihn?«

»Es wird mir ein Vergnügen sein, die Herren miteinander bekannt zu
machen«, antwortete der Baron. »Kommen Sie, Sie Gemütsathlet!«

Fünftes Kapitel

Im Grandhotel Belvedere fand, zugunsten eines Wohltätigkeitsfonds,
ein Galaball statt.

Die in Davos amtierenden Konsuln saßen mit ihren Landsleuten an
großen blumengeschmückten Tafeln, deren jede, im Meer des gemeinsamen Vergnügens, eine besondere Sprachinsel bildete. Juwelen glänzten. Perlen schimmerten. Ordensbänder grüßten, vom Schwarz der
Fräcke, wie zierlich angelegte bunte Beete. Bronzebraune Frauenköpfe,
ausgesuchte Ware aus allen exportfähigen Ländern der Erde, saßen
selbstbewußt auf schlanken Hälsen und mattgetönten, bloßen Schultern.

Maurice Chevalier, der berühmte französische Schauspieler, der seit
Wochen im Grandhotel wohnte, hatte sich bereit erklärt, den Abend
durch den Vortrag einiger seiner Pariser Chansons zu beleben. Und er
entledigte sich dieser Aufgabe mit all dem übermütig frechen und ver-

schmitzten Charme, der ihm zur Beliebtheit in der Welt und zu einem stattlichen Besitztum bei Cannes verholfen hatte.

Da der Künstler sein ständiges Requisit, seinen Strohhut, begreiflicherweise nicht in den Alpenwinter mitgebracht hatte, bediente er sich, nachdem er reizend auf die erforderliche Umbesetzung hingewiesen hatte, eines grünen Tiroler Hütchens. Die für ihn ungewöhnliche Kopfbedeckung tat der Wirkung des Vortrags im übrigen nicht den geringsten Abbruch.

Als man zu tanzen begann, stiegen der Baron und Mintzlaff selbander in die große, geräumige Bar hinunter. Der Raum war noch ziemlich leer. Nachdem sie einen gemütlichen Ecktisch gefunden hatten, bestellte der Baron Irroy. »Schon der Champagner allein«, sagte er, »würde ausreichen, die Existenz Frankreichs als lebensnotwendig erscheinen zu lassen!«

»Ich trinke Sekt nur aus Gesundheitsgründen«, meinte Mintzlaff. »Er ist dem Herzen zuträglich.«

»Sie Lügner«, erwiderte der Baron, und dann tranken sie einander zu.

Später ging er zu dem Oberkellner hinüber, der königlich an einer Säule lehnte, und plauderte leise mit ihm. Da der Mann zu zögern schien, drückte er ihm mehrere Banknoten in die Hand. Mintzlaff konnte es ganz deutlich sehen. Der Oberkellner wurde einsichtiger, und Lamotte kehrte an den Tisch zurück.

Kurz darauf nahm das fest angestellte Tanzpaar am Parkett Platz. Außerdem erkletterten die Mitglieder eines kleinen Orchesters das Podium und packten ihre Instrumente aus.

Im Hintergrund des großen Raums, an der langen Theke, hockte amerikanische Jugend, lärmte unbekümmert und hielt den Mixer und den rundlichen Kellermeister in Atem. Die Gespräche drehten sich vornehmlich um die Bestzeiten der Parsennstrecke und um den grundsätzlichen Unterschied zwischen schottischem Whisky und Bourbon.

Mintzlaff wollte sich gerade mit einer Frage an seinen Nachbarn wenden. Doch als er in dessen Gesicht blickte, zog er es vor zu schweigen.

Lamotte schaute zum Eingang, wo eine Dame stand, und seine braunen Pupillen leuchteten jetzt wie von der Sonne angestrahltes Gold. Er beugte sich kaum merklich vor, und es sah aus, als ducke er sich zum Sprung.

Die Dame, die seine Aufmerksamkeit beanspruchte, war zweifellos eine Südländerin. Sie trat zögernd ein. Blauschwarzes Haar, in der Mitte gescheitelt und tief im Nacken geknotet, umgab ihr ernstes Gesicht wie ein schmaler Ebenholzrahmen.

Der Oberkellner eilte auf einen der reservierten Tische zu. Dort erwartete er sie respektvoll.

Sie schritt langsam und gedankenverloren über die Tanzfläche.

Der Oberkellner schob einen Sessel zurecht.

Sie setzte sich und dankte ihm, indem sie den Kopf ein wenig neigte.

Er stellte eine halblaute Frage.

Wieder neigte sie den Kopf.

Nun entfernte er sich geräuschlos.

Sie faltete ihre schmalen ringlosen Hände und blickte gleichgültig zu den Musikern hinüber, die ihre Instrumente stimmten.

Der Eintänzer erhob sich, verdrehte die Augen und machte eine kolossale Verbeugung. Da sie es nicht bemerkte, nahm er schnell wieder neben seiner Partnerin Platz, die ihn ironisch von der Seite musterte.

Mintzlaff sah abwechselnd den Baron und die Frau an. Sie blickte auf ihre Hände, ohne sie eigentlich zu betrachten. Lamotte aber saß aufrecht da und hatte die Arme auf die Sessellehne gestützt. Man konnte meinen, er sitze auf einem Thron und erteile stumme Befehle.

Plötzlich tauchte ein kleiner livrierter Boy im Saal auf. Er trug eine große weiße Porzellanvase vor sich her, aus der eine einzige rote Rose ragte, und näherte sich dem Tisch der einsamen Dame. Dort angekommen, hob er sich auf die Zehenspitzen und stellte die Vase behutsam in die Tischmitte.

Die Dame sah ihn fragend an.

Er wurde rot wie die Rose, die er gebracht hatte, zuckte die Achseln und entfernte sich schweigend. Er ging dabei noch immer auf Zehenspitzen. Er hatte wohl vor Verlegenheit vergessen, die Fersen wieder zu senken.

Als das kurze, zierliche Schauspiel vorbei war, fragte Mintzlaff leise: »Wer ist sie?«

Der Baron griff in die Brusttasche und reichte ihm ein zusammengefaltetes Papier. Es war ein Ausschnitt aus einer Zeitschrift, ein wundervolles Lichtbild, ein Damenporträt. Es war eine Fotografie ihrer Nachbarin!

Unter dem Bild stand: »Juana Fernandez, die berühmte argentinische Schauspielerin, verbringt ihren Winterurlaub in Davos.«

›Deswegen ist er nach Davos gefahren‹, dachte Mintzlaff.

Der Baron nickte.

Die Bar begann sich mit Ballgästen zu füllen, denen es oben im Saal zu heiß geworden war. Das Tanzpaar begab sich, weil die Kapelle den ersten Tanz spielte, gehorsam aufs Parkett und schwebte lächelnd an den Tischen vorüber. Hinten, an der Theke, wo die Amerikaner saßen, wurde es immer lebhafter.

»Ich fand das Bild zufällig, als ich in einer Zeitschrift blätterte, und packte auf der Stelle die Koffer. Mir blieb gar keine andere Wahl«, sagte der Baron. Nach einer Pause fuhr er fort: »Es ist eine unvermeidliche Begegnung. Aber sie weiß davon noch nichts.«

Der Kellner goß der Dame, von der die Rede war, gerade aus einer alten Flasche goldgelben Wein ins Glas.

Da tauchte der Boy schon wieder auf. Sein kleines braunes Kindergesicht war von staunendem Ernst erfüllt. In der Hand hielt er eine zweite langstielige rote Rose, die er, sich wieder auf die Zehen hebend, ehrfürchtig in die weiße Vase steckte. Juana Fernandez sah ihn prüfend an.

Er zuckte wie beim ersten Mal mit den Schultern und entfernte sich schnell.

Sie blickte, bevor sie den Kopf wieder sinken ließ, sinnend auf die zwei Rosen. Ihre Gesichtszüge verrieten nicht, was sie dachte.

»Warum ist sie traurig?« fragte Mintzlaff.

»Sie ist traurig, daß sie so traurig ist!« erwiderte der Baron. »Sie hat Unglück gehabt; nicht eigentlich viel mehr als mancher andere Mensch; aber sie ist darüber unglücklicher als andere. Sie weiß nicht, ob sie sich je wieder wird freuen können. Und das macht sie ratlos.«

»Eine empfindsame Seele zu haben, ist sehr anstrengend.«

»Sie hätte, um sich zu erholen, arbeiten müssen«, meinte Lamotte. »Eine Schauspielerin muß abends, wenn die Rolle es befiehlt, ihre Melancholie verbergen. Das hätte ihr gutgetan.«

»Und sie ist ganz allein in Europa?«

»Sie ist immer allein. Sie lehnt jede Annäherung ab. Das einzige, wozu sie sich zwingt, ist, daß sie abends zuweilen unter Menschen geht. Da sitzt sie dann, so wie jetzt, einsam am Tisch und blickt stumm vor sich hin.«

»Sie haben heute schon zuwege gebracht, daß eine herzlose Dame zu Stein erstarrte und weinte, — es wird Ihnen auch gelingen, unserer unglücklichen Nachbarin ein Lächeln zu entlocken.«

»Ein Lächeln vielleicht. Ich will es versuchen. Zu einem Lachen ist es leider noch zu früh.«

»Ich verstehe Sie nicht«, knurrte Mintzlaff. »Warum bringen Sie eine Frau, die schon zum Frühstück drei Herren verspeisen möchte, zum Weinen? Wem helfen Sie damit? Und was wollen Sie von mir? Zu welchem Behufe reden Sie mir ein, daß die Mauer aus Glas, hinter der ich mich, aller Welt sichtbar, verberge, mein Verderben sei?«

»Wer nicht lacht, doch auch wer nicht weint, ist nur ein halber Mensch«, antwortete der Baron. »Beides können, lachen und weinen, — das ist die Summe des Lebens.«

»Sie sind also ein Menschenfreund«, sagte Mintzlaff und fuhr spöttisch fort: »Wer ist denn der Unbekannte, der unsere ebenso schöne wie traurige Dame mit roten Rosen unterhält?«
Als Lamotte nicht antwortete, lachte er und meinte: »Sehen Sie, nun kann auch ich schon Gedanken lesen!«

Anderthalb Stunden später brachte der Boy, der in der Zwischenzeit nicht müßig gewesen war, die zweiundzwanzigste rote Rose und, da die erste voller Blumen war, eine zweite Vase.
Auf dem Parkett hatten Ballonschlachten stattgefunden. Und einer der jungen Amerikaner, die an der Theke getrunken hatten, war, nachdem er mit Gläsern nach dem Mixer geworfen hatte, ins Freie getragen und in den heilsam kühlen Schnee gesetzt worden.
Juana Fernandez saß noch immer in sich versunken. Nur sooft sie das Weinglas zum Mund führte, streifte ihr Blick die Rosen.
Die meisten Gäste der Bar schienen sie zu kennen und trotz des nächtlichen Übermuts zu begreifen, daß sich die Schauspielerin von dem geheimnisvollen Rosenzauber nicht gestört oder gar ernstlich belästigt fühlte.
Deshalb verbarg man die keineswegs geringe Neugierde hinter dem Schein einer wohlwollenden Interesselosigkeit.
Am Tisch Lamottes saß jetzt, außer ihm und Mintzlaff, eine lebhafte Gesellschaft; und zwar der Direktor des Verkehrsvereins, der leitende Arzt eines Sanatoriums, ein Maler aus Basel, ein Flugkapitän der Swissair und ein kleiner, brünetter Herr mit einem amüsanten Vogelgesicht und einem ungefaßten Monokel.
Der Baron hatte die Korona, da sonst kein Platz gewesen war, an seinen Tisch gebeten, und schon bei der gegenseitigen Vorstellung war deutlich geworden, daß er richtig gehandelt hatte.
Denn eben dieser kleine, schlanke, brünette Herr mit dem Monokel hatte, sich verbindlich verbeugend, gesagt: »Mein Name ist Mintzlaff.« Und der Herr, der erst seit Stunden Jennewein hieß, hatte lächelnd erwidert: »Sehr erfreut, Herr Professor!«
Aber auch die anderen Herrschaften hatten ihre verborgenen Reize. Der Chefarzt war zugleich der Vorsitzende der Kunstgesellschaft und sammelte Bilder. Der Flugkapitän war im Nebenberuf ein nicht unbekannter Schriftsteller. Und der Direktor des Verkehrsvereins war von Haus aus eigentlich surrealistischer Maler und veröffentlichte unter einem wohlklingenden Pseudonym seltsam schöne Gedichte, in denen, größerem Beispiel folgend, keine großen Buchstaben vorkamen.
Zunächst sprach man über einen Ausflug, den man am Vormittag mit

einigen Züricher Journalisten und Herren vom dortigen Rundfunk unternommen hatte. Die Schlittenfahrt hatte in ein schweigsames, winters nahezu unbewohntes Tal geführt, das sich das Sertig nannte und dessen Stimmungsgehalt von den Anwesenden außerordentlich gepriesen wurde.

Dann wechselte das Thema. Man begann, mitten im heiter wogenden Trubel übermütiger Tanzpaare, die bange Frage zu diskutieren, ob die wirklich große Kunst und das Urteil des jeweils zeitgenössischen Publikums einander wesentlich beeinflußt hätten und ob sich, im Laufe der überschaubaren Kunstgeschichte, das Verhältnis zwischen den beiden Faktoren grundsätzlich und inwieweit es sich graduell gewandelt habe.

Der wirkliche Mintzlaff verhielt sich schweigsam und hatte Muße, den falschen sorgfältig zu beobachten und, da dieser dem Gespräch ganz und gar nicht fernblieb, ein bißchen abzuschätzen. Eines stand sehr bald fest: ein zufällig dahergelaufener, üblicher Hochstapler war der Mann unter keinen Umständen! Was er beispielsweise zur Debatte beitrug, verriet mindestens eine überdurchschnittliche Belesenheit sowie eine beachtliche Erfahrung, auf dem Gebiete der Kunst recht zu behalten.

Endgültige Schlüsse ließen sich naturgemäß nicht ziehen. Derartige Tischgespräche geben selten Aufschluß über die tatsächliche Urteilskraft und Überzeugung der Debatteredner.

›Schade‹, dachte Mintzlaff. ›Mir wäre einer von den Burschen lieber gewesen, bei deren Anblick mir die Ohrfeigen in der Tasche wachsen!‹

Der Baron sah ihn verweisend an.

›Keine Sorge, Herr Baron‹, dachte er belustigt. ›Ich tu ihm nichts.‹

»Das möchte ich mir auch ausgebeten haben!« sagte Lamotte daraufhin.

Die Unterhaltung am Tisch stockte. Man hatte Lamottes Satz laut und deutlich gehört, wußte aber gar nicht, worauf er sich hätte beziehen können.

»Entschuldigen Sie, meine Herren«, meinte der Baron. »Ich war in Gedanken. Lassen Sie sich in Ihrer komplizierten Unterhaltung nicht stören!« Damit wandte er den Kopf zu dem Tisch der schönen Nachbarin.

Juana Fernandez legte gerade ihre schmale rechte Hand behutsam auf die vielen roten Rosen in der einen Vase, als wolle sie die Blumen streicheln. Es war eine vollendet zärtliche Bewegung. Dann stand sie auf, ergriff die eine halberblühte Knospe, die einsam aus der zweiten

Vase ragte, und schritt, die Rose mit sich nehmend, langsam durch den Saal.

Alle blickten zu ihr hin. Sie hielt den Kopf ein wenig gesenkt und lächelte!

Es war ein winziges, schüchternes Lächeln, das, noch ungläubig, um ihren ernsten Mund spielte. Doch es war und blieb unzweifelhaft ein Lächeln.

Als die Argentinierin den Saal verlassen hatte, löste sich die stille Verblüffung in allgemeines Gemurmel auf.

»Ein Wunder ist geschehen«, erklärte der erstaunte Direktor des Verkehrsvereins. »Sie hat gelächelt.«

»Es gibt keine Wunder«, brummte der Arzt. »Wahrscheinlich liegt es an unserer guten Luft.«

Der Usurpator des Namens Mintzlaff wandte sich an den Direktor: »Sie sollten nicht versäumen, in Ihrer hübschen kleinen Wochenzeitschrift auf die südamerikanische Heloise und das mit zwei Dutzend Rosen und Ihrer guten Luft zusammenhängende Wunder gebührend hinzuweisen.«

Der Maler aus Basel, ein noch jugendlich wirkender Mann mit grauem Haar, sagte nachdenklich: »Eine merkwürdige Frau. Ich verstehe nicht, warum es mich nicht drängt, sie zu malen. Vielleicht schlüge sie es nicht einmal ab. Aber mir ist, als sei es völlig überflüssig und als sei sie schon jetzt ihr Gemälde. Möglich, daß sie lebt. Natürlich muß sie leben; denn sie bewegt sich ja. Aber im Grunde, ich kann mir nicht helfen, ist sie ein Bild!«

Da nun sagte Lamotte, der noch immer wie gebannt hinter ihr dreinsah, einen Satz, der die Herren am Tisch erschrecken ließ und sie auf den naheliegenden Gedanken brachte, der Herr Baron scheine im Kopf nicht ganz richtig zu sein.

Lamotte sagte nämlich: »Es ist die schönste Frau, die ich seit zweihundert Jahren gesehen habe.«

Kurz darauf zahlte die Gesellschaft und ging ziemlich bestürzt ihrer Wege.

Sechstes Kapitel

Da Mintzlaff am nächsten Morgen, trotz der anstrengenden Ereignisse des Vortags, früh erwacht war, ließ er sich Zeit und frühstückte mit angemessener Sorgfalt auf der sonnenüberfluteten Terrasse des Hotels.

Von dieser Terrasse aus sah man zu den weitläufigen Eisplätzen hinüber, wo sich die Davoser Schuljugend tummelte. Ein paar Jungen übten unermüdlich an einem schwierigen Sprung. Und kleine Mädchen drehten auf ihren überlangen Kinderbeinen Pirouetten, daß die Zöpfe waagerecht vom Kopf abstanden.

Auch ein Stück der Straße ließ sich überblicken. Die Autobusse und Schlitten, die nach Davos-Dorf fuhren, hatten Überfracht. Hunderte und Aberhunderte wurden zur Talstation der Parsennbahn transportiert. Hundertvierzig Menschen hißte die Seilbahn mit jeder Fahrt elfhundert Meter höher. Siebenhundert Menschen konnten in einer Stunde maschinell himmelan in den ewigen Schnee befördert werden!

Mintzlaff folgte, nachdem er gefrühstückt hatte, diesem Strome nicht, sondern schlug die entgegengesetzte Richtung ein und kraxelte, nicht ohne zuvor einen handfesten, eisenbeschlagenen Stock erworben zu haben, in aller Gemütlichkeit zur Schatzalp hinauf.

Der Weg wand sich in Serpentinen durch hochstämmige, dick zugeschneite Tannenwälder. Hier war die Luft, da die Sonne nicht durch die Wipfel drang, frisch wie kühle Seide.

Manchmal trat der Wald zurück und machte kleinen Aussichtspunkten mit grünen Bänken Platz.

Im Tal lag Davos, rings von Bergen eingekesselt, ein Paradies aus Sonnenschein und Schnee.

Manchmal kreuzte der Weg eine Abfahrt. Nicht frei von Neid blickte Mintzlaff hinter den Skifahrern her, die wie Pfeile angeflogen kamen und, sich in die Kurve schwingend, talwärts verschwanden.

Die wenigen Spaziergänger, denen er begegnete, machten in einer Gegend, wo man gewöhnt war, mit Bahnen bergauf und auf Brettern bergab zu sausen, den Eindruck, als seien sie aus Museen heimlich entwichene Restbestände.

Einer der musealen Wanderer, die ihm entgegenkamen, war übrigens ›Herr Professor Mintzlaff‹, der sich, nachdem er kurz des gestrigen Abends gedacht hatte, angelegentlich nach Jenneweins Verlagsplänen erkundigte.

Das veranlaßte wiederum den ›Verleger Ludwig Jennewein aus Leipzig‹, dem Professor Fragen zu stellen, deren Beantwortung dem Herrn mit dem Einglas, so wenig er es sich anmerken ließ, nicht gerade lieb und angenehm sein konnte.

Man verabschiedete sich lächelnd und gab der Hoffnung auf ein baldiges Wiedersehen lebhaften Ausdruck.

Hinter der Schatzalp gab es zwar noch Wegweiser, aber keine Wege mehr. Und als Mintzlaff einige Male metertief im Schnee eingesunken war, brach er das unwirtliche Unternehmen ab, kehrte um und setzte sich vor ein kleines anheimelndes Wirtshaus, das am Berghang klebte. Er trank einen Schoppen Roten und schaute den Skiläufern zu, die vom Strelapaß herunterpreschten, auf der Schatzalp bremsten und sich gegen Entgelt von dem sogenannten Skilift wieder zum Strelapaß hinaufbugsieren ließen, um dann erneut herunterzupreschen.

Der Skilift war eine fröhliche Erfindung: Er war nichts weiter als ein über mehrere Masten laufendes Band mit in Abständen angebrachten schaukelähnlichen Sitzgelegenheiten. Wenn einer der Sitze die Fußstation des Lifts passierte, griff der Skifahrer zu, setzte sich rasch, behielt die Skier auf der Erde und fuhr nun, ohne weitere Mühewaltung, steil bergan.

Die Bergwelt war wirklich mit jeglichem Komfort ausgestattet! Wer hier, in den höchsten Bezirken, etwa ein Bein brach, wurde umgehend von eigens zu diesem Zweck angestelltem Personal auf Sanitätsschlitten bis zum Krankenhaus gerodelt. Nur die Tabletten, die man einnehmen mußte, um die Beine überhaupt nicht zu brechen, waren noch nicht erfunden. Aber auch da handelte es sich vermutlich nur um eine Frage der Zeit.

Mintzlaffs Tisch stand an der glühend heißen Hauswand, und an der Hauswand hing ein Thermometer, das vierzig Wärmegrade anzeigte.

Wenige Minuten später segelte eine weiße Wolke sonnenwärts. Nun sank das Quecksilber rasch auf achtundzwanzig, dann bis auf siebzehn Grad. Und als die Wolke die Sonne verdeckte, waren gar nur noch acht Grad. Doch die Wolke mußte glücklicherweise weiter, und jetzt kletterte die Temperatur schnell wieder empor, bis die Sonne von neuem unbehelligt am Firmament erstrahlte, das Thermometer wieder vierzig Grad meldete und Mintzlaff die Jacke auszog.

»Da fährt ja einer wie der Teufel!« sagte der Wirt und blickte fachmännisch den Berg hinan. »Wer kann denn das sein?« Er meinte einen Skiläufer, der schnurgerade den Steilhang herunterschoß, pfeilschnell näherkam, immer näher, als wolle er mitten in das friedliche Wirtshaus hineinfahren. Erst im vorletzten Moment schwang er sich herum und stand.

»Den kenn ich nicht«, sagte der Wirt. »Wie kann ein Mensch, der die Strecke noch nie gefahren ist, so leichtsinnig sein!«

Der leichtsinnige Mensch, den der Wirt nicht kannte, schnallte die Bretter ab und kam auf die Tische zu.

Es war Baron Lamotte!

Er lachte über das ganze Gesicht, klopfte Mintzlaff auf die Schulter, setzte sich und bestellte einen Teller Suppe.

»Sie sind doch die Strecke zum ersten Mal gefahren?« fragte der Wirt.

»Warum?«

»Schade, daß Sie die Zeit nicht haben abstoppen lassen. Sie haben sicher den Streckenrekord gebrochen.«

»Rekord?« fragte der Baron. »Was gehen mich denn Ihre Rekorde an! Ich fahre schnell, weil es mir Spaß macht.«

»So einen unmodernen Menschen habe ich lange nicht gesehen«, erklärte der Wirt. »Sie gefallen mir.« Dann ging er die Suppe holen.

»Daß Sie alles übertreiben müssen!« meinte der Kunstgelehrte vorwurfsvoll. »Ich denke, Sie wollen nicht auffallen?«

Lamotte nickte. »Ich gebe mir große Mühe, aber es ist so schwer, das menschliche Maß innezuhalten! Sie ahnen gar nicht, wie schwer!«

»Sie Ärmster«, erwiderte Mintzlaff. Dann berichtete er von seiner Begegnung mit dem Hochstapler. »Ich fühlte ihm ein bißchen auf den Zahn und muß ehrlich sagen, daß er seine Rolle gründlich studiert hat. Er weiß, wo ich, das heißt er, geboren bin und an welchen Universitäten ich war. Er kennt meine, das heißt, seine Bücher und Aufsätze. Er weiß, daß ich unverheiratet bin. Er weiß sogar, in welchem Berliner Café ich täglich verkehre. Anfangs freute er sich über das rege Interesse, das ich, als Mensch und Verleger, an ihm nahm. Als ich ihn aber über die Auflagenhöhen seiner meisterlichen Werke auszuholen begann, wurde er nervös. Er scheint kein Fachmann zu sein, sondern eher ein kenntnisreicher Dilettant.«

Der Wirt brachte die Suppe, und Lamotte machte sich darüber her.

»Darf man fragen, wie sich die schönste Frau, die Sie seit zweihundert Jahren gesehen haben, heute befindet?«

Der Baron verzog das Gesicht. »Erinnern Sie mich nicht an meine vorlaute Bemerkung von gestern abend! Ein Glück, daß keiner der Herren am Tisch Verdacht schöpfte.«

»Was für Gedanken rief denn eigentlich Ihre Äußerung in den Köpfen der anderen hervor?«

»Sie schoben es mehr oder weniger auf den Champagner.« Lamotte löffelte Suppe. Nach einer Weile sagte er: »Die Dame meines Herzens fuhr heute früh in einem Pferdeschlitten nach Klosters hinüber.«

»Und an ihrer Jacke steckte eine rote Rose?«

»Nein, nicht an der Jacke und nicht am Nerzmantel, sondern in der Handtasche. Im übrigen möchte ich Sie rechtzeitig davor warnen, spöttische Reden über Juana Fernandez zu führen. Es könnte sonst geschehen, daß ich Sie in einem unvorhersehbaren Anfall von Ärger in ein Kamel oder einen Lorbeerbaum verwandle. Oder haben Sie, falls ich Sie verzaubern werde, besondere Wünsche?«

Mintzlaff lachte leise. »Nein, nein! Als Kamel hier oben im Schnee herumzustehen, wäre mir schon recht.«

»Wie Sie wollen. Sie können sich die Sache noch in Ruhe überlegen. Was nun die schöne Argentinierin anlangt, so werde ich sie heute abend zu einem argentinischen Tango auffordern.«

»Und sie wird ablehnen.«

»Erraten. Und dann werde ich mich an ihren Tisch setzen. Nein, das wird sie nicht ablehnen! Sie dürfen den Zauber meiner Persönlichkeit nicht unterschätzen! Und noch ehe sie einen Entschluß fassen kann, werde ich ihre rechte Hand ergriffen haben und ihr aus den Handlinien wahrsagen.«

»Aha!«

»Sie wird staunen, was ich über sie weiß.«

»Das glaube ich auch.«

»Und später werde ich dann doch einen argentinischen Tango mit ihr tanzen.«

»Ich zweifle nicht daran. Sollte sie noch Schwierigkeiten machen, werden Sie die Mitglieder des Tanzorchesters in Zwerge verwandeln und die Bar des Hotels in eine diamantene Grotte! Die Frau müßte ja ein Herz aus verchromtem Stahl haben, wenn sie einer so zart und dezent vorgetragenen Werbung widerstehen wollte!«

Der Baron blickte lächelnd den Berg hinan, den soeben eine Kavalkade von Skiläufern herabkam. Die ersten Fahrer bremsten nicht weit vom Gasthaus. Als letzte folgte, in größerem Abstand, ein junges Mädchen, das eine lustige Kapuze trug.

Plötzlich sprang Mintzlaff in die Höhe und schrie aus Leibeskräften: »Hallo! Hallo!«

Die Skiläufer und die vor dem Wirtshaus sitzenden Gäste drehten sich hastig um. Was war denn geschehen? Warum schrie denn der Mann in einem fort »Hallo!«?

Auch das junge Mädchen hatte den Kopf gewendet. Dadurch verlor sie das Gleichgewicht und fiel jetzt, mit einem Juchzer, in den Schnee.

»Hallo!« schrie Mintzlaff. Er wedelte dabei mit beiden Armen.

Da entdeckte ihn das Mädchen. Das vom Sturz eben noch verdutzte Gesicht leuchtete auf. Sie winkte mit den Skistöcken, strampelte sich lachend hoch und schnallte die Bretter ab.

Einer ihrer Begleiter kam zurück und fragte etwas.

Aber sie schüttelte entschieden den Kopf, gab ihm eine kurze Antwort und stapfte, während er, offensichtlich enttäuscht, weiterfuhr, auf Mintzlaff zu, der ihr mit Riesenschritten entgegenlief.

Sie pflanzte die Bretter und Stöcke in den Schnee, stellte sich, trotz der schweren Stiefel, auf die Zehenspitzen und gab Mintzlaff einen Kuß.

»So!« meinte sie dann erleichtert. »Das wäre erledigt! Gott zum Gruß, alter Junge!«

»Hallo!« sagte er, noch völlig verblüfft. »Ich wußte ja gar nicht, daß du in Davos bist!«

»Das liegt an deiner verdammten Halbbildung«, erklärte sie. »Außerdem weile ich erst seit ein paar Tagen in diesen Mauern. Es gefiel mir nicht in Spezia. Der Großvater war zufällig selber guter Laune, und da konnte er mich nicht gebrauchen.«

Sie war eine zierliche Person und sah, mit den dicken Wollhandschuhen und unter der drolligen Zipfelkapuze, die sie trug, am ehesten wie ein Osterhase aus. »Bist du allein in Davos?« fragte sie streng. »Oder hast du ein Weib bei dir?«

»Ich bin allein hier.«

»Dein Glück!« Sie hakte bei ihm unter und zog ihn zu dem kleinen Wirtshaus hinüber. »Ich gedenke, mich von dir zu irgendeiner Art Getränk invitieren zu lassen.«

»Und deine Begleiter?«

»Das junge Volk wartet an der Seilbahn, bis die Dame erscheint. Fragst du aus Mitgefühl mit ihnen, oder hast du Angst, du könntest mich nicht wieder loswerden?«

»Ich frage aus Angst«, sagte er fröhlich.

»Dann ist ja alles in Ordnung.«

Sie näherten sich dem Tisch, an dem sich jetzt Lamotte erhob und das Paar erwartete.

»Darf ich die Herrschaften miteinander bekannt machen?« sagte Mintzlaff. »Baron Lamotte — Fräulein Sumatra Hoops.«

Lamotte ergriff die Hand des Mädchens. »Das ist also die junge Dame, die ›Hallo‹ heißt!«

Sie streifte die von einem Eishäubchen gekrönte Kapuze ab. Aschblondes Lockengekräusel kam zum Vorschein. »Alfons hat also geplaudert«, meinte sie und setzte sich.

Nun nahmen auch die Herren Platz. »Ja«, erklärte Mintzlaff. »Wir hatten zufällig ein Gespräch über Vornamen.«

»Und eines über anonyme Telegramme«, fügte der Baron hinzu.

Das junge Mädchen musterte Lamotte mit einem Blick, der, so flüchtig er schien, an Gründlichkeit wenig zu wünschen übrigließ.

»Natürlich!« rief Mintzlaff. »So ist es! Du hast die Depesche geschickt!«

»Ich war so frei«, sagte sie. »Als ich in Davos ankam, las ich das Plakat. Nun hattest du mich doch aber dahin informiert, daß du erst in etwa vierzehn Tagen einträfst! Ich freute mich, dich wieder einmal beim Lügen ertappt zu haben, erkundigte mich im Verkehrsverein nach deiner Adresse und trabte ins Grandhotel. Der Portier behauptete, daß du auf deinem Zimmer wärst, und setzte sich, um dir meinen holden Besuch anzukündigen, mit dem Appartement zwölf in telefonische Verbindung. Diesen Moment benutzte ich, spontan wie ich bin, und erklomm das erste Stockwerk des Hotels.«

»Jetzt wird es spannend«, vermutete Mintzlaff.

»Ich klopfte an die Tür mit der Nummer zwölf. Eine Männerstimme rief ›Herein!‹ Ich riß die Tür auf, wollte irgendeine der zwischen uns ortsüblichen unpassenden Bemerkungen machen und stand einem mir durchaus fremden Herrn gegenüber. Er war erstaunt. Trotzdem war seine Verblüffung, mit der meinen verglichen, ein Kinderspiel für Dreijährige. Gut, wir hatten uns ein paar Wochen nicht gesehen — aber daß du dich in der Zwischenzeit derartig verändert haben könntest, hielt ich von vornherein für ausgeschlossen. Er fragte nach meinem Begehr. Daraufhin fragte ich höflich, ob er auch ganz bestimmt wisse, daß er ein gewisser Herr Professor Mintzlaff sei. Er replizierte, daß es darüber gar keinen Zweifel geben könne.«

»So ein frecher Hund!«

»Ich dachte das gleiche, versicherte ihm jedoch, wie glücklich ich sei, ihn, dessen Bücher zu verschlingen ich die Gewohnheit hätte, endlich von Angesicht zu Angesicht zu schauen. Er behauptete, von unserer Begegnung nicht minder ergriffen zu sein, und wollte wissen, ob ich allein reise. ›O nein‹, sagte ich. ›Ich bin mit meiner Großmutter unterwegs. Und die Gute glaubt, ich sei in der Klavierstunde!‹ Na ja. Und dann empfahl ich mich, ließ mir von ihm die Hand küssen und eilte hurtigen Fußes zum Telegraphenamt.«

»Warum depeschiertest du aber anonym?«

Hallo hängte die vereiste Jacke an den Fensterriegel. »Mein teurer Freund«, erklärte sie dann, »mir lag daran, dich neugierig zu stimmen. Neugierde kleidet dich so gut.« Sie wandte sich an Lamotte. »Kennen Sie Alfons näher?«

»Nein«, erwiderte der Baron bescheiden. »Leider nicht.«

»Er ist der Psalmist des seelischen Gleichgewichts«, sagte sie. »Und ich lasse seit Jahren nichts unversucht, sein Gemüt zum Schaukeln zu bringen. Aber es ist ein Versuch am untauglichen Subjekt.« Das junge Mädchen lachte. Es war kein besonders frohes Lachen. »Herr Wirt!«

Der Wirt kam. Sie bestellte ein Skiwasser. Dann fragte sie den Freund: »Wie gefällt eigentlich dir der Herr, der in deinem Namen Vorträge hält? Oder ist er dir noch gar nicht über den Weg gelaufen?«

»Doch. Gestern nacht in der Bar.«

»Nun, und?«

»Zu meinem Leidwesen muß ich feststellen, daß er mir nicht völlig mißfällt!«

»Er ist nicht der Dümmste«, sagte sie. »Und er trägt hübsche Krawatten.«

»Kannst du dir vorstellen, warum und wozu sich dieser Mensch der Mühe unterzieht, meine Rolle zu spielen?«

Hallo schüttelte den Kopf, daß die Locken flogen. »Nein. Vielleicht ist er verrückt?« Der Wirt brachte das Skiwasser, und sie trank das Glas in einem Zuge leer.

»Du kommst doch am Mittwoch abend mit uns zu seinem Vortrag? Ich besorge rechtzeitig Karten. Oder hast du keine Zeit?«

»Sechs Jahre lang habe ich mir deine Vorträge mit einer wahren Lammsgeduld angehört, und nun, wo so ein Abend endlich einmal interessant und allgemeinverständlich zu werden verspricht, sollte ich keine Zeit haben?«

Mintzlaff lachte. »Was sagen Sie zu der burschikosen jungen Dame, Herr Baron?«

Lamotte blickte den anderen nachdenklich an. »Fräulein Hoops ist wundervoll tapfer.«

Hallos braune Augen wurden dunkel vor Ernsthaftigkeit. Sie sprang auf, griff nach ihrer Jacke und meinte leichthin: »So, jetzt muß sich das tapfere kleine Fräulein verabschieden! Wie ist das, Alfons? Lädtst du mich für heute abend zu einem Whisky ein? Oder willst du lieber allein sein? Du kannst es dir überlegen. Ich wohne in der Pension Edelweiß.« Sie gab beiden Herren die Hand.

»Ich hole dich nach dem Abendessen ab«, sagte Mintzlaff. »Wundere dich übrigens nicht, wenn man dir meldet, daß dich ein Herr Doktor Jennewein in der Halle erwartet. So heiße ich bis auf weiteres.«

»Ach richtig! Und an welchen Vornamen muß ich mich bis auf weiteres gewöhnen?«

»An den schönen Vornamen Ludwig«, teilte der Baron mit.

Sie warf Lamotte wieder einen prüfenden Blick zu. Dann schaute sie Mintzlaff lächelnd an und sagte: »Hoffentlich wirst du nicht eifersüchtig, wenn ich dich versehentlich einmal Alfons nenne. Auf heute abend, du Scheusal!« Sie nickte ihm zu, schnitt eine Grimasse und stapfte in den Schnee hinüber, zu ihren Brettern. Eine Minute später verschwand sie talwärts.

Mintzlaff, der an die Holzbrüstung getreten war, um hinter ihr herzuschauen, setzte sich wieder, nachdem sie seinem Gesichtskreis entschwunden war, und blickte versonnen auf die blankgescheuerte Tischplatte.

Lamotte beugte sich zu ihm und sagte leise: »Unbeschadet meiner hochgradigen Fähigkeit, Gedanken zu lesen, erscheint mir Ihr Verhalten diesem bezaubernden jungen Geschöpf gegenüber einigermaßen rätselhaft.«

Mintzlaff sah den Baron an und senkte den Kopf von neuem. »Wir sind seit sechs Jahren befreundet. Als wir uns kennenlernten, war Hallo neunzehn Jahre alt.«

»Und heute«, meinte Lamotte, »sieht sie aus, als sei sie siebzehn. Es gibt solche mädchenhaften Frauen.«

Mintzlaff nickte. »Sie wird immer jünger. Trotz des Kummers, den sie mit mir hat.«

»Sie hätten sie heiraten sollen. Sie könnten schon zwei oder drei Kinder haben.«

»Ich wollte nicht.«

»Die gläserne Mauer war wieder einmal im Wege! Das Glück, das Ihnen bevorstand, hätte Sie zu sehr abgelenkt!«

»Sie blieb trotzdem bei mir; und sie würde immer bei mir bleiben, wenn ich sie hielte. Doch ich weiß nicht ein noch aus. Früher war ich grenzenlos in sie verliebt, ohne sie schon zu lieben. Und jetzt, da ich nicht mehr in sie verliebt bin, liebe ich sie wie mein eigenes Leben.«

»Und an Tagen, an denen Sie zufällig eine Viertelstunde übrig haben, benutzen Sie diese freie Zeit, um unglücklich zu sein. Selbstverständlich nur ein ganz klein wenig unglücklich! Weil eine stärkere Inanspruchnahme Ihres ausgewogenen Innenlebens unbekömmlich wäre!«

»Ich bin in meinen freien Viertelstunden darüber nicht unglücklich, sondern böse!« sagte Mintzlaff.

»Auf jene Instanz, die Sie Erwin nennen.«

»Jawohl! Er läßt zwei Menschen jahrelang miteinander glücklich sein, und dann stiehlt er auf einmal dem einen das Verlangen nach dem anderen! Warum tut er das? Wenn er es schon tun will oder muß — warum bestiehlt und plündert er nicht alle zwei? Zur selben Zeit? Ich finde es niederträchtig!«

»Das ist der zweite große Vorwurf, den Sie der Schöpfung machen.«

»Nicht der letzte!«

»Sie möchten drei- bis vierhundert Jahre alt werden. Mindestens so alt wie ein größerer Lindenbaum. Nun, in dieser Beziehung kann ich mich nicht beklagen. Was nun die erotische Wankelmütigkeit betrifft, so teile ich zwar diese Eigenschaft mit Ihnen, nicht aber die Abneigung davor.«

»Meine Glückwünsche!« sagte Mintzlaff. »Sie haben es also auch erlebt, daß Sie die Frau, die Sie lieben, ins Pfefferland und sich irgendeine unterhaltsam gebaute Person, die Ihnen im übrigen womöglich völlig gleichgültig ist, in die Arme wünschen?«

»Erlauben Sie!« erwiderte Lamotte. »Schon oft! Sie müssen nicht vergessen, daß ich sehr viel länger lebe!«

»Und Sie haben sich deswegen noch nie geschämt?«

»Ich denke gar nicht daran!«

»Sie finden es in Ordnung?«

»Ich finde alles, was natürlich ist, in Ordnung.«

»Sind Sie verheiratet?«

Der Baron mußte lachen. Er nickte lebhaft.

»Und Sie hatten nie ein schlechtes Gewissen?«

»Ich werde mich hüten! Das schlechte Gewissen ist eine ebenso christliche wie überflüssige Erfindung. Mich hat nie das Gewissen, statt dessen aber immer die Eifersucht meiner Frau gequält.«

»Die Eifersucht ist doch auch etwas Natürliches!«

»Leider. Aber selbstverständlich nur dort, wo Monogamie herrscht.«

»Ihre Lebensauffassung ist mir allzu natürlich«, meinte Mintzlaff. »Am Ende verteidigen Sie auch Raub und Mord!«

»Ich verteidige sie nicht. Aber sie sind natürlich, und die Strafe dafür ist es auch.«

»Sie halten es also mit Zenon, der einen diebischen Sklaven sagen läßt, er sei vom Schicksal zum Stehlen bestimmt, und dem darauf die Antwort zuteil wird, er sei aber auch vom Schicksal ausersehen, dafür Schläge zu bekommen.«

»Ja«, erwiderte Lamotte. »Zenon war meiner Meinung.«

»Dann lehnen Sie das ab, was man die Entwicklung der Menschheit genannt hat?«

»Sie wollen mich heute, scheint mir, dauernd zum Lachen bringen«, bemerkte der Baron. »Ich lehne die Entwicklung der Menschheit keineswegs ab. Ich werde doch nicht etwas ablehnen, was es nicht gibt. Sie sind ein Idealist, und Idealisten sind schreckliche Leute. Sie rauben, noch dazu aus Sentimentalität, nicht nur sich selber, sondern auch, was schlimmer ist, den anderen den Sinn für die ewige Wirklichkeit und stiften neue, überflüssige Schmerzen. Als ob es nicht ohnedies genügend Konflikte gäbe. Ich erinnere Sie nur an die Eifersucht meiner Frau!« Der Baron legte Geld auf den Tisch und erhob sich. »So, und jetzt mache ich mir noch ein wenig Bewegung. Die alten Knochen haben es nötig.« Er hielt dem jungen Mann die Hand hin. »Es hat nicht den geringsten Sinn, sich über mich zu ärgern!«

»Obwohl es ein ziemlich natürlicher Seelenvorgang wäre!« sagte Mintzlaff und nahm die Hand.

»Ehe ich es vergesse«, erklärte der Baron, »— am Sonnabend findet im Grandhotel ein Kostümball statt. Das kleine Fräulein Hallo und Sie sind meine Gäste. Ich sage es Ihnen heute schon, damit Sie rechtzeitig überlegen, wie Sie sich verkleiden wollen.«

»Als was werden Sie denn erscheinen?«

»Ich?« Lamotte lächelte. »Ich komme als Zeus!«

Mintzlaffs Gesicht und Blick froren ein. Er hatte sich weit vorgebeugt und starrte den anderen außer sich an.

Der Baron tat, als merke er Mintzlaffs Erschütterung nicht. Er zog die dicken Fausthandschuhe an und sagte währenddem: »Aber sprechen Sie nicht darüber!«

Dann ging er mit großen, ruhigen Schritten davon.

Siebentes Kapitel

Solange Mintzlaff noch herumgerätselt hatte, wer eigentlich der Baron sei, war er nicht entfernt so beunruhigt gewesen wie jetzt. Seine Gedanken kreisten fieberhaft um den Fremden und das nun gelüftete absurde Geheimnis.

Ob er krank sei, hatte der Wirt des Hotels beim Mittagessen gefragt. Er sehe angegriffen aus. Mintzlaff hatte Kopfschmerzen vorgeschützt und war auf seine Loggia geflüchtet.

Hier ruhte er nun in einem bequemen Liegestuhl und schlief. Sein Gesicht sah aus, als strenge ihn das Schlafen an. Manchmal flatterten die Augenlider, und der linke Mundwinkel zuckte ungeduldig.

Er träumte . . .

Der Traum hatte ihn in eine weite, karg bewachsene Ebene entführt. Mitten in dieser Ebene weidete eine große Schafherde, und neben der Herde stand ein schwarzlockiger, antik gewandeter Hirt. Er hatte beide Hände auf einen hohen Krummstab gestützt und blickte in ruhiger Melancholie über die grauwollige Welle der grasenden Tiere hin.

Von fern dröhnte die Erde.

Am Horizont tauchte ein Reiter auf und näherte sich in einer wallenden Staubwolke.

Der Hirt blickte hoch. Schützend legte er eine Hand über die Augen.

Es war kein Reiter. Es war ein Kentaur!

Er sprengte in gestrecktem Galopp auf die Herde zu, parierte sich scharf durch und stand. Merkwürdigerweise trug er auf dem Bronzeschädel eine schöne blaue Postmütze; und quer über den nackten, zottigen Oberkörper spannte sich ein roter Ledergurt, an dem eine rote Tasche hing. Es war offensichtlich eine Depeschentasche.

»Ist das der richtige Weg zum Olymp?« fragte der atemlose, nervös mit den Hufen stampfende Kentaur.

Der Hirt hob wortlos den Krummstab und zeigte auf einen im Hintergrund mächtig emporragenden Berg, der silbergrün bewaldet und dessen Gipfel von einer unbeweglichen Purpurwolke verhüllt war.

»Aha«, sagte der Kentaur, salutierte kurz, gab sich dann einen aufmunternden Schlag auf die Flanke, sprengte davon und verschwand in einer graubraunen Staubwolke.

Die Schafe blökten hinterdrein.

»Laßt das!« sagte der thessalische Hirt streng, und die Schafe gehorchten.

Mittlerweile galoppierte der Kentaur schon bergan, durch silbergrüne Olivenhaine.

Aus den Wäldern und Hainen wurden Büsche und aus den Büschen trockenes Gestrüpp. Weiter oben wuchsen Steine durch das Gestrüpp. Dann wichen die harten, kantigen Steine und Blöcke dem weichen, dämpfenden Schnee. Und schließlich trabte das zottige, schwitzende Fabelwesen in die unbewegliche Purpurwolke hinein, die den Gipfelbezirk wie eine schwebende Mauer umgab. Das Hämmern der Hufe wurde unhörbar, und erst später, als der Kentaur die Wolke durchquert hatte, wurde das Hufgeklapper wieder laut. Die von Hephaistos erbaute Residenz der attischen Götter war erreicht.

»Uff!« sagte der Kentaur, nahm die blaue Postmütze ab und fuhr sich mit dem Handrücken über die dampfende Stirn.

Der Olymp erinnerte, mindestens in der Anlage, an die Akropolis; freilich sah man keine Tempel, sondern mykenisch anmutende Burgen.

»Lauter Marmor!« knurrte der Kentaur etwas mißgünstig. »Die Leute leben!« Dann trabte er, beinahe kokett tänzelnd, auf das nächstliegende Schloß zu, dessen Tor von Hermen flankiert war und sich soeben öffnete. Die Stufen herab stieg, braungebrannt, schlank und spitzbärtig, Hermes, der Bote der Götter.

Der Kentaur holte, nachdem er durch Anlegen der Hand an die Kopfbedeckung gebührend gegrüßt hatte, aus seiner roten Depeschentasche ein vollgekritzeltes Wachstäfelchen und sagte: »Ein Eilbrief, göttliche Hoheit!«

Hermes nahm die Post entgegen, las, indessen sich seine kohlschwarzen Augenbrauen immer höher zogen, die Nachricht und nickte kurz.

»Laß dir drüben in den Ställen etwas zu fressen geben«, erklärte er abschließend.

Der Kentaur salutierte wieder, machte auf der Hinterhand kehrt und galoppierte, seinem Pferdeverstand folgend, in die Richtung der Stallungen davon.

Hermes aber überquerte, von seinen berühmten Schuhen beflügelt, schwebend den sanft ansteigenden Platz, auf dessen höchstem Punkt sich die größte, die väterliche Burg erhob.

Er federte leichtfüßig die Stufen hinan, schwebte durch eine Säulenhalle und gelangte nun in einen weiten, einfach gehaltenen Saal mit hohen Fenstern.

An einem der Fenster saß eine Frau. Sie spann Schafwolle. Ohne sonderlich aufzusehen, fragte sie: »Neuigkeiten?«

Hermes reichte ihr wortlos das bekritzelte Wachstäfelchen.

Nachdem sie die Botschaft gelesen hatte, stand sie auf und schritt langsam auf dem Marmorparkett hin und her. Sie war eine königliche Erscheinung und eine gute Dreißigerin. Jetzt blieb sie vor Hermes stehen und blickte ihn zornig an. »Es ist ein Skandal!« sagte sie, wobei ihr Busen wogte. »Es wird mir zu bunt. Ich lasse mich scheiden.«

Hermes lächelte verhalten in seinen köstlich gesalbten Spitzbart. »Aber liebste Stiefmutter«, erklärte er, »was Sie vorhaben, ist ein sogenanntes Ding der Unmöglichkeit! Hera läßt sich von Zeus scheiden — nein, und nochmals nein! Sie können doch den Olymp vor der Geschichte nicht lächerlich machen!«

»Dein Vater macht mich seit etlichen tausend Jahren vor der Geschichte lächerlich!«

»Das ist es eben! Kein Mensch würde Ihren so verspäteten Entschluß, sich von Papa zu trennen, verstehen. Nicht einmal die Historiker unter ihnen.«

Hera ballte ihre klassisch schönen Hände zur Faust. »Was gehen mich denn die Menschen und die Historiker unter ihnen an?« rief sie entrüstet. »Ich bin eine Göttin außer Dienst, dazu verurteilt, fünfunddreißig Jahre alt zu bleiben . . .«

»Siebenunddreißig, liebste Stiefmutter!«

». . . fünfunddreißig Jahre alt zu bleiben und nicht sterben zu dürfen. Was wissen denn die Menschen und die Historiker unter ihnen von den Qualen der Götter?«

»Auch die Menschen und die Historiker unter ihnen kennen die Eifersucht im allgemeinen wie auch die Ihrige, liebste Stiefmutter. Sie kennen übrigens auch Ihre aus Eifersucht entstandenen Greueltaten.«

»Warum hat uns die unbekannte Macht dazu verdammt, daß wir nicht altern dürfen? Warum konnten wir nicht wie Tithonos älter und älter werden und trotzdem unsterblich sein?«

»Leider kann ich Ihre Frage nicht beantworten. Aber daß eine Scheidung im vorliegenden Fall unmöglich ist, glaube ich Ihnen versichern zu können. Im übrigen können wir, wenn Sie wollen, gern einmal Apollon um seine Meinung befragen.«

»Seinen Lieblingssohn? Den Sohn dieser Leto?« Hera lachte bitter. »Du bist nicht bei Trost.«

»Wir können es auch unterlassen«, sagte Hermes. »Ich bin sicher, daß er sich meiner Ansicht vollinhaltlich anschlösse.«

»Natürlich! Ihr standet immer auf eures Vaters Seite. Auch meine eigenen Kinder, sogar meine Töchter!« Sie trat zum Fenster. »Wo liegt dieses Davos eigentlich?«

»Gen Abend, auf halbem Weg zu den Säulen des Herakles. Hoch oben in einem Gebirge.«

»Ich hasse Zeus«, murmelte die Herrin des Olymps. »Ich verachte ihn.«

»Und Sie lieben ihn«, fügte Hermes sorgfältig hinzu. »Man soll das Wichtigste nicht vergessen.«

»Nein, ich liebe ihn nicht mehr. — Wie nannte er sich, als er das letztemal auf Reisen war?«

»Graf von Cagliostro.«

»Cagliostro, richtig! Und diesmal tritt er nun also als ein Baron Lamotte auf, der alte Taschenspieler!«

»Sie müssen zugeben, daß Papa im Laufe der Jahrhunderte merklich ruhiger geworden ist und nicht mehr so viel reist. Wenn man bedenkt, daß er früher als Stier, Schwan, Doppelgänger, Goldregen und dergleichen auftrat ...«

»Ich muß gar nichts zugeben«, erklärte Hera ungnädig. »Es liegt ja auch nicht an ihm, sondern daran, daß die Menschen keine Phantasie mehr haben!«

»Das mag noch hinzukommen.«

»Ich werde ihm nachreisen und seinem neuen Schwarm, dem er den Kopf verdreht hat, den Hals umdrehen!«

»Aber liebste Stiefmutter, Sie wissen doch gar nicht, ob es sich auch diesmal um eine Frau handelt!«

Hera lachte kurz durch die griechische Nase. Jede weitere Antwort schien sich für sie zu erübrigen.

Hermes versuchte langsam auf und ab zu gehen, doch da er seine Flügelschuhe trug, mißlang das Unterfangen, und er schwebte statt dessen mit lautlosen Riesenschritten von einer Ecke des großen Saals in die andere.

Hera schüttelte ärgerlich das Haupt und sagte streng: »Laß den Unsinn! Wenn du das nächstemal zu mir kommst, ziehe dir gefälligst langsamere Schuhe an! Mich macht das Gehüpfe ganz krank.«

Hermes blieb stehen und öffnete bereits den Mund.

Aber der Familienstreit, der in der Luft lag, wurde durch das Erscheinen der jugendfrischen Hebe eben noch abgewendet. Sie trug ein goldenes Tablett mit allerlei Tischgerät und rief mit fröhlicher Stimme: »Das zweite Frühstück, Mama!«

»Was gibt es denn?« fragte Hera.

Hebe antwortete, während sie das Tablett auf den steinernen Tisch setzte: »Nektar und Ambrosia!«

Heras Gesicht verdüsterte sich von neuem. »Schon wieder?« meinte sie unwirsch. »Ich kann das Zeug nicht mehr sehen! Außerdem war es früher besser.«

»Es ist aber sehr gesund«, erklärte die praktisch denkende Tochter. »Und es erhält uns ewig jung.«

Hera nickte grimmig. »Oh, diese ewige Jugend! Weißt du, wo sich dein Vater zur Zeit aufhält?«

»Wollte er nicht nach Dodona?«

»Argloses Kind! Nein, er ist nicht im Hain von Dodona, nicht unter den heiligen Eichen, ganz und gar nicht! Er ist in Davos, einem Wintersportplatz, und streicht wieder einmal hinter einem hübschen Frauenzimmer her!«

»Wie interessant!« rief die Tochter. »Weiß man schon Genaueres?«

»Hebe!« sagte die Mutter streng. »Laß dich nicht so gehen!«

»Ach, du tust immer, als sei ich noch ein Backfisch von fünf-, sechshundert Jahren!«

Hermes lachte und schwebte mit zwei großen Sätzen aus der väterlichen Burg.

Hera blickte vorwurfsvoll hinter ihm drein. »Dieser Hermes«, sagte sie, und es klang wie eine Beleidigung. »Seit er seinem Vater half, Alkmene zu verführen, kann ich ihn nicht mehr leiden.«

Hebes reizendes Gesicht überzog sich mit dunkler Röte. »Mutter«, meinte sie leise und warnend, »du sollst nicht abfällig über meine Schwiegermutter reden. Du weißt, daß Herakles und ich das nicht besonders mögen.«

»Ich verbitte mir derartige Zurechtweisungen von dir auf das entschiedenste, mein Kind! Von deinem Mann übrigens auch. Ihr wollt mir untersagen, so über diesen Skandal zu reden, wie mir ums Herz ist? Sei still! Nicht genug, daß Zeus eine anderweitig verheiratete Frau mit einem Sohn beglückte — nein, er mußte auch noch seinen Bastard mit seiner und meiner Tochter Hebe verehelichen!« Die Stimme Heras war recht laut geworden.

»Das werde ich Herakles erzählen!« rief Hebe weinerlich. »Er hat ganz recht.«

»Womit, wenn ich fragen darf?«

»Damit, daß du keinen vornehmen Charakter hättest! ›Deine Mutter‹, sagte er gestern nacht vor dem Einschlafen, ›hat mir Schlangen in die Wiege gelegt. Wer so etwas tut, ist keine Dame!‹«

»Das ist ja großartig! Dein außerehelicher Stiefbruder Herakles, den du geheiratet hast, äußert Ansichten! Das hat mir noch gefehlt! Ein Schlagetot und Muskelpaket wie er hat recht, weil er deine Mutter beschimpft! Schämst du dich denn gar nicht?«

»Du solltest ganz still sein!« rief Hebe, und ihre süße Stimme überschlug sich leider. »Du bist ja nicht nur meine Mutter, sondern auch noch meine Tante! Denn du hast meinen Vater geheiratet, und der ist dein Bruder. Du hast Papa zu meinem Onkel gemacht! Und da soll ausgerechnet ich Grund zum Schämen haben?«

»Hebe!«

»Tantchen!«

Die Stimmen der beiden göttlichen Frauen brachten die Wände des Burgsaals zum Erzittern.

Ob es aber nur daran lag?

Jedenfalls hatte sich der Haken gelockert, an dem hoch oben an der Wand der Schild des Zeus hing. Jetzt glitt der Haken aus dem Dübel, und Aegis, das einzigartige Werk des Hephaistos, fiel krachend auf die Marmorfliesen!

Da wurde die Purpurwolke, die den Olymp umschirmte, tintenschwarz! Grelle Blitze zuckten gebündelt durch die Luft, und höllisches Donnergebrüll erfüllte die überirdischen Bezirke! In den Ställen des Zeus entstand Tumult, und mitten durch eine splitternde Türfüllung sprang häßlich fluchend ein Kentaur!

Er hielt sich die niedrige zerbeulte Stirn mit beiden Händen und galoppierte fassungslos durch die jaulende Finsternis. Er hatte vollkommen die Herrschaft über sich verloren. Er ging sich selber durch!

Die schöne blaue Briefträgermütze riß ihm, während er über den unheimlich dunklen Platz dahinraste, der Sturm vom Schädel. Schwarze Wolken schlugen ihm wie schwere, nasse Lappen ins Gesicht. Er spuckte. Heu hing ihm aus dem Mund.

»Meine schöne blaue Mütze!« brüllte er. Doch der Schrei ging im Toben der Elemente unter. Blitz und Donner, die Waffen des Zeus, regierten die Stunde.

Sie wollten die Götter daran erinnern, wer ihr Herr war. Denn zuweilen sind auch Götter vergeßlich.

Achtes Kapitel

Fräulein Hallo Hoops saß, in ein taubengraues glockiges Taftkleid gehüllt, in ihrem Zimmer und tippte auf der Schreibmaschine.

Obwohl sie sich schon seit ein paar Jahren ganz wacker damit durchs Leben schlug, daß sie merkwürdige Geschichten erfand und diese an Zeitungen und Zeitschriften verkaufte, tippte sie noch immer mit nur zwei Fingern, und die kleine rote Zungenspitze bewegte sich zwischen den Lippen genau von links nach rechts wie die Walze der Schreibmaschine. Jedesmal, wenn am Ende einer Zeile das dünne Glockenzeichen ertönte, huschte die Zungenspitze in den linken Mundwinkel zurück.

Hallo hatte sich schön gemacht. Sie hatte die blonden Locken gezähmt, die Fingernägel mit einem sanften Rosa bestrichen und sogar die langen Wimpern ein bißchen getuscht.

Dem Stubenmädchen, das darüber erstaunt gewesen war, hatte sie salbungsvoll gesagt: »Das gnädige Fräulein haben heute einen besonders malerischen Tag.«

Nun hockte sie also, zierlich und bunt wie ein zarter Sommerfalter, auf einem Hotelstuhl und schrieb, während sie auf Alfons Mintzlaff wartete, an einer Kurzgeschichte, die sie sich vor ein paar Tagen auf einem Spaziergang stirnrunzelnd ausgedacht hatte.

Plötzlich drang das Stubenmädchen, ohne angeklopft zu haben, ins Zimmer und sagte aufgeregt: »Der Herr, der auf Ihrem Nachttischchen steht, wartet im Salon!« Dabei zeigte sie auf eine gerahmte Photographie. »Ich habe ihn gleich wiedererkannt. Doktor Jennewein heißt er. Er sieht sich sehr ähnlich.«

»Das tut er«, bestätigte Hallo. »Nur ist er in Wirklichkeit etwas größer.« Dann stieg sie eifrig in die dicken Pelzschuhe; und kaum daß sie in den Bibermantel geschlüpft war, hüpfte sie treppab.

Als sie in den Salon trat, stand Mintzlaff auf und stellte sich, breitbeinig und den Hut seitlich in die Luft streckend, vor Hallo hin.

Sie ging darauf ein, legte eine Hand nach hinten, krümmte den Rücken, als sei er alt und gichtig, und kam nun, wie wenn sie sich an einem Krückstock fortbewege, auf den Freund zu. Sie blieb dicht vor ihm stehen, blickte, mit den Augen blitzend, zu ihm hoch, hüstelte und fragte heiser: »Kennt Er mich, Kerl?«

»Jawohl!«

»Wer bin ich?«

»Fräulein Sumatra Hoops, Majestät!«

»Und wer ist Er, Kerl?«

»Keine Ahnung!«

Da entledigte sie sich ihrer königlichen Haltung und stemmte die Arme wie eine Marketenderin in die Hüften. »Soll ich dir's sagen?«

Er antwortete: »Ich bitte darum.«

Sie hob flüchtig die Arme und stemmte sie, diesmal noch energischer in die Seiten. »Du bist das ekelhafteste, scheusäligste, unmöglichste...«

»Vorsicht, Majestät!« unterbrach er.

»Du willst mich hindern...?«

»Ich sehe mich genötigt.«

»Weswegen?«

»Die Kammerjungfer braucht nicht zu wissen, was für feine Bekannte du hast.«

Hallo fuhr herum!

Richtig, da stand das Stubenmädchen, hatte einen roten Kopf und zuckte verlegen mit den Achseln.

»Merken Sie sich eins, mein Kind«, sagte Hallo würdevoll, »und handeln Sie darnach: Blödsinn treiben erhält jung. Das sehen Sie an uns.« Dann wandte sie sich an Mintzlaff: »Und jetzt komm, du fröhlicher Landmann!«

Sie verschleppte ihn in die Kurhaus-Bar.

»Du kennst ja meinen unverwüstlichen Hang zur Offenheit«, meinte sie, als sie den kleinen, beinahe verstohlen erleuchteten Raum betraten. »Ich werde dir also auch gestehen, warum ich mit dir hierhergegangen bin. Bei näherem Hinsehen wirst du merken, daß es hier Logen gibt. Wenn es dich also drängen sollte, eines meiner niedlichen Patschhändchen zu halten, so stünde einer derartigen Aufdringlichkeit nichts im Wege.«

Sie nahmen in einer der Logen Platz und bestellten etwas zu trinken.

Er sah sich schweigend in dem Raum um.

Sie blickte ihn prüfend von der Seite an. »Sprich nicht soviel!« mahnte sie dann. »Es könnte deiner Stimme schaden.«

»Sehr viel rotes Licht«, brummte er.

Sie nickte. »Schön, nicht? Fast wie vor sechs Jahren auf unserer ersten Reise.«

›Deswegen hat sie mich hierhergelockt‹, dachte er. »Ich war vorgestern wieder in München«, fuhr er laut fort. »In den Teestuben auf der Brienner Straße.«

›Er ist mit seinen Gedanken sonstwo‹, dachte sie betrübt.

»Dort lernte ich übrigens Baron Lamotte kennen, mit dem du mich auf der Schatzalp trafst.«

»Das ist ein seltsamer Riese. Er ist auf so hübsche Art unheimlich.«
Der Kellner brachte den Whisky und zog sich wieder zurück.
»Denkst du noch manchmal daran?« fragte sie. »An den Fasching?
Die Sonne schien so schön ins Hotelzimmer . . .«
»Natürlich denke ich noch manchmal daran!« sagte Mintzlaff. »Was
schreibst du jetzt?«
»Ach, wieder eine meiner berühmten Kurzgeschichten. Ich war ge-
rade an der Arbeit. Aber du störtest mich leider. Du störst mich über-
haupt in einem fort. Manchmal dadurch, daß du bei mir bist, und
meistens dadurch, daß du nicht bei mir bist.«
»Kurz, du hast es schwer.«
»Freilich habe ich es schwer!« erklärte sie energisch. »Alle Frauen
haben es schwer. Weil ich ein kluges Mädchen bin, weiß ich sogar,
woran das liegt.«
»Woran liegt es?«
»Wir können, im Gegensatz zu den Männern, nicht allein sein.«
»Und ihr könnt es auch nicht erlernen.«
»Nein. Wahrscheinlich hat uns die allgütige Mutter Natur dazu be-
stimmt, daß wir nicht allein sein sollen!«
Er sah sie ernst an.
Sie seufzte. »Ich gehe dir schon wieder auf die Nerven. Entschuldige!
Wir wollen von etwas anderem sprechen. Wie geht es deinen Eltern?«
»Gut. Sie fragten im letzten Brief, wie es dir gehe.«
»Gut. Doch wir wollten von etwas anderem sprechen.«
»Beispielsweise von der Geschichte, an der du schreibst.«
»Damit du nicht zu reden brauchst! Aber meinetwegen.« Hallo trank
einen Schluck, nahm sich eine Zigarette und begann: »Es war einmal
eine bezaubernde junge Dame. Ja, man hätte sie beinahe herzig nennen können. Diese junge, beinahe herzige Dame hatte eine Abdullah-
Zigarette in der Hand. Aber der böse Prinz, der neben ihr saß, gab
ihr leider kein Feuer.«
Mintzlaff lächelte. »Entschuldige!« Dann zündete er ein Streichholz
für sie an.
Sie rauchte einige Züge. Dann sagte sie: »Meine Geschichte handelt
von einem jungen Mann, der mit Fug und Recht melancholisch geworden war. Nicht daß das Glück ihn gemieden hätte. Man kommt bei
einiger Charakterfestigkeit auch ohne Glück zurecht. Nein, das Glück
mied ihn nicht, es neckte ihn. Und das ist auf die Dauer ein schier
unerträglicher Zustand, o Herr. Siehe, das Glück streckte ihm bei jeder Gelegenheit die Hand entgegen. Doch sooft er zufassen wollte,
zog es die Hand zurück.

Schließlich kam mein junger Mann zu einer entscheidenden Einsicht. Das Glück war ohne Frage ein schadenfrohes Kind, das in einem zoologischen Garten eine Mohrrübe an ein Gitter hielt. Hinter dem Gitter hockte ein kleiner gutgläubiger Affe, der eifrig nach der Mohrrübe griff — doch jedesmal zog das schadenfrohe Kind die mehrfach erwähnte Mohrrübe wieder zurück und lachte affektiert.

Als sich der junge Mann zu der Auffassung durchgerungen hatte, daß er selber mit dem kleinen gutgläubigen Affen identisch sei und daß er dem grundlos boshaften Kinde, Glück genannt, nicht an den Hals könne, da die Direktion des Zoos vorsorglich Eisengitter hatte anbringen lassen — als der junge Mann das begriff, beschloß er in seinem traurigen Herzen, ein Engel zu werden.«

Hallo trank einen Schluck und drückte die Zigarette aus. »Er wollte sich umbringen. Mochte das schadenfrohe Glück andere Leute ärgern. Auf ihn würde es künftig verzichten müssen! Er kaufte sich für das letzte Geld, das ihm geblieben war, eine Fahrkarte nach Neapel! ›Ich will Neapel sehen‹, dachte er, ›und sterben! Der Anblick des blauen Golfs und des dicke Zigarren rauchenden Vesuvs wird mich glücklich stimmen, und ehe Fortuna zu einer ihrer berüchtigten Backpfeifen ausgeholt haben kann, werde ich nicht mehr sein.‹ So also dachte der junge Mann. Er freute sich auf den Tod. Er konnte ihn und es gar nicht erwarten. Aber es wurde nichts daraus.«

»Warum wurde nichts daraus?« fragte Mintzlaff.

Hallo strich sich eine Locke aus der Stirn. »Er verlor die Fahrkarte«, sagte sie. »Er suchte und suchte, doch er fand sie nicht wieder. Und es war doch das letzte Geld gewesen! Nun war es mit seiner Geduld zur Melancholie endgültig vorbei. Jetzt wurde er wütend! Er hatte noch zwanzig Pfennige und fuhr, gegen Abend, mit der Stadtbahn in die Vororte hinaus. Später, als es dunkel war, kletterte er über Zäune auf das Gleisgelände und versteckte sich bis zur Nacht in einem Schuppen. Dann war es soweit. Denn nun mußte bald der Nachtexpreß, mit dem er nach Neapel hatte fahren wollen, daherbrausen. Der junge Mann schlich sich aus dem Schuppen und legte sich auf die Schienen. Über ihm glänzten die Sterne. Er lag und wartete. Ihm fiel sein alter Geschichtslehrer ein, der ihnen begeistert die Abschiedsworte einer vorbildlich spartanischen Mutter vorgetragen hatte, deren Sohn sich von ihr trennte, um in den Peloponnesischen Krieg zu ziehen. Sie hatte ihm den Schild gereicht und geäußert: »Mit ihm oder auf ihm!«

Jetzt lag nun ein Schüler dieses alten Lehrers auf den Schienen, um eben jenen Schnellzug zu erwarten, mit dem er eigentlich nach Neapel hatte fahren wollen. ›Mit ihm oder unter ihm!‹ dachte der junge

Mann und lächelte grimmig zu den Sternen hinauf, die ihm zuzwinkerten, als seien sie gute Bekannte. Da ertönte das Läutwerk! Der Nachtexpreß tauchte in der Ferne auf. Seine Lampen glühten wie die Augen einer schwarzen Katze. Er brauste donnernd näher. Der junge Mann legte beide Hände vor das müde Gesicht und wartete ergeben.«

»Und?« fragte Mintzlaff, weil Hallo schwieg.

»Der Zug brauste pünktlich daher und verschwand, wie eine Rakete fauchend, in der Nacht. ›Nun bin ich also endlich tot‹, dachte der junge Mann und atmete erleichtert auf. Doch dann stutzte er. Unterschied sich der Tod so wenig vom Leben? Er kniff sich in den Arm. Es tat noch weh. Er lebte noch! Er setzte sich erschrocken hoch. Die Sterne zwinkerten ihm noch immer zu. Ihm war nichts geschehen!«

»Ein Wunder?« fragte Mintzlaff.

»Nein«, sagte Hallo. »Gar kein Wunder!«

»Was sonst?«

»Der junge Mann hatte auf dem falschen Gleis gelegen.«

Was der Baron mittags auf der Schatzalp vorhergesagt hatte, traf am Abend in der Bar des Grandhotels ein.

Er bat Juana Fernandez, kaum daß sie einsam an ihrem gewohnten Tisch Platz genommen hatte, um einen Tanz. Und sie lehnte das Ansinnen ab.

Er verbeugte sich, allerdings nicht, wie sie und die neugierig starrenden Gäste dachten, um sich zurückzuziehen. Er setzte sich stumm neben sie und ergriff ihre rechte Hand. Es gelang ihr, trotz allen Sträubens, nicht, sich zu befreien. Er drehte die schmale braune Frauenhand so, daß er deren Innenfläche zu Gesicht bekam.

Die schöne Argentinierin war blaß geworden. Sie flüsterte: »Gehen Sie! Lassen Sie mich los!«

Lamotte schüttelte, über ihre Handlinien gebeugt, schweigend den Kopf. Sie blickte sich ratlos im Saal um.

Einige Herren hatten sich erhoben und wollten ihr helfen, doch sie kamen nicht vom Fleck. Sie standen, verwundert auf ihre eigensinnigen Füße sehend, an ihren Tischen und sanken, einer nach dem andern, in die Stühle zurück.

Der Baron schien die Bewegung im Saal überhaupt nicht bemerkt zu haben. Jetzt hob er den Kopf und sagte mit gedämpfter Stimme: »Sie befinden sich in einem verhängnisvollen Irrtum. Sie quälen sich und sollten es nicht tun. Sie glauben, am Tod eines Mannes schuld zu sein, doch Sie sind nicht daran schuld.«

Juana Fernandez zog entsetzt ihre Hand zurück und wollte aufstehen.

Er ergriff ihre Hand von neuem und fuhr ruhig fort: »Sie haben jahrelang, ohne es zu ahnen, unter einer Lüge gelitten. Es war übrigens ein Mann, der Sie so belog.« Er machte eine Pause. Dann sagte er: »Ein anderer Mann.«

»Weshalb hätte er lügen sollen?« Sie fragte gegen ihren Willen. Sie schämte sich, daß sie fragte.

»Weshalb er die Unwahrheit sagte? Weil er wollte, daß Sie unglücklich würden. Und das wollte er, weil Sie nicht ihm, sondern seinem Freund gehörten.«

Die Argentinierin atmete mühsam.

»Dieser zweite ließ Ihre Handschrift fälschen, um den andern zu täuschen. Und er fälschte dessen Handschrift, um Sie zu verwirren.« Lamotte blickte die Frau an. »Glauben Sie mir nicht?«

Ihre dunklen Augen glänzten. »Es könnte wahr sein«, flüsterte sie.

»So könnte es gewesen sein.«

»Es war so. Als die gefälschten Briefschaften nichts nützten, ging er einen Schritt weiter. Auch der Selbstmord war eine Lüge.«

»Der zweite...« Ihre Stimme zitterte und versagte.

»Erschoß den anderen.«

»Sie waren Freunde.«

Lamotte nickte. »So entstand kein Verdacht.«

Sie schüttelte benommen den Kopf. Und ihre linke Hand schwebte wie im Traum zur Stirn. »Ich sollte nicht am Tode Diegos schuld sein?«

»Da Sie den einen Mann nicht mehr liebten, hoffte der andere, Sie zu gewinnen, wenn er jenen erst beseitigt hätte. Er bedachte nicht, daß es ihm dann noch weniger gelingen konnte. Er sah nicht voraus, daß der vermeintliche Selbstmord des Mannes, den Sie nicht mehr liebten, Ihr Herz der ganzen Welt entfremden würde.«

Ihr schönes Antlitz war bleich und außer Atem.

»Es waren schlimme Jahre für Sie«, sagte der Baron. »Tödliche, vergebliche Jahre. Sie haben sich, um einer fremden Schuld willen, viel Leid zugefügt.«

Sie hob hilflos die Schultern.

Er hielt noch immer ihre Hand in der seinen und schwieg.

So saßen sie lange.

Endlich schaute sie ihn zögernd an und fragte leise: »Was soll nun werden?«

»Sie sollten es noch einmal mit dem Leben versuchen.«

Ihr Mund verzog sich zu einem schwachen Lächeln, das ihn rührte. Sie entzog ihm die Hand und griff nach der kleinen goldenen Handtasche.

»Nein«, sagte er. »Ich will, daß Sie bleiben. Ich lasse Sie jetzt nicht allein. Oder haben Sie nach der Tasche gegriffen, um mir die Rose zu zeigen, die sich darin befindet?«

Sie errötete. Nach einer Weile fragte sie ernst: »Woher glauben Sie es zu wissen, daß alles so gewesen ist?«

»Aus Ihrer Hand.«

»Jetzt lügen Sie.«

»Ja. Aber vorhin habe ich nicht gelogen.«

»Sie sind unheimlich.«

»Ich weiß, daß Sie das nicht schreckt.«

»Und wenn wirklich Diego von dem andern ermordet wurde — bin ich nicht auch dann noch schuldig?«

»Man muß dem Schuldgefühl Grenzen ziehen. Sonst bestünde ja das Leben bloß aus unvermeidlicher Schuld und hoffnungsloser Sühne. Es wäre eine unheilbare Krankheit, die mit der Geburt beginnt und erst mit dem Tode stirbt.«

»Vielleicht glaube ich Ihnen nur, weil ich Ihnen glauben möchte?«

»Nicht nur deshalb, man spürt, was wahr ist.«

Ihr Gesicht erfüllte sich mit lauter Schüchternheit. Und das war ein rührendes Schauspiel. Denn dieses Antlitz war dazu erschaffen, der Spiegel für größere, bedeutendere Empfindungen zu sein. Sie legte die Hand, die sie ihm entzogen hatte, auf das Tischtuch, in die Nähe seiner Hände, und sagte: »Können Sie nur die Vergangenheit erraten, oder wissen Sie auch die Zukunft?«

»Ich kenne auch die Zukunft.«

Sie schwieg und schaute ihn erwartungsvoll an.

»Ich kenne auch Ihre Zukunft«, fuhr er fort. »Sie werden mich lieben.«

Ihre Augen blieben ungläubig. »Ich habe den Männern und mir immer nur Unglück gebracht.«

Er lächelte. »Sie werden mich lieben, und wir werden ganz gewiß nicht unglücklich sein.«

Sie senkte den Kopf, griff in die kleine goldene Handtasche und legte die rote Rose auf den Tisch. »Das ist eine seltsame Blume«, meinte sie leise. »Sie verwelkt nicht.«

»Sie gleicht der Zukunft«, erwiderte der Baron.

Ihr Blick haftete auf der Rose. »Ich werde bald nach Argentinien zurückmüssen.«

»Wir werden zusammen fahren«, sagte er. »Wir werden den Mörder zwingen, die Wahrheit zu sagen, und dann wird er sterben. Nein, nicht durch den Henker. Er wird die Rechnung selber begleichen. Er hat die Wahl zwischen dem Tod und einem Leben, in dem ich ihm die Jahre, die Sie ertragen mußten, vergelten würde.«

»Dann bleibt ihm keine Wahl.« Sie fröstelte in der Erinnerung. »Es waren furchtbare Jahre.«

»Sie werden wieder atmen und lachen, als wäre die Vergangenheit nie gewesen.«

»Ich habe das Lachen verlernt.«

»Das Lachen verlernt man nicht«, sagte Lamotte freundlich. »So wenig wie das Schwimmen und das Tanzen.« Er machte eine kleine Pause. »Sie glauben mir nicht?«

Im gleichen Augenblick intonierte die Kapelle einen Tango. Der Baron beugte sich vor. »Nun?«

»Tanzen?« Sie erschrak und hob abwehrend die Hände.

»Kommen Sie!« Er nahm ihre Hand. Juana Fernandez sträubte sich eine Sekunde. Dann gab sie nach.

Die anderen Gäste schauten entgeistert auf das Parkett. Die Argentinierin tanzte! Mit einem fremden Mann, der erst gestern eingetroffen war! Man hatte sich so daran gewöhnt, sie einsam am Tisch sitzen zu sehen, daß man ihr Tanzen, so leichtlebig man selber war, geradezu als anstößig empfand.

Eine Dame aus Stockholm, die den Eintänzern internationaler Plätze Frackperlen zu schenken pflegte — als Gegenleistung für nicht nur auf dem Parkett erwiesene Dienste —, senkte angewidert die langen angeklebten Wimpern und sagte zu ihrem jugendlichen Begleiter: »Sie sollte sich schämen!«

»Sehr richtig«, antwortete er. »Wenn diese Frau einen Tanz akzeptiert, so bedeutet das mehr, als wenn eine andere...« Dann schwieg er.

»Ich gehe nach oben.« Die Dame aus Stockholm erhob sich. »Du kommst in zehn Minuten nach.«

Hallo und Mintzlaff waren aus dem Kurhaus in eine Bar übersiedelt, die ›Chez nous‹ hieß und in der eine aus Negern und Mulatten bestehende Tanzkapelle am Werke war. Der Geiger benutzte als Fiedelbogen einen mit Wollfäden umwickelten Kleiderbügel.

Im ›Chez nous‹ saßen vorwiegend Angelsachsen. Man sagt ihnen bekanntlich nach, daß sie wegen des nebligen Klimas ihrer Heimat, also aus Gesundheitsrücksichten, viel Alkohol trinken müssen. Auch hier oben, fern vom Inselnebel, betrieben sie ihre traditionelle Vorsorge mit Bewunderung abnötigender Gewissenhaftigkeit.

Die Trinkpausen benutzten sie zum Tanzen. Manche von ihnen, auch weibliche Vertreter Albions, hatten die übermenschliche Fähigkeit, bis weit nach Mitternacht energisch gegen die bedenklichen Folgen des heimatlichen Nebels anzukämpfen und dennoch früh um acht wie ausgeruhte Teufel vom Weißfluhjoch nach Küblis abzufahren. Es war wohl Übungssache. Das Wort ›Training‹ ist nicht zufällig englischen Ursprungs.

Hallo und Mintzlaff tanzten natürlich auch. Sie hatten seit Jahren die liebe Gewohnheit, immer wieder unübliche Schritte und Tanzfiguren zu erfinden und ernsten Gesichts auf dem Parkett vorzutragen. Das versetzte erfahrungsgemäß andere Paare in helle Aufregung, weil sie glaubten, ihnen noch nicht bekannte Tänze zu sehen, und sie ruhten nicht eher, als bis sie wenigstens die eine oder andere Figur begriffen und in ihr Repertoire aufgenommen hatten. Und sie konnten sicher sein, daß die Freunde in Birmingham, Kalkutta und Oslo später große Augen machen würden.

Als Mintzlaff und Hallo ihre dankenswerte Aufklärungsarbeit für vorläufig beendet ansahen, gingen sie heim. Der Wind schnitt wie ein schartiges Rasiermesser, und Hallo kuschelte sich zähneklappernd an den frierenden Freund.

»Kommst du noch ein wenig mit zu mir?« fragte sie vor der Tür der Pension Edelweiß. »Ich lege mich hin, und du kraulst mir wie in alten Zeiten den Lockenkopf. Dabei erzählst du mir ein neues Märchen.«

»Einverstanden«, sagte er. »Aber nur, wenn wir nicht heimlich wie die Diebe über die Stiegen schleichen müssen. Dazu bin ich zu alt.«

»Komm nur!« erwiderte sie. »Erstens habe ich einen Hausschlüssel. Und zweitens werde ich, falls uns jemand begegnet, schlagfertig erklären, du seiest mein soeben wiedergefundener Großvater.«

Sie gerieten unangefochten in Hallos Zimmer.

Das Mädchen ging, kaum daß sie Licht gemacht hatte, zu dem Nachttischchen, auf dem eine gerahmte Photographie stand. Sie nahm das Bild und schob es, so unauffällig wie möglich, in die Schublade.

Er sah, was sie tat. Aber er wußte nicht, wessen Bild sie versteckte. Und sie hätte sich eher die Zunge abgebissen, als zuzugeben, daß es sein Bild war.

Neuntes Kapitel

Daß Herr Mintzlaff am späten Vormittag im Smoking und in Lackschuhen durch den Davoser Schnee spazierte, hatte nichts mit professoraler Zerstreutheit zu schaffen. Um ehrlich zu sein: Er war in der Pension Edelweiß, wohin er sich in der Nacht vorher begeben hatte, um ein frei erfundenes Märchen zu erzählen, eingeschlafen und erst am Morgen aufgewacht.

Es ist kein ausgemachtes Vergnügen, einen internationalen Wintersportplatz am hellichten Tag in Smoking und Lackschuhen zu durchqueren. Dergleichen grenzt an Spießrutenlaufen.

Doch was sonst hätte er tun sollen?

Hallo hatte ihm, hinter der Fenstergardine verborgen, mit einem beinahe mütterlichen Lächeln nachgeblickt.

Mintzlaff hielt den Kopf wie ein gereizter Stier gesenkt, marschierte darauflos und war finster entschlossen, Passanten, die sich eine vorlaute Bemerkung gestatten sollten, kurzerhand in Klump zu schlagen und im kühlen Schnee zu verscharren.

Da lachte auch schon jemand neben ihm!

Mintzlaff blickte wütend hoch.

Aber es war Baron Lamotte. »Ihre Uhr geht wohl falsch?« fragte er belustigt. Dann packte er den Bedauernswerten am Arm und zog ihn, ohne weitere Worte zu verlieren, eilig in den nächsten Laden. Es war ein Geschäft, das Herrenartikel führte.

»Was haben Sie denn mit mir vor?« fragte Mintzlaff.

»Ihr Herr Stellvertreter kam gerade in Sicht. Ich fürchte, daß er uns gesehen hat.«

Ein Verkäufer tauchte auf. »Womit kann ich dienen?«

»Meinem Freund«, erklärte der Baron, »sind über Nacht sämtliche Anzüge gestohlen worden. Bis auf den Smoking, den er trug.«

»Entsetzlich!« sagte der Verkäufer.

»Ganz recht«, entgegnete Lamotte. »Irgend etwas muß geschehen. Zeigen Sie uns einmal, was Sie an englischen Sportanzügen vorrätig haben.«

»Sofort, meine Herren! Darf ich vorausgehen? Sie werden bestimmt etwas Passendes finden.«

Der Verkäufer hatte richtig prophezeit. Eine Viertelstunde später glich Mintzlaff einem englischen Sportsmann.

So kletterte er, mit einem großen Paket versehen, in sein Hotelzimmer, riegelte ab, packte den Smoking aus und hängte ihn in den Schrank.

Als er erleichtert in die Halle zurückkehrte, drückte er dem Baron die Hand und sagte: »Ich danke Ihnen aus voller Kehle. Sie haben Ruf und Ehre eines deutschen Jünglings gerettet.«

Lamotte winkte lächelnd ab. »Kommen Sie, mein Bester. Wir wollen zum Eisplatz bummeln und den Skandinaviern zusehen, die für die Eislaufweltmeisterschaft am Sonntag trainieren. Ich liebe den Sport, und ich liebe die Geschwindigkeit.«

Kurze Zeit darauf saßen die zwei auf der Tribüne des großen Eisplatzes und tranken, weil es sehr heiß war, kühle Limonade.

Auf der spiegelnden Fläche zu ihren Füßen jagten tiefgebeugte junge Männer dahin. Sie hielten die Hände auf dem Rücken verschränkt, als gingen sie nachdenklich spazieren. Doch spazierten sie keineswegs. Sie fegten statt dessen wie besessen und unaufhaltsam über das Eis. In den Kurven benutzen sie die Hände als Ruder. Dann wurden diese wieder hinter dem Rücken gefaltet. Es sah aus, als ob diese Schweden und Norweger hinterrücks beteten.

Nach einer Weile sagte Mintzlaff zögernd: »Übrigens, ich habe gestern von Ihnen geträumt.«

»So?« Der Baron tat, als interessiere ihn das Eislaufen mehr als alle Träume der Welt.

»Genaugenommen habe ich nicht von Ihnen, sondern von Ihrer Gattin geträumt. Doch es war viel von Ihnen die Rede.«

Lamotte grinste verlegen.

»Ihre Frau Gemahlin war ziemlich ungehalten über diesen Ausflug nach Davos.« Da keine Antwort erfolgte, wurde Mintzlaff unsicher. »Ich weiß natürlich nicht, ob mein Traum der ... Wirklichkeit entsprach.«

Der Baron sagte: »Was die schlechte Laune meiner Frau anlangt, haben Sie sicher zutreffend geträumt.«

»Schließlich fiel ein Schild aus Ziegenfell von der Wand.«

»Ich mußte ein bißchen blitzen und donnern lassen. Es ist zuweilen nötig, die Damen daran zu erinnern, wer der Herr im Hause ist.«

»Ich bin nicht kleinlich. Immerhin habe ich, als ich erwacht war, aus dem Gedächtnis eine Bilanz Ihres Liebeslebens aufzustellen versucht; natürlich nur, soweit die Quellen darüber Aufschluß geben, und ich muß sagen ...«

»Sie dürfen nicht alles glauben«, sagte der Baron bescheiden. »Auch Historiker sind eitle Geschöpfe. Sie übertreiben freilich auf sublime Art. Sie renommieren mit ihren Gegenständen.«

»Trotzdem ...«

»Trotzdem habe ich einiges auf dem Kerbholz. Da haben Sie schon recht.«

Mintzlaff begann die Namen etlicher Damen an den Fingern aufzuzählen: »Leda, Antiope, Jo, Alkmene, Danae, Lamia, Demeter ...« Er holte Luft und blickte den Baron fragend an.

»Ja, ja«, meinte dieser und zuckte ergeben die Achseln.

Der andere fuhr ungerührt fort: »Semele, Kallisto, Leto, Metis, Maia, Persephone, Themis, Mnemosyne ...«

344

Lamotte hob beschwörend die Hände. »Hören Sie, bitte, auf! Ich finde es nicht sehr fein, daß man in Ihren Schulen derartige Dinge ausplaudert. Was sollen denn die Gymnasiasten von mir denken! Aber freilich, mit einem pensionierten Gott kann man machen, was man will!«

Mintzlaff ließ sich nicht beirren. »In Ihrer Eigenschaft als Gott mögen Sie sich ja im Ruhestand befinden«, sagte er, »doch als Mann, verzeihen Sie, sind Sie noch recht rüstig.«

»Was wollen Sie!« erwiderte Lamotte. »Wer sich in der zweifelhaften Lage befindet, unbegrenzt fortleben zu müssen, ohne, außer in Büchern, seit nahezu zweitausend Jahren noch etwas zu gelten, hat es nicht leicht. Schon gar nicht, wenn er dazu verurteilt ist, ewig jung zu bleiben.«

»So hat jeder seine Sorgen«, meinte Mintzlaff. »Sie waren in diesen letzten zweitausend Jahren oft . . . verreist?«

»Gewiß! Man interessiert sich ja schließlich für den Planeten, auf dem man früher einmal einige Zeit angebetet wurde. Es ist eine Art Heimweh. Und ich will es nicht erst lange leugnen — wenn ich die europäische Geschichte studienhalber aufsuchte, ging ich den Frauen nicht gerade aus dem Wege. Bitten Sie mich nicht um Namen und andere Einzelheiten! Ich wäre imstande, Indiskretionen zu begehen. Es waren Königinnen darunter! Lassen Sie mich nur ganz allgemein feststellen: Es stimmt, daß sich die Menschen im Grunde wenig verändert haben, und das mag betrüblich sein. Doch auch die Frauen haben sich nicht verändert, und das, mein Lieber, ist höchst erfreulich.«

Sie schwiegen und blickten, jeder in seine besonderen Gedanken versunken, zu den Läufern hinunter, die noch immer vornübergebeugt die Bahn umrundeten. Die scharfen Kufen der Schlittschuhe schnitten wie Messerklingen in das unwillig knirschende Eis.

Mintzlaff sagte: »Es liegt mir fern, Sie über Ihre Erlebnisse mit dem weiblichen Nachwuchs der irdischen Geschichte auszuholen.«

»Bravo!«

»Aber etwas ganz anderes, was mich seit langem beschäftigt, wüßte ich brennend gern.«

»Das wäre?«

»Haben Sie auf Ihren Reisen auch andere Sterne des Weltalls kennengelernt?«

»Gelegentlich schon.«

»Und«, Mintzlaff zögerte, als habe er Angst weiterzufragen, »— sind auch andere Sterne bewohnt?«

Der Baron fragte erstaunt: »Warum denn nicht?«

»Wie schön!« murmelte der junge Kunstgelehrte. Er sah mit einem Male aus wie ein frommer Mönch, trotz der karierten Sportjacke und trotz der Skistiefel. Er schluckte ein paarmal, ehe er zu reden fortfuhr. »Obwohl es Milliarden Sterne gibt und obwohl die Menschen es wissen, glauben die meisten von ihnen nach wie vor, nur unser Planet sei bevölkert. Ich habe das nie einsehen können.«

»Es ist auch nicht einzusehen.«

»Nicht wahr? Das Feuerwerk der Gestirne durchfunkelt die Unendlichkeit, und nur ein einziges winziges Lichtpünktchen sollte belebt sein?«

»Es ist nicht nötig, daß Sie sich ereifern. Sie haben recht.«

Mintzlaffs Gesicht glänzte. Nach einer Weile umwölkte sich seine Stirn. »Und auf allen Sternen, soweit sie belebt sind, herrscht die gleiche halbe Vollkommenheit? Überall gibt es dieselben Zwei- und Vierbeiner? Ist das Weltall ein unendliches Klischee?«

»Wo denken Sie hin!« entgegnete Lamotte aufgebracht. »Daß die unbekannte Macht an Phantasiemangel leide, kann wahrhaftig niemand behaupten!«

»Und es gibt vollkommene Sterne?«

»Soweit ich es beurteilen kann: Nein!«

»Nein?«

»Ich bin freilich nur wenig im Weltall herumgekommen«, sagte der Baron. »Auch die Götter Griechenlands wissen nicht alles. Auch sie sind Geschöpfe. Das dürfen Sie nicht vergessen. Auf dem Olymp, zwischen all unseren Burgen, steht ein einziger Tempel. Seine Inschrift lautet: ›Dem unbekannten Gott.‹ Und die Götter opfern ihm.«

»Es läßt sich verstehen«, sagte Mintzlaff. »Wenn alle Götter der historischen Religionen selber erst erschaffen worden sind und nun in dem jeweils von ihnen gepriesenen Paradies, auf unsterbliches Ruhegehalt gesetzt, weiterleben, ist es kein Wunder, daß sie nicht alles wissen können.«

»So ist es.«

»Da Sie nun aber doch ein paar Jahrtausende älter und erfahrener sind als wir — was für Gedanken machen Sie und Ihresgleichen sich über das, was sich sogar Ihrer Kenntnis entzieht?«

»Was ich Ihnen darüber erzählen kann, wird Ihrer Neugier nicht viel nützen. Aber meinetwegen! Wir gelangten zu der Auffassung, daß die unbekannte Macht verschiedene Möglichkeiten des Lebens ausprobiert.«

»Als Junge«, sagte Mintzlaff, »schlug ich zuweilen mit nur einer Peitsche auf zwei Kreisel los und war gespannt, welcher der beiden zuerst umfiele.«

»Es ist zwecklos«, entgegnete Lamotte, »sich mit Vergleichen einer unvorstellbaren Vorstellung nähern zu wollen.«

»Trotzdem bleibe ich dabei: Ihre und unsere unbekannte Macht...«

»Ihr Erwin...«

»Wenn er die Welt sich selber überläßt, ist Erwin nichts weiter als ein kleiner kreiselnder Junge! Nur mit dem Unterschied, daß er noch mehr Arme hat als Wischnu und daß er Milliarden Kreisel peitscht! Man könnte, wenn Ihnen das besser gefällt, auch behaupten, er sei ein leichtsinniger Pyrotechniker, der das kostspielige Feuerwerk, ›Welt‹ genannt, abbrennt, nur um zu sehen, was aus den glühenden und erkaltenden Funken wird!«

»Seien Sie nicht so beleidigt! Lassen Sie Ihre Gefühle aus dem Spiel! Es handelt sich um kompliziert angelegte Versuchsreihen. Den Experimentator...«

»Den Versucher!«

»Den Experimentator interessieren, obgleich auch das nicht gewiß ist, die Resultate. Um den Ablauf der Versuche kümmert er sich wohl nicht. Jedenfalls greift er nicht ein.«

»Und die von ihm erschaffenen Götter? Auch sie, seine Filialdirektoren, greifen nicht ein?«

»Sie kennen zwar die Zukunft, doch sie haben keine Macht, sie abzuwandeln. Glauben Sie im Ernst, die Götter Griechenlands hätten Ödipus blind in sein Schicksal hineinstolpern lassen, wenn sie das Unheil, das sie doch voraussahen, hätten ändern können?«

»Aber Ihre Zauberkunststücke?«

»Sie denken an den Vorfall in der Münchener Teestube? Nun, daß drei Menschen eine Minute lang erkannten, was in jedem von ihnen vorging, wird das Ende, das sie erwartet, nicht abwenden. Und ein Wunder, das keinen Wandel schafft, ist nicht viel mehr als ein Taschenspielertrick.«

Mintzlaff blickte auf die Eisbahn und die unermüdlich dahinjagenden Läufer. »Auch die Götter sind nicht zu beneiden«, murmelte er.

»Weiß Gott!« sagte der Baron. »Das hätten Sie schon früher merken können! ›Götter und Menschen sind desselben Ursprungs‹, steht bei Hesiod.«

»Was soll man wünschen?« fragte der junge Mann. »Der Dichter möchte vielleicht ein Schmetterling sein. Der Buddhist will überhaupt nicht sein. Der Tatmensch möchte ein Held werden, und der fromme

Christ ein Engel, eine Art Schmetterling im Honigkuchenhimmel seiner Phantasie. Ich bin kein Buddhist, kein Dichter, kein frommer Christ und kein Held.«

»Werden Sie, was Sie sind!«

»Sie wissen ganz gut, daß ich nichts anderes will. Doch ich bekam bis jetzt nur Vorwürfe zu hören.«

»Nicht des Ziels wegen.«

»Ich weiß, wegen der Mauer aus Glas.«

»Durch Mauern, auch durch gläserne, führt kein Weg, kein richtiger, nicht einmal ein falscher.«

›Zu werden, was man ist‹, dachte Mintzlaff, ›wäre ein wenig leichter, wenn ich wüßte, wer ich bin.‹

»Mit Wissen«, meinte der Baron, »hat das nichts zu tun. Es läßt sich nur erleben.«

»Sie wollen mich seit Tagen zur Planlosigkeit überreden. Ich wiederhole Ihnen, daß ich mir keine Umwege leisten kann. Die Zeit, die mir Ihr Experimentator läßt, ist zu knapp dafür.«

»Es gibt keine Umwege«, erklärte Lamotte.

Unten auf dem Eisplatz stolperte einer der Läufer in einer Kurve, fiel hin und schoß, mit allen vieren strampelnd, weithin über die spiegelglatte Fläche. Endlich blieb er liegen. Andere Läufer eilten ihm hastig zu Hilfe. Sein Trainer kam besorgt über das Eis gerannt, glitt wenige Schritte vor seinem Schützling gleichfalls aus und rutschte nun auf dem Bauch in die Gruppe der ahnungslosen Olympioniken hinein. Es sah aus, als rolle eine Kugel mitten in aufgestellte Kegel, und es wirkte auch so. Die Eisläufer wankten, hielten sich noch eine Weile taumelnd aufrecht, dann fiel einer nach dem anderen langsam, beinahe gemütlich, um.

Sie lagen und saßen völlig verdutzt in einem unentwirrbaren Knäuel beisammen, und als sich ihre erste Verwunderung gelegt hatte, brachen sie in Gelächter aus.

»Alle neune!« sagte Mintzlaff.

Lamotte erhob sich plötzlich. »Entschuldigen Sie, daß ich mich jetzt verabschiede.«

»Sie wollen schon wieder nach Griechenland zurück?«

»Nein, nein. So war es nicht gemeint. Ich fahre nur bis morgen abend nach St. Moritz hinüber.«

Mintzlaff sah Juana Fernandez auf dem Weg, der die Eisfläche unterteilte, zögernd daherkommen. Jetzt blieb sie stehen und hob die Hand ein wenig, als wolle sie winken. Doch sie schien sich nicht recht zu trauen.

»Da werden Sie meinen Vortrag, den der andere hält, gar nicht hören können?« fragte der junge Mann.

»Wo denken Sie hin!« Der Baron klopfte ihm auf die Schulter. »Diesen Spaß lasse ich mir nicht entgehen! Ich bin pünktlich zurück.« Nach einem Händedruck lief er mit großen Schritten auf die Argentinierin zu, die lächelnd den lachenden Eisläufern zuschaute.

»Wer ist dieser Mann?« fragte eine Frauenstimme.

Mintzlaff schrak auf und wandte sich um.

Es war Mrs. Gaunt. Jene Engländerin, die der Baron in der Bar des Hotels Victoria zum Weinen gebracht hatte.

»Welcher Mann?« Er stand auf.

Sie richtete ihre kalten wasserfarbenen Augen starr auf ihn und zeigte in die Richtung, in der Lamotte verschwunden war.

»Eine Reisebekanntschaft. Ein Baron Lamotte. Mehr weiß ich auch nicht.«

»Sie sind infam«, sagte sie gelassen. »Sie wissen, wer er ist!«

»Das vernünftigste wäre, Sie fragten ihn selber.«

»Er hat mich gedemütigt. Wissen Sie, warum er es getan hat?«

»Es mag sich um ein Vorurteil gehandelt haben.«

»Um eine Verurteilung. Und ich wüßte gern, wer sich zu meinem Richter aufgeworfen hat.«

»Sollten Sie dem kleinen Vorfall nicht doch zuviel Gewicht beimessen, gnädige Frau?«

»Ich habe Sie nicht um Ihre Meinung, sondern um eine Auskunft ersucht.«

»Es tut mir außerordentlich leid, aber ich bin nicht in der Lage, Ihnen die gewünschte Auskunft zu erteilen.«

»Sie sind kein Kavalier, mein Herr.«

Mintzlaff machte ein zerknirschtes Gesicht. »So ist es im Leben«, sagte er. »Sie baten mich um eine Auskunft, die ich Ihnen nicht geben konnte, und ich erhalte eine Auskunft, um die ich Sie nicht gebeten habe.«

Mrs. Gaunt erwiderte nichts. Sie drehte sich um und schritt davon.

Zehntes Kapitel

Es war Mittwoch abend, und die Stuhlreihen im Theatersaal des Kurhauses reichten, zu Mintzlaffs Verwunderung, kaum aus. »Kannst du das verstehen?« fragte er Hallo, die neben ihm stand.

»Nein«, erwiderte sie. »Die Ärmsten werden nicht wissen, was sie sonst anfangen sollen.«

»Oder sie denken, daß ich, weil auf dem Plakat von Humor die Rede ist, Militärhumoresken und kitzlige Gedichte vortragen werde.«

»Du? Wieso denn du?«

»Natürlich er.«

»Vielleicht tut er's!«

Sie hatten Plätze in der ersten Reihe, genau vor dem Rednerpult. Der Direktor des Verkehrsvereins schüttelte Mintzlaff im Vorbeigehen die Hand. »Grüß Gott, Herr Doktor! Sie interessieren sich auch für den Humor und ähnlich ausgefallene Gegenstände?«

Neben den zwei Herren versuchte jemand ein Lachen zu unterdrücken. Es war selbstverständlich Hallo.

Als der Direktor gegangen war, flüsterte Mintzlaff: »Willst du dich gleich zusammennehmen?«

Sie schüttelte ablehnend den Kopf. Dann nickte sie grüßend.

Er suchte ihren Blick zu verfolgen. »Ein Bekannter?« fragte er leichthin.

»Nein. Ich grüße grundsätzlich nur Fremde«, antwortete sie. »Bist du eifersüchtig?«

»Möchtest du das?«

»Es wäre wunderbar. Obwohl es freilich nichts bewiese. Denn die Eifersucht, sagt Kaschmirutti, wird doppelt so alt wie die Liebe!«

»Kaschmirutti? Wer ist denn das nun wieder?«

»Kaschmirutti war ein weiser Parse, der eine entzückende Art hatte, banale Wahrheiten knapp und doch blumig auszudrücken.«

»Aha, wieder eine deiner dreisten Erfindungen!«

»Du sagst es, großer Häuptling. Meine neueste Schöpfung.«

»Kennst du noch andere seiner Aussprüche?«

»Aber Alfons! Ich bin doch die einzige Expertin! Ich besitze sogar einige seiner in parsischer Stenographie geschriebenen Manuskripte! Von ihm stammt auch der fundamentale Satz: Wenn es keine hohen Berge gäbe, gäbe es keine tiefen Täler!«

»Ein offener Kopf, dein Kaschmirutti.«

Hallo nickte seriös. Aber weitere Lebensweisheiten des stenographierenden Parsen konnte sie nicht mehr vorbringen. Denn auf dem Podium erschien der Vorsitzende der Davoser Kunstvereinigung. Man setzte sich. Stühle wurden gerückt. Man hustete. Ganz allmählich wurde es still.

Mintzlaff blickte bedauernd auf den leeren Stuhl zu seiner Linken.

»Dein Baron wird schon noch kommen«, murmelte Hallo. »Alfons, bist auch du so aufgeregt?«

Zärtlich drückte er ihre Hand.

Und dann begann der Vorsitzende der Kunstvereinigung die Begrüßungsworte abzuwickeln. Der Mann hatte ein barsches Gesicht mit einem buschigen Schnurrbart.

Es sei eine Freude — so behauptete er — zu sehen, welches Interesse die Veranstaltungen der Kunstvereinigung fänden. Sogar der Vortrag eines im Trubel der heutigen Welt denkbar überflüssigen Menschen, eines Kunsttheoretikers, habe den Saal gefüllt. Das bereite ihm eine besondere Genugtuung. Denn einem internationalen Publikum vom Humor zu sprechen, erscheine ihm, dem Mediziner, keineswegs überflüssig. Die Menschheit habe den Humor, diese vitaminreichste Frucht der Heiterkeit, bitter nötig. Vielleicht seien sogar theoretische Erörterungen brauchbar, den Sinn für Humor bei Anfängern zu wecken und bei Fortgeschrittenen zu pflegen. Er hoffe es jedenfalls von Herzen und erteile nunmehr Herrn Professor Mintzlaff das Wort.

Mintzlaff wollte sich, als er seinen Namen hörte, feierlich erheben. Erst als Hallo flüsterte: »Daß du mir sitzen bleibst«, und ihn am Rockärmel festhielt, besann er sich.

Der buschige Chefarzt verbeugte sich kurz, weil die Anwesenden freundlich applaudiert hatten. Dann öffnete er die Tür im Hintergrund. Im Türrahmen erschien der kleine elegante Herr ›Professor‹. Er trug einen Cutaway. Im Knopfloch befand sich eine weiße Nelke und in dem schmalen Vogelgesicht das anscheinend unvermeidliche Einglas.

Es wurde geklatscht.

Der Professor schüttelte dem Chefarzt die Hand. Dann schritt er federnd zum Rednerpult. Dort verbeugte er sich, lächelte eine Sekunde, legte, sich aufstützend, die Fingerspitzen gegeneinander und blickte, da es an der Saaltür laut wurde, mit hochgezogenen Brauen über die Stuhlreihen hinweg.

Der Nachzügler war Baron Lamotte.

»Sie sehen, ich halte Wort«, sagte er, als er sich neben Mintzlaff niederließ.

Dann wurde es still, und der Redner knüpfte an das abgebrochene Lächeln wieder an. »Meine Damen und Herren«, begann er und klemmte das Monokel fester, »erschrecken Sie, bitte, nicht, wenn ich, statt unmittelbar auf den Humor zu sprechen zu kommen, mit etwas ganz anderem beginne, und zwar mit dem, was man in der optischen Physik und in der Kunst die Perspektive nennt. Es gibt — im Hinblick etwa auf eine mit gleichartigen Bäumen bepflanzte Allee — zwei einander diametral entgegengesetzte Gesichtspunkte, die beide gültig sind. Erstens sind alle Bäume dieser Allee gleich groß. Zweitens sind die dem Betrachter am nächsten stehenden Bäume am größten und die am Ende der Allee am kleinsten. Beide Feststellungen sind richtig. Doch der Künstler muß sich für eine von ihnen entscheiden, sonst ergeht es ihm wie jenem Esel, dem die Wahl zwischen zwei Heubündeln so schwerfiel, daß er aus purer Unentschlossenheit verhungerte.«

Ein paar der Anwesenden, die von dem sagenhaften Esel noch nichts gehört zu haben schienen, lachten gutwillig.

»Keinem von Ihnen«, fuhr der falsche Professor fort, »dürfte es völlig unbekannt sein, daß sich die verschiedenen Malergenerationen zur Perspektive verschieden verhielten. In manchen Kunstepochen wurde die Wirklichkeit so darzustellen versucht, wie sie ist. Das bedeutet, um bei unserer eben erwähnten Allee zu bleiben: alle Bäume waren gleich groß. In anderen Zeiten wurde dagegen die Wirklichkeit so abgebildet, wie sie vom Standpunkt des Betrachters aus erscheint, und das heißt: die Bäume im Vordergrund waren groß, die am Horizont jedoch klein. Nun kann man auch heute noch die Meinung hören, das perspektivische Malen sei ein Zeichen künstlerischen Fortschritts. Demnach wäre die unperspektivische Malweise die Folge einer noch unentwickelten Sehweise. Denn niemand wird mir einreden können, daß ein Maler, der perspektivisch sieht, nicht imstande sei, die Gegenstände des Bildvordergrunds größer darzustellen als die im Hintergrund! Das perspektivische Sehen mag ein in prähistorischen Zeiten langsam errungener Fortschritt des Menschen sein. Und vielleicht teilte der Zeitgenosse der Saurier noch nicht die Auffassung des Alleebaums im Epigramm eines meiner Freunde, das ›Mitleid und Perspektive oder die Ansichten eines Baumes‹ überschrieben ist und folgendermaßen lautet:

> Hier, wo ich stehe, sind wir Bäume,
> die Straße und die Zwischenräume
> so unvergleichlich groß und breit.
> Mein Gott, mir tun die kleinen Bäume
> am Ende der Allee entsetzlich leid!

Mögen also unsere Voreltern im Tertiär oder im Diluvium, soweit sie schon Alleen besaßen, der Meinung dieses Alleebaums gewesen sein oder nicht – die Maler des Mittelalters jedenfalls malten unperspektivisch, obwohl sie perspektivisch sahen. Es war der bedeutsame Entschluß, künstlerisch eher der Wirklichkeit selber als einer physiologisch bedingten Ansicht davon nahezukommen. Es war der bedeutsame Weg vom Anschein zur Anschauung. Und die Triebfeder war der Wille zum bewußt unperspektivischen Sehen!«

Hallo flüsterte: »Vielleicht ist er Augenarzt?«

Mintzlaff beugte sich zu ihr. »Er will unter meinem Namen eine Theorie starten.«

Der Redner blickte mißvergnügt auf das in der ersten Reihe tuschelnde Paar.

Hallo konnte es sich nicht verkneifen, ihm eine Grimasse zu schneiden.

Er verlor für einen Augenblick die Fassung. Dann fuhr er fort: »Wenn Sie mir bis hierher überzeugt folgen konnten — daß nämlich das unperspektivische Sehen eine bewußte Leistung sein kann —, so ist die Grundlage für meine weiteren Ausführungen geschaffen. Für diejenigen unter Ihnen, die meine bislang erschienenen Arbeiten kennen, möchte ich anmerken, daß ich meine neueste Theorie heute zum ersten Male vor der Öffentlichkeit entwickle. Es braucht Sie also nicht wunderzunehmen, daß sich der Vortrag von meinen früheren Deutungsversuchen wesentlich unterscheidet. Arbeitshypothesen sind keine ewigen Werte. Sie dienen der Ordnung, und sobald sich ein geeigneteres Ordnungsprinzip gefunden hat, hat man die wissenschaftliche Pflicht, die überlebten Systeme zum alten Eisen zu werfen. Stillstand heißt auch hier Rückgang.«

Der Baron rutschte unruhig auf seinem Stuhl hin und her. »Geht das nicht ein bißchen weit?« flüsterte er.

Mintzlaff lächelte. »Stören Sie ihn nicht«, bat er. »Wenn er so fortmacht, kann es noch sehr lustig werden.«

»Na meinetwegen!« knurrte der Baron.

Der Redner nahm das Einglas aus dem Auge und ein seidenes Tuch aus dem Jackett. Dann putzte er das Monokel und schwieg, ohne den Blick von den Störenfrieden abzuwenden. Auch als er Tuch und Glas wieder ordnungsgemäß untergebracht hatte, schwieg er noch. Seine Lippen waren vor Ärger ganz schmal geworden.

Plötzlich blitzte es in seinen Augen boshaft auf. »Es wäre möglich«, sagte er, »daß ich, trotz der Bemühung, allgemeinverständlich zu sein, noch nicht von allen verstanden worden bin. Deshalb will ich versuchen, mich dem gesteckten Ziel von einer anderen Seite aus zu nähern. Ich werde diesmal einen ausgesprochen konkreten Weg wählen, der Sie dem Wesen des Humors zuführen soll.«

Seine Stimme hatte sich wieder gesenkt und klang nun niederträchtig salbungsvoll. Er hob sich auf die Zehenspitzen und beugte sich weit vor. »Beispiele für Humor«, sagte er, »sind schwer beizubringen, da sich der Humor, so wie er verstanden sein will, nicht in der Anekdote, der Replik oder der Situation darstellt. Insofern ist der Humor beispiellos. Da ich nun aber genötigt bin, mit Beispielen zu arbeiten, werde ich von anderen Kategorien der Heiterkeit ausgehen. Vielleicht gelingt es mir, Ihnen durch Beispiele, die nichts mit Humor zu tun haben, näherungsweise klarzumachen, inwiefern sie das Komische, das Satirische oder das Witzige exemplarisch vertreten und, von hier aus, wie im Gegensatz dazu der Humor wesentlich beschaffen ist. Doch ich verliere mich schon wieder in für nicht alle Anwesenden verständliche Abstraktionen.«

Hallo fragte leise: »Soll ich ein Pfund faule Äpfel besorgen?«

»Zu spät«, flüsterte Mintzlaff. »Die Geschäfte haben schon geschlossen.«

»Oder soll ich ihm das Monokel aus dem Auge spucken?«

»Sei schön brav!« mahnte Mintzlaff.

»Das erste Beispiel, das ich Ihnen geben will, betrifft das spezifisch Komische«, sagte der falsche Professor. »Stellen Sie sich, bitte, folgendes vor: Morgen früh würde Ihnen, die Sie samt und sonders unterwegs sein werden, um in Sonne und Schnee Sport zu treiben, auf der Straße ein verlegen dreinblickender Herr in Smoking und Lackschuhen begegnen!«

Durch Mintzlaff ging ein Ruck.

»Wenn dieser Herr am hellen Morgen in Smoking und Lackschuhen absichtlich über die sonnenbeschienenen Straßen von Davos spazierte, wäre er vielleicht ein Narr, und somit hätte die Situation gar nichts Komisches an sich.«

Hallo krampfte die Hände ineinander. Ihr frisches, lustiges Gesicht war blaß geworden.

»Doch wenn der Herr in der Nacht vorher, sagen wir, versehentlich in ein falsches Hotel gegangen und dort in einem fremden Zimmer, wiederum aus Versehen, eingeschlafen wäre, wenn er sich am Morgen darauf wohl oder übel entschließen müßte, in sein eigenes Hotel zu spazieren, und zwar in Smoking und Lackschuhen, — dann wären die Voraussetzungen für eine komische Situation gegeben. Denn der Widerspruch zwischen dem Erwartungsgemäßen und dem Unangemessen...« Der Sprecher stockte plötzlich, als halte ihm jemand den Mund zu.

Mintzlaff blickte den Baron an. Lamotte hatte sich bequem im Stuhl zurückgelehnt und schlug gelassen ein Bein über das andre.

Der Redner bewegte den Mund, ohne daß ein Ton über seine Lippen kam. Er riß verwundert die Augen auf. Dann preßte er den begonnenen Satz noch einmal hervor. »Dieser Widerspruch zwischen dem Erwartungsgemäßen und dem Unangemessenen...« stammelte er, und dann war es wieder aus. Er schüttelte, mit sich höchst unzufrieden, den Kopf, legte das Einglas auf das Pult und glotzte geistesabwesend auf die Zuhörer.

Im Saal entstand eine leichte Unruhe.

›O weh‹, dachte Mintzlaff, ›das kann ja heiter werden!‹

Lamottes Mund umspielte ein mokantes Lächeln. »Strafe muß sein«, flüsterte er. Dann richtete er den Blick geduldig auf den sprachlosen Sprecher.

Wieder bewegte dieser die Lippen. Wie ein Fisch im Aquarium. Plötzlich gurgelten Töne aus der gelähmten Kehle. Und schon brüllte er: »Dieser Widerspruch zwischen dem Erwartungsgemäßen und dem Unangemessenen...« Dann war es von neuem vorbei.

Er zuckte resigniert die Schultern, machte kehrt und wollte gehen. Aber es war, als packe ihn eine große unsichtbare Hand am Kragen und zwinge ihn zum Bleiben. Es zog ihn, so sehr er sich sträubte, zum Pult zurück. »Entschuldigen Sie«, stotterte er. »Ich muß Ihnen ... muß Ihnen ein Geständnis machen.« Doch dann bäumte sich sein Stolz auf, und er schrie: »Nein! Ich denke gar nicht daran! Dieser Widerspruch zwischen dem Unangemessenen ... und ... und dem bewußt Unper...«

Mitten im Wort blieb ihm der Mund sperrangelweit offen. Schweiß trat ihm auf die Stirn. Er zitterte heftig. Ganz langsam hob sich der Unterkiefer. Die Lippen schlossen sich schmerzlich. Er senkte die Lider und sagte laut und deutlich: »Ich bin gar nicht Professor Mintzlaff!«

Die Zuhörer sahen einander verblüfft an. Der Abend versprach also doch noch interessant zu werden. Nun, um so besser.

»Ich bin«, begann der Redner, »— nein, ich sag es nicht!« Doch da zuckte er zusammen, fast als habe er hinterrücks einen kräftigen Tritt erhalten. Er drehte sich um. Aber es stand niemand hinter ihm. In seinen Augen tauchte Angst auf. »Also meinetwegen«, sagte er kläglich. »Ich bin ein Schwindler.« Er hatte endlich jeden Widerstand aufgegeben.

»Das ist ja großartig!« zischte die Dame, die neben Hallo saß. Es war eine Frau Splettstößer aus Cannstatt. »Wir sind bis auf die Knochen blamiert! Wir gehen, Gudrun! Komm!«

Das junge Mädchen, das sich in ihrer Begleitung befand, flüsterte: »Ja, Mama!« und schaute betrübt in ihren Schoß aus Crêpe maroquain. Fräulein Gudrun Splettstößer war auf den Herrn hinter dem Rednerpult sehr, sehr böse. Sie hatte ihn bei dem Bemühen, zarte Bande um sie und sich zu weben, in der letzten Woche nach Kräften unterstützt. Mama war auch nicht gerade kleinlich gewesen. Und nun lohnte er ihnen ihr Entgegenkommen so! Er war gar kein Professor! Was, um alles in der Welt, mochte er in Wirklichkeit sein? Womöglich ein Hoteldieb oder ein Straßenbahnschaffner!

»Komm!« zischte die empörte Mutter.

»Verzeihen Sie mir tausendmal!« sagte der Schwindler. »Ich bin nicht Professor Mintzlaff, sondern Prinz Friedrich von Ofterdingen.«

»Haha!« meinten einige der Anwesenden.

»Lügt er schon wieder?« fragte Mintzlaff seinen Nachbarn.

»Nein«, erwiderte der Baron.

Der Redner trocknete sich die Stirn mit dem seidenen Tuch. »Es ist verständlich, daß Sie mir nicht glauben. Aber diesmal sage ich die volle Wahrheit. Ich bin Friedrich XXXXVII. von Ofterdingen.«

Fräulein Splettstößer wollte aufstehen.

»Willst du gleich sitzen bleiben, du dummes Ding?« zischte die Mutter.

»Das Ganze begann«, erzählte der Prinz müde, »in einem Berliner Café, wo ich mich mit einem Freund getroffen hatte. Am Nebentisch saßen zwei junge Damen. Und die eine, die meines Wissens von der anderen Hedwig genannt wurde, berichtete, daß ihr vor Tagen Mintzlaff wiederbegegnet sei. Eigentlich müsse er übermorgen in Davos einen Vortrag über Humor halten. Nun habe er aber geschrieben, daß er erst in vier Wochen kommen könne.«

Hallo zog ein Gesicht, als habe sie Essig getrunken. Mintzlaff wußte das, ohne sie anzusehen. Warum mußte auch dieser Trottel von einem Prinzen ausgerechnet dabeigewesen sein, als Hedwig einer Freundin, wahrscheinlich Lotte Kirbach, diese Sache erzählte! Und warum mußte der Kerl hier, wo Hallo zuhörte, davon anfangen! Nun würde sie wieder traurig sein und das hinter einem Galgenhumor zu verbergen suchen, der ihm das Herz umdrehte. Und in ein paar Tagen würde sie, ganz nebenbei, fragen, wer denn Hedwig sei. Und dann würde er sie anlügen, um sie nicht noch mehr zu kränken. Und sie würde tun, als ob sie ihm Glauben schenke, nur um ihn nicht völlig zu verlieren. Es war ein schandbarer Zustand!

»Sie wissen schwerlich«, sagte Friedrich XXXXVII., »wie unangebracht einem Prinzen zumute ist, der mindestens ein Jahrhundert zu spät auf die Welt gekommen ist. So etwa muß sich ein Fleischermeister fühlen, der unter Vegetariern lebt. Man wird skeptisch bestaunt wie eine nicht zu entziffernde etruskische Vaseninschrift und ist überflüssiger als eine Stubenfliege. Kaum daß ich jenes Berliner Café verlassen hatte, beschloß ich, dem Abenteuer, das sich bot, nicht aus dem Wege zu gehen. Es schien alles sehr einfach. Professor Mintzlaff wurde erst in vier Wochen in Davos erwartet. Wissenschaftler sind keine Filmstars. Wer weiß schon, wie ein junger Gelehrter namens Mintzlaff aussieht! Wenn ich also etliche Tage nach dem Brief des wirklichen Professors hier auftauchen und erklären würde, ich sei Mintzlaff und hätte wider Erwarten nun doch früher abkommen können, so war mit ziemlicher Sicherheit anzunehmen, daß keine nennenswerten Schwierigkeiten entstünden. Auch hinsichtlich des Vortrags hatte ich wenig zu befürchten. Ich habe zehn Semester Literatur- und Kunstgeschichte studiert, kenne mich einigermaßen in den alten und neuen Kunsttheorien aus und darf sagen, daß ich mir überdies in mancher Hinsicht eigene Gedanken gemacht und eigene Ansichten gewonnen habe . . .«

»Der Widerspruch zwischen dem Erwartungsgemäßen und dem Unangemessenen!« rief jemand aus einer Ecke des Saals, und einige lachten.

Der Prinz tat, als überhöre er den Einwurf. »Ich kam hierher«, fuhr er fort, »wurde mit vorbildlicher Gastfreundschaft aufgenommen und war entschlossen, Ihnen meine Hypothese über den Humor als bewußt unperspektivische Erlebnisweise zu entwickeln. Was man einem dilettierenden Prinzen aus einem mediatisierten Hause niemals abgenommen hätte, — einem Professor der Ästhetik hätte man es mühelos geglaubt.«

»Haha!« meinte ein Zweifler.

»Doch, doch«, versicherte der Prinz. »Leider brach ich, aus mir unerfindlichen Gründen, den Vortrag ab, auf den ich mich wie ein Kind gefreut hatte, und demaskierte mich. Nun rettet mich nichts davor, daß Sie mich für einen kleinen Hochstapler halten, dem daran lag, ein paar Wochen kostenlos und gut verpflegt hier herumzulungern. Dieser Gedanke ist mir außerordentlich peinlich. Um einen solchen Verdacht zu beseitigen, werde ich der Kurverwaltung einen angemessenen Betrag für wohltätige Zwecke aushändigen.«

Frau Splettstößer aus Cannstatt klatschte, während sie gnädig nickte, in die Hände.

Der Prinz lächelte resigniert. Dann sagte er: »Ein zweiter Verdacht ist schwerer aus der Welt zu schaffen. Ich meine die naheliegende Vermutung, ich hätte Sie aus Langeweile oder Mißachtung düpieren wollen. Nun, ich wies schon darauf hin, wie sehr ich gewünscht hätte, mich einmal zu bestätigen, und zwar nicht als Nachkomme von sechsundvierzig Vorvätern namens Friedrich, sondern als Fachmann meines Interessengebietes. Der Versuch wurde zu einem Fiasko. Ich hatte vor, Sie gut zu unterhalten . . .«

»Das ist Ihnen doch aber gelungen!« rief jemand lachend.

Der Prinz zuckte zusammen.

»Lassen Sie ihn doch endlich im Erdboden versinken!« flüsterte Mintzlaff mitleidig.

»Ich denke nicht daran!« meinte der Baron. »Dem Herrn wird nichts geschenkt. Er hat sich schlecht benommen. Jetzt mag er sich gefälligst den Direktor des Verkehrsvereins anhören. Das schadet ihm gar nichts.«

Richtig, der Direktor des Verkehrsvereins erhob sich, verbeugte sich ironisch vor dem erschöpften Prinzen und sagte: »Durchlaucht! Ich bin im Zweifel, ob der unprogrammäßige Verlauf des Abends den Beifall aller Anwesenden findet oder ob nicht doch vielen unter ihnen der von uns eigentlich geplante Vortrag lieber gewesen wäre. Ihre Absicht, Durchlaucht, war, die Versammlung zum Narren zu halten. Plötzlich besannen Sie sich anders und machten, aus unbegreiflichen Gründen, sich selber, wenn ich mir die Bemerkung gestatten darf . . .«

»Sie dürfen«, sagte der Prinz mürrisch.

»Danke ergebenst. Also, statt dessen machten Sie sich selber zum Narren.«

»Ich weiß nicht, warum ich es tat«, erklärte der Prinz und starrte unausgesetzt zu Fräulein Gudrun Splettstößer. Sein von Haus aus gescheites Gesicht wirkte jetzt, von ungewohnter Befangenheit erfüllt, namenlos töricht.

»Vielleicht schlug Ihr Gewissen?« erkundigte sich der Direktor freundlich. »Das wäre ein schöner Zug.«

Friedrich XXXXVII. schüttelte unwillig den Kopf.

»Wie dem auch sei«, fuhr der andere fort, »— ich jedenfalls bin in einen Gewissenskonflikt geraten, der mir sehr zu schaffen macht. Als Direktor des Verkehrsvereins freue ich mich, den Prinzen von Ofterdingen in unserem schönen Davos zu wissen. Das ist meine Pflicht. Als Mann mit Sinn für Späße muß ich sagen, daß ich mich bis jetzt nicht übel unterhalten habe. Das ist meine Privatangelegenheit. Als verantwortlicher Mitveranstalter dieses Abends endlich wäre ich nicht abgeneigt, den falschen Professor Mintzlaff ohne großes Federlesen der Polizei zu übergeben. Und das . . .«

»Bitte nicht!« rief Fräulein Splettstößer und wurde dann rot wie Klatschmohn.

Aller Augen hatten sich auf sie gerichtet.

»Bitte nicht« wiederholte sie, diesmal freilich nur noch ganz leise.

»Einer so reizenden Fürsprecherin ist schwer zu widerstehen«, meinte der Redner. »Ich hoffe, daß die übrigen Anwesenden, wenn auch nicht mit der gleichen Begeisterung, derselben Ansicht sind wie die junge Dame. Wer unter den Herrschaften anders denkt, möge sich, bitte, von seinem Platz erheben!« Er sah sich abwartend um.

Es erhob sich niemand.

Der Direktor lächelte verbindlich. »Besten Dank. Das beweist nur, in wie vorbildlichem Maße Sie schon mit jenem Humor vertraut sind, über den heute abend ein Berufener sprechen sollte. Nun, aus einer theoretischen Einführung wurde eine praktische Vorführung, und am Ende war das nicht einmal ein schlechter Tausch.« Er sah auf die Armbanduhr. »Was aber beginnen wir mit dem angebrochenen Abend?« Sich wieder zu dem Prinzen wendend, fragte er: »Wollen Durchlaucht vielleicht in Ihren Ausführungen über das bewußt unperspektivische Sehen fortfahren?«

»Nein!« rief der Prinz voller Entsetzen.

Der Direktor des Verkehrsvereins wandte sich an den Vorsitzenden der Kunstvereinigung. »Was soll geschehen, lieber Doktor? Wissen Sie einen Rat? Wir sind den verehrten Anwesenden noch eine gute Stunde Unterhaltung schuldig.«

Der Chefarzt rupfte an seinem buschigen Schnurrbart. »Ich könnte«, sagte er, »allenfalls über die hiesigen Heilerfolge bei Asthma und chronischer Bronchitis sprechen. Aber das Thema hat, muß ich zugeben, verdammt wenig mit Humor zu tun.«

Ein nett aussehender kleiner älterer Herr erhob sich zögernd. Es war der in Davos ansässige Besitzer eines international bekannten Schlittschuhgeschäftes. »Wenn sich gar nichts Passendes finden sollte«, meinte er bescheiden, »so könnte ich meinen Vortrag über die Entwicklungsgeschichte des Schlittschuhs wiederholen, den ich vorige Woche im Rotaryklub gehalten habe. Ich müßte nur vorher schnell einmal heimspringen und die verschiedenen Schlittschuhmodelle holen. Denn ohne diese Beispiele würde der Vortrag zu unanschaulich.« Er blickte sich fragend um. Die Gäste lächelten verlegen. »Es war natürlich nur ein Vorschlag«, sagte er dann kleinlaut und setzte sich schnell.

Diesen Moment hielt Prinz Friedrich von Ofterdingen für geeignet, um sich aus dem Staube zu machen. Er kletterte hastig vom Podium herunter und schob sich an der ersten Stuhlreihe entlang.

Doch schon hielt ihn der Baron am Ärmel fest. »Sie wollen uns verlassen?« fragte er. »Gerade jetzt, wo ich so eine aparte Überraschung für Sie habe?«

»Um Himmels willen!« murmelte der Prinz erschöpft. »Eine Überraschung?«

»Ganz recht.« Der Baron steigerte seine Stimme. »Der Höhepunkt des Abends steht Ihnen allen noch bevor!« rief er gutgelaunt. »Sie sind hier zusammengekommen, um Professor Mintzlaff zu hören. Der Herr nun, der seit einiger Zeit unter diesem Namen in Davos weilt, hat uns vorhin gestanden, daß er gar nicht der Professor Mintzlaff sei, sondern ein Prinz. Was würden Sie nun sagen, wenn der Professor trotzdem im Saal anwesend wäre?«

Die Zuhörer rissen die Augen auf.

»Professor Mintzlaff ist im Saal!« rief Lamotte. »Er erfuhr telegrafisch von dem Vortrag, der offensichtlich ohne ihn stattfinden sollte, und kam eigens aus Berlin hierher, um das Schwindelmanöver aus der Nähe zu beobachten! Meine Damen und Herren, neben mir sitzt ein Herr, der sich in der Kurliste als ein Doktor Jennewein aus Leipzig eintrug. Dieser Doktor Jennewein ist der wirkliche Professor Mintzlaff!«

Das Publikum sprang von den Stühlen auf, um Mintzlaff zu sehen.

»So eine Niedertracht«, knurrte der Prinz wütend.

Der Baron musterte ihn kalt. Dann sagte er befehlend: »So, jetzt können Sie gehen!«

»Was fällt Ihnen denn ein?« fragte der Prinz. »Ich lasse mir von Ihnen keine Vorschriften machen. Ich bleibe!« Doch da lief er schon, so sehr er sich auch sträuben mochte, mit hastigen Schritten auf die Saaltür zu! Es gelang ihm eben noch, den Kopf zurückzuwenden und Lamotte entgeistert anzustarren. Dabei fiel ihm das Einglas aus dem Auge. Und dann war er aus der Tür!

Sebastian ohne Pointe

Sebastian Stock war ein glänzender Gesellschafter; er konnte gerade-zu für ein Genie der Konversation gelten — solange er allein war.

Er litt am Dialog. Das ist eine Manie, die als Berufskrankheit der dramatischen Schriftsteller gilt; so wie die Leinenweber und die Säurenarbeiter, die Diamantenschleifer und die Grubenpferde, die Bierbrauer und die Opernsänger die ihre haben. Und sie besteht einfach darin, daß man in Dialogen denken muß. Freilich, harmlos klingt diese knappe Beschreibung nur dem, der jenen Jammer nie erfuhr. In Wirklichkeit handelt es sich um eine Spielart des Verfol-gungswahnes, der hier zwar an keine gegenständlichen Komplexe, dafür aber an eine ganz bestimmte Ausdrucksform (eben an den Dialog) gebunden ist.

Der Kranke hat, beispielsweise, die Schneiderrechnung empfangen. Er liest eine ungewöhnlich hohe Summe, schüttelt den Kopf, beginnt im Zimmer zu wandern und unterhält sich mit dem Schneider, der — wohlgemerkt — gar nicht anwesend ist. Er macht ihm lebhafte Vor-würfe, läßt ihn(dessen Stimme er, laut oder im Geiste, nachzuahmen sucht) besorgt oder frech antworten, sinnt auf neue treffendere Ein-wände, der Schneider erbost sich, der Kunde kann sich nicht länger beherrschen — der Streit ist vollkommen.

Sebastian Stock litt schmerzlicher als die meisten seiner Leidensgefähr-ten. Denn er war erstens kein Dramatiker, und zweitens besaß er den Ehrgeiz, aus seinem geheimen Leiden ein gesellschaftlich legitimes Talent machen zu wollen. Solange er insgeheim beide Rollen — die eigene und die des Gegenübers — zugleich spielte, so lange war er Meister. Sobald der andere aber zu existieren begann, seine Stimme tatsächlich erhob und, boshafterweise, ganz anders antwortete, als er, Stock, es ihm stumm diktierte, wurde der Mißerfolg bis zur Unerträg-lichkeit deutlich.

Materielle Schäden erwuchsen ihm aus seiner Untugend nicht. Er war der Erbe eines gut angelegten Vermögens. Nur in jenen Jahren, als das Sicherste am meisten trog, rächte sich sein Gebrechen auch einmal in dieser Weise. Man hatte ihn einem Bankdirektor empfohlen, der in der Lage war, ihm einen Posten zu verschaffen, wo er nichts verderben und einiges gewinnen konnte. Nun, diese Finanzgröße —

namens Frank — lud ihn zum Abendessen ein. Beim Mokka wäre dann wohl die Petition zur Sprache gekommen ... Aber Sebastian Stock ging während des Essens wieder.

Lange bevor er der Einladung Folge leisten durfte, hatte er sich das Programm seines Auftretens zurechtgelegt. Zu Frau Frank wollte er sagen (da er mit ihr bereits telefoniert hatte): »Gnädige Frau sind mir bisher leider nur akustisch begegnet« und zu ihm, falls dieser ihm das Brot reichen würde (für den Fall wollte Sebastian schon sorgen): »Besten Dank, verehrter Brotgeber.«

Auf diese spielerischen Glossen war er stolz und erhoffte viel von ihnen. Selbstverständlich hatte er sich die dazu erforderlichen Mienen überlegt und am Spiegel geübt. Das Bonmot, das ihr galt, wollte er mit weltmännisch lässigem Lächeln würzen; und die dem Direktor zugedachte Bemerkung hoffte er durch ein Zwinkern von beziehungsreicher Dauer besonders wirksam zu gestalten.

Es kam anders. Als er die Franksche Wohnung betreten hatte, kam ihm eine stattlich gekleidete, würdige Dame entgegen. Er machte eine untadelige Verbeugung und sagte — mit dem geplanten weltmännisch lässigen Lächeln, das ihm freilich ein wenig einfror: »Gnädige Frau sind mir leider bisher nur akustisch begegnet.« Die Dame sah ihm skeptisch ins Auge und erklärte, die Herrschaften ließen sich für einen Moment entschuldigen, und er möge sie doch im Arbeitszimmer des Herrn Direktor erwarten.

Sebastian nickte automatisch und tastete sich wie ein Blinder hinter der Hausdame her. Dann stand er fünf Minuten am Fenster eines Zimmers, das nach Leder roch, und überlegte krampfhaft: ob er den Versuch bei der rechtmäßigen Frau Frank wiederholen solle oder nicht. Er konnte sich nicht entscheiden. Aber als das Ehepaar erschien, verbiß er seine Redensart und benahm sich ungeschickt, da er nicht bei der Sache war. Man setzte sich zu Tisch. Und Sebastian bereitete den zweiten Coup vor, der ihm — das schwor er sich zu — nicht mißlingen sollte. Es ist begreiflich, daß er wenig sprach, noch weniger aß und statt dessen den silbernen Brotkorb so fest anstarrte, daß es Herrn Frank auffiel.

Plötzlich schob sich also der silberne Brotkorb in Sebastians Gesichtsfeld, rückte näher und näher. Und wie aus dunkler Tiefe klang es an sein Ohr: »Lieber Herr Stock, darf ich mich, vorläufig auf diese Weise, als Brotgeber demonstrieren?«

Das war nicht eigentlich taktvoll gesprochen. Aber vielleicht trug nur Sebastians Blick die Schuld? Jedenfalls: ihn schien der Blitz getroffen zu haben. Er wurde tiefrot, hustete und vergaß vor Empörung darüber, daß er beraubt worden war, Brot zu nehmen. Frank blickte erstaunt und hielt den Korb mit engelsgleicher Geduld über den Tisch. Dann ärgerte er sich seinerseits und bemerkte doppelsinnig: »Sie lehnen ab, Herr Stock?«

Frank und Frau aßen eifriger, als es ihr Appetit guthieß — nur um ihren wunderlichen Gast nicht länger betrachten zu müssen. Sebastian begann sich selber lästig zu fallen. Er hatte Fieber und spürte, wie in ihm eine blindwütige Verlegenheit heranwuchs, der nichts und niemand standhalten würde.

Etwas mußte geschehen. Seine Stimme zitterte, als spreche er ein Sterbegebet: »Gnädige Frau sind mir bisher leider nur akustisch begegnet.« Frank und Frau blickten sich an und lachten zirka drei Minuten. Sie schrie fast vor Wonne und Nervosität; und ihre Miene bat nur zuweilen und höchst unzulänglich um Entschuldigung. Ruckartig brachte sie hervor: »Ja ... unsere Hausdame ... erzählte schon davon ... es ist ... zu drollig!« Dann kreischte sie gemäßigt weiter, während sich der Gatte auf die Schenkel schlug und rief »Menschenskind ... Aber bester Herr Stock! ... Wo haben Sie bloß den Blödsinn her?«

Sebastian erhob sich steif, murmelte irgend etwas und verließ zunächst das Speisezimmer. Dann das Haus.

Schließlich ging er auf Reisen, um die Wirkung dieses letzten Rezepts zu versuchen. Und als ihm seine rhetorische Absicht endlich einmal glückte, wurde sein ärgstes Mißgeschick daraus.

Er war in einem großen Gebirgshotel abgestiegen, machte tagsüber Spaziergänge, saß abends, nach dem Diner, an einem der kleinen Hallentische und schaute den andern zu, als ob ihn ein Gitter von ihnen trennte. Er sah, wie sie tranken und tanzten, wie sie Flirts erledigten oder gar Leidenschaft mühevoll großzogen. So verging eine Woche. Und das Alleinsein fing an, ihn zu bedrängen.

Eines Abends erblickte er einen gewissen Herrn Urban, den er aus der Vaterstadt flüchtig kannte, unter den Gästen. Urban setzte sich mit seiner Tochter an einen entfernten Tisch und verlor sich hinter einer Zeitung. Sebastian schlug das Herz. Seine Sehnsucht nach Geselligkeit wurde unbezwingbar, und in seinem Kopf begannen die Redensarten zu wirbeln. Endlich wurde sein Gesicht glücklicher. Das erlösende, das außergewöhnliche Wort schien gefunden.

Als die Kapelle einen Tanz intonierte, erhob er sich und ging in jene Ecke, in der sich Urban und Tochter langweilten. Er verbeugte sich. Sie waren erfreut. Und noch ehe sie etwas hätten äußern können, blendete er sie durch ein schelmisches Lächeln, das kein Ende nahm;

dann verbeugte er sich nochmals vor dem Vater und sagte mit schönem Nachdruck: »Verehrter Herr Urban, darf ich Sie um die Hand
Ihres Fräulein Tochter bitten?«

Er meinte nichts weiter als: Darf ich mit ihr eine Tour tanzen? Niemand wird das bezweifeln wollen. Aber Urban — heuchelte er Unkenntnis, oder wußte er wirklich nichts über Sebastians Manie? —
Holzhändler Urban stand auf, klopfte ihm kernig auf die Schulter
und rief: »Bravo, bravo! Ich schwärme für angenehme Überraschungen. Bitte nehmen Sie Platz, Sie eiliger Schwiegersohn! Haha! Nun,
Lenchen, was sagst du zu dieser dringenden Nachfrage?«

Lenchen Urban ordnete ihre Frisur und erklärte, ihr sei es schon
recht.

Jeder vernünftige Mensch hätte das Mißverständnis energisch aufgeklärt. Aber Sebastian Stock gehörte nicht zu ihnen. Und so wurde
er mit einem Fräulein verheiratet, mit dem er nur hatte tanzen wollen.
Seitdem geht er noch häufiger als ehedem in seinem Arbeitszimmer
auf und ab. Und wenn seine Frau, Lenchen Stock, das Ohr an die Tür
legt — sie tut es kaum noch —, so hört sie eilige Schritte und erregtes
Murmeln und greift sich an den Kopf.

Verkehrt hier ein Herr Stobrawa?

Das Café ist, am zeitigen Nachmittag, noch recht leer. Ein paar Zeitungsleser sitzen herum. Der Boy gießt heißes Wasser aus einem
Kännchen auf die Ränder des Teppichläufers, weil sie sich gerollt haben. Die Garderobenfrau steht hinter ihrer Theke und sortiert kleine
Münzen. Neben ihr lehnt der Kellner und liest, möglichst unauffällig,
die Rennberichte. Schlechte Geschäfte. Ein gewisser Herr Dubschek
wird am Telefon verlangt. Nein, nicht hier. Da betritt eine kleine alte
Dame das Lokal. Unter ihrem komischen Husarenhütchen steckt ein
Gesicht, das dem Alten Fritz nachgemacht ist. Blaß, großnasig und
zerknittert sitzt es auf der dünnen, kurzen Figur, die in dem Plüschmantel vielzuviel Raum hat. Die Frau bleibt vor dem Kellner stehen
und sieht ihn abwartend an, bis er, ungern gestört, den Kopf hebt.
Da lächelt sie ein bißchen und sagt mit lauter, angerosteter Stimme:
»Entschuldigen Sie, verkehrt hier ein Herr Stobrawa?«

»Was soll er denn?« fragt der Kellner. Er hat gegen Leute, die nichts
verzehren, von vornherein begründetes Mißtrauen.

»Man hat mir gesagt, er spiele hier jeden Tag Billard.«

»Jetzt sind die Spielzimmer noch geschlossen.«

»Verzeihen Sie, bringt Herr Stobrawa immer seine Geliebte mit hierher?«

Die Gäste werden aufmerksam. Die Garderobenfrau verzählt sich. Der Boy kriegt rote Ohren. »Ich dachte«, bettelt die kleine alte Dame, »Sie könnten mir vielleicht Genaueres sagen. Früher verkehrten sie in einem anderen Café. In der Stralauer Straße. Nun ist sie aber umgezogen. Sie muß ganz in der Nähe wohnen. Und abends säße sie gewöhnlich hier. Ich habe ihre Spur verloren ... Verstehen Sie ... Und da ... ja, so ist das.«

Wahrscheinlich hat die Geliebte des fraglichen Herrn Stobrawa früher bei ihr gewohnt und ist Geld schuldig geblieben. Man kennt das. Aber ob es nötig ist, deswegen vor fremden Menschen Geheimnisse der Familie Stobrawa auszugraben?

»Ich bin nämlich seine Frau«, sagte da die kleine alte Dame, als bäte sie um Entschuldigung. Sogar zu lächeln versucht sie. »Ich will Ihnen selbstverständlich keine Ungelegenheiten machen.«

»Bei uns verkehren zwei Stobrawas«, konstatiert der Kellner. »Der Name ist gar nicht so selten, wie man denken könnte.«

»Ich habe sein Bild mit.« Sie holt aus ihrer Handtasche eine Fotografie heraus. Es ist ein Gruppenbild. Von irgendeinem fröhlichen Ausflug, den man früher einmal machte. Verwandte waren dabei. An der Waldlichtung zog ein junger Mann den Hut und fragte, ob sich die Herrschaften nicht fotografieren lassen möchten. Herr Stobrawa war gerade guter Laune und ließ es sich was kosten.

»Hier vorn der dicke Herr, das ist Herr Stobrawa.« Sie spricht von ihrem Mann, als wäre sie seine Haushälterin.

Der Kellner betrachtet das Bild lange Zeit. »Der eine von unseren Stobrawas ist dicker als der hier. Und der andere ist größer.«

»Der dickere könnte es schon sein. Die Aufnahme ist ja über ein Jahr alt!«

Die Garderobenfrau blickt dem Kellner über die Schulter, sagt nichts und sieht nur die kleine alte Dame zuweilen von der Seite an.

»Ja«, sagt der Kellner, »da müssen Sie schon mal woanders fragen, gnä' Frau. Unsere Stobrawas sind das nicht. Sie kommen auch fast nie in Damenbegleitung!«

Sie packt das Bild sehr behutsam wieder ein. »Entschuldigen Sie vielmals«, sagt die kleine alte Dame und wendet sich zum Gehen. Sie lächelt schon wieder und tut, als habe sie sich bloß zum Spaß erkundigt. »Guten Tag.«

»Guten Tag, gnä' Frau«, sagt der Kellner.

»Guten Tag«, sagt die Garderobenfrau.

Der Boy springt auf und hebt den Vorhang an der Tür zur Seite. Sie nickt und will hinaus. Da schlägt die Tür von draußen. Man hört Gelächter. Ein junges Mädchen kommt herein. Ihr folgt ganz dicht ein dicker Herr. Sie lacht. Frische, kalte Luft weht ins Lokal.

Die kleine alte Dame ist zurückgewichen und starrt den Herrn an. Er sieht sie, wird rot, will grüßen, unterläßt es, hustet. Das junge Mädchen blickt sich ungeduldig um. »Komm!« ruft es. Er wendet den Kopf unsicher von Frau Stobrawa fort.

Die kleine alte Dame geht langsam durch die Tür. Wer durch die Scheiben blickt, kann sie noch sehen. Jetzt steht sie am Straßenbord und achtet besorgt auf die Autos, als sei ihr Leben äußerst kostbar. Der Kellner stöhnt komisch auf. Der Boy hält noch immer den Türvorhang in der Hand. Die Gäste lesen Zeitung. Dann geht der Kellner zum Büfett und sagt zur Mamsell: »Zweimal Kaffee, doppelt Milch und einen Mohnstrudel für Herrn Stobrawa.«

Die Kinderkaserne

In jener Nacht, in der Rolf Klarus, ein dreizehnjähriger Gymnasiast, den Oberprimaner Windisch erwürgte, starb drüben in der Altstadt Frau Hedwig Klarus, die Mutter des Knaben.

Das Zusammentreffen der beiden Todesfälle, deren einer den anderen zu rächen schien, veranlaßte manchen zu der Bemerkung: Es gebe eben doch so etwas wie eine verborgene Gerechtigkeit. Und besonders rechnerische Naturen mühten sich lebhaft darum, den Zeitpunkt der zwei Ereignisse aufs genaueste zu ermitteln und zu vergleichen. Frau Klarus war gegen neun Uhr des Abends gestorben; und kurz nach Mitternacht hatten die Schüler, die im Schlafsaal A des Schulgebäudes untergebracht waren, jenen mißtönenden Aufschrei gehört, der sie zitternd aus den Betten zu stürzen und Windisch beizuspringen zwang, auf dessen Lager der kleine Klarus im langen Nachthemd hockte und unbeteiligt in die weitgeöffneten Augen des Primaners blickte.

Die Schwierigkeit, eine Art höherer Ordnung in diese Unglücksfolge zu legen, wirkte sich in der nachdrücklichen Strenge aus, mit der fast alle den kleinen Mordgesellen beurteilten. Daran vermochte auch des Arztes Befund nichts zu ändern: daß Windisch vermutlich an einem durch den Schreck verursachten Herzschlag gestorben sei, daß also ein bloßer Mordversuch mit allerdings tödlichem Ausgang vorliege. Man erwiderte allgemein auf solcherlei Einwände: Mit einem regelrechten Morde habe der Vorgang immerhin die Absicht des Täters und den Tod des Überfallenen gemeinsam. In dieser Sache zugunsten des Knaben mit Spitzfindigkeiten zu argumentieren, sei nicht angebracht.

So viel stellte sich bald heraus: Rolf Klarus hatte sich vor dem Abendessen aus der Schule entfernt, war nicht im Arbeitszimmer und nicht zur Abendandacht erschienen und bestätigte schließlich, als man ihn fragte, durch ein kleines Kopfnicken, daß er während dieser Zeit zu Hause gewesen sei. Der Tertianer Gruhl erzählte, er habe die beiden zusammen den Schlafsaal betreten sehen, und es müsse spät gewesen sein; die Bettnachbarn hätten jedenfalls fest geschlafen.

Da Windisch gerade Wocheninspektion gehabt hatte, und da die Schüler erklärten, er habe den Knaben nicht nur sehr oft, sondern wohl auch sehr gern bestraft, war die äußere Situation mit einiger Sicherheit zu erraten: Er hatte auf seinen dienstlichen Rundgängen den von dem unerlaubten Ausflug zurückkehrenden Klarus ertappt, zur Rede gestellt und mit der Ankündigung einer der üblichen Strafen geängstigt. Aber alles andere blieb unaufgehellt. Mußte Klarus dem Primaner nicht davon gesprochen haben, daß er vom Totenbett der Mutter komme? Und wenn das nicht zutreffen sollte: Hätte Windisch den Schmerz des Knaben nicht bemerken müssen?

Windisch war tot. Und Rolf Klarus schwieg. Auch als er bald schwer krank wurde und im Fieber lag, schwieg er. Und später, als die Ärzte meinten, eigentlich sei er wieder gesund, und ihn trotzdem in eine Anstalt bringen ließen — später schwieg er noch immer. Doch da vermochte man auch auf seine Mitteilungen zu verzichten. Denn in der Zwischenzeit hatte man sein Pult geöffnet, seine Bücher, Löschblätter und Notizblöcke peinlich durchforscht und auf etlichen Zetteln und in einem Oktavheft, das eine Art primitiven Tagebuchs zu sein schien, manches gelesen, was den Fall aufzuklären geeignet war.

Die Verhandlungen endeten damit, daß Rolf Klarus, wie schon gesagt, bis auf weiteres in einer Heilanstalt untergebracht wurde. Ein glaubwürdiges Gerücht meldet, daß er dort starb; ein weniger wahrscheinliches, daß er noch immer dort lebt. Welche der Behauptungen richtig ist, bleibt im Grunde gleichgültig. Denn in jener Nacht starben drei Menschen, auch wenn der dritte zu atmen fortfuhr.

Es ist nicht bloß einfacher, es ist auch richtiger, statt einer sorgfältigen seelischen Interpretation des Falles etliche der vorgefundenen Aufzeichnungen folgen zu lassen, die der kleine Klarus in den letzten Wochen vor der Tat niederschrieb. Was ihn damals erschütterte und trieb, zeigen jene fleckigen Zettel am lautersten, auf denen er mit seinen Schmerzen und mit seinem Feinde versteckte Zwiesprache hielt.

»Ich werde den Aufschwung niemals lernen. Aber bis Mittwoch muß ich ihn können, hat der Turnlehrer befohlen. Und in den Freistunden soll ich ihn immer üben. Da haben alle gelacht. Die Kniewelle ist noch viel schwerer. Bertold kann auch die Kniewelle. Mit dem linken Knie, mit dem rechten Knie, zwischen den Händen und seitlich davon. Dann hat Bertold dem W. von dem Aufschwung erzählt. W. hat gesagt, er wollte nachsehen, ob ich übte. Am Mittwoch mußte ich nachsitzen. Von W. aus. Er ließ mich altes Zeitungspapier in kleine Rechtecke zerschneiden. Fürs Klo. Er ist dabeigestanden und hat gelacht. Muttchen wird auf mich gewartet haben. Und ich wollte ihr mein Aufsatzbuch mit der Eins zeigen.«

»Er hat mich schon wieder nachsitzen lassen. Ich wischte im Klavierzimmer 9 den Staub nicht gut genug weg. Er sucht natürlich den Schmutz, wo ich nicht hinlangen kann. Ich soll auf einen Stuhl steigen. Ich sagte, ich bin kein Dienstmädchen. Das will er dem Rektor melden. Doch er sagt das nur, damit ich ihm wieder mein Taschengeld gebe. Er nennt das: Borgen.
Muttchen habe ich einen Brief geschrieben, ich machte einen Ausflug, damit sie nicht merkt, wie oft ich nachsitzen muß. Sie wird denken, ich besuche sie nicht gern. Dabei ist nur W. daran schuld.«

»Am Sonnabend nachmittag war ich endlich wieder einmal zu Hause. Aber Muttchen ist krank und liegt deshalb zu Bett. Vielleicht weil sie denkt, ich mache Ausflüge. Ich wollte erzählen, daß W. daran schuld ist. Doch jetzt darf ich es ihr erst recht nicht sagen. Man soll Kranke nicht aufregen.
Im Französisch bin ich in dem Gedichte von Béranger steckengeblieben. Kandidat Hoffmann hat geschimpft, und ich habe eine Strafarbeit gekriegt.
Ob sie sehr krank ist und an mich denkt? W. hat gesagt, er bäte sich aus, daß man in seinem Zimmer fröhlich wäre. Mucker wie ich wären schlechte Menschen. Und ich sollte auf der Stelle lachen. Dabei hat er eins, zwei, drei gezählt. Aber es ging nicht. Das ist offene Meuterei, hat er gebrüllt.
Den Aufschwung kann ich noch immer nicht.«

»Samstag hat er mich wieder nachsitzen lassen. Aber abends nach dem Essen bin ich nach Hause gerannt. Straßenbahn konnte ich nicht fahren. Weil er mein Taschengeld hat. Es strengt sehr an. Muttchen machte erst gar nicht auf. Ich habe vor Angst gegen die Tür geschlagen. Da ist sie, auf einen Stuhl gestützt, herausgekommen und hat gefragt, wer da ist. Ich, hab ich ganz laut gerufen.

Sie hatte Angst, aber ich sagte, der Hauslehrer hätte mich zwei Stunden beurlaubt. In der Kaserne hat niemand gemerkt, daß ich weg war.

Jeden Mittwoch verliest man mich zur Gartenarbeit. Ich muß mit einem langen Spieß das Papier aufstechen und einen Wagen ziehen. W. hat mit dem Gartenwart gesprochen, damit ich jeden Mittag drankomme. Warum er mich so haßt?«

»Montag abend bin ich wieder fortgelaufen. Auf dem Rückweg konnte ich nicht mehr vor Herzklopfen. Muttchen kam gleich beim Klingeln heraus. Aber sie ist, glaube ich, sehr krank. Und von unseren Verwandten läßt sich niemand blicken. Da ist sie so allein. W. hat mich vorm Tor abgefangen, als ich wiederkam, und sagte, ich brauchte nicht so zu rennnen, zum Nachsitzen käme ich noch zurecht. Ich sagte, meine Mutter ist krank. Er hat gelacht. Das kenne er schon. Und dabei hat mir Muttchen eine ganz zitterige Karte geschickt, sie freue sich so, daß ich Mittwoch wiederkäme.

Ich muß morgen abend fortrennen, auch wenn er mich von neuem erwischt. Ich kann ihr doch nicht wieder sagen, ich würde mit Lambert einen Ausflug in die Heide machen! Wo sie doch die Karte geschrieben hat!

In vier Wochen sind die Prüfungen. In der lateinischen Klassenarbeit habe ich die Vier. Koch hat gefragt, was mit mir los ist. Wenn ich doch zu Hause bleiben könnte und für Muttchen einkaufen, und vorlesen und kochen. Aber es geht nicht. Es ist alles verboten.«

»Dienstag wieder zu Hause. Ich habe gesagt, ich müßte nächstens viel für die Prüfungen arbeiten. Muttchen sieht ganz weiß und mager aus. Sie sagt mir nicht, was ihr fehlt.

W. hat mich wieder erwischt. Ich sollte ihn nicht so mit der kranken Mutter öden. Frei bekäme man nur bei Begräbnissen. Der Schuft! Wenn meinem guten Muttchen etwas passiert, dann ist nur er schuld. Ich bin selber wie krank. Und dabei sind Prüfungen. Ich renne heute abend wieder fort. 1. Karte von Italien zeichnen. Mit den Städten über 200.000 Einwohner. Die Gebirge braun schraffieren. 2. Punische Kriege repetieren. 3. E-Konjugation. 4. La cigale et la fourmi lernen. 5. Kniewelle links neben den Händen.«

»Er fing mich ab, als ich gerade fort wollte, und ließ mich nicht weg. Er würde jetzt jeden Abend mit mir in den Garten gehen und aufpassen, daß ich bliebe, und beantragen, daß mir für einen ganzen Monat der Ausgang entzogen würde. Ich wüßte nicht, was Pflichtgefühl sei. Ob ich ihm was borgen könnte. Aber ich hatte wirklich nichts. Bei allem, was er sagt, sieht er mir ins Gesicht, als warte er, daß ich weine.

Er will Muttchen einen Brief schreiben, das darf er nicht tun! Lieber soll er mich schlagen oder anderes. Aber das nicht. Sie soll ihn mit ihrer Unterschrift wieder zurückschicken. Ich habe nicht einschlafen können.

Ich muß nach Hause. Morgen abend lauf ich wieder fort. Ich habe solche Angst um sie. Wenn er mich einsperrt, springe ich einfach aus dem Fenster.«

An jenem Abend, an dem der kleine Klarus lieber aus dem Fenster springen wollte als in der Schule bleiben, stahl er sich trotz des Primaners fort, rannte wie so oft durch die dunklen Straßen der Vorstadt, über einsame Plätze und Brücken, an jenem Abend sah er seine Mutter sterben, an jenem Abend zerrte man ihn von dem Bette Windischs, als es für beide bereits zu spät war.

Paula vorm Haus

Eigentlich heißt sie Paula Schmidt. Weil sie aber zwischen den Mandelbäumchen, Fliederbüschen und Silbertannen im elterlichen Vorgarten steht, nennt man sie seit siebzehn Jahren, so alt wurde sie im März, gemeinhin Paula vorm Haus. Sie ist bildhübsch, hat frische Farben, lacht gern und war nie ernstlich krank. Das will bei einem Menschen, der, so lange schon, Tag und Nacht und bei jedem Wetter im Freien lebt und nicht vom Flecke kann, einiges bedeuten.

Professor Schwerdtfeger, der bekannte Gelehrte, der das Kind — es wuchs damals schon im Garten — als erster eingehend untersuchte und einwandfrei feststellte, daß es statt der Füße Wurzeln besitze, bezeichnete Paula anschließend, in den Medizinischen Vierteljahrsheften, als die »reizendste Aberration der Natur«. Kirchliche Kreise hingegen empfanden das Ereignis, für das noch die Bezeichnung »negatives Wunder« zu nachsichtig klinge, als einen Skandal. Gleichviel, die Kleine wuchs, zur Freude und Sorge der Eltern, unverdrossen heran.

Sie wurde, begreiflicherweise, zu einer Sensation. Fotos von ihr und Artikel über sie erschienen in allen Zeitungen und Zeitschriften. Das

Bild des Kindes, das, erwiesenermaßen festgewurzelt, zwischen den blühenden Büschen stand und mit ihnen um die Wette zu lachen schien, rührte und beschäftigte monatelang die ganze Welt. Einige der Fremden, die damals den Ort überschwemmten, machten dem Ehepaare Schmidt nahezu unwiderstehliche Angebote. Eine Zeitschrift stellte ihnen eine ansehnliche Lebensrente in Aussicht, falls sie sich bereit fänden, Tatsachen oder wenigstens Vermutungen niederzuschreiben und notariell beglaubigen zu lassen, die geeignet wären, die Neugierde der Leser wenn schon nicht zu befriedigen, so doch erträglich zu gestalten. Ein Impresario bot eine horrende Summe, wenn er das Kind ausgraben, eintopfen und in den Weltstädten gegen Eintritt ausstellen dürfe. Zur Ehre der Eltern sei gesagt, daß sie diesen goldnen Verlockungen, ohne lange zu zögern, einträchtig widerstanden.

Geringfügigeren Versuchungen gaben sie, wenigstens in den ersten Jahren, gelegentlich nach. Da stand dann etwa die Kleine lächelnd vorm Haus, und auf einem Plakat, das sie in den Händen hielt, lasen die sich drängenden Zaungäste: »Auch ich trage Steiners Kinderkleider.« Oder man zog ihr, bei schlechtem Wetter, einen Regenmantel an, und sie rief alle fünf Minuten vergnügt: »Immerdicht hält immer dicht!« Oder sie aß fleißig Marmeladebrote, und ein Schild neben ihr behauptete, Kruses Konfitüren seien die besten. Auch solche vergleichsweise unschuldigen Geschäfte brachten Geld. Und die Eltern verwendeten es, im großen und ganzen, für die Beschaffung erstklassiger Gartenerde.

Mit der Zeit rissen andere Sensationen die öffentliche Aufmerksamkeit an sich, und Paula verlebte eine einigermaßen normale Kindheit. Vom Schulbesuch hatte man sie allerdings befreien müssen. Doch Herr Korbgiebel, der grauhaarige Hauptlehrer, kam, wenn es nicht gerade regnete oder schneite, samt der singenden Klasse, den aufgerollten Landkarten, der schwarzen Wandtafel, dem munter klappernden menschlichen Skelett und anderen Lehrmitteln in Schmidts Garten marschiert und erteilte seinen milde trocknen Unterricht zwischen Flieder, Tannen und Jasmin. Der Bezirksschulrat, der gelegentlich nach dem Rechten sah, war zufrieden. Paula lernte leicht und las viel. Reisebeschreibungen hatten es ihr besonders angetan. Bei einem Kinde, dem bereits der Blick um die nächste Straßenecke verwehrt blieb, war das verständlich genug.

An den schulfreien Nachmittagen saß die Mutter neben ihr und strickte. Meist wurden es fußlose, mit Reißverschlüssen statt mit Rücknähten versehene Wollstrümpfe. Man plauderte miteinander und mit Nachbarn und Bekannten, oder Paula malte. Ihr Vater, ein tüchtiger Schreiner, hatte ihr eine Staffelei gezimmert, und das Kind brachte, mit Wasserfarben und Buntstiften, allerlei zustande. Das Bild »Unser Marktplatz, den ich nie sehen werde« hängt seit vier Jahren im Büro des Bürgermeisters, und er zeigt es seinen Besuchern nicht ohne Stolz und Rührung.

Heute malt Paula nicht mehr. Sie lächelt den Freundinnen zu, die von der Arbeit kommen oder zum Tanz gehen. Ob sie noch lächelt, wenn es dunkel geworden ist und die Mädchen von ihren Verehrern heimgebracht werden, weiß man nicht. Freilich, des Nachts, in die Erde gebannt, zwischen den schwarzen Sträuchern zu stehen, atmend und atemlos, ein verwunschener Fliederbusch, der die Arme ausbreiten und die Augen mit den Händen bedecken kann, ist doch wohl kein leichtes Los. Wenn die Eulen funkeln, die Hunde schimpfen und der betrunkene Autoschlosser am Zaune rüttelt, dann lächelt sich's schlecht. Und es hilft wenig, daß die Eltern, zum Garten hin, bei offnem Fenster schlafen. Aber wer, außer dem Mädchen selber, weiß es genau?

Am vergangenen Freitag, gegen Mitternacht, glaubte Frau Schmidt, im Halbschlaf, vorm Haus eine zärtliche Stimme zu hören. »O meine Daphne!« flüsterte jemand. Und Paula seufzte. Oder hatte Frau Schmidt geträumt? Als sie, am nächsten Morgen, ihrem Mann davon erzählte, schüttelte er den Kopf. Doch bevor er in die Werkstatt ging, griff er zu dem einbändigen Lexikon, das die Tochter seinerzeit als Schulprämie bekommen hatte, und blätterte darin. Dann winkte er seiner Frau und las, leise und zögernd: »Daphne, griechische Nymphe, zum Schutz vor Apolls Liebe in einen Lorbeerstrauch verwandelt.«

Als sie ans Fenster traten, ging gerade Dr. Meier vorüber, der neue Assessor beim Amtsgericht. Er zog vor dem Mädchen den Hut und lächelte melancholisch. Paula warf die Hände hoch. Einen Augenblick lang schien es, als wolle sie ihm nacheilen. Sie bewegte sich wie ein Blatt im Winde, das der Zweig nicht losläßt. Dann sanken die Arme herab. Reglos stand sie zwischen den Tannen und Büschen. Und versuchte zu lächeln. Und die Eltern traten ins Zimmer zurück.

Aus der Werkstatt
Journalismus, Literatur, Theater, Kritik

Kritik, Kontroverse, Pamphlet und Polemik

Wenn am kommenden Sonntag ein Fußballkapitän erklärte: »Wir spielen ab heute mit fünfzehn Mann«, würde man ihn zunächst auslachen. Beharrte er auf seinem Standpunkt, so brächte man ihn in die psychiatrische Klinik. Nehmen wir nun an, auf Grund von Überlegungen und Zufällen setzte sich, etwa in fünfzig Jahren, das Fünfzehn-Mann-System durch und es erklärte dann ein Fußballkapitän: »Wir spielen ab heute mit elf Mann«, würde man ihn zunächst auslachen. Beharrte er auf seinem Standpunkt, so brächte man ihn in die psychiatrische Klinik.

Dieses Beispiel soll zweierlei veranschaulichen. Einmal: Spielregeln sind unantastbar. Zum andern: Spielregeln wandeln sich, indem man sie antastet. Das gilt nicht nur für Fußballklubs, sondern für jede Gemeinschaft. Das Zusammenleben — im Staat, in der Sippe, in der Partei, in der Kirche, in der Zunft, im Verein — ist ohne Spielregeln unmöglich. Deshalb haßt man die Spielverderber weit mehr und fanatischer als die Falschspieler. Denn die Falschspieler betrügen zwar, aber sie tun es ›regelrecht‹. Doch wenn jemand auftaucht und behauptet, die Monarchie sei eine überholte, abgetakelte Staatsform, oder gar, die Erde drehe sich um die Sonne, muß er gewärtigen, daß man ihn verbrennt. Eines Tages werden dann seine Thesen die neuen Spielregeln bestimmen.

Die Gemeinschaften merken nicht, wenn und wann ihre Konventionen altern. Sie merken's auch nicht, wenn diese mausetot sind. Und die Repräsentanten der Gemeinschaften? Sie *wollen* es nicht merken. Sie verteidigen die Totems und Tabus mit Krallen und Klauen, mit Bann und Acht. Jene Männer, die mit dem Finger auf das Welken und Sterben der alten Regeln zeigen und neue, lebendige Regeln fordern, sind ihre natürlichen Feinde. Luther, Swift, Goya, Voltaire, Lessing, Daumier und Heinrich Heine waren solche Spielverderber. Sie gewannen den Kampf. Aber erst nachdem sie gefallen waren.

Von Lessing gibt es ein paar Sätze, die das Spannungsverhältnis zwischen den Wortführern der reaktionären Kräfte und dem Spielverderber, den einzig sein Gewissen treibt, unübertrefflich kennzeichnen. »Ich habe auf kein gewisses System schwören müssen. Mich verbindet

373

nichts, eine andere Sprache als die meinige zu reden. Ich bedauere die ehrlichen Männer, die nicht so glücklich sind, dieses von sich sagen zu können. Aber diese ehrlichen Männer müssen nur andern ehrlichen Männern nicht auch den Strick um die Hörner werfen wollen, mit welchem *sie* an die Krippe gebunden sind. Sonst hört mein Bedauern auf, und ich kann nichts, als sie verachten.«

Solche ehrliche Männer, die nichts als ihre eigene Sprache reden, sind rarer als vierblättriger Klee. Die Lessings gibt es nicht im Dutzend. Da müssen sich erst Ehrlichkeit, Verstand, Mut, Talent und kaltes Feuer in ein und demselben Menschen mischen, ehe halbwegs ein echter Spielverderber zustande kommt. Und wie oft vereinigen sich diese fünf Gaben schon in einem einzigen Manne? Luthers Satz »Hier stehe ich, ich kann nicht anders!« gehört ins Deutsche Museum. Ins Raritätenkabinett.

Nun gibt es auch kleinkalibrige Spielverderber. Sie sind die ›Unruhe‹ des konventionellen Alltags. Man nennt sie Journalisten. Es gibt nicht nur Journalisten der Feder, sondern auch des Zeichenstifts. Und es gab sie! Erinnern Sie sich noch jener kräftigen Beiträge, die von einigen Spielverderbern unseres Jahrhunderts herrühren und aus frühen Jahrgängen des Münchner ›Simplizissimus‹ stammen? Also aus jenen guten alten Tagen, die man sich ehestens mit Stichworten, wie ›Reisekaiser‹ und ›Affäre Zabern‹, ›Boxeraufstand‹ und ›Prozeß Eulenburg‹, ›Schlotbarone‹ und ›Ostelbier‹, ›Bülow‹ und ›Hertling‹, ›Wehrvorlage‹, ›Peterspfennig‹ und ›Sittlichkeitsvereine‹ ins müde Gedächtnis zurückruft? Wer in den vergilbten Bänden blättert und liest, studiert nicht nur die Geschichte des deutschen Jugendstils, erlebt nicht nur den gewittrigen Vorabend des Ersten Weltkrieges, sondern erfährt in Bild und Text, an zahllosen Beispielen, wie Polemik aussehen kann, auch wenn sie nicht eben von lauter Daumiers und Lessings geführt wird. Wenn sich heutzutage jemand erdreistete, staatliche und kirchliche Mißstände, Justizwillkür und Kunstschnüffelei so anzuprangern, wie es etwa Ludwig Thoma als ›Peter Schlemihl‹ getan hat, man briete den Kerl am Spieß!

Die Publizisten und das pp. Publikum sind mittlerweile ins Zeitalter der Empfindlichkeit hineingetreten. Wir haben vor lauter Aufregungen, und es gab ja genug, ›total‹ vergessen, den Maulkorb abzunehmen, den man uns 1933 umgebunden hatte. Die einen können nicht mehr schreiben. Die anderen können nicht mehr lesen. Versuchen sie's trotzdem, so lesen sie, statt mit den Augen, versehentlich mit den Hühneraugen. Man kann ohne Übertreibung von einer Hypertrophie des Zartgefühls sprechen. Schon in den zwanziger Jahren schrieb Kurt

Tucholsky, auch so ein rastloser Spielverderber, in einem satirischen Gedicht:

>>Sag mal, verehrtes Publikum:
bist du wirklich so dumm?
Ja, dann...
Es lastet auf dieser Zeit
der Fluch der Mittelmäßigkeit.
Hast du so einen schwachen Magen?
Kannst du keine Wahrheit vertragen?
Bist also nur ein Grießbreifresser?
Ja, dann...
Ja, dann verdienst du's nicht besser!<<

Was schriebe er erst, wenn er noch lebte? Über das Publikum? Und gar über unsere Repräsentanten? Ganz besonders über unsere Rrrrrepräsentanten und -onkels, die, faßt man sie am Knopf, Hilfe schreien, weil sie ihre Knöpfe mit den heiligsten Gütern der Nation verwechseln? Und was schließlich schriebe er über seine lieben Kollegen? Ehrlichkeit, Verstand, Mut, Talent und kaltes Feuer, noch dazu in Personalunion, wie selten sind sie geworden! Dort bricht einer mit gewaltigem Getöse und Handgepäck zu einem fulminanten Leitartikel auf und nach den ersten Sätzen wieder zusammen! Hier schleicht ein Kritiker mit seiner abgerüsteten Armbrust hinters Gebüsch und legt vorsichtig an. Wenn das nicht Tells Geschoß wird! Man wartet und wartet. Blickt endlich hinter den Busch, und siehe — der Brave ist überm Zielen eingeschlafen! Da wieder verspricht uns einer, er träfe mit jedem Pfeil ins Schwarze. Statt dessen knallt er dann mit einer veritablen Kanone mitten ins Blaue!
Kritik, Kontroverse, Pamphlet und Polemik sind mehr denn je Fremdwörter. Die Leser müssen wieder lesen und wir Publizisten müssen wieder schreiben lernen. Es sei denn, wir entschlössen uns, dem Ratschlag eines zeitgenössischen Epigrammatikers zu folgen, der in seiner >Großdeutschen Kunstlehre< schreibt:

>>Die Zeit zu schildern, ist eure heilige Pflicht.
Erzählt die Taten! Beschreibt die Gesinnungen!
Nur — kränkt die Schornsteinfeger nicht!
Kränkt die Jäger und Briefträger nicht!
Und kränkt die Neger, Schwäger, Krankenpfleger und
                                        Totschläger nicht!
Sonst beschweren sich die Innungen.<<

Schamloser Journalismus

Die Zeiten Harun al Raschids sind seit längerem vorüber. Wollte er nachts bummeln und in Bagdads Basaren, Straßen und Cafés hören, was man von ihm dachte, zog er kurzerhand einen abgewetzten Trenchcoat an, stahl sich durchs Hinterpförtchen des Serails, und schon trat er in den Schatten der Anonymität. Man erkannte ihn nicht! Man erkannte ihn nicht, weil man ihn nicht kannte. Man wußte nicht, wie er aussah. Denn es gab in jenen ungehobelten Tagen keine Wochenschau und keine Illustrierte, ja nicht einmal den Fernsehfunk. Von der Frage, wie die Leute diesen Zustand optischer Unbildung und Langeweile ertragen konnten, ohne, gerechterweise, zu verzweifeln, wie auch von einer Beantwortung darf aus Neigung und Platzmangel abgesehen werden. Übrig bleibt eine haarsträubende und hinreißende Tatsache: Sogar der Kalif wurde, kaum daß er das fürstliche Kostüm abgelegt und den Bühnenausgang des Palastes verlassen hatte, nur, aber auch endlich ein Irgendwer und Jemand. Das Gesicht hatte seine Unschuld noch nicht verloren. Die Wasserträger, die Teppichhändler, die Derwische, die Märchenerzähler, die Bettler und der Sohn des Propheten blieben unbefangen. Man schenkte ihm, trotz der mohammedanischen Prohibition, reinen Wein ein. Am nächsten Morgen staunten die Wesire, wie gut der Alte Bescheid wußte. Vielleicht wunderten sie sich auch, daß er schon wieder Kopfschmerzen hatte. Das war aber auch alles.

Die Zeiten haben sich geändert. Das Antlitz hat nicht nur seine Unschuld verloren. Das könnte, Soll und Haben aufgerechnet, womöglich ein Gewinn sein. Nein, man hat es prostituiert! Und das ist schauderhaft. Der Ruhm wurde zur Prominenz, und die Leute wurden zur Meute. Es grenzt an Kopfjägerei. Wer wunderte sich sonderlich, läse er in der Zeitung, ein Jüngling habe in einer Straßburger Weinstube Albert Schweitzer mit einer Nagelschere die linke Schnurrbarthälfte abgeschnitten? Nur eben so und zum Andenken? Und geht Furtwängler durch die Hotelhalle, stürzen sich die Backfischmänaden auf ihn, um ein Autogramm oder wenigstens ein Kind von ihm zu kriegen. Kein Kopf und kein Knopf sind ihres Lebens sicher.

Seinen Namenszug zu krakeln, tut nicht weiter weh, und Schnurrbärte wachsen nach. Das ist es nicht. Das Arge und Ärgste ist die Versteppung der Arglosigkeit. Der Nobelpreisträger, der Maler, der Staatssekretär, der Philosoph, der auf die Straße tritt, hat sein Privatleben verwirkt. Die Öffentlichkeit überfährt ihn wie ein Lastwagen. Er kann nichts und niemanden mehr beobachten. Er darf seinen Gedanken nicht mehr nachhängen. Er schlendert nicht mehr. Er hört und sieht nichts. Jeder Schritt und Tritt wird zum Auftritt. Das Leben wird zur Bühne. Und das Heim wird zum Gefängnis, worin er vom Draußen nur noch durch schwer entzifferbare Kassiber erfährt. Und noch zu Hause muß der arme Hund die Schlüssellöcher verhängen und den Kachelofen zum Papierkorb machen. Das klingt übertrieben? Es ist die reine, einfache Wahrheit. Die Lichtstärke des modernen Ruhms unterbricht den Kontakt mit dem Leben. Die Sicherungen sind durchgebrannt.

In welchem Ausmaße das stimmt, erweist sich an einer Zeitungsmeldung, die man kürzlich lesen konnte. Errol Flynn, der strahlende Filmheld, gestand einem Reporter, wie unerträglich er darunter leide, von der Wirklichkeit abgeschnitten und vom Leben ausgestoßen zu sein. Und Schauspieler sind, von Ausnahmen abgesehen, doch ganz gewiß, als ›öffentliche‹ Personen, strapazierfähig wie Straußenmägen und unzerreißbare Bilderbücher! Errol Flynn sagte übrigens, genau genommen, nicht, daß er unter diesem Ausnahmezustand leide, sondern gelitten habe. Er gehe neuerdings in Konzerte, Bars und Museen, auf Rummelplätze und zu Pferderennen, unerkannt und unbefangen, höre, sehe, lache und staune wie irgendeiner und sei glücklich wie ein Schuljunge.

Und weil er so guter Laune war, verriet er dem Zeitungsmann auch sein Geheimnis. Errol Flynn setzt sich, bevor er das Auto verläßt und ins Leben tritt, eine künstliche Nase auf! Ein bedeutender Chiroplastiker habe sie hergestellt, und sie wirke täuschend echt. Begreiflicherweise sei sie größer und weniger edel geformt als die eigene, aber was mache das schon aus, verglichen mit der Seligkeit, ein Niemand, allenfalls ein großnasiger Jemand zu sein! (Cyrano de Bergerac hätte, wenn er noch lebte, allen Grund, Mister Flynn zu beneiden.) Und ohne mir lange darüber Gedanken zu machen, wie man sich eine künstliche Nase schneuzt, bewundere ich den Einfall und Entschluß, die Rückkehr zur Natur durch Künstelei zu erreichen.

Die große Nase hat das Zeug dazu, Schule zu machen. Die Backfische aller Geschlechter und Länder werden sich umstellen müssen. Mein Milchmann — schade, daß Sie seine Nase nicht kennen — mein Milchmann hat jetzt schon Angst.

Über den Charakter von Schriftstellern

Als ich ein kleiner Junge war — und dieser Zustand währte bei mir ziemlich lange —, glaubte ich allen Ernstes folgenden Unsinn: Jeder große Künstler müsse zugleich ein wertvoller Mensch sein. Ich konnte mir überhaupt nicht vorstellen, daß bedeutende Dichter, mitreißende Schauspieler, herrliche Musiker im Privatleben sehr wohl Hanswürste, Geizhälse, Lügner, eitle Affen und Feiglinge sein könnten. Die damaligen Lehrer taten das Ihre, diesen holden ›Idealismus‹ wie einen Blumentopf fleißig zu begießen. Man lehrte uns zusätzlich die Weisheit des alten Sokrates, daß der Mensch nur gescheit und einsichtsvoll genug zu werden brauche, um automatisch tugendhaft zu werden. So bot sich mir schließlich ein prächtiges Panorama: Ich sah die Künstler, die gleichzeitig wertvolle Menschen und kluge Köpfe waren, ich sah sie dutzend-, ja tausendweise in edler Vollendung über die Erde wallen. (Damals beschloß ich, Schriftsteller zu werden.)

Später boten sich mir dann in reichem Maße vortreffliche Gelegenheiten, meinen schülerhaften Köhler- und Künstlerglauben gründlich zu revidieren. Es dauerte lange, bis ich den damit verbundenen Kummer verwunden hatte, und noch heute, gerade heute, bohrt er manchmal wieder, wie der Schmerz in einem Finger oder einer Zehe bohren soll, die längst amputiert worden ist.

Als mich im Jahre 1934 der stellvertretende Präsident der Reichsschrifttumskammer, ein gewisser Doktor Wißmann, in sein Büro zitierte und sich erkundigte, ob ich Lust hätte, in die Schweiz überzusiedeln und dort, mit geheimen deutschen Staatsgeldern, eine Zeitschrift gegen die Emigranten zu gründen, merkte ich, daß er über den Zusammenhang von Talent und Charakter noch rigoroser dachte als ich. Er schien, durch seine Erfahrungen im Ministerium gewitzigt, geradezu der Ansicht zu sein, Talent und Charakter schlössen einander grundsätzlich aus.

Glücklicherweise hatte dieser goldene Parteigenosse nicht recht. Es gab und gibt immer begabte Leute, die trotzdem anständige Menschen sind. Nur eben, sie sind selten und seltener geworden. Die einen verschlang der Erste Weltkrieg. Andere flohen ins Ausland, als Hitler Hindenburgs Thron bestieg. Andere blieben daheim und wurden totgeschlagen. Viele fraß der Zweite Weltkrieg. Manche liegen noch heute, zu Asche verbrannt, unter den Trümmern ihrer Häuser. — Der Tod, der den Stahlhelm trägt und die Folterwerkzeuge schleppt, gerade dieser Tod hat eine feinschmeckerische Vorliebe für die aufrechten, begabten Männer.

Und nun, wo wir darangehen wollen und darangehen dürfen und darangehen müssen, neu aufzubauen, sehen wir, daß wir angetreten sind wie eine ehemals stattliche Kompanie, die sich, acht Mann stark, aus der Schlacht zurückmeldet.

Aber wir bemerken noch etwas. Wir beobachten Zeitgenossen, die der frommen Meinung sind, der Satz: ›Es gibt Talente mit Charakter!‹ ließe sich abwandeln in einen anderen, ebenso schlüssigen Satz, welcher etwa lautet: ›Aufrechte Männer sind besonders talentiert!‹

Das wäre, wenn es häufig zuträfe, eine musterhafte, meisterhafte Fügung des Schicksals. Der Satz ist nur leider nicht wahr. Wer ihn glaubt, ist abergläubisch.

Und dann gibt es einen weiteren gefährlichen Irrtum. Einen Irrtum, der, von vielen begangen, vielerlei verderben könnte, auch wenn man ihn gutgläubig beginge. Ich meine die Mutmaßung, gerade diejenigen, die mit eiserner Beharrlichkeit auf ihre besondere Eignung für wichtige Stellungen im Kulturleben hinweisen, seien tatsächlich besonders geeignet! Man darf solchen Leuten nicht unbedingt glauben. Sie täuschen sich womöglich in sich selber. So etwas kommt vor. Oder sie gehören zu den Konjunkturrittern, die, wenn ein Krieg vorbei und verloren ist, klirrend ins Feld zu ziehen pflegen!

Nicht so sehr ins Feld wie in die Vor- und Wartezimmer. Sie hocken auf den behördlichen Stühlen wie sattelfeste, hartgesottene Kavalleristen. Nicht jeder Künstler ist ein solcher Stuhl- und Kunstreiter. Gerade viele der Besten haben weder die Zeit noch die Neigung, Rekorde im Sich-Anbieten aufzustellen. Es widert sie an, vor fremden Ohren ihr eigenes Loblied zu singen. Sie pfeifen aufs Singen und arbeiten lieber daheim als im Schaufenster. Das ist aller Ehren wert und dennoch grundfalsch und eine Sünde.

Die weiße Weste soll für uns keine Ordenstracht sein und auch keine neue Parteiuniform, sondern eine Selbstverständlichkeit. So wenig wie die Qualität des Sitzfleisches ein Gesichtspunkt für die Verleihung verantwortlicher Stellungen sein darf, so wenig darf Heinrich Heines Hinweis unbeachtet bleiben, daß es auch unter braven Leuten schlechte Musikanten gibt. Denn schlechte Musikanten, und wenn sie noch so laut Trompete blasen, können wir nicht brauchen. Man soll ihnen meinetwegen die weiße Weste 2. Klasse oder die weiße Weste 1. Klasse verleihen, oder die weiße Weste mit Eichenlaub, an einem weißen Ripsband um den Hals zu tragen! Das wird sie freuen und tut keinem weh.

Aber mit wichtigen Schlüsselstellungen darf man ihre saubere Gesinnung und Haltung nicht belohnen. Für solche Späße ist die Zeit zu ernst. Nicht die Flinksten, nicht die Ehrgeizigsten, auch die nicht, die nichts als brav sind, sollen beim Aufbau kommandieren, sondern die tüchtigsten Kommandeure! Menschen, die außer ihrer weißen Weste das andere, das Unerlernbare, besitzen: Talent!

Sie müssen ihr Zartgefühl überwinden. Erwürgen müssen sie's. Vortreten müssen sie aus ihren Klausen. Aufspringen müssen sie von ihren Sofas. Hervorschieben müssen sie sich hinter ihren Öfen, in denen das selbstgeschlagene Holz behaglich knistert.

Jetzt geht es wahrhaftig um mehr als um privates Zartgefühl oder gar ums Nachmittagsschläfchen! Es ist Not am Mann. Es geht darum, daß auf jedem Posten der tüchtigste Mann steht.

Es geht darum, daß die tüchtigsten Männer Posten stehen!

Lyrik als Beruf

Die Beziehung des Publikums zur Lyrik ist weder gespannt noch lokker, sondern überhaupt nicht vorhanden! Und schuld daran ist nicht das Publikum. Schuld daran sind die Lyriker. Sie liefern, wie es in der Bibel heißt, »Steine statt Brot«. Das ist kein reelles Angebot. Selbst wenn ihre Steine Edelsteine wären — auch Edelsteine sind kein vitaminreiches Nahrungsmittel. Die Leser sind eigensinnig. Sie wollen Brot. Gutes, schmackhaftes und frisches Brot. Und gelegentlich ein Stück Kuchen. Steine, meinetwegen Edelsteine? Nein! Doch die Poeten wollen weder Brot noch Kuchen backen. Sie wollen synthetische Diamanten herstellen.

Ich gehöre zu den Bäckern. Es ist ein ehrsames Handwerk. Unser Brot und unser Kuchen werden gekauft und gegessen. Die Kunden werden davon einigermaßen satt. (Und gelegentlich sogar die Bäcker selber.) Und sollte die Fabrikation künstlicher Edelsteine ein feinerer Beruf sein — wir Bäcker sind nicht neidisch.

In meinem zweiten Gedichtbande, ›Lärm im Spiegel‹, der vor nun fast dreißig Jahren erschien, schrieb ich in einer ›Prosaischen Zwischenbemerkung‹: »...Zum Glück gibt es ein oder zwei Dutzend Lyriker — ich hoffe beinahe, mit dabei zu sein —, die bemüht sind, das Gedicht am Leben zu erhalten. Ihre Verse kann das Publikum lesen und hören, ohne einzuschlafen, denn sie sind seelisch verwendbar. Sie wurden im Umgang mit den Freuden und Schmerzen der Gegenwart notiert, und für jeden, der mit der Gegenwart geschäftlich zu tun hat, sind sie bestimmt. Man hat für diese Art von Gedichten die Bezeichnung ›Gebrauchslyrik‹ erfunden, und die Erfindung beweist, wie selten in der jüngsten Vergangenheit wirkliche Lyrik war. Denn sonst wäre es jetzt überflüssig, auf ihre Gebrauchsfähigkeit wörtlich hinzudeuten. Verse, die von den Zeitgenossen nicht in irgendeiner Weise zu brauchen sind, sind Reimspielereien, nichts weiter... Mit der Sprache (und der ›Bildung‹) seiltanzen, das gehört ins Varieté... Die Lyriker haben wieder einen Zweck. Ihre Beschäftigung ist wieder ein Beruf.«

Die Sätze sind, wie gesagt, fast dreißig Jahre alt, und die Situation hat sich, wie gesagt, nicht geändert. Und schon gar nicht gebessert. Denn wir hegten damals noch eine vage Hoffnung. Wir hofften, auf dem Umweg über unsere Gedichte, das Publikum auch der anspruchsvolleren Lyrik näherzubringen. Doch diese Hoffnung schlug fehl. Und so lautet, noch immer und heute dringlicher denn je, unsere Frage: Wie kann der Poésie pure ein breiteres Publikum gewonnen werden?

Als Antwort bleiben zwei Gegenfragen übrig. Die erste Gegenfrage heißt: *Können* sich unsere Lyriker einem solchen Publikum verständlicher machen als bisher? Ich vermute: Sie können es nicht! Wie es eine ›höhere‹ Mathematik gibt, so dürfte es für sie eine ›höhere‹ Poesie geben. Dann verstünden die Mathematik nur noch die Mathematiker, und die Poesie nur noch die Lyriker. Dann hätten diese den Gipfel der Einsamkeit erreicht und vernähmen nichts außer dem Echo ihrer eigenen Deklamation.

Und die zweite Gegenfrage heißt: *Wollen* sich unsre Lyriker dem Publikum überhaupt verständlich machen? Ich vermute: Sie wollen es nicht! Der Gegensatz zur Poésie pure ist für sie nicht die Poésie engagée, sondern die Poésie impure. Sollten sie so hochmütig sein, dann wäre der ›Fall‹ aussichtslos. Dann hülfen keine Kritiker, keine Literaturtrompeter und keine dritten Programme. Dann wäre — und damit komme ich zum traurigen Abschluß meiner ernsten Bemerkungen — eine lustige Anekdote am Platz. Und ich vermute: Sie *ist* am Platze!

Also: Drei kleine Pfadfinder melden sich, wie jeden Abend, beim Leiter ihrer Gruppe, und der junge Mann fragt sie, wie jeden Abend: »Was habt ihr *heute* Gutes getan?« Einer der Jungen antwortet stolz: »Wir haben, zu dritt, eine alte Dame im größten Verkehr über die Straße gebracht!« »Zweifellos eine gute Tat!« sagt der junge Mann. »Aber warum, um alles in der Welt, zu *dritt*?« »Weil...«, antwortet der Junge, »weil... Eigentlich wollte sie gar nicht *hinüber*!«

Sinn und Wesen der Satire

Über dem geläufigen Satze, daß es schwer sei, *keine* Satire zu schreiben, sollte nicht vergessen werden, daß das Gegenteil, nämlich das Schreiben von Satiren, auch nicht ganz einfach ist. Das Schwierigste an der Sache wird immer die Vorausberechnung der Wirkung bleiben. Zwischen dem Satiriker und dem Publikum herrscht seit alters Hochspannung. Sie beruht im Grunde auf einem ebenso einseitigen wie resoluten Mißverständnis, das der fingierte Sprecher eines Vierzeilers von mir, eben ein satirischer Schriftsteller, folgendermaßen formuliert:

> Ich mag nicht länger drüber schweigen,
> weil ihr es immer noch nicht wißt:
> Es hat keinen Sinn, mir die Zähne zu zeigen, —
> ich bin gar kein Dentist!

Wie gesagt, die Verfasser von Satiren pflegen mißverstanden zu werden. Seit sie am Werke sind — und das heißt, seit geschrieben wird —, glauben die Leser und Hörer, diese Autoren würfen ihrer Zeit die Schaufenster aus den gleichen Motiven ein wie die Gassenjungen dem Bäcker. Sie vermuten hinter den Angriffen eine böse, krankhafte Lust und brandmarken sie, wenn sie es vorübergehend zum Reichspropagandaminister bringen, mit dem Participium praesentis »zersetzend«. Solche Leser sind aus Herzensgrund gegen das Zersetzen und Zerstören. Sie sind für das Positive und Aufbauende. *Wie* aufbauend sie wirken, kann man, falls sie es vorübergehend zum Reichspropagandaminister bringen, später bequem und mit bloßem Auge feststellen.

In der Mittelschule lernt man auf lateinisch, daß die Welt betrogen werden wolle. In der eigenen Muttersprache lernt man's erst im weiteren Verlauf, — aber gelernt wird's auf alle Fälle, in *der* Schulstunde fehlt keiner. Die umschreibende Redensart, daß die Menschen sich und einander in die Augen *Sand* streuten, trifft die Sache nicht ganz. Man streut sich auf der Welt keineswegs Sand in die Augen. So plump ist man nicht. Nein, man streut einander Zucker in die Augen. Klaren Zucker, raffinierten Zucker, sehr raffinierten sogar, und wenn auch das nichts hilft, schmeißt man mit Würfelzucker! Der Mensch braucht den süßen Betrug fürs Herz. Er *braucht* die Phrasen, weich wie Daunenkissen, sonst kann sein Gewissen nicht ruhig schlafen.

Als ich vor rund fünfundzwanzig Jahren nach bestem Wissen und Gewissen zu schreiben begann, kamen immer wieder Beschwerdebriefe. Mit immer wieder dem gleichen Inhalt. Wo, wurde resigniert oder auch böse gefragt, wo bleibt denn nun bei Ihnen das Positive? Ich antwortete schließlich mit dem inzwischen einigermaßen bekanntgewordenen Gedicht ›Und wo bleibt das Positive, Herr Kästner?‹

Dem Satiriker ist es verhaßt, erwachsenen Menschen Zucker in die Augen und auf die Windeln zu streuen. Dann schon lieber Pfeffer! Es ist ihm ein Herzensbedürfnis, an den Fehlern, Schwächen und Lastern der Menschen und ihrer eingetragenen Vereine — also an der Gesellschaft, dem Staat, den Parteien, der Kirche, den Armeen, den Berufsverbänden, den Fußballklubs und so weiter — Kritik zu üben. Ihn plagt die Leidenschaft, wenn irgend möglich das Falsche beim richtigen Namen zu nennen. Seine Methode lautet: Übertriebene Darstellung negativer Tatsachen mit mehr oder weniger künstlerischen Mitteln zu einem mehr oder weniger außerkünstlerischen Zweck. Und zwar nur im Hinblick auf den Menschen und dessen Verbände, von der Ein-Ehe bis zum Weltstaat. Andere, anders verursachte Mißstände — etwa eine Überschwemmung, eine schlechte Ernte, ein Präriebrand — reizen den Satiriker nicht zum Widerspruch. Es sei denn, er brächte solche Katastrophen mit einem anthropomorph vorgestellten Gott oder einer Mehrzahl vermenschlichter Götter in kausale Zusammenhänge.

Der satirische Schriftsteller ist, wie gesagt, nur in den Mitteln eine Art Künstler. Hinsichtlich des *Zwecks*, den er verfolgt, ist er etwas ganz anderes. Er stellt die Dummheit, die Bosheit, die Trägheit und verwandte Eigenschaften an den Pranger. Er hält den Menschen einen Spiegel, meist einen Zerrspiegel, vor, um sie durch Anschauung zur Einsicht zu bringen. Er begreift schwer, daß man sich über ihn ärgert. Er will ja doch, daß man sich über *sich* ärgert! Er will, daß man sich schämt. Daß man gescheiter wird. Vernünftiger. Denn er glaubt, zumindest in seinen glücklicheren Stunden, Sokrates und alle folgenden Moralisten und Aufklärer könnten recht behalten: daß nämlich der Mensch durch Einsicht zu bessern sei.

Lange bevor die ›Umerziehung der Deutschen‹ aufs Tapet kam, begannen die Satiriker an der ›Umerziehung des Menschengeschlechts‹ zu arbeiten. Die Satire gehört, von ihrem Zweck her beurteilt, nicht zur Literatur, sondern in die Pädagogik! Die satirischen Schriftsteller sind Lehrer. Pauker. Fortbildungsschulmeister. Nur — die Erwachsenen gehören zur Kategorie der Schwererziehbaren. Sie fühlen sich in der Welt ihrer Gemeinheiten, Lügen, Phrasen und längst verstorbenen Konventionen ›unheimlich‹ wohl und nehmen Rettungsversuche außerordentlich übel. Denn sie sind ja längst aus der Schule und wollen endlich ihre unverdiente Ruhe haben. Rüttelt man sie weiter, speien sie Gift und Galle. Da erklären sie dann, gefährlichen Blicks, die Satiriker seien ordinäres Pack, beschmutzten ihr eigenes Nest, glaubten nicht an das Hohe, Edle, Ideale, Nationale, Soziale und die übrigen heiligsten Güter, und eines Tages werde man's ihnen schon heimzahlen! Die Poesie sei zum Vergolden da. Mit dem schönen Schein gelte es, den Feierabend zu tapezieren. Unbequem sei bereits das Leben, die Kunst sei gefälligst bequem!

Es ist ein ziemlich offenes Geheimnis, daß die Satiriker gerade in Deutschland besonders schwer dran sind. Die hiesige Empfindlichkeit grenzt ans Pathologische. Der Weg des satirischen Schriftstellers ist mit Hühneraugen gepflastert. Im Handumdrehen schreien ganze Berufsverbände, Generationen, Geschlechter, Gehaltsklassen, Ministerien, Landsmannschaften, Gesellschaftsschichten, Parteien und Haarfarben auf. Das Wort ›Ehre‹ wird zu oft gebraucht, der Verstand zu wenig und die Selbstironie — nie.

Das wird und kann die Satiriker nicht davon abhalten, ihre Pflicht zu erfüllen. »Sie können nicht schweigen, weil sie Schulmeister sind«, hab ich in einem Vorwort geschrieben, »— und Schulmeister müssen schulmeistern. Ja, und im verstecktesten Winkel ihres Herzens blüht schüchtern und trotz allem Unfug der Welt die törichte, unsinnige Hoffnung, daß die Menschen vielleicht doch ein wenig, ein ganz klein wenig besser werden könnten, wenn man sie oft genug beschimpft, bittet, beleidigt und auslacht. Satiriker sind Idealisten.«

Die, in denen es dichtet

Wenn ein Universitätsprofessor Scripture aus Wien im sechsundsechzigsten Band des ›Archivs für die gesamte Psychologie‹ jene menschliche Tätigkeit beschreibt, »welche aus einem innern Druck entsteht und welche eine Erleichterung schafft«, so meint er damit keineswegs, obwohl man es denken sollte, das Verdauungsfinale. Sondern die Dichtkunst. Diese Definition stammt aus keiner Maßschneiderei: sie ist zu weit und paßt, weil sie nicht paßt, auf vieles. Sie ist das Resultat einer wissenschaftlichen Rundfrage.

Wer dreißig Lyriker befragt, wie sie dichten, darf sich nicht wundern, wenn er Antworten wie diese erhält: »Oft kamen die Lieder angeflogen, während ich auf dem Rade fuhr und mich schleunigst auf einen Eckstein oder einen Grabenrand setzen mußte, um es festzuhalten (?)... Oft drängt es mich auch so, daß ich ... irgendein Blättchen..., das grade zur Hand ist...«, beichtet einer der Befragten. Sogar der Nichtmediziner weiß da sofort, worum es sich handelt, und wird zu Hafer-schleimsuppe raten.

Vierzehn Fragen hat der Professor den Herren vorgelegt. Frage 2 lautet: »Wie kommen Sie zu der benutzten Versform?« Frage 5: »Setzen Sie die Anzahl der betonten und unbetonten Silben vorher fest?« Frage 9: »Schreiben Sie einfach, ohne an Rhythmus und Metrik zu denken?« Frage 12: »Wie teilen Sie die einzelnen Zeilen ein?« Und Frage 14: »Warum schreiben Sie Gedichte?« Eulenberg hat geantwortet: »Weil ich's kann.«

Die Fragen und Antworten hat der Professor durch einen in seinem besten Sonntagsdeutsch formulierten Satz verbunden: »Den Hauptteil des Folgenden bilden die Beantwortungen dieser Fragen seitens der obengenannten Dichter.« Und nun legen die Befragten, diese männlichen, vom Größenwahn befallenen Backfische, gründlich los. Sie reden dem Vollbart ein, daß sie ein intimes Verhältnis mit dem Heiligen Geist hätten und bei der Ausgießung jedesmal doppelte Portionen kriegten. Ernst von Wolzogen renommiert mit dem »seligen Schauer des Entrücktseins«. Wildgans schreibt »wie nach einem mystischen Diktat«. Ginzkey gerät aus beruflichen Gründen in Trance und dichtet »aus einer Art priesterlichen Dranges heraus«. Wille liest »ungedruckte Gedichte im Wachtraum« und verweist im übrigen auf das Bruno Wille-Buch. Franz Lüdtke, auch »der Dichter des ostmärkischen Herbstes« genannt, schafft in »Wachsuggestion oder Wachhypnose« und wundert sich dann über das, »was da gereift ist«. Hermann Bartel arbeitet auch nicht persönlich, sondern »es« dichtet in ihm. Unter »Hingebung an genanntes Es« hat er in sich »etwas von dem Geiste, der tausend Jahre warten kann«!!! Wenn er's nur täte. Statt dessen »treibt er so viel Blüten, wie wohl ein Lenz kann... Nachstehende Verse zum Beispiel sind durch eine Art Blitzlicht entstanden! Sie waren auf dem Papier, ehe ich wußte, was ich schrieb, ich tat weiter nichts, als daß ich einem Gefühl nachgab!

> Alles ist Rhythmus — —
> Rhythmus ist alles — —
> Seele, ist Gefühl für Rhythmus — —
> Geist, ist Rhythmus im Gefühl —«

Da Bartel, wie gesagt, meist gar nicht weiß, was er schreibt, sollte man es ihm noch einmal hingehen lassen. Nur eine etwas weniger blöde Art der Interpunktion könnte er seinem Heiligen Geist beibringen. Joseph August Lux bekennt: »Von mir ist nichts, alles Gute ist

Gottes!« Er hat »die Gnade des Himmels offen über sich«, und erlebt »eine Empfängnis und Zeugung des Heiligen Geistes! Aber es gibt im Himmel auch einen Engelsturz... Wenn letzterer herrscht, dann ist es immer vom Übel!« Drollige Jungens! Wenn sie beim Arbeiten rote Backen kriegen, denken sie schon, der liebe Gott habe geheizt. George Bonne kann gleichfalls »auf Wunsch oder mit Willen kaum einen vernünftigen Vers dichten«. Die besseren Sachen macht ihm, wie den andern, der Himmel. »Sie wollen in die Werkstatt des Dichters schauen? Da müssen Sie sich schon Flügel aufspannen, um ihn zu begleiten: Bald kommen die Lieder zu mir aufs Fahrrad geflogen, bald zu mir aufs Pferd, oft in der Eisenbahn... und gelegentlich am Schreibtisch — aber immer, wenn eins kommt, ist es eine Weihestunde... Warum ich dichte? Fragen Sie meine Lieder! Sie werden Ihnen sagen: ein Kommen und damit waren sie da!« Das Durchfall-Artige seiner Lyrik schildert er besonders anschaulich, wenn er von der Entstehung einer Ode berichtet: »Da hatte ich es so eilig, die Ode, die mich wie ein Sturmwind durchbrauste, niederzulegen, daß ich mir, da ich kein Papier bei mir hatte, meine Manschetten abriß...« Ahornblätter hätte er nehmen sollen.

Emil Uellenberg antwortete auf die Frage, warum er dichte, mit der Gegenfrage, warum dem Bock Hörner wüchsen. Und nur ganz wenige haben die Rundfrage überhaupt ablehnend beantwortet, so Ricarda Huch, Wilhelm von Scholz, Hugo von Hofmannsthal, Lulu von Strauß und Torney, und Münchhausen ließ dem Professor schreiben, er verbitte sich »weitere Belästigungen durch solche unsäglich kindlichen Fragen«.

Da die Antworter den Heiligen Geist zum Sekretär haben, wissen sie selber natürlich nicht das mindeste vom Rhythmischen und Musikalischen. Heinrich Vierordt »denkt an die Versform, wie gesagt, nie«. Oskar Wiener kümmert sich »um die Versform noch weniger als um den Inhalt«. Dem Hermann Bartel ist das alles »in der Blume des Einfalls schon geboten«. Bei Lux besorgt es »die Musik des Himmels«. Und so sitzen denn der Herr Professor zum Schluß da und reden, mit Zittern in der Stimme, vom Unbewußten, anstatt den angesammelten Quatsch ins Feuer zu werfen, wo der Ofen am tiefsten ist.

Gibt es etwas Alberneres als diese Grossisten der Intuition? Je unbegabter sie sind, um so mehr prahlen sie mit ihren mystischen Beziehungen. Dabei verwechseln sie offensichtlich eine ganz gemeine Produktionsnervosität mit prophetischem Bauchgrimmen. Wo käme der Heilige Geist hin, wenn er bei jedem Reim persönlich anwesend sein müßte?

386

Schüler und Schuldner Georg Büchners

Lassen Sie mich einige Überlegungen anstellen, die sich bei der Wiederbeschäftigung mit Büchners Leben und Werk aufdrängten. Es handelt sich natürlich nicht um neue Erkenntnisse auf den Gebieten der Literaturgeschichte und der Ästhetik, sondern um Einfälle, die man gelegentlich beim Lesen hat und in Stichworten am Buchrande notiert, also um Notizen, um Marginalien, um Randbemerkungen, um Knoten im Taschentuch. Man stockt beim Lesen, kritzelt etwas hin, überlegt, unterstreicht, macht ein Ausrufungszeichen und denkt: ›Ein andermal!‹

Drei solcher Marginalien möchte ich — nicht ›ein andermal‹, sondern jetzt — kurz zur Sprache bringen und beginne mit einer Notiz ›Über die Ungleichzeitigkeit des Gleichzeitigen‹. Ich könnte auch sagen: Über die Asynchronität in der Chronologie.

Gerade im Falle Georg Büchners stellt sich, wenn und solange man ihn im Rahmen seiner Lebenszeit und der Zeitgenossen zu betrachten versucht, ein nahezu physisches Mißbehagen ein. Man ist bis in die Nervenspitzen irritiert. Trotz Julirevolution und Gutzkow, trotz gemeinsamer Zeitgeschichte, trotz gleicher Empörung und Verfolgung, was hatte er denn mit dem Optimismus und dem Stil des sogenannten ›Jungen Deutschland‹ zu schaffen? Nichts, gar nichts. Was hielt denn dieser Jüngling, obgleich er ein Rebell war, von Revolutionen? Es gäbe keine, wenn der Arme, nach Henri Quatres Rezept, sein Huhn im Topf habe. Was hielt er, der die hohen Herren gleichwohl haßte, von ihrem Übermut und ihrem Ziel? Lebensüberdrüssig seien sie, und nur eine Neuigkeit könne sie noch kitzeln, der Tod. Glaubte er denn, der sich trotzdem auflehnte, an den Sinn der Empörung, an eine Synthese der sozialen Gegensätze? Er kämpfte dafür und glaubte nicht daran. So steht er, ein streitbarer Fatalist, mitten unter den Fechtern, die an die große Veränderung glauben, und steht doch ganz woanders. Wohin gehört er?

Im gleichen Jahre, in dem er geboren wurde, kamen Hebbel, Richard Wagner, Verdi und Kierkegaard zur Welt, und nur mit Kierkegaard ist er verwandt, in der gleichen und gemeinsamen Angst. Im nächsten Umkreis seines Geburtsjahres wurden Geibel, Adolf Menzel, Karl Marx, Keller, Fontane und Bismarck geboren. Bevor sie ihr Lebenswerk auch nur begonnen hatten, das ins nächste Zeitalter gehört, war Büchner schon berühmt und schon lang tot. Wohin gehört er?

In seinem Todesjahr und in dessen nächstem Umkreis starben Börne, Puschkin, Chamisso, Brentano, Immermann, Caspar David Friedrich,

Karl Blechen, Walter Scott und Schleiermacher. Die Romantiker starben, deren Lebenswerk in der Vergangenheit lag. Und unser Klassiker Goethe war erst fünf Jahre tot. Wohin gehört Büchner?

1835, als ›Dantons Tod‹ erschien, und im nächsten Umkreis des Erscheinungsjahres wurden Balzacs ›Père Goriot‹ und Mörikes ›Maler Nolten‹, Grillparzers ›Traum, ein Leben‹ und ›The Pickwick Papers‹ von Dickens veröffentlicht. Wieso befällt uns kein Zweifel, daß diese Meisterwerke zu ihrem Erscheinungsjahr gehören? Wieso schickt sich ihre Einzigartigkeit in den Kalender — oder eigentlich: Wieso ergreift uns gerade bei Büchner eine an Verwirrung grenzende Ratlosigkeit, die nicht durch Hinweise auf seine Genialität, auf seine kurze Lebensdauer und auf seine Frühreife besänftigt oder gar beseitigt werden kann? Unsere Ratlosigkeit verschwindet, sobald wir uns zu einer seltsamen Ansicht entschließen. Sobald wir seine literarische Existenz um genau sechzig Jahre zurückdatieren, mildert sich unsere Verwirrung, und je mehr wir uns mit dieser neuen und sonderbaren Zeitrechnung vertraut machen, um so klarer wird, durch diese Rückprojektion, Büchners Bild.

Die Meinung, daß er, der Chronologie zum Trotz, nicht in die Nachbarschaft des ›Jungen Deutschland‹, sondern inmitten jene Bewegung gehöre, die sich, nach Klingers Drama, ›Sturm und Drang‹ nannte, ist nicht neu. Doch als ich, etwa sechzehn Jahre alt, Büchner zum ersten Male las, kannte ich die merkwürdige Theorie noch nicht, und trotzdem sah ich auch damals den außerordentlichen Jüngling nicht neben dem Burschenschafter Fritz Reuter stehen, der ein Jahr nach dem Erscheinen von ›Dantons Tod‹ zum Tode verurteilt und zu Festungshaft begnadigt wurde, und nicht neben den sieben aufrechten Professoren aus Göttingen, sondern immer neben dem jungen Goethe in Straßburg, von Herder kommend, vorm Münster, von Shakespeare schwärmend, oder wie sie sich brüderlich die Hand drückten und jeder in ›sein‹ Pfarrhaus eilte, der eine zu Friederike Brion, der andre zu Minna Jaegle. Die Wahlverwandtschaft und die Zeitverwandtschaft der zwei jungen Genies drängte sich auf, und die anderen, Lenz und Klinger und Wagner, sie standen nicht neben, sondern hinter den beiden. Büchner, der ›ungleichzeitige Zeitgenosse‹ des jungen Goethe, der Sohn Darmstadts, stand für mich und steht tatsächlich dem Sohne Frankfurts ungleich näher als etwa Lenz, der, komisch und tragisch in einem, Goethe bis in dessen Liebschaften ›nachzuvollziehen‹ suchte.

Büchner ist, wenn man es so nennen will, doch ohne daß er dadurch an Substanz und Wert einbüßte, ein Anachronismus — ein Epigone ist er in keiner Zeile. Danton und Woyzeck behaupten neben dem Götz und neben dem Gretchen des ›Urfaust‹ den gleichen Rang und ihren unverwechselbaren Platz. Nur in einem Punkt unterschied sich Georg Büchner von den anderen Straßburger Genies um 1775: Er kannte die europäische Geschichte der folgenden sechzig Jahre! Er wußte von der Französischen Revolution, von Napoleons Herrschaft und Untergang, von der Restauration, von der Julirevolution, vom Juste Milieu und vom Bürgerkönigtum. Er war um sechzig Jahre klüger als sie, und das heißt, in Anbetracht des Weltgeschehens in dieser Zeitspanne, um sechzig Jahre skeptischer. Er lehnte sich auf wie sie, und er glaubte viel weniger als sie. Er war ein Kämpfer ohne Hoffnung.

Ein anderer großer Sohn Darmstadts, Lichtenberg, hat den Satz notiert: »Ich kann freilich nicht sagen, ob es besser werden wird, wenn es anders wird; aber soviel kann ich sagen: es muß anders werden, wenn es gut werden soll.« — Das ist eine bescheidene Prophezeiung. Sie besagt nichts weiter, als daß man in der Geschichte die Chance, das Große Los zu gewinnen, nur dann hat, wenn man Lotterie spielt. Büchners Zweifel waren nicht geringer. Aber Lichtenberg war ein philosophischer Zuschauer, und Büchner war ein jugendlicher Rebell, der an der Lotterie teilnahm. Er spielte um seinen Kopf und glaubte weder ans Große Los noch an einen anderen nennenswerten Gewinn. Zwischen seinem Genie und seinem Kopf lagen sechzig Jahre. Während er stritt, stritten zwei Epochen in ihm. Um seinen literarischen Ort zu bestimmen, sprach ich von der Ungleichzeitigkeit des Gleichzeitigen. Um seinen inneren Zwiespalt zu bezeichnen, wäre die umgekehrte Formulierung am Platze. Er litt unter der Gleichzeitigkeit des Ungleichzeitigen.

Bevor ich meine zweite Randbemerkung mache und erläutere, wiederhole ich, was ich eingangs der ersten sagte: Ich etabliere keine Neuigkeiten. Ich versuche, mich Naheliegendem auf meine Weise zu nähern.

Die zweite Notiz machte ich beim Wiederlesen von ›Dantons Tod‹, und sie heißt ›Über spezifische Eigenschaften historischer Stoffe‹.

Das historische Drama — für den historischen Roman gilt dasselbe — bringt dem Autor, bei der Eheschließung zwischen sich und seinem Gegenstand, eine stattliche Mitgift ein: den Stoff der Geschichte. Das ist für minderbemittelte Autoren oft genug Anreiz zur Mitgiftjägerei. Sie heiraten den Stoff und geben Geld aus, das ihnen nicht gehört. Sie lassen Friedrich den Großen ›Bon soir, messieurs!‹ sagen, und das hat zweifellos eine stärkere Wirkung, als wenn eine ihrer selbstgemachten Figuren, welchen Rang sie ihr auch anschminkten, guten Abend wünschte. Doch von solchen Schmarotzern soll nicht die Rede sein.

Immerhin wird auch hier, bei diesem bloßen Seitenblick, ein zusätzlicher Effekt sichtbar, der mit dem Können des Dramatikers nicht das mindeste zu tun hat, sondern den das Sujet frei ins Haus liefert, in unserem Fall ins Bühnenhaus. Die einzige Voraussetzung, die erfüllt sein muß, ist, daß im Parkett Leute sitzen, die, wenigstens bis zu einem gewissen Grad, geschichtskundig sind.

Man könnte sich Schriftsteller ausmalen, denen die Mitwirkung der Geschichte am Drama illegitim erschiene und peinlich wäre. Sie könnten sagen: »Wir verzichten auf fremde Hilfe. Wir engagieren weder Heinzelmännchen noch historische Riesen. Wer in den Tresor der Geschichte greift, stiehlt. Auch er ist ein Plagiator. Wir aber siegen oder fallen ohne Hilfstruppen und mit nichts anderem als unserem Talent.« Solche Sensibilität, solcher Hochmut, ein so heikles Gewissen wären denkbar. Doch solche Schriftsteller, über deren Meinung und Idiosynkrasie sich streiten ließe, gibt es nicht. Die kleinen, die großen und die größten haben tief in den Tresor der Geschichte gegriffen, und als sie ihre Hände voller Gold und Edelsteine wieder herauszogen, hatten sie Handschellen an den Gelenken!

Büchner hat geschrieben, das historische Drama sei »Geschichte zum zweitenmal«, und »Ich betrachte mein Drama wie ein geschichtliches Gemälde, das seinem Original gleichen muß«. Der historische Stoff und die überlieferten Schicksale tragen dazu bei, die Zuschauer zu fesseln, doch zuvor fesseln sie den Autor. Sie knebeln seine Phantasie, seine Hoffnungen und seine Entwürfe. Er muß wollen, was schon einmal geschah. Daß er im Pitaval der Geschichte nach Möglichkeit genau die Fabel, die Helden und die Schurken sucht, die er braucht, ist sicher. Daß er sie findet, war und ist selten. Er liegt an der Kette. Die künstlerische Freiheit wird, mit der Kugel am Bein, zur Bewegungsfreiheit der Gefangenen degradiert. Er wandert, zwei Schritte hin, zwei Schritte her, in der Zelle seiner Wahl.

Zwei Schritte hin, zwei Schritte her. Lucile Desmoulins darf zur Ophelia werden, und sie darf ›Es lebe der König!‹ rufen, obwohl nicht sie diesen verbrieften Ruf ausgestoßen hat, um aufs Schafott zu kommen. Sie wurde hingerichtet, aber auf Grund einer Denunziation. Und Julie Danton darf sich, während ihr Mann geköpft wird, vergiften, obwohl sie, in Wirklichkeit, drei Jahre nach Dantons Tod einen Baron Dupin geheiratet und selbst Georg Büchner, den Erfinder ihres Selbstmords, überlebt hat. Als er dieser Frau die Treue bis in den Tod andichtete, verletzte er die historische Treue, doch es war kein Treubruch von Belang. Soviel Freiheit blieb ihm. Mehr aber nicht.

Die großen Helden und Schurken, die im Vordergrund der Bühne agieren, müssen handeln, leiden und enden, wie es die Geschichte befahl. *Sie* liefert die Schablone. *Sie* liefert die Grundfarben. Dann mag der Historienmaler immer noch zeigen können, daß er Schiller, oder zeigen müssen, daß er Wildenbruch heißt. In beiden Fällen malt er mit gebundenen Händen. Es wird so oft und so hochtrabend darüber gesprochen, wie belanglos, gemessen am Drama, der Gegenstand sei, daß es angezeigt scheint, dieser Schönrednerei endlich einmal in aller Nüchternheit zu widersprechen. Es geht ja nicht nur um Shakespeare! Es gibt ja noch andere und nicht ganz so geniale Dramatiker, die im Buch der Geschichte und in den Geschichtsbänden blättern! Solche Anleihen haben ihre Vorteile. Doch alle Vorteile haben ihre Nachteile. Sie sind, bei unserem Beispiel, in der Leihgebühr inbegriffen.

Der größte Nachteil historischer Dramen besteht darin, daß sie keinen Schluß haben. Sie hören nur auf. Bei Büchners Revolutionsdrama wird das besonders augenfällig. Danton ist tot, und Robespierre hat gesiegt. Für Leute, die von der Geschichte Frankreichs und Europas keine Ahnung hätten, fiele mit dem Vorhang auch die Entscheidung. Doch diese Leute sind selten. Die anderen wissen: Auch Robespierre, der vermeintliche Sieger, wird guillotiniert werden. Ein kleiner korsischer Artillerieoffizier wird Kaiser werden, Europa erobern und auf St. Helena sterben. Man wird den Rücksprung in die Vergangenheit versuchen. Zwei Revolutionen werden folgen. Ein anderer Napoleon wird sich Kaiser nennen. ›Dantons Tod‹ hat keinen Schluß und findet kein Ende.

In jedem historischen Drama ist der Schlußvorhang ein Provisorium. Es endet offen. Die Zeit schreibt in einem fort daran weiter, und damit wandelt sich, von Stichtag zu Stichtag, das Stück. Das historische Drama ist tatsächlich kein Ganzes, sondern nur ein ›Stück‹. Die Helden und ihre Widersacher, ihre Taten, ihre Probleme, ihr Kampf, ihr Sieg, ihr Untergang — alles ist relativ, nichts stimmt, und in jedem Jahr, nachdem der Autor ›Finis‹ geschrieben hat, stimmt es aus neuen und alten und anderen Gründen nicht.

Nur wenigen historischen Dramen gereicht dieser Nachteil fast zum Vorteil, und eines dieser wenigen Stücke ist Büchners ›Danton‹. Denn Büchner glaubte ja nicht an Helden, so sehr er unter seinem Unglauben litt. Einundzwanzigjährig, den Thiers studierend, schrieb er aus Gießen nach Straßburg: »Ich fühle mich wie zernichtet unter dem gräßlichen Fatalismus der Geschichte.« Insofern ist der Schluß seines Stücks kein Kurzschluß. Das Drama blieb offen, aber die Geschichte widersprach ihm nicht. Trotzdem steht fest, daß die Dramatisierung historischer Sujets, die mehr oder weniger bekannt sind, nicht nur außerliterarische Vorzüge, sondern auch spezifische Nachteile mit sich bringt. Der Autor, der sich mit der Geschichte nicht verbündet, hat zwar einen Bundesgenossen, aber auch einen Feind weniger.

Fast wäre ich, im Hinblick auf historische Stoffe, der Versuchung erlegen, darüber nachzudenken, warum es wohl keine *historischen Lustspiele* gibt. Ich denke dabei natürlich nicht an ›Madame Sans-Gêne‹, und ich weiß natürlich, daß in ›Minna von Barnhelm‹ ein preußischer König, ohne aufzutreten, eine Rolle spielt. Trotzdem dürfte meine Behauptung, daß es viele hervorragende historische Trauerspiele, aber kein historisches Lustspiel gibt, schwer zu widerlegen sein. Ich begnüge mich, bevor ich zu meiner dritten Randbemerkung komme, mit der Vermutung, daß das Buch der Geschichte eine ausgesprochen ernste und traurige Lektüre ist. Da gibt es nichts zu lachen.

Die dritte Randbemerkung machte ich, als ich den ›Woyzeck‹ wieder las, und zwar ›Über die Tragedia dell'Arte‹, und der unübliche Komplementärbegriff zur Commedia dell'arte versucht anzudeuten, für wie einzigartig und eigenartig ich dieses fragmentarische Trauerspiel halte, genauer gesagt, etwa die erste Hälfte des Stücks. In den späteren Szenen verändert sich dessen Charakter, es wird mehr und mehr zur klinischen Studie, zum psychologischen Einmann-Drama, zum Seismogramm, worauf sich die wortarmen Erschütterungen Woyzecks bis zur Katastrophe abzeichnen. Auch diese späteren Szenen sind grandios. Sie nehmen den psychologischen Realismus vorweg, sie sind ihm um fast ein halbes Jahrhundert voraus, und sie sind zugleich dessen Meisterwerk. Der Weg zu ›Rose Bernd‹ und ›Fuhrmann Henschel‹ beginnt hier, und das besagt: Der Weg beginnt auf dem Gipfel!

Doch die stilistische Bedeutung Büchners liegt, entgegen der herrschenden Ansicht, nicht im Bezirke des Realismus. Soweit er und so weit er auch in dieses Gebiet vordrang, hielt hier der junge Mediziner und Naturwissenschaftler, der er war, den Dramatiker an der Hand. Der Fuß des Schriftstellers folgte dem Auge des Diagnostikers. Büchners ›Realismus‹ ist eine nebenberufliche Begleiterscheinung und soll weder bestritten noch unterschätzt werden. Aber sein künstlerischer Wille strebte — das beweisen die Szenen mit dem Hauptmann und dem Doktor, wie auch die Großmutter mit ihrem makabren Märchen — in die völlig entgegengesetzte Richtung, in das seinerzeit von Dramatikern nicht nur unbesiedelte, sondern überhaupt noch nicht entdeckte Gebiet der tragischen Groteske.

Die Situationen sind Grenzsituationen, und zwar jenseits der Grenze. Die Bilder auf der Bühne sind Zerrbilder. Die Wirklichkeit und die

Kritik an ihr verzehnfachen sich durch die Genauigkeit der Übertreibung. Dieser Doktor und dieser Hauptmann, doch auch der Tambourmajor und der Marktschreier sind Karikaturen. Sie haben eine Maske vorm Gesicht, doch nicht nur das —, sie haben auch noch ein Gesicht vor der Maske! Sooft man diese Szenen liest oder im Theater wiedersieht, verschlägt es einem den Atem. Mit wie wenigen und mit welch wortkargen und scheinbar simplen Dialogen wird hier die Wirklichkeit heraufbeschworen, ohne daß sie geschildert würde! Und wie gewaltig ertönt die Anklage, obwohl und gerade weil sie gar nicht erhoben wird! Nie vorher — und seitdem nicht wieder — wurde in unserer Literatur mit ähnlichen Stilmitteln Ähnliches erreicht.

So ist der ›Woyzeck‹ einerseits ein Fragment, fast zu kurz für einen Theaterabend, und andererseits, in der Geschichte des deutschen Dramas, ein doppeltes Ereignis. Hier wurzeln sowohl der psychologische Realismus als auch der völlig entgegengesetzte, der groteske Stil. So ist es kein Wunder, daß das Stück, das ja erst 1875 aufgefunden wurde, sehr bald in beiden Richtungen weiterwirkte. Gerhart Hauptmann und Frank Wedekind sind bedeutende und glaubwürdige Zeugen für diese zweisinnige Strahlkraft. Und beide haben sich, an Büchners Grab auf dem Zürichberg, vor dem dreiundzwanzigjährigen Genius mit der gleichen Dankbarkeit verneigt.

1875 wurde das Manuskript gefunden, und erst weitere achtunddreißig Jahre später fand die Uraufführung statt, 1913, im Münchner Residenztheater, mit Albert Steinrück als Woyzeck. Dem hartnäckigen Bemühen zweier Schriftsteller, Heinrich Manns und Wilhelm Herzogs, war es endlich gelungen, dem Stück den Weg zur Bühne freizumachen. Erst jetzt, ein Jahr vorm Beginn des Weltkriegs, und erst seitdem konnte sich das außerordentliche Drama auch im deutschen Theaterleben auswirken.

Der dominierende Einfluß Büchners, besonders der ersten Hälfte seines ›Woyzeck‹, auf den expressionistischen Stil kann gar nicht überschätzt werden. Wieder waren Stück und Autor jung, modern, rebellisch und genial wie am ersten Tage, und wieder huldigte ihm eine neue Generation der Talente. So ist es bis heute geblieben, und so wird es noch lange bleiben. In diesem Zusammenhange wird man es mir vielleicht als Vermessenheit auslegen, wenn auch ich mich, mit meiner Komödie ›Die Schule der Diktatoren‹, als Schüler und Schuldner Büchners bekenne.

Theaterkritikers Leiden

Abends saß ich prompt im Hebbel-Theater. In jener Stresemannstraße, die vor langer Zeit Königgrätzer Straße und später Saarlandstraße hieß. In der langen Straße ist ein einziges Haus heil und gesund geblieben – ein Haus, das viel früher Theater in der Königgrätzer Straße hieß und viel später... Na, wie dem auch sei, ich saß jedenfalls drin. Im Zuschauerraum wurde es dunkel.

Doch vorher möchte ich kurz etwas über das Schreiben von Theaterstücken im allgemeinen äußern. Viele Dichter, besonders die Sorte mit der seelischen Haartolle, halten nicht viel vom Stückeschreiben. Diese Beschäftigung habe nur selten etwas mit ›Kunst‹ zu tun. Kunst hin, Kunst her, meine Herren, es ist ehrliche Männerarbeit. Legen Sie mal Ihren begonnenen lyrischen Gefühlserguß oder die epische Wurst, die Sie gerade stopfen und ›Roman‹ zu nennen belieben, beiseite und schreiben Sie ein handfestes Stück, das drei Akte hat, die nötigen Spannungen, Verwicklungen und Auflösungen mitbringt, zwei Stunden dauert und das Publikum trotz der großen Pause und dem hustenden Nachbarn bis zuletzt am Bändchen hält! Wenn Sie das fertigkriegen, reden wir weiter. Dann werden Sie wissen, was in Berlin ›Nägel mit Köppen machen‹ heißt. Ein Mann, der ein wirksames Stück schreiben will, muß eine Mischung aus einem Mathematikprofessor, einem Tischlermeister, einem Menschenkenner und, wenn es irgendwie geht, einem Dichter sein. Meistens geht es irgendwie nicht. Es ist zuviel für einen einzelnen Herrn.

Manchmal schreiben Leute, die nur ›Dichter‹ sind. Auch deren Stücke spielt man. Mitunter schreiben andere Leute, die zwar keine Dichter, dafür aber Mathematiker, Tischler und Psychologen in einer Person sind. Deren Stücke ermöglichen seit vielen hundert Jahren, daß es Theater gibt. Einer aus der seltsamen, hochachtbaren Zunft ist Hans José Rehfisch. Er war nie ein Tischlermeister wie Sardou und Sudermann. Aber es muß auch Tischlergesellen geben.

Er ging in die Emigration. Er lebt in England. Karl-Heinz Martin, der verdiente Direktor des Hebbel-Theaters, ein alter Freund Rehfischs, kündigte dessen neues Stück an. Also, alter Freund...

Das Stück, das sich ›Quell der Verheißung‹ nennt, ist ein ziemlich starkes Stück. Ein Zeitstück sei es, wurde vorher verraten. Ein Stück, das im Palästina des Jahres 1936 spiele. Emigration, Zionismus, Rückkehr zur Natur, Araberfrage, Balfour-Abkommen, Drittes Reich – lauter Motive, die ein bewährter Autor, vom eigenen und vom Schicksal zahlloser angerührt und hart angefaßt, zu einem Meisterstück hätte verwenden können. Zu seinem Meisterstück.

Statt dessen wurde es der schlechteste Reißer, den Rehfisch jemals abgeliefert hat. Die Sprache ist aus Papier. Die Gedanken sind von der Stange. Die Gefühle sind verkitscht. Die Konstruktion wirkt grob und überdeutlich. Der Mechanismus funktioniert viel zu laut. Der Schluß erregt unfreiwillige Heiterkeit. Die Figuren ähneln Anziehpuppen, die man, anders kostümiert, mit derselben Handlung und ähnlichem Text ein ganz anderes Kolonistenstück spielen lassen könnte, zum Beispiel ein Wildwestdrama aus der amerikanischen Pionierzeit. Der Araberscheich, der auftritt, brauchte dann nur als Indianerhäuptling zu erscheinen. Der wackere junge Mann, der nachts, hoch zu Roß, mit wilden Gewehrschüssen ganze Völkerstämme in die Flucht jagt, paßte prächtig dorthin, woher er im Grunde kommt: in die Gefilde Karl Mays. Das Stück könnte ›Old Shatterhand in Galiläa‹ heißen. Die edle Menschlichkeit, die rings im Kreise verzapft wird, die Bärbeißigkeit und die Dümmlichkeit einzelner Chargen, von alledem hat man schon einmal als Kind gelesen, und zwar heimlich unter der Schulbank.

Das Frappierendste am Stück ist die plumpe Mechanik der Handlung. Drei Aktionen laufen, zischend und dampfend wie kleine Eisenbahnen, nebeneinander her. Erstens, Siedler suchen frisches, ungesalzenes Wasser und finden es. Zweitens, jüdische Kolonisten suchen Ruhe vor arabischen Überfällen und finden sie. Drittens, ein Mann sucht seine Frau, die ihn verlassen hat, und findet selbige. Die drei Aktschlüsse sind die Bahnhöfe. Die drei kleinen Eisenbahnen laufen jedesmal gleichzeitig und fahrplanmäßig ein. Es geht zu wie im Spielzeugladen.

In der Pause schlossen einige Fachleute unter den Zuschauern Wetten ab, wie das Stück wohl enden werde. Sie rieten alle daneben, weil der Schluß noch mechanischer und kitschiger wurde, als man es bis zur Pause für möglich gehalten hätte. Die Inszenierung brachte die vielen Schwächen des Stückes voll zur Geltung.

Ich war sehr ärgerlich, als ich dem U-Bahnhof zusteuerte. War's ein Wunder? Rehfisch hatte einen großen Stoff sinnlos vertan. Und ich einen schönen Septemberabend.

Erotik auf der Bühne

Jean Giraudoux, der vor fünf Jahren verstorbene französische Dramatiker, schrieb zwischen den beiden Weltkriegen die Komödie ›Der trojanische Krieg wird nicht stattfinden‹. Das tat er, obwohl er aus der Schule wußte, daß der Kampf um Troja stattgefunden hat, und obgleich ihm die Erfahrung sagte, daß ein zweiter Weltkrieg stattfinden werde. Er gehörte zu den sich selber und anderen recht unbequemen Dichtern, die den Lawinen der menschlichen und politischen Dummheit und Niedertracht melancholisch gefaßt entgegentreten, aber dabei, soviel Intelligenz darf man ihnen schon zubilligen, genau wissen, daß man Lawinen leider weder mit Satiren noch mit Elegien aufhalten kann.

Eher können schon, wie es in diesem Stück geschieht, die Schauspieler den fallenden Vorhang aufhalten und in letzter Minute eine geistreiche Komödie in ein törichtes Trauerspiel verwandeln. Hektor tut um des lieben Friedens willen mehr, als man billigerweise von einem Prinzen und Berufssoldaten verlangen kann. Er läßt sich von der trojanischen Königspartei, von den Fabrikanten und Grossisten der ›heiligsten Güter‹ verachten und von dem betrunkenen Griechen Ajax ohrfeigen; er nötigt Helena und Paris zu eidesstattlich falschen Aussagen; er demütigt sich vor dem Diplomaten Odysseus, der die Friedensverhandlungen so zynisch führt wie der Sekundant einer ›schweren Säbelkiste‹. Endlich kann er den verblüfften Zuschauern und den wütenden ›Ehrenmännern‹ auf der Bühne erklären: »Der trojanische Krieg wird nicht stattfinden!« Das Stück ist aus. Ein pazifistischer Feldherr hat die blutige Weltgeschichte korrigiert! Der Vorhang senkt sich schon! Da stürzen die kriegslüsternen Greise Ilions, diese Voyeure in jeder Beziehung, schreiend unter die fallende Gardine und halten sie und den Fortschritt auf. Homer und die Nachwelt müssen ihren Willen haben. Der Krieg wird kommen. Troja wird zugrunde gehen. Gott sei Dank, Unordnung muß sein.

Giraudoux' Stücke zeichnen sich durch ihren hinreißend gescheiten Dialog aus. Dichter, die »der Dummheit der Menschen und der Dummheit der Ereignisse« Vernunft predigen wollen, sind Schulmeister. Doch dieser Lehrer aus Frankreich trug keinen abgeschabten Bratenrock, sondern einen eleganten, auf Seide gefütterten Frack. Die Schauspieler werfen sich auf der Bühne seine Pointen und Aperçus zu, als seien es keineswegs gedankenschwere Gewichte, sondern federleichte Bälle. Man fühlt sich an erstklassige Varieténummern erinnert, wo die Artisten eiserne Kugeln hochschleudern, lächelnd im Genick auffangen, als sei es nichts, und sie sich, dem Gesetz der Gravitation zum Tort, den Arm hinauflaufen lassen. Wenn dann ein ungeschickter Artist darunter ist und so eine halbzentnerschwere Kugel zu Boden fallen läßt, stört das natürlich die Illusion. Noch peinlicher wird die Sache, wenn eine Eisenkugel herunterfällt und nach Pappe klingt. Und nun noch ein paar Worte über die wichtige Rolle, welche die

Erotik sowohl im Kampf um Troja wie in den französischen Komö-
dien spielt. Es war deutlich zu spüren, wie sehr die Offenherzigkeit,
die gelegentlich genüßliche Unmißverständlichkeit der Giraudouxschen
Dialoge das Publikum befremdete. Die Hemmungen auf diesem Gebiet scheinen, sieht man von Schattierungen ab, auf unserem Globus
mehr oder weniger die gleichen zu sein. Die Dichter dürfen seit jeher
genauestens beschreiben und auf der Bühne zeigen, wie ein Mord
geschieht, wie das Elend, wie die äußerste Qual und Quälerei zustande
kommen und aussehen. Damit sind die Leser, die Zuschauer und die
Gesetzgeber des guten Geschmacks völlig einverstanden. Jedoch die
tausend Schleier vom fröhlichen Geheimnis der Liebe und der Erotik
bis auf den vorletzten oder allerletzten abzustreifen, das gilt als literarische Todsünde. Es handelt sich hier um ein sehr interessantes Problem, welches . . .
Aber ich merke schon: Das würde ein neuer Artikel.

Das Drama der Dramaturgie

Während man an einer Sache schreibt, denkt man nicht nur über
die Sache nach, sondern auch über das Schreiben dieser Sache. Man
›dichtet und trachtet‹ im gleichen Atemzug. Beides geschieht nicht
nebeneinander, nicht nacheinander und nicht durcheinander, sondern
mit- und ineinander. Das ist kein musisches Mysterium. Es sind
zwei simultane Akte. Beide Vorgänge verschränken sich wie die
Hände beim Händefalten. Die Linke weiß, was die Rechte tut, genauer:
was diese tun will und möglicherweise tun wird. Freilich, bevor die
Rechte zur Feder greift, muß sie die Finger aus der Linken lösen. Mit
gefalteten Händen schreibt sich's schlecht. (Obwohl sich Gegenbei-
spiele anführen ließen. Claudel hob sogar die Axt mit gefalteten
Händen.)
Vergleiche hinken, und ich breche den Vergleich ab. Vergleiche hinken und bringen voran. Deshalb greife ich zu einem anderen Vergleich. Daß auch Hände hinken können, wissen wir nun.

Da, während ich meine Notizen mache, die Christenheit, mehr und
inniger als sonst im Jahr, große gebratene Vögel verzehrt — es ist
von Weihnachten die Rede —, bietet sich für den nächsten Vergleich
die Ornithologie an. Und ich greife die Gans heraus. Sie ist, dank
ihrer Federkiele, besonders literaturfähig.
Die Regeln stecken im Drama wie die Knochen in der Gans. Das

Skelett war nicht vor dem Vogel da. Sie wuchsen gemeinsam. Und das Tier trägt sein immanentes Gesetz nicht außen oder gar als Orden um den Hals. Denn dann bräche das Drama, bzw. die Gans, haltlos zusammen.

Man kann die Gans mit Heißhunger oder mit Andacht essen und die Knochen, die viel wiegen und überhaupt nicht schmecken, unter den Tisch werfen. Dann ist man Publikum. Man kann aber auch das Fleisch wegwerfen und die Knochen, hübsch numeriert und mit feinstem Draht, zum ursprünglichen Gerüst zusammenfügen. Dann ist man Zoologe. Als solcher kann man, dergleichen kommt vor, eine hinkende oder flügellahme Gans erwischen oder die Gans mit einer Ente verwechseln und das rekonstruierte Skelett für die Norm und das Gesetz halten. Dann ist man immer noch Zoologe.

Man kann sogar über die Bastelei mit Knochen hinauswachsen und dem toten Vogel vorwerfen, daß er, bei Lebzeiten, weder wie der Pfau ein schillerndes Rad geschlagen, noch sich nachts im Fliederbusch gewiegt und, wie die Nachtigall, geschluchzt habe. Ach, diese Zoologen! Wie könnte denn die auf solche Weise vollkommene Gans ein vollkommener Vogel sein! Dieser vollkommene Vogel, wenn's ihn gäbe, er wäre nicht einmal eine unvollkommene Gans, sondern ein Albtraum! Ein Sammelsurium mit Flügeln! Eine mühsam atmende Rumpelkammer voller Vorzüge und Schönheiten!

Der liebe Gott — falls er die Gans, auch die lahme, erfunden haben sollte, die Nachtigall, den Pfau und den Walfisch, der, als Säugetier, von Rechts wegen aufs Festland gehörte —, der liebe Gott hat kein zoologisches Lehrbuch gelesen. Und die Verfasser von Lehrbüchern der Zoologie haben noch nie eine Gans erschaffen, nicht einmal eine, die lahm wäre oder süß in den Zweigen sänge. Soviel über Zoologen und das Federvieh. (Um sehr deutlich zu werden: über das Feder-Vieh.)

Weihnachten ist vorüber. Die Gänse wurden verspeist. Die Knochen hat der Hund gefressen. Oder ein Zoologe hat sie ihm weggenommen. Jedenfalls wird es höchste Zeit, sich nach einem anderen Vergleich umzusehen.

Man liebt es, das Drama mit dem Roman und dem Gedicht, also mit anderen Sprachkunstwerken, zu vergleichen. Das ist ein mühsames Geschäft, und es führt nicht weit. Das Wort und das Nacheinander sind das Gemeinsame. Der Katalog der Unterschiede ist viel umfangreicher. Er ist so umfangreich, daß sich die Mühe der Theoretiker noch nie recht gelohnt hat. Sie betreiben, in ihren Systemen der Ästhetik, eine ausgesprochen einseitige Ahnenforschung.

Das Drama ist, zunächst in der Hauptsache, ein Gebäude. Die Stückeschreiber sind, vor allem, Baumeister. Die Dramatiker bauten und bauen Tempel, Kathedralen, Paläste, Schulen, Versammlungslokale, Scheiterhaufen, Freudenhäuser, Turnhallen, Museen, Hotels, Irrenanstalten, Kerker, Klubs und schiefe Hütten. Sie bauen gelegentlich nachgeahmte Tempel und Zuspät-Gotik. Sie errichten zuweilen Rotunden im maurischen Stil, mit hohen Minaretts ohne tiefere Bedeutung. Manchmal gelingt ihnen sogar ein Rathaus ohne Fenster. Nicht nur in der Architektur gibt es gute und schlechte Baumeister.
Die Ziegel, der Marmor, das Holz und das Glas, das gesamte Baumaterial besteht aus Sprache. Doch auch wer die Worte aus Carrara holt und die Gedanken vom Olymp, kann beim Bauen zum Stümper werden. Der Marmor und die Säulenhalle aus diesem Marmor sind nicht dasselbe.
Die Geschichte des Dramas ist Baugeschichte, und sie reicht, genau wie die Geschichte der übrigen Architektur, von der mykenischen Burg bis zum ›Bauhaus‹ und zur Wohnmaschine. Manches wurde Stil. Manches blieb Mode. Kuriosität ist Originalität hinterm Komma. Gegenwärtig sind, als aparte Neuheit, Häuser ohne Türen Mode, Türen ohne Klinken und Klinken ohne Türen, und das Dach findet im Keller statt. Das Sinnlose auf so tiefsinnige Art darzutun, scheint mir eine Beschäftigung von Snobs für Snobs zu sein. Es ist Tiefsinnlosigkeit. Man baut nichts aus nichts und meint es allegorisch. Nun, es gibt nicht nur die Ewiggestrigen, es gibt auch die Ewigmorgigen. Wer nichts aus nichts baut, baut noch lange nicht das Nichts. Und das Labyrinth ›Zur Sinnlosigkeit‹ baut nicht, wer sinnlos baut.

Weil das Drama nicht in den Raum, sondern in die Zeit gebaut wird, spielt das Gravitationsgesetz keine Rolle. Man kann Luftschlösser errichten! Wenn sie einstürzen, ist nicht die Schwerkraft daran schuld, sondern der Architekt. So werde auch ich mich nicht auf Newton herausreden können, wenn das Luftschloß, woran ich jetzt baue, beim Richtfest oder noch früher zusammenbrechen sollte. Mir wird eine plausiblere Ausrede einfallen müssen. (Sie wird mir einfallen.)
Das Bauprinzip meines neuen Luftschlosses wird das Gesetz der Symmetrie sein. Es sollen nacheinander zwei der Wirklichkeit völlig widersprechende gesellschaftliche Zustände ›aufgebaut‹ werden. Und diese beiden Zustände werden nicht nur im Widerspruch zur Wirklichkeit stehen, sondern im diametralen Gegensatz zueinander. Wollte man die Realität mit der Ruhelage eines Pendels vergleichen, so wären die zwei von mir erfundenen und unwirklichen Etappen am ge-

nauesten mit den zwei extremsten Punkten der Pendelschwingung markiert.

Die Symmetrie und die Antithese werden nicht nur im Prinzip, sondern bis in jede Szene und bis in jede Figur wirken und fortwirken müssen. Die Mittelachse, d. h. die Wirklichkeit, ist im vorliegenden Fall eine lediglich gedachte Linie. Es ist die ›Fluchtlinie‹. Ich bin dabei, den Keller meines Luftschlosses auszuschachten. Und schon jetzt — oder jetzt erst? — macht mir das Dach einiges Kopfzerbrechen. Denn gerade im höchsten Punkte des Giebels müßte die nur gedachte Mittelachse mit einem Male konkret werden. Die zwei entgegengesetzt unwirklichen Schloßflügel müßten, ob nun aus Resignation oder aus echter Einsicht, in der Wirklichkeit als dem Dachknauf enden und gipfeln. Zwei Märchen unter einem Dach. (Zwei äußerst gewagte Märchen!) Vielleicht glückt der Bau. Ob er freilich, sogar wenn er gelingen sollte, auch nur eine Katze interessieren wird, das mag der Himmel wissen oder der Teufel — der Architekt weiß es nicht. Man sollte keine Luftschlösser bauen! Und ich ließe ganz gewiß die Finger davon, wenn ich mir eine noch herrlichere Aufgabe wüßte.

Aus dem Bauprinzip, das ich angedeutet habe, eine allgemeiner verbindliche dramaturgische Regel, also etwa die Forderung ›symmetrisch-antithetischer Zuordnung der Teile‹ abzuleiten, wäre hirnrissig. Ich gehe einen Schritt weiter und behaupte, ohne meine Ansichten merklich zu übertreiben: Es gibt überhaupt keine allgemeinverbindliche Dramaturgie! Wer trotzdem auf einer solchen beharrt, bekämpft die Maßschneider im Namen der Konfektionsbranche. Dafür, daß ein Anzug nicht einen oder drei, sondern zwei Ärmel haben sollte, braucht man kein Gesetzbuch. (O je, schon wieder ein Vergleich, und diesmal hinken die Schneider!)

Es gab zuweilen drakonische Dramaturgie. In wenigen großen, historisch und geographisch schmalen Epochen. Stil ist Wuchs. Aus Wuchs wurde Zwang. Aus Wäldern wurden Baumschulen. Im Streit um den ›Cid‹ siegte die Académie, und Corneille wurde Baumschüler. (Natürlich Primus, denn er war nicht nur folgsam, sondern auch ein genialer Mann.)

Regeln und Gesetze können sehr alt werden. Doch die Ausnahmen kommen zur Welt, vermehren sich und besuchen die Gesetze nur noch, um ihnen zum hundertsten Geburtstag zu gratulieren. Nach ihrem Ableben läßt man sie ausstopfen, gegen Mottenfraß versichern und von der zähneknirschenden Jugend ›naturgetreu‹ nachzeichnen. Es ist Zeitverschwendung und Talentmißbrauch.

Lessing, der Sachse mit dem feurigen Verstande, der Mann mit dem Herzen im Kopf — immer wieder werde ich an ihm zum Schwärmer —, Lessing wollte neue Gesetzestafeln vom Sinai holen. Aber in Hamburg gibt es keine Berge. Er zerbrach nur die Hälfte der alten Tafeln. Er erblickte nur die Hälfte des Gelobten Neulands. Und wenn er auch nicht mit leeren Händen zurückkehrte, so brachte er, außer tausend seltenen Funden, doch nur eine einzige neue Tafel mit, und darauf stand ›Shakespeares Tragödien‹.

Die Hamburgische Dramaturgie ist trotzdem ein unschätzbares Dokument. Nicht als Neues Gesetzbuch, sondern zum Verständnisse Lessings, des exemplarischen Mannes zwischen zwei extremen Epochen. Des Mannes, der aus dem ›Nicht mehr‹ kommt und ins ›Noch nicht‹ marschiert. Des zwiespältigen Kopfes, der neue Klarheit schaffen will und, trotz allen Scharfsinns, Widersprüche produziert. Die Hamburgische Dramaturgie ist die perfekte Materialsammlung für die noch ungeschriebene ›Psychologie der Janusköpfe‹. (Drei Studentenjahre habe ich damit verbracht, ein solches Buch vorzubereiten. Die Inflation stellte mir ein Bein und ersparte dem ›jungen Gelehrten‹ und der Schulmeinung viel Verdruß.)

Es hat strenge Regeln für strenge Epochen gegeben, und die Regeln waren dauerhafter. Die Korsetts überlebten die dazugehörigen Königinnen. Korsetts sterben nicht. Sie werden fadenscheinig. Niemand mehr will sie tragen. Man kann sie wegwerfen. Man kann sie in eine Truhe sperren und vergessen. Man kann sie wiederfinden und aus alten Miedern neue Moden machen. Warum auch nicht? Epochen sterben. Es ist ein schwerer Tod. Moden kommen und gehen, aufdringlich und gekränkt, wie die Vertreter von Staubsaugern. Sie spielen ihre Rolle. Es spielt keine Rolle.

Wir leben in keiner ›strengen‹ Epoche, und so gilt keine allgemeinverbindliche Dramaturgie. Ob wir das bedauern oder nicht, steht nicht zur Debatte. Stil ist, wie gesagt, Wuchs. Da helfen weder Wünsche noch Kommandos. Was heute an Regeln für jedes Drama und für alle Dramen gilt, sind Banalitäten, die man sich kaum auszusprechen traut. Doch nur sie haben Geltung. Schon bei dem väterlichen Rat, ein Drama sollte tunlichst nicht länger dauern als drei Stunden, zögern wir, weil wir wissen, daß nicht einmal diese Forderung überall am Platz ist. Andre Länder, andres Zeitgefühl. Andres Zeitgefühl, andres Sitzfleisch. Aber gut, lassen wir die Drei-Stunden-Regel gelten. Was gilt außerdem? Muß ein Drama eine Handlung haben? Es gibt Stücke ohne Handlung, und es gibt Stücke mit zehn Handlungen. Es gibt Stücke mit hundert Rollen und solche mit zwei Schauspielern oder gar nur einem einzigen. Es gibt Stücke in einem Akt und andere mit vierzig Schauplätzen. Es gibt Dramen ohne Exposition und solche ohne Peripetie. Manche Stücke beginnen mit dem Schluß, andere schließen mit dem Anfang. Ein Stück kann Jahrhunderte umspannen, es kann eine Minute aufs Rad flechten, und es kann die Zeit auf der Uhr innehalten. In manchen Dramen spricht noch der letzte Rüpel in herrlichen Versen. In anderen ist noch der dümmste Satz des Dümmsten eine brillante Maxime. Es kann auf der Bühne symbolisch oder allegorisch oder wesentlich oder psychologisch oder auch so naturalistisch zugehen, daß sich die Zuschauer kratzen, wenn es einen Darsteller juckt. Kurz, es gibt nichts, was es nicht gäbe oder geben könnte. Außer einer verbindlichen Dramaturgie! Zwei oder drei Banalitäten, so unsterblich sie sein mögen, ergeben keinen Katechismus.

Das ist für die Stückeschreiber beileibe kein Anlaß zum Übermut. Sollten sie trotzdem jubeln, so glichen sie einer Schulklasse, die auf die Bänke steigt, weil den Lehrer während des Extemporales der Schlag getroffen hat. Jubel ist nicht am Platze. Weder hier noch dort.

Von Gesetzlosigkeit ist nicht die Rede und kann keine Rede sein. Eine Dramaturgie für alle Dramen gibt es nicht mehr, aber jedes Drama hat seine Dramaturgie! Es ist eine reformatorische Wendung. Es handelt sich um die Deklaration der Freiheit im Singular und der Einzelhaftung. Es ist eine Reformation ohne Reformator. Eine Reformation ohne Reformator nennt man Entwicklung. (Nun hinkt also auch Luther, und das läßt Leibniz keine Ruhe.)

Denn: Das Drama folgt, der fensterlosen Monade vergleichbar, eigenen immanenten Gesetzen. Es gehorcht sich selber, und es muß, im Streitfalle, sich selbst mehr gehorchen als dem Autor. »Am Anfang schuf« er sein Stück Himmel und Erde. Doch dann wurde und wird der Kreator zum Diener seiner Kreatur. Der Dramatiker muß sich dem Drama unterwerfen, oder er verletzt den eignen Traum. Er muß sich der Ordnung unterordnen, die er provoziert hat. Er ähnelt, von fern und en miniature, dem Gottvater des teleologischen Systems. Er hat einen Stern erschaffen, und er hält ihn in Bewegung. Doch die Bahn nachträglich und selbstherrlich verändern, das darf er nicht. Oder es kommt zur Katastrophe. (Es kommt oft zu Katastrophen.)

Das Drama ist nur noch Individuum. Dagegen hilft kein Klassenkampf. Und das hervorragende Drama ist nichts als Persönlichkeit. Damit wurde aus der Dramaturgie des Dramas das Drama der Dramaturgie. Kritik und Ästhetik müssen ohne Tafeln, ohne Tabulaturen und ohne Baedeker zurechtkommen, genauer: sie müßten. Der Beckmesser ist keine komische, sondern eine traurige Figur. Ihm hilft die Elle nicht und nicht der Ellbogen. Und die Merker merken nichts. Sie merken nicht einmal, daß sie nichts merken. Sie ähneln den Schildbürgern, die zu Kriegsbeginn die Kirchenglocke im See versenkten und, um sich den Ort zu merken, in den Bootsrand eine Kerbe schnitten. Nun hatten sie zwei Glocken, eine für immer im See und eine für immer auf dem Kerbholz. (Der Umgang mit Kunstwerken ist seitdem nicht leichter geworden.)

»Niemals richtig, immer wichtig«, so hab ich einmal Glanz und Elend des Verallgemeinerns zu formulieren versucht. Auch die These, es gäbe heutzutage keine zu Verallgemeinerungen autorisierte Dramaturgie, ist eine Verallgemeinerung. Auch sie ist gewiß nicht richtig. Auch sie ist vielleicht wichtig.
Wer verallgemeinert, will vereinfachen. Wer vereinfacht, tut unrecht. Ich poche auf mein Unrecht und wiederhole: Jedes Drama hat seine eigene Dramaturgie, und eine allgemeinere gibt es nicht.
Jedes Theaterstück ist, was sonst und außerdem es auch sein mag, ein zur einmaligen Verwendung errichtetes Kaudinisches Joch. Wer hat es ersonnen? Der Autor. Wer hat es errichtet? Der Autor. Für wen? Für sich selbst. Er muß hindurch, weil er es will. Später, wenn er sich aufrichtet und wenn er zurückblickt, kann es geschehen, daß er seinen Augen nicht traut: Er sieht einen Triumphbogen! Es ist ein Wunder geschehen, und so darf er sich wundern. Denn Wunder sind rar. Sie sind fast so selten wie gute Stücke.

Selbsthilfe gegen Kritiker

Die Menschheit zerfällt nach Linné in gute und böse Menschen. Die bösen Menschen zerfallen ihrerseits in die Gelegenheitsbösewichte und in solche, die von Jugend auf böse sind. Und auch diese, die gebürtigen Bösewichte oder Professionals, zerfallen in zwei Teile: in die Verbrecher mit Volksschulbildung und in die Kritiker. Das ist bekannt. Das weiß heute jedes bessere Kind. Bezeichnenderweise findet man in Deutschland für letztere keinen eignen Namen, sondern nennt sie fremdzüngig Rezensenten, Referenten, ganz allgemein Intellektuelle oder, wie schon gesagt, Kritiker. Die übelste Kategorie sind die Theaterkritiker. Ihr Gewerbe besteht darin, daß sie mit der bitterbösen Absicht ins Theater gehen, sich dort zu ärgern oder, sollte das mißlingen, zu langweilen. Und daß sie mehrere Tage später mit Hilfe gehässiger Zeitungsartikel die breite Öffentlichkeit über die Art und den Grad der gehabten Unlustgefühle aufs geschwätzigste unterrichten. Da schreiben sie dann etwa: »Das Stück war miserabel. Leider sprach Frau Schmidt-Müller den einzigen Satz in der Exposition, der mich interessiert hätte, so undeutlich, daß sie mir damit einen schlaflosen ersten Akt bereitete.« Für derlei hämische Auslassungen werden die Kritiker auch noch fürstlich bezahlt, und so ist es weiter kein Wunder, wenn sie jede Gelegenheit zu übler Nachrede rücksichtslos wahrnehmen. Goethe, der so vieles Treffende geäußert hat, verdanken wir den tiefen Satz: »Schlagt ihn tot, er ist ein Rezensent!« Leider wissen wir zur Genüge, wie wenig das deutsche Volk auf seine Dichter zu hören pflegt.

Immerhin, einmal im Lauf unserer Geschichte, es ist noch gar nicht lange her, wurde das Wort des Weisen aus Weimar beherzigt. Es war eine unvergleichliche, eine unvergeßliche Zeit, und sie hatte nur einen Fehler: sie ging vorbei. Damals nahm sich der Staat der Künste an und trug den Kritikern auf, die deutschen Meister zu ehren und mit diesen die Gesellen, die Lehrlinge und Anlernlinge. Väterlich verwies er zuerst den Rezensenten ihr zersetzendes Gehabe. Später gab er ihnen den dienstlichen Befehl, alles Dargebotene zu bewundern, zu besingen und zu bepreisen. Und siehe da, es klappte! Die Kritiken waren glänzend, die Stücke waren glänzend, die Aufführungen waren glänzend, und die Laune der Theaterdirektoren, der Sänger, Schauspieler, Dirigenten, Flötisten und Logenschließer war glänzend. Kein Mißton konnte aufkommen. Die Künstler sahen die Kritiker, von denen sie nun unermüdlich mit Blümchen bestreut und mit Schlagsahne begossen wurden, zufrieden an und sagten: »Na also, warum denn nicht gleich?« Gewiß, es gab Rückfälle. Es kam vor, daß eine der Intellektbestien nicht parieren wollte. Doch gegen solch atavistische Anfälle wußten die Dresseure Mittel. Wer nicht richtig lobpreisen wollte, wer da glaubte, er könne die Zunge herausstrecken oder die Zähne zeigen, wurde auf die Straße gesetzt. Später wurde das Verfahren insofern vervollkommnet, als man die unartigen Rezensenten nicht mehr verbot, sondern zur Strafe ins soldatische Ehrenkleid steckte und an eine der zahlreichen Fronten schickte. Dort konnten sie dann für den mitunter nur noch kurzen Rest des Lebens über ihre Niedertracht nachdenken. Man sieht, wie genau man dem Rat unseres großen Goethe zu gehorsamen suchte. Doch derartige Maßnahmen und Anlässe blieben selten. Im allgemeinen konnte das treffliche Wort August Kopischs, eines anderen bedeutenden deutschen Dichters, gelten, an das man heute mit Wehmut zurückzudenken geneigt ist, an den Vers:

> »Ach wie war es doch vordem
> mit Kunstbetrachtern so bequem!«

Hier muß eines Phänomens kurz gedacht werden, das ins Gebiet der kulturellen Pathologie gehört. Es gab nicht nur unter den Rezensenten Leute, denen das Fehlen der Kritik alter Schule an den Nerven zerrte, sondern auch unter den Künstlern, den Betroffenen a. D., selber! Eine widerwärtige seelische Verirrung, pervertiert, ungesund und faul bis ins Mark, um es dezent und gelassen auszudrücken. Sie sehnten sich nach den alten ›Sudelköchen‹ zurück und nannten deren Nachfolger, müde spöttelnd, Hudelköche! Ein Schauspieler vom Deutschen Theater in Berlin erklärte einmal unter Kopfschütteln: »Ich weiß nicht, woran es liegt. Wir verdienen doch nun soviel Geld wie niemals zuvor. Wir sind das Liebkind der Regierenden. Und trotzdem macht uns das Theaterspielen keinen Spaß mehr...« Ihm und seinesgleichen war das wolkenlose Lob durchaus verdächtig. Er konnte nicht glauben, daß er in jeder Rolle unerreicht, daß jedes der neuen Dramen meisterlich und jede Regie eine Tat sei. Er war das Pendant zum zersetzenden Kritiker, er war der zersetzte Schauspieler. Zum Glück gibt es wenig Künstler, die sich an zu viel und zu fettem Lob den Magen verderben. So blieb alles gut und schön und großartig und einmalig. In der Kunst wie in der Politik, in der Wirtschaft wie in der Kriegsführung. Bis...

Statt nun den von Klios Hand jäh abgerissenen Faden der Geschichte tapfer weiterzuspinnen, sucht man ihn mit dem Althergebrachten zu verknoten. Unter Expressionisten, Parteisekretären, Bodenreformern, Bibelforschern und anderen Gespenstern, die aus der Versenkung aufsteigen, erblickt man auch, horribile dictu, die Zeitungsbösewichte, die Beckmesser der Premieren! Sie wühlen wieder unterm Strich, die Großmaulwürfe der Presse. Und da ist kein Minister weit und breit, der sie erlegte! Kein Reichspressechef, kein Reichsdramaturg und kein Reichsfilmintendant, der sie an der winterlichen Front kaltstellen ließe! Niemand widerspricht ihnen, wenn sie die Priester und Küster der Kunst erniedrigen und beleidigen. Zwölf Jahre Dauerlob, und nun diese Reaktion? Da bleibt nur eines: Selbsthilfe! Wie ein Lauffeuer pflanzt sich von Stadttheater zu Stadttheater der Ruf fort: »Künstler, erwache!« Allenthalben im Lande stehen sie auf, die Dirigenten, Schauspieler und Direktoren, und wehren sich ihrer dünnen Haut! Das wäre ja noch schöner wäre ja das!
Schon beginnen sich am Rundhorizont einige brauchbare Kampfmethoden abzuzeichnen, und es mag für manchen Intendanten, für manchen Kapellmeister und für manchen Regisseur beizeiten wissenswert erscheinen, wie man anderwärts abfälligen Kritiken und silbenstechenden Kritikern begegnet. Die angeführten Beispiele werden zur Nachahmung empfohlen.

1. Man kann es wie in *Konstanz* machen. Der Intendant des Vorjahres nahm ihn kränkende Rezensionen nicht hin, sondern erwiderte darauf im Programmheft der Bodenseebühnen. Außerdem veröffentlichte er Zuschriften aus dem Leserkreis. Als er einen Brief abdrucken konnte, worin jemand Stein und Bein schwor, daß eine besonders herb beurteilte Inszenierung mindestens so gelungen gewesen sei wie die beste Einstudierung unter Max Reinhardt, gab der Kritiker nach und ging, seelisch völlig durcheinander, in eines der umliegenden idyllischen Klöster.

2. Man kann es wie in *Zwickau* machen. Dort hatte ein Kritiker die Ouvertüre zu ›Figaros Hochzeit‹ beanstandet. Genauer, nicht so sehr die Ouvertüre selber wie die Zwickauer Auffassung. Daraufhin taten sich die Orchestermitglieder des Stadttheaters zusammen und erklärten einstimmig, daß sie, falls es dem Rezensenten beikäme, das Haus jemals wieder zu betreten, streiken würden. Sie drohten, die Instrumente sofort aus der Hand zu legen. Ausnahmslos und zum eignen Leidwesen. Was aus dem Kritiker geworden ist, weiß man nicht. In Zwickau gibt es keine Klöster.

3. Man kann es wie in *Stuttgart* machen. Dort ging ein Journalist so weit, eine Clavigo-Inszenierung zu bemängeln. Zunächst wurde der Zeitung mitgeteilt, daß für diesen Mann künftig keine Freikarten mehr zur Verfügung stünden. Als der so empfindlich Gemaßregelte lautwerden ließ, daß er sich die Billetts von nun an käuflich erwerben wolle, erhielt er ein Hausverbot. Man gab's ihm, um Komplikationen vorzubeugen, schwarz auf weiß. Was aus dem Ärmsten geworden ist, ahnt niemand. Es heißt, daß er sich, den Kammerspielen gegenüber, eingemietet habe und an besonders wichtigen Theaterabenden blaß wie ein Geist an seinem Fenster stehe und die Arme verlangend nach jenem Haus ausstrecke, das er nie, nie wieder betreten darf.

4. Man kann es wie in *Berlin* machen. Dort glaubte sich eine mit Recht gefeierte Schauspielerin von einem jungen Kritiker zu Unrecht verrissen, suchte ihn in seinem Stammlokal auf und verabreichte dem Erstaunten im Garderoberaum, wohin sie ihn rufen ließ, ein paar Ohrfeigen. Obwohl sie selber nachträglich von dieser Methode abgerückt ist — vor allem, weil er ihr, als sie davonrauschte, höflich die Tür aufhielt —, soll man sich nicht beirren lassen: Das Verfahren bleibt zu empfehlen. Es wird viel zu wenig gebackpfeift.

5. Man kann es auch wie in *Hannover* machen. Nachdem ein Musikkritiker geschrieben hatte, Herr Professor Krasselt habe die ›Pastoralsymphonie‹ reichlich ›unpastoral‹ dirigiert, ließ der gekränkte Kapellmeister auf einem den Programmheften beigefügten Zettel mitteilen,

daß er in Hannover künftig nicht mehr gastieren werde. Wenn der Rezensent gar geschrieben hätte, unter den Händen des Professors Krassel sei aus der ›Pastoralsymphonie‹ eine ›Professoralsymphonie‹ geworden, hätte ihn der Magistrat wahrscheinlich auf dem Städtischen Schlachthof einliefern lassen. Da er sich den Witz verkniff, kam er glimpflicher davon. Der Oberbürgermeister hielt in einer Plenarsitzung des Stadtrats eine flammende Rede gegen das Unwesen der zersetzenden Kritik. Und ein paar Tage später wurde der dreiundzwanzigjährige Delinquent für die Dauer einer Woche zur Schuttaktion eingezogen. An diesem Beispiel stimmt besonders hoffnungsfreudig, daß den Künstlern die Stadtväter zu Hilfe eilten. Der Fall wird Schule machen. Wenn's auch noch kein Minister wieder ist, der sich schützend vor die Musen stellt — Stadträte sind auch schon ganz nett. Es ist ein Anfang. Man sieht den guten Willen.

Kein schlechter Gedanke wäre es, die verschiedenen Methoden zügig zu kombinieren. Im Anschluß an eine ablehnende Kritik könnte man dem Burschen zunächst im Programmheft geharnischt antworten. Dann sollte man ihm auf Lebenszeit das Betreten des Theaters verbieten. Anschließend müßte man ihn vom kräftigsten Mitglied des Ensembles ohrfeigen und zu guter Letzt als Hauptschuldigen einem Arbeitslager überweisen lassen. Zugegeben, es wäre immer erst eine halbe Sache. Aber die Demokratie ist ja nun einmal das System der Halbheiten. Und solange man sich bemühen wird, es uns zu oktroyieren, werden die Kritiker versuchen, das wilde, herrliche Blühen unserer Kunst, böse wie sie sind, zu verhindern.

Vor einem möge uns die Zukunft bewahren: vor jenen Intellektuellen, deren Talent ihrer Bosheit gleichkommt! In den zwanziger Jahren unseres Jahrhunderts gab es dergleichen. In Wien schrieb damals einer nach einer Aufführung, die ihn natürlich gelangweilt hatte: »Das Stück begann halb acht. Als ich halb zwölf auf die Uhr sah, war es halb neun.« Gegen so etwas hilft keins der angeführten Mittel. Dagegen hülfe nur der totalitäre Staat.

Wir brauchen eine neue Aufklärung

An allen Zweigen der Kultur zeigen sich, auch heute, junge Triebe und frisches Grün. Aber — niemand weiß, ob sich's um echten Wuchs oder um Blätter aus Papier und um Blüten aus Draht handelt. Wenn, grob gesprochen, Planck nur noch von Einstein, Heisenberg nur noch von de Broglie, Hahn nur noch von Schrödinger, Heidegger nur noch von

Hartmann ›verstanden‹ wird, Picasso nur noch von Baumeister, Schönberg nur noch von Hindemith und Joyce nur von Goyert, dann darf man wohl von einer Kulturkrise reden. Dem Kulturspezialistentum einiger entspricht das Kulturanalphabetentum aller. Das verzückte Getue von ein paar tausend Snobs verwischt zwar den Eindruck, ändert jedoch nichts an der Tatsache.

Nun sind in früheren Kulturepochen, trotz eines ähnlichen Analphabetentums, unvergängliche Kunstwerke, gewaltige Denkgebäude und bedeutende wissenschaftliche Lehren entstanden und selten genug zu ihrer Entstehungszeit erkannt und anerkannt worden. Aber zwischen damals und heute besteht ein fundamentaler Unterschied. Damals wirkte dem kulturellen Kontaktmangel ein Zusammenhalt aller durch eine unverletzte ›religio‹ entgegen, durch eine Bindung in einem Glauben. Die Hoffnung auf eine Behebung unserer Kulturkrise durch die Restauration einer allgemeinverbindlichen, z. B. christlichen Metaphysik dürfte ein frommer Wunsch bleiben, unbeschadet aller korporativen Versuche und aller Einzelbemühungen. Das andere große Experiment: den Kontakt durch freiwillige Nivellierung des wissenschaftlichen, philosophischen und künstlerischen Schaffens wiederherzustellen, mißlingt, oder es führt, wie wir's erlebt haben, nicht nur aus der Kulturkrise, sondern zur Demission aus dem Kreise der Kulturvölker überhaupt.

In unserer Lage helfen keine ›terribles simplificateurs‹, sondern die berufenen Vereinfacher. Es hülfen, aber es fehlen heute die echten Mittler zwischen dem kaum Verständlichen und den fast Verständnislosen, jedoch Verständniswilligen. Es fehlen die Enzyklopädisten der Gegenwart, die wahren Aufklärer. Wir brauchen keine eifernden Reformatoren und Gegenreformatoren, sondern starke ›Transformatoren‹, die uns die von der Anschauung entleerte Wissenschaft und Philosophie, die esoterische Lyrik, die Zwölftonmusik und die abstrakte Kunst ins Begreifliche und Anschaubare verwandeln. Ohne solche Mittelsmänner von Format müßte die Kluft zwischen denen, die Kultur schaffen, und denen, die nichts damit anfangen können, immer unüberbrückbarer und die Kulturkrise unseres Jahrhunderts immer offenkundiger werden.

Friedrich der Große und die deutsche Literatur

Eine Untersuchung des literarischen Geschmacks um 1780

Daß der König, der an Voltaire schrieb: »Je souhaite, que vous m'enterriez, car, après votre mort, nihil est«, und nach dessen Tode an D'Alembert: er, Friedrich, bete jeden Morgen zu Voltaire, dem Göttlichen und Heiligen; daß »Sa Majesté très Voltairienne« von der deutschen Literatur nichts wußte, war den Zeitgenossen bekannt genug. Und insofern gehen alle Entgegnungen einig, wenn sie den erneuten Beweis dafür mit ergeben verständiger Betrübnis zur Kenntnis nehmen. Erstaunen mußte nicht so sehr der Inhalt der Schrift erregen wie ihr Erscheinen überhaupt. Was konnte den König dazu veranlaßt haben?

Einmal entsprach es seinem Lebensprogramm, das sich mit seiner Lebensanschauung deckte: nach der Sicherung des außenpolitischen Ansehens und nach der ökonomischen Hebung der innerstaatlichen Zustände das Kriegs- und Friedenswerk mit der Förderung nationaler Bildung und nationalen Geschmacks zu beschließen.

Es ist also nur plangemäß, wenn seine Korrespondenz mit dem Jahre 1774 etwa in steigendem Maße Fragen der geistigen Kultur zum Gegenstand hat. Zum anderen war es sein Interesse am Schicksal der französischen Literatur, das ihn während der letzten Lebensjahre und besonders nach dem Tode ihres, wie er meinte, größten und letzten Genies, Voltaire, beanspruchte. Beides verband sich zu der Erwägung: In welchem Stadium literarischer Entwicklung befindet sich Deutschland augenblicklich, während Frankreichs Dichtung untergeht; und welche Mittel ergeben sich aus der analogischen Betrachtung beider Länder für das Programm eines preußischen Königs, die deutsche Literatur der Blüte entgegenzuführen, die Frankreich für immer hinter sich hat? Denn daß die französische Dichtung ohne Hoffnung auf Neubelebung tot bleiben müsse, war ihm die mathematische Konsequenz des unbezweifelbaren, von Voltaire übernommenen Lehrsatzes: jede Kultur habe drei Lebensalter, nach deren Ablauf nichts mehr zu erwarten sei.

Voltaire, neben Montesquieu der Hauptvertreter dieses Räsonnements, hatte einst selber brieflich versichert, daß Deutschland im Sonnenaufgang künstlerischer Kultur stehe; und Friedrich, der sich in der gleichen Zeit für immer dazu entschloß, Deutschlands gegenwärtige Kulturlage mit der Frankreichs unter Franz I. — er taxierte sie gering genug — gleichzusetzen, gewann auf Grund des merkwürdigen Vergleiches und rationalen Entschlusses — Erfahrung besaß er in dieser Hinsicht nicht — die unerschütterliche Überzeugung, die deutsche Literatur sehe herrlichen Zeiten entgegen, deren Genuß ihm selber freilich verwehrt sei. Im Briefwechsel taucht deshalb manches Jahr vor der Schrift wiederholt der leicht kokette, bald mehr, bald weniger durchgeführte Vergleich seiner selbst mit Moses auf dem Berge Nebo auf; mit Moses, der das Gelobte Land sah, ohne es betreten zu dürfen.

Diese der Zukunft geltende, auf abgezogensten Analogien beruhende Zuversicht mischt sich mit Friedrichs in stärkstem Erfahrungsmangel wurzelnder Nichtachtung des gegenwärtigen deutschen Geschmacks- und Sprachzustandes in der Schrift zu einer merkwürdig zwiespältigen Wirkung, die zu paralysieren die meisten wissenschaftlichen Arbeiten über das Werk dadurch streben, daß sie die Entstehung der Schrift um dreißig oder auch vierzig Jahre zurückdatieren wollen.

Eine um mehrere Jahrzehnte zurückliegende Entstehung mag im Bereich der Möglichkeiten liegen. Wesentlich ist im Rahmen der Ereignisse und für die Erkenntnis von Friedrichs geistiger Eigenart, daß und wann die Schrift erschien.

Des Königs geistige Haltung ist ausgesprochen die des rationalistischen Aufklärers. Und jeder Versuch, ihn nach dieser Richtung hin mit Lessing, dem Genie der Übergangszeit, in Vergleich bringen zu können, war, sooft er unternommen wurde, unergiebig und sinnwidrig. Des Königs Neigung zu französischer Rokoko-Kultur ist aus seiner Grundeinstellung ebenso eine Folge wie die Tatsache, daß er keinerlei innere Entwicklung erlebte. Eine neue Erfahrung, die ihn neue Bahnen wies, mochte sie ihn noch so berühren, gab es nicht. So vermag ein Vergleich zum Beispiel seiner politischen Testamente von 1752 und 1768 auch nicht eine wesenhafte Wandlung seiner inner- und außenpolitischen Meinung festzustellen, obwohl zwischen beiden Testamenten der Siebenjährige Krieg liegt, der in Wahrheit eine Niederlage von Friedrichs Theorien, wenn auch den Sieg seiner Persönlichkeit und hilfreicher Zufälle bedeutet.

Die der Wirklichkeit aufgedrängten logischen Gesetze überdauern im Kopfe des Rationalisten ihre geschichtliche Gültigkeit. Genauso zeigen dies des Königs unwandelbare, fünfundvierzig Jahre lang nachweisbar unveränderliche literarische Ansichten. Mit der eisernen Ratio weniger ›natürlicher‹ Axiome ausgerüstet und mit der zweifelhaften Gabe eines selbst der einmal gehörten Einzelmetapher treuen Gedächtnisses behaftet, war es solch dialektisch getriebener Urteilskraft kaum möglich, umzulernen. Neue Erfahrungen wurden angefügt, ohne das Urteil zu treffen.

Ein äußerst loses, durch angeborenen Ordnungs-›Sinn‹ gelockertes Verhältnis zu Anschauung und Erfahrung; eine dingferne Konstruktion ›natürlicher‹ Systeme aus willkürlichen Voraussetzungen heraus, deren Gesamtergebnisse deshalb wirklich zu sein haben, weil sie logisch sind; dem historischen Einzeldatum gegenüber pietätlose Großzügigkeit, die in der Analogie allein das Gesetz der Deutung für völkische und geschichtliche Bezüge sieht und außer wenigen Blütezeitaltern, die von ihrer Genesis losgeschält betrachtet werden, nichts Gewordenes schätzt; der Glaube an die vernünftige Übereinstimmung und die übereinstimmende Vernünftigkeit zwischen Menschengeist und Weltgeschehen — das sind die Grundlagen und Eigenschaften jenes Typus Mensch; das sind die geistigen Grundlagen des großen Königs, die er, nicht zuletzt im Hinblick auf Voltaires Vorgang, für unerschütterlich hielt. Voltaires Sinn war aber viel diffiziler, da und insofern er vom englischen Empirismus zu lernen verstanden hatte.

Wie mißkannt muß etwa Daniel Jacobi diese Situation haben, wenn er in seinem ›Friedrich der Große und die deutsche Literatur‹ (Basel 1875) geradezu wehklagend bedauert, daß der König die Hamburgische Dramaturgie nicht gelesen habe. — Und hätte der König noch die Herderschen Preisschriften darüber hinaus gekannt: wie konnte er sich davon überzeugen lassen, daß er mitten im ersten Blühen deutscher Art und Kunst stand, da doch dies seiner Theorie, Deutschland sei in einer dem Frankreich Franz' I. gleichen Epoche, auf das lebhafteste widersprach! Daß er diese Schriften nicht gelesen hat; daß er den wärmsten Versicherungen seiner Umgebung, die deutsche Dichtung habe sich seit seiner Jugend enorm gewandelt, weder Glauben noch Aufmerksamkeit schenkte, ist ebenso bezeichnend für ihn, wie es gewiß ist, daß ihn jene Lektüre nicht geändert hätte. Dazu war er ein viel zu reinrassiger Vertreter der rationalistischen Aufklärung und ihrer künstlerischen Spielart, des Rokoko — jener spielerischen Kunstart.

Der ausführliche Titel der Schrift — ›De la littérature allemande — des défauts, qu'on peut lui reprocher; quelles en sont les causes; par quels moyens on peut les corriger‹ — läßt eine Dreiteilung ihres Inhalts hinsichtlich der Ursachen, der Art und der Reform des mangelhaften deutschen Literaturniveaus erwarten; die Einteilung verspricht, die Gedanken unter die Gesichtspunkte der Sprache, der Bildung und des Geschmacks zu ordnen. Aber keine der beiden Dispositionen wird ernstlich berücksichtigt. Daß das Ganze vielmehr eine schlecht komponierte Variation über drei dem Jahrhundert wohlbekannte Themen bedeutete, wurde bereits erwähnt. Es wird demnach am gemäßesten sein, nicht den nicht befolgten Gliederungsvorschlägen des Autors, sondern der sprunghaften Erörterung der drei Probleme zu folgen.

Das Verhältnis zwischen *Literatur und Zivilisation* entspricht, nach des Königs Meinung, dem einer einseitig gerichteten mathematischen Funktion insofern, als die Bedeutung einer Literatur mit dem Wohlstand der Nation wächst; die Literatur von sich aus aber fördernden Einfluß auf die innere und äußere Organisation von Volk und Staat nicht haben kann. Diese einseitige Abhängigkeit der Kunst vom Staat ist ebenso Ausdruck eines rationalen Kulturbegriffs wie Beweis für eine rein artistische, luxuriöse Kunstauffassung.

Von dieser Grundhaltung aus ergeben sich verschiedene Einzellösungen: Der Krieg muß die Künste vernichten; fürstliche Mäzene sind imstande, Dichter und Gelehrte einzigartigen Leistungen und die geistige Gesamtproduktion glänzenden Blütezeiten entgegenzuführen; die Regierung hat auf einheitlich vorgeschriebene und einheitlich durchgeführte Erziehungs- und Bildungsmethoden zu achten; der Einfluß der adligen Gesellschaft vermag die künstlerische Qualität auf dem Umwege über die Verfeinerung des Geschmacks und der Sitten der Schriftstellerwelt zu fördern; staatliche Einheit und zentrale Hauptstadt intensivieren die dichterische Konkurrenz und steigern die nationale Bedeutung ihrer Früchte; die Zerrissenheit eines Reiches wird notwendig eine Spaltung der Sprache in Dialekte, damit aber eine nur partielle Wirkung und eine geringere Güte der Kunstwerke nach sich ziehen.

Hinter dieser Summe von Einzelurteilen des Königs steht jene Anschauung, daß zivilisatorische Organisation Ursache künstlerischer und geistiger Kultur überhaupt ist; wie Friedrich in der summarischen Lösung und in den verschiedenen Antworten der Sprecher rationalistischer Aufklärung ist, so zeigen die Erwiderungen, daß diesen rationalistischen Ergebnissen ein zeitübliches Problem und eine gleichgroße Zahl allgemein verbreiteter Unterfragen entsprechen.

Das Verhältnis zwischen *Literatur und Sprache* ist dem König bei weitem nicht so eindeutig klar. Und an dieser Unklarheit wird seine vollgültige Zugehörigkeit zur Aufklärung ebenso deutlich wie an der eben betonten Klarheit über die Beziehung zwischen Kultur und Zivilisation. Denn bei Sprache und Literatur handelt es sich um geschichtliche Werte, die beide rein intellektueller Annäherung widerstreben. Ihre kausale Verknüpfung zu deuten, muß dem Aufklärer ein Rätselspiel mit zwei unbekannten Größen sein. Bald findet er es einleuchtend, daß die ausgebildete Sprache allein Boden der Literatur ist; bald, daß die Sprache selber ohne die formale Kraft literarischer Virtuosen nicht vollkommen werden könne. Man darf solche zweisinnig gerichteten Urteile nicht als Ausdruck für den Einblick in die wechselwirkende Kraft geistiger Mächte erklären wollen. Hier stehen tatsächlich zwei einander ausschließende abstrakte Folgerungen gegenüber, deren Nebeneinander — bei flüchtigem Denken des Schreibers — zu offenen Widersprüchen ausarten kann. Sobald der Denkprozeß selber unscharf wird, fehlt dem Autor jede andere seelische Instanz für Berichtigungen. Wird er sich endlich seiner Unsicherheit dem Komplex gegenüber bewußt, so rettet er sich mit Hilfe des Wortes ›génie‹, das für ihn nichts weiter bedeutet als einen ebenso umfänglichen wie leeren Begriff, nichts als einen unbekannten Abzugskanal für alles, was bloß intellektueller Erfassung spottet.

Das eine Mal begründet Friedrich die Unzulänglichkeit deutscher Literatur mit der Nachlässigkeit ihrer ausübenden Vertreter, die den unzureichenden Ausdruck nur infolge ungenügender Ideenklarheit — eine Lockesche Antithese — nicht überwinden. Dann wieder entschuldigt er den literarischen Tiefstand mit der künstlerisch mangelhaften deutschen Sprache: ihr Zerfall in verschiedene Dialekte, deretwegen die einzelnen Stämme sich nicht verstünden; ihre barbarische Roheit der Laute und Lautgruppen und ihre unvollkommene Regelung der Syntax reißen ihn zu seltsamen Reformvorschlägen hin, die sich mit der Forderung von Grammatiken, Wörterbüchern und Akademien keineswegs befriedigen, sondern Ausmerzung von Konsonanten, Einschübe von Vokalen verlangen, zum Beispiel wünscht er die Verbalendung -en um ein a zu erweitern, also statt ›sagen‹ ›sagena‹ zu sprechen. Hofft Friedrich der Große eine Hebung der deutschen Literatur durch Hebung des Wohlstandes, durch Normalisierung der Bildung und durch Sprachreformen zu erreichen, so gibt er weitere Besserungsvorschläge anläßlich der Erörterung der Frage nach dem Verhältnis zwischen *deutscher Literatur und fremdem Kunstideal*. Im Innersten scheint er von seinen Reformplänen, solange sie sich innerhalb der nationalen Grenzen bewegen, nicht allzu überzeugt. Wirklich fördernd dünkt ihn aber die Regulierung des allgemeinen Geschmacks, die Steigerung des dichterischen Wollens und Könnens und die Schmeidigung der Sprache durch sittigenden, aufklärenden und auch sonst heilsamen Einfluß von Übersetzungen aus den Werken zivilisierter Völker und durch das ernsthafte Studium der Originalwerke aus antiken und modernen Hochkulturen. Den Philosophen, den Historikern, den Juristen, den Lehrern der Beredsamkeit werden gesondert ausführliche Anweisungen erteilt, wie sie die ausländischen Vorbilder zu nützen hätten.

In der Beantwortung der drei Grundbeziehungen der deutschen Literatur: zur Zivilisation, zur Sprache und zu den fremden Mustern, lernen wir den König kennen als rationalistischen Menschen, der deutsche Dichtung als vollendetes Zierobjekt, als allgemein verständlichen geschmackvollen Ideenausdruck und als gepflegte Nachahmung zu sehen wünscht — nicht als seelischen Ausdruck, nicht als individuelle Gestaltung, nicht als nationales Gut.

Diesen Wünschen entsprechen durchgehend als Methode die zahlreichen und überspannten Analogien mit den vier Gipfelepochen, die der Aufklärung bekannt und lieb waren: mit dem Athen des 5. Jahrhunderts und dem Rom des Augustus, mit dem Florenz der Medici und dem Paris Ludwigs XV. Von der Betrachtung dieser Zeitalter abstrahiert er entschlossen Allgemeinurteile auf Allgemeinurteile, um für die deutsche Kultur verbindliche Regeln zu erhalten, wobei er sich selber berechtigte Einwände macht, um sie dann doch durch neue, ebenso unberechtigte Analogien zu annullieren.

Also nicht nur die Ergebnisse, auch die Methode der Befragung; nicht nur der äußere Inhalt, sondern auch die innere Form der Abhandlung sind symptomatisch für den rationalistischen Aufklärer, der Friedrich der Große bruchlos war.

Selbst daß die analysierende Darstellung in diesem Abschnitt hier den Charakter allgemeiner Sätze annahm, ist weniger eine Konsequenz der Beschränkung auf das Notwendigste als eine Folge der Tatsache, daß alles, was Friedrich äußert, soweit es ihm wesentlich ist, von sich aus bereits abstraktes Urteil und allgemeiner Vergleich wird. Konkrete Bemerkungen in der Schrift sind eigentlich nur dann aufschlußreich, wenn sie kurios sind und an dem, was sie enthalten, fühlen lassen, was alles ungesagt bleibt.

Kurz seien die deutschen Dichter und Werke angeführt, die Friedrich nennt. Gellerts Fabeln, Canitz' Gedichte und Gessners Idyllen, das reimlose Gedicht eines Unbekannten (wahrscheinlich Götz' ›Mädcheninsel‹), Ayrenhoffs ›Postzug‹, eine 1771 in Berlin vierzigmal gespielte Komödie. Gellert wird mit Phädrus und Äsop, Canitz mit Horaz, Gessner mit Catull, Properz und Tibull, Ayrenhoff schließlich mit Molière verglichen, nach dem in Herders Fragmenten vergeblich angefochtenen Analogieverfahren.

Friedrichs stärkste, fast leidenschaftliche Abneigung gilt dem deutschen Theater der letzten Jahre, der Aufführung Shakespearischer Stücke und des ›Götz von Berlichingen‹, den er, ohne Nennung des Autors, heftig angreift, »qui paroît sur la scène, imitation détestable de ces mauvaises pièces angloises, et le Parterre applaudit et demande avec enthousiasme la répétition de ces dégoûtantes platitudes«.

414

Dazu Goethe: »Ich habe mir zum Gesetz gemacht, über mich selbst und das Meinige ein gewissenhaftes Stillschweigen zu beobachten... Wenn der König meines Stücks in Unehren erwähnt, ist es mir nichts befremdendes... Ein Vielgewaltiger, der Menschen zu tausenden mit einem eisernen Scepter führt, muß die Produktion eines freien und ungezogenen Knaben unerträglich finden. Überdies möchte ein billiger und toleranter Geschmack wohl keine auszeichnende Eigenschaft eines Königes seyn... Viel mehr dünkt mich das Ausschließende zieme sich für das Große und Vornehme. Lassen Sie uns darüber ruhig seyn, miteinander dem mannichfaltigen Wahren treu bleiben und allein das Schöne und Erhabene verehren, das auf dessen Gipfel steht.«

So schrieb er am 21. Juni 1781 an Mösers Tochter, nachdem er von ihr des Vaters Erwiderung erhalten und nachdem er diese mit dem Herzog zusammen gelesen hatte. Und an Merck schrieb er am 14. November: »Mein Gespräch über die deutsche Literatur will ich noch einmal durchgehen, wenn ich es von der Mutter zurückkriege. Ich hoffte Dir in dem ich es schrieb, einiges Vergnügen zu machen. Mein Plan war, noch ein zweites Stück hinzuzufügen, denn die Materie ist ohne Grenzen. Nun ist aber die erste Lust vorbei, und ich habe darüber nichts mehr zu sagen. Es hätte sich kein Mensch über die Schrift des alten Königs gewundert, wenn man ihn kennte, wie er ist... Man pflegt ihn sich ohne Vorurteile, unterrichtet und gerecht zu denken ... wie er in seinem verschabten blauen Rock und mit seiner bucklichten Gestalt große Thaten gethan hat, so hat er auch mit einer eigensinnigen, voreingenommenen, unrektifizierbaren Vorstellungsart die Welthändel nach seinem Sinn gezwungen...«

Es hat den Anschein, als sei in diesen Briefen Goethes Einstellung zur Schrift des Königs eine andere geworden, wenn man mit ihr den vorhergehenden Tatbestand vergleicht: In den ersten Januartagen begann er seinen ›Dialog‹ zu diktieren; dann hören die Tagebucheintragungen für längere Zeit auf, aber den Briefen an den Herzog und an Frau v. Stein kann man die Stärke des Interesses, mit dem er arbeitete, entnehmen: Während des Konzerts bei der Herzogin saß er in der Stube der Göchhausen und schrieb; Knebel las er Bruchstücke vor; mit Frau v. Stein ging er Pläne und Niederschriften durch; und als der ›Dialog‹ fertig war, bat er sie, mit Herder darüber zu sprechen; ihr Urteil wünschte er zu wissen; Herders kritischen Einwänden wollte er schleunig Rechnung tragen und das geänderte Ganze noch einmal mit ihm besprechen; und wenn dann das Manuskript, nachdem es in Weimar studiert worden war, nach Gotha, Darmstadt und Frankfurt geschickt wurde, so plante doch Goethe auch eine Veröffentlichung im Druck, wie aus dem Briefe Herders an Hamann hervorgeht: »Ich weiß nicht, ob ich Ihnen schon gemeldet habe, daß Göthe ein Gespräch ›in einem Wirtshaus zu Frankfurt an der table d'hote‹ geschrieben hat, wo ein Deutscher und Franzose sich über des Königs Schrift besprechen? Er hats mir zu lesen gegeben und es sind einzelne schöne Gedanken drinn, das Ganze aber hat mir nicht genuggetan und die Einfassung nicht gefallen. Er wills Französisch übersetzen lassen und so herausgeben, wo es sich aber nicht ausnehmen wird.«

Wenn dann der Druck doch unterblieb, wenn Goethe in dem Brief an Frau v. Voigts den ›Götz‹ kaum in Schutz nimmt, wenn er ihr und Merck Friedrichs Intoleranz als Größe zu erklären sucht, mußte sich seine Ansicht doch wohl gewandelt haben; nicht nur, daß ihm Mösers Erwiderung eine Antwort überflüssig zu machen schien — Mösers Erwiderung und die herzhafte Verteidigung des ›Götz‹ mußten ihm, dem Iphigenienschreiber, plötzlich klargemacht haben, daß er gar nicht mehr neben Möser stand! Die einseitige Kunstanschauung, die Möser der einseitigen des Königs entgegengehalten hatte und in deren Grenzen vermutlich auch die eigene Schrift geblieben war — sie war ja gar nicht mehr sein eigentliches neues Ziel und sein wahrer Boden. Noch liebte er die erhabene Größe der Einseitigkeit. Aber er begann sie in der Gestalt des rationalistischen Königs ebenso zu lieben wie in dem Charakter Mösers. Beinahe wie eine sanfte Ablehnung klingt es, wenn er sich gegen dessen Tochter äußert: »Ich unterschreibe besonders sehr gern, wenn er meine Schriften als Versuche ansieht.« —

Goethe war mitten auf dem Wege, ›verflucht human‹ zu werden. Daß er den Dialog schrieb, zeigt, woher er jungen und vollen Herzens kam; daß der Druck unterblieb, kann als Symbol dafür genommen werden, wohin er männlich und besonnen strebte.

Wenn des Königs Schrift auch nicht die letzte Ursache war, welche die zahlreichen Äußerungen über deutsche Literatur und Sprache hervorrief, so war sie immerhin der im Vordergund stehende beachtliche Anlaß.

Es gibt keine Behauptung des Königs, der nicht irgend jemand widersprochen hätte; keine, die nicht einmal gebilligt worden wäre; beides bald mit des Königs, bald mit den entgegengesetzten Gründen. Es handelte sich um Kritik bald in sachlichem Tone, bald ängstlich, bald ironisch, bald aufgebracht; um Zustimmung bald objektiv, bald schmeichlerisch, bald begeistert, bald unwillig.

Und alle diese Arten zu reagieren, fanden sich nicht etwa ordnungsgemäß und harmonisch auf die einzelnen Erwiderungen verteilt, sondern in Mischungen: so daß derselbe Schreiber die eine Behauptung Friedrichs billigen, die andere verwerfen konnte; der einen gern beipflichtete, die andere erregt zu widerlegen trachtete.

Ordnung in dieses Kaleidoskop der Meinungsbezüge zu bringen, wäre ebenso schwierig wie unergiebig.

Es genügt, das eine zu wissen, was a priori verständlich ist: daß diejenigen, die Friedrichs französischer Neigung und geistiger Haltung am nächsten kamen, ihm am einheitlichsten zustimmten; daß diejenigen, die modern und national gesinnt waren, ihm am konsequentesten entgegentraten.

Nur in einem Punkte gleichen sich alle Schriften, von der des geistig Ältesten bis zu der des Jüngsten: Alle widersprachen sie dem Urteil des Königs über das niedrige Gesamtniveau deutscher Literatur. Das ist nicht verwunderlich; denn auch der ärgste Gottschedianer wußte vom literarischen Leben im Deutschland der vergangenen Jahrzehnte mehr als der König von Preußen.

Der literarische Geschmack ist in Zeiten, denen Dichtung, denen Kunst nur mehr Luxus- oder Unterhaltungswert bedeutet, nicht länger organische Ergänzung künstlerischer Produktion, die ihrerseits nicht mehr Ausdruck völkischer Gemeinschaft ist, sondern Spezialbelieferung kleinerer Gruppen oder ausschließlich individuelles Bedürfnis des Gestalters. Jeder total orientierte Versuch, Kunst von neuem für das ganze Volk zu revolutionieren — ob von der Theorie, ob von der Praxis aus, ist gleich —, wird über aktuellen Erfolg kaum hinauskommen, wird diese Bedeutung selten überhaupt erreichen und dann nur als Auftakt, Begleit- oder Folgeerscheinungen nationaler, sozialer, religiöser, allgemein-geistiger Vorgänge.

Nun ist der Sturm und Drang zwar bis zu gewissem Grade Folge religiöser Erneuerung; Erscheinungsform für soziale Gärung; Ausdruck nationaler, anti-französischer Besinnung und Parallele für einen Wandel der geistigen Gesamtansicht. Aber es ist dies alles — wenn auch innerlich zusammenhängend — keine Umwälzung auf breiterer Basis.

Der künstlerischen Revolution einer kleinen Gruppe entsprach deshalb auch keine Revolution des allgemeinen Geschmacks.

Der literarische Geschmack der Aufklärung wiederum war nicht national; er entsprach einer Nachahmungskunst. Er war nicht ausgeprägt und nichts als das Eigentum bestimmter Bildungsklassen und ständischer Vorurteile.

Dem Nachstreben antiker, französischer und englischer Kunstideale von seiten verschiedener Dichtergruppen; dem Nebeneinander von

Regel-, Muster- und Originalkunst; von Stil-, Spiel- und Ausdrucks-
kunst entsprach notwendig das Bedürfnis des literarischen Publikums — das war: der Gebildeten — Klarheit zu schaffen; zu fragen, ob
dieses Nebeneinander Sinn habe und Entwicklung sei.

Die deutsche Literatur der Zeit war so mannigfaltig, hatte so geschwind die verschiedensten Etappen durchlaufen, deren Erscheinun-
gen widerspruchsvoll nebeneinander fortbestanden, daß aus den Reihen des zuschauenden Publikums, selbst aus denen der Schaffenden,
die brennende Frage erklang: Wo stehen wir? Der König hatte gesagt:
In den ersten Anfängen; ohne Dichter und ohne Sprache.

Das verneinten alle. Aber wie sich in dieser Verneinung alle einig
waren, so verschiedenartig waren ihre positiven Angaben. Die Bewegung der letzten anderthalb Jahrzehnte: dieses Unterfangen weniger
junger Leute und die Begeisterung einer kleinen Clique über dieses
Unterfangen, lehnten sie brüsk ab; als geschmacklos oder doch bedenklich. Sie lehnten es selbst dann ab, wenn sie mit dem übrigen
Fundus deutscher Kunst nicht einverstanden waren, wenn sie eine Ergänzung des Bestandes durch Genies erwarteten, als die sie keineswegs jene jungen Leute, sondern die unklare Erfüllung eines abstrak-
ten Terminus begriffen, der ihnen nur zum Abschluß für alles unbe-
stimmt Erhoffte, auf Grund eines ungewissen Mangels, diente; wie
anderen Zeitgenossen oder ihnen selbst die Begriffe Gott und Glaube.
Genie, Gott, Glaube — sind nichts als blasse ›Hilfszeitwörter‹ jener
aufgeklärten und im Übergang lebenden Menschen.

Der Unklarheit im Negativen entsprach nur zum Teil deutlich gegrün-
detes Bewußtsein für positive Literaturgüter, und nur, soweit es sich
um vergangenheitlich Übersehbares handelte: die beschreibende Lehr-
dichtung des frühen Jahrhunderts; um vom Ausland Bewiesenes: die
hohe Tragödie und die Rokokolyrik; um vom Ausland Anerkanntes:
Gessner und — meist der eigenen Stimme entgegen — Klopstock.

Was zwischen vergangener, autoritativer, im Ausland gebilligter
Kunst und den zeitlich letzten Versuchen für die Zukunft lag: das
Areal der Gegenwart wurde entweder behutsam vom Urteil umgan-
gen, mit allgemeinen Reden abgetan oder in Bausch und Bogen aufge-
führt. Die Gruppe der radikalen Aufklärung griff vom festen Boll-
werk, das ihm die Stilkunst war, den zwischen dieser und der shake-
spearisierenden Rotte im Drama entstandenen Realismus Diderots und
Lessings an; die Übergangsnaturen akzeptierten ihn; ihr geschmack-
licher Horizont reichte bis zur Hamburgischen Dramaturgie und konnte für seine schwankend wechselnde Weite die des hamburgischen
Dramaturgen selber geltend machen.

Alles was temperiert erhabene oder feine Empfindungen, was vergnüg-liche Schau, nicht zu ausschweifende Illusion, was tugendhafte Größe übersichtlichen Formats hervorrief, konnte von der alten Gruppe und der des Übergangs, zwei verschiedenen Aggregatzuständen der Auf-klärung, gebilligt werden; dort ein wenig mehr auf die Regeln, hier ein wenig mehr auf die Muster bedacht, dort etwas steifer, hier etwas eleganter.

In der Zeit um 1780, die einer ersten Berührung des rationalen und ir-rationalen Kultursystems unmittelbar nachfolgte, hat Deutschland außer den produktiv dem neuen System verbundenen Menschen nur wenige aufzuweisen, die von dem geistesgeschichtlichen Gesamtvor-gang so betroffen worden wären, daß sie sich ganz auf den Boden der neuen Mächte zu stellen vermochten.

Wohl aber gab es auf der anderen Seite noch viele, die völlig unbe-rührt von diesen Mächten dahinlebten oder verständnislos gegen sie aufbegehrten. Diese konsequenten Aufklärer waren zum Teil der frü-heren Form, der rationalen und französischen, zum Teil der erfah-rungsnäheren englischen Spätform, der sensualistischen Aufklärung, verbunden. Teleologie und Skepsis, Fortschrittszutraulichkeit und Kul-turpessimismus herrschten mit gleichem Geltungsanspruch nebenein-ander.

Die Übergänger gehen immer und unweigerlich auf dem Boden der Aufklärung dahin, und das Wehen einer neuen Zeit, das ihre Köpfe trifft, kann sie darum noch nicht fliegen lehren.

So wenig es auf die Massen ankommt, die von der Gewalt neuen Er-lebens getrieben werden; so wenig die Konsequenz und Allmacht des irrationalen Geistes darunter litt, daß er nur in einzelnen Menschen wirkte und nur aus diesen hervorbrach — für die Zeitwirkung ihrer Leistungen ist es wichtig zu erkennen, daß die Bewegung nur wenige traf.

Wie das Neue in den wenigen entstand, ist Geheimnis und Schicksal. Daß es nicht ins Allgemeine wirkte, ist darin begründet, daß dieses Schicksal nur diese wenigen schlug. An ihrem gestalteten Erlebnis konnte nur der teilnehmen, der gleich ihnen das Erlebnis selber gehabt hatte.

Der Charakter des folgenden Jahrhunderts bestätigt es: Der neue Geist, der zwischen 1765 und 1775 eine Schar von Menschen zu Hin-gabe und Werk zwang, blieb für die Gesamtheit des Volkes unwirk-sam; ja, erlebte in jener Schar selber nur die Etappe des ersten Durch-bruchs. Was davon an Dichtung auf die Nachwelt kam, ist schöne, kraftvolle, Bewunderung erzwingende Rarität geblieben, die ebenso unvergeßlich wie erfolglos war. Was damals eine deutsche Renaissance zu werden versprach, wurde von denselben, die sie verkündeten, allmählich in erneuten, wenn auch großartigen Klassizismus, in rationale, wenn auch fruchtbare Humanität abgebogen.

Die Romantik war der erneute, ähnlich gerichtete Versuch einer Clique; Kleist zeigt das martervolle Beginnen des einzelnen, jenen so bald verschütteten Geist von neuem zu befreien. Nicht mehr und nichts weiter.

Ein Deutsches Tagebuch

1914:
Siegreich woll'n wir Frankreich schlagen

Meine Mutter war jetzt vierzig Jahre alt, und mit Vierzig war man damals ein gutes Stück älter als heutzutage. Man bleibt heute länger jung. Man lebt länger. Und man wird länger. Der Fortschritt der Menschheit findet anscheinend der Länge nach statt. Das ist ein recht einseitiges Wachstum, wie man zugeben muß und täglich feststellen kann. Der längste Staudamm, die längste Flugstrecke, die längste Lebensdauer, der längste Weihnachtsstollen, die längste Ladenstraße, die längste Kunstfaser, der längste Film und die längste Konferenz, das überdehnt mit der Zeit auch die längste Geduld.

Meine Mutter wurde älter, und die Wanderungen wurden kürzer. Wir beschränkten uns auf Tagesausflüge, und auch sie boten Schönheit genug und Freude im Überfluß. In welche Himmelsrichtung man mit der Straßenbahn auch fuhr und an welcher Endstation man auch aus dem Wagen kletterte, in Pillnitz oder in Weinböhla, in Hainsberg oder Weißig, in Klotzsche oder im Plauenschen Grund, überall stand man tief in der Landschaft und mitten im Glück. Mit jedem Bummelzuge war man nach der ersten halben Stunde so weit von der Großstadt fort, als sei man seit Tagen unterwegs. Wehlen, Königstein, Kipsdorf, Langebrück, Roßwein, Gottleuba, Tharandt, Freiberg, Meißen, wo man auch ausstieg, war Feiertag. Die Siebenmeilenstiefel waren kein Märchen.

Sobald wir dann aus einem der kleinen Bahnhöfe traten, mußten wir freilich die eigenen Stiefel benützen. Aber wir hatten ja das Wandern an der Quelle studiert. Wir wußten die Füße zu setzen. Wo andere Ausflügler ächzten und schwitzten, machten wir Spaziergänge. Den größeren der zwei Rucksäcke trug jetzt ich! Es hatte sich so ergeben. Und meiner Mutter war es recht.

In den Sommerferien des Jahres 1914 griff Tante Lina tief und energisch in den Geldbeutel. Sie schickte uns beide mit Dora an die Ostsee. Das war meine erste große Reise, und statt des Rucksacks trug ich zum erstenmal zwei Koffer. Ich kann nicht sagen, daß mir der Tausch sonderlich gefallen hätte. Ich kann Koffertragen nicht ausstehen. Ich habe dabei das fatale Gefühl, daß die Arme länger werden, und wozu brauch ich längere Arme?

Vom Anhalter zum Stettiner Bahnhof spendierten wir uns eine Pferdedroschke ›zweiter Güte‹, und so sah ich, zwischen Koffern hindurchlugend, zum erstenmal ein Eckchen der Reichshauptstadt Berlin. Und zum ersten Male sah ich, auf der Fahrt durch Mecklenburgs Kornfelder und Kleewiesen, ein Land ohne Hügel und Berge. Der Horizont war wie mit dem Lineal gezogen. Die Welt war flach wie ein Brett, mit Kühen drauf. Hier hätte ich nicht wandern mögen.

Besser gefiel mir schon Rostock mit seinem Hafen, den Dampfern, Booten, Masten, Docks und Kränen. Und als wir gar von einer Bahnstation aus, die Rövershagen hieß, durch einen dunkelgrünen Forst laufen mußten, wo Hirsche und Rehe über den Weg wechselten und einmal sogar ein Wildschweinehepaar mit flinken gesprenkelten Frischlingen, da war ich mit der norddeutschen Tiefebene ausgesöhnt. Zum ersten Male sah ich Wacholder im Wald, und an meinen Händen hingen keine Koffer. Ein Fuhrmann hatte sie übernommen. Er wollte sie abends beim Fischer Hoff in Müritz-Ost abliefern. Der Wind, der die Baumwipfel wiegte, roch und schmeckte schon nach der See. Die Welt war anders als daheim und genau so schön.

Eine Stunde später stand ich, vom Strandhafer zerkratzt, zwischen den Dünen und sah aufs Meer hinaus. Auf diesen atemberaubend grenzenlosen Spiegel aus Flaschengrün und Mancherleiblau und Silberglanz. Die Augen erschraken, doch es war ein heiliger Schrecken, und Tränen trübten den ersten Blick ins Unendliche, das selber keine Augen hat. Das Meer war groß und blind, unheimlich und voller Geheimnisse. Gekenterte Schiffe lagen auf seinem Grund, und tote Matrosen mit Algen im Haar. Auch die versunkene Stadt Vineta lag drunten, durch deren Straßen Nixen schwammen und in die Hutläden und Schuhgeschäfte starrten, obwohl sie keine Hüte brauchten, und Schuhe schon gar nicht. Fern am Horizont tauchte eine Rauchfahne auf, dann ein Schornstein und nun erst das Schiff, denn die Erde war ja rund, sogar das Wasser. Monoton und naß, mit weißen Spitzenborten gesäumt, klatschten die Wellen gegen den Strand. Schillernde Quallen spuckten sie aus, die im Sande zu blassem Aspik wurden. Raunende Muscheln brachten sie mit und goldgelben Bernstein, worin, wie in gläsernen Särgen, zehntausendjahralte Fliegen und Mücken lagen, winzige Zeugen der Urzeit.

Sie wurden im Kiosk neben der Mole als Andenken verkauft, zwischen Zwetschgen und Kinderschaufeln, Gummibällen, Basthüten und Zeitungen von gestern. Am Rande des Erhabenen fand das Lächerliche statt. Man war den Städten entflohen und hockte jetzt, angesichts der Unendlichkeit, noch viel enger nebeneinander als in Hamburg, Dresden und Berlin. Man quetschte sich auf einem Eckchen Strand laut und schwitzend zusammen wie in einem Viehwagen. Links und rechts davon war der Strand leer. Die Dünen waren leer. Die Wälder und die Heide waren leer. Während der Ferien lagen die Mietskasernen am Ozean. Sie hatten keine Dächer, das war gut. Sie hatten keine Türen, das war peinlich. Und die Nachbarn waren funkelnagelneu, das war für die Funkelnagelneugierde ein gefundenes Fressen. Der Mensch glich dem Schaf und trat in Herden auf.

Sie schmorten zu Tausenden in der Sonne, als sei die Herde schon geschlachtet und läge in einer riesigen Bratpfanne. Manchmal drehten sie sich um. Wie freiwillige Koteletts. Es roch, zwei Kilometer lang, nach Menschenbraten. Da wendeten wir die Räder um und fuhren in die einsame Heide zurück.

Am schönsten war die Welt am Meer in sternklaren Nächten. Über unseren Köpfen funkelten und zwinkerten viel mehr Sterne als daheim, und sie leuchteten königlicher. Der Mondschein lag wie ein Silberteppich auf dem Wasser. Die Wellen schlugen am Strand ihren ewigen Takt.

Am 1. August 1914, mitten im Ferienglück, befahl der deutsche Kaiser die Mobilmachung. Der Tod setzte den Helm auf. Der Krieg griff zur Fackel. Die apokalyptischen Reiter holten ihre Pferde aus dem Stall. Und das Schicksal trat mit dem Stiefel in den Ameisenhaufen Europa. Jetzt gab es keine Mondscheinfahrten mehr, und niemand blieb in seinem Strandkorb sitzen. Alle packten die Koffer. Alle wollten nach Hause. Es gab kein Halten.

Im Handumdrehen waren, bis zum letzten Karren, alle Fuhrwerke vermietet. Und so schleppten wir unsere Koffer zu Fuß durch den Wald. Diesmal wechselten keine Rehe und keine Wildschweine über die sandigen Wege. Sie hatten sich versteckt. Mit Sack und Pack und Kind und Kegel wälzte sich der Menschenstrom dahin. Wir flohen, als habe hinter uns ein Erdbeben stattgefunden. Und der Wald sah aus wie ein grüner Bahnsteig, auf dem sich Tausende stießen und drängten. Nur fort!

Der Zug war überfüllt. Alle Züge waren überfüllt. Berlin glich einem Hexenkessel. Die ersten Reservisten marschierten, mit Blumen und Pappkartons, in die Kasernen. Sie winkten, und sie sangen: »Siegreich woll'n wir Frankreich schlagen, sterben als ein tapfrer Held!« Extrablätter wurden ausgerufen. Der Mobilmachungsbefehl und die neuesten Meldungen klebten an jeder Hausecke, und jeder sprach mit jedem. Der Ameisenhaufen war in wildem Aufruhr, und die Polizei regelte ihn.

Am Anhalter Bahnhof standen Sonderzüge unter Dampf. Wir schoben meine Mutter und die Koffer durch ein Abteilfenster und kletterten hinterdrein. Unterwegs begegneten uns Transportzüge mit Truppen, die nach Westen gebracht wurden. Sie schwenkten Transparente und sangen: »Fest steht und treu die Wacht, die Wacht am Rhein!« Die Ferienflüchtlinge winkten den Soldaten zu.

Der Weltkrieg hatte begonnen, und meine Kindheit war zu Ende.

1915:

Erziehung zu blindem Gehorsam

Als ich in den letzten Jahren der wilhelminischen Ära ein ›Seminar‹ besuchte — so hießen damals die Lehrerbildungsanstalten —, war die Situation folgendermaßen: Da der Staat die Seminare finanziell unterstützte, bot deren Besuch für die begabten, bildungshungrigen Söhne des Handwerkerstandes, der Arbeiterschaft und des Kleinbauerntums die billigste, im Grunde die einzige erschwingbare Fortbildungsmöglichkeit. Die Folge war, daß wir Seminaristen in aller Augen, besonders in denen der übrigen ›höheren‹ Schüler, ›second class‹ waren. Der Staat tat das Seine. Wir kosteten ihn Geld, und so vermauerte er uns eine andere, vor allem eine akademische Berufswahl. Deshalb war unser Abgangszeugnis dem Abitur nicht gleichgestellt. Man tat das, obwohl unser Begabungsdurchschnitt und unser Wissensniveau unleugbar über dem Mittelwert der anderen Schulen lagen. Die uns eines Tages erwartenden bescheidenen Gehälter gaben unserem Ansehen den Rest. Sie unterhöhlten schließlich auch unsere Selbsteinschätzung, soweit davon noch die Rede sein konnte.

Auch unsere Professoren genossen geringeren Respekt als die Gymnasiallehrer, obwohl sie diesen an Wissen und Können völlig das Wasser reichten. Endlich war — und das ist das Ärgste — unsere Charakterbildung auf bedenkliche Ziele gerichtet. Am deutlichsten wurde dies im Internatsleben. Der Staat lenkte unsere Erziehung gradlinig dorthin, wo er den größten Nutzeffekt sah. Er ließ sich in den Seminaren blindlings gehorsame, kleine Beamte mit Pensionsberechtigung heranziehen. Unser Unterrichtsziel lag nicht niedriger als das der Realgymnasien. Unsere Erziehung bewegte sich auf der Ebene der Unteroffiziersschulen. Das Seminar war eine Lehrerkaserne.

So war es nur folgerichtig, daß die Schüler, wenn sie auf den Korridoren einem Professor begegneten, ruckartig stehenblieben und stramm Front machen mußten. Daß sie in den Arbeitszimmern, wenn ein Lehrer eintrat, auf das zackige Kommando des Stubenältesten hin aufspringen mußten. Daß sie zweimal in der Woche nur eine Stunde Ausgang hatten. Daß nahezu alles verboten war und daß Übertretungen aufs strengste bestraft wurden. So stutzte man die Charaktere. So wurde das Rückgrat geschmeidig gemacht und, war dies nicht möglich, gebrochen. Hauptsache war: Es entstand der gefügige, staatsfromme Beamte, der sich nicht traute, selbständig zu denken, geschweige zu handeln.

Wer sich nicht fügen wollte oder konnte, suchte, wenn sich ihm ein Ausweg bot, das Weite. Ich gehörte zu den Glücklichen. Ich besuchte, als ich nach dem Ersten Weltkrieg heimkam, ein Reformgymnasium und bekenne, nie im Leben wieder so gestaunt zu haben wie damals, als ich plötzlich Professoren erlebte, die sich während des Unterrichts zwischen ihre Schüler setzten und diese, auf die natürlichste Weise von der Welt, wie ihresgleichen behandelten. Ich war überwältigt. Zum erstenmal erlebte ich, was Freiheit in der Schule war, und wie weit sie gestattet werden konnte, ohne die Ordnung zu gefährden. Die anderen, die wieder ins Seminar zurückgemußt hatten, wurden weiter zu Gehorsamsautomaten gedrillt. Dann wurden sie Volksschullehrer und taten blind, was ihnen zu tun befohlen war. Und als dann eines Tages, nach 1933, die Befehle entgegengesetzt lauteten, hatten die meisten nichts entgegenzusetzen. Ihre Antwort war auch dann — blinder Gehorsam.

1923:

Die Berliner Freiheit

Erich Ohser, der aus Plauen im Vogtland stammte und sich späterhin e. o. plauen nannte, zählt zu unseren besten satirischen Zeichnern, aber man weiß es nicht mehr. Er war fünfunddreißig Jahre jünger als Th. Th. Heine, er war jünger als Großmann, Trier, Schaefer-Ast und Schlichter, aber er starb als erster. Die glanzvolle Reihe hat sich gelichtet. Gulbransson und Georg Grosz lebten am längsten.

Das einzige, was man heute noch von e. o. plauen kennt und wieder kaufen kann, sind einige Folgen seiner ›Lustigen Streiche und Abenteuer von Vater und Sohn‹. Damit kennt man die schönsten deutschen Bildergeschichten seit Wilhelm Busch, und es ist nur gerecht, wenn sie bereits jetzt zu den ›Klassikern‹ gerechnet werden.

Doch ob sie nun recht haben oder nicht, den Zeichner e. o. plauen kennen sie dann immer erst zur Hälfte, und den Mann selber kennen sie, damit allein, überhaupt nicht. Denn er war ein rauflustiger Kritiker seiner Zeit, er haßte die Profitmacher, er verlachte die Spießer und Heuchler, er attackierte die Bürokratie, er focht für die Freiheit des einzelnen und kämpfte gegen die Dummheit der meisten. Unermüdlich stellte er sich, mit Tusche und Feder, den Leithammeln und ihren Herden in den Weg und malte den Teufel an die Wand. Hunderte seiner gezeichneten Pamphlete erschienen in demokratischen und sozialdemokratischen Zeitungen. Der Sturm hat die Blätter verweht.

Er illustrierte Kipling und Sostschenko und meine Gedichtbände. Die Bücher sind nicht wieder aufgelegt worden. Die neun oder zehn ganzseitigen Zeichnungen für ›Herz auf Taille‹ überlebten nicht einmal die erste Auflage des Bandes. Curt Weller, unser Verleger, mußte sie prüden Buchhändlern opfern. Sie und ihre wohlanständigen Kunden hatten die unzimperlichen Bilder nicht mit den Augen, sondern mit den Hühneraugen betrachtet. Das mußte Ärger geben.

Denn wenn e. o. plauen von seiner naiv unbändigen Lebenslust gepackt wurde, dann griff er nicht zum Silberstift. Dann wurde er derb wie Rabelais. Seinen erotischen Zeichnungen müßte in einer Kunst- und Sittengeschichte über die ›années folles‹, über das tolle dritte Jahrzehnt unseres Jahrhunderts, ein eigenes Kapitel eingeräumt werden. Darin wäre ganz und gar nicht von Dekadenz und Perversion, Käuflichkeit und Kokain die Rede, sondern vom gesunden Sinn der gesunden Sinne.

Mir fällt die Aufgabe zu, über die entscheidenden Jahre seines Lebens zu berichten. Das kann ich. Denn wir waren befreundet. Und ich tue es, weil der Mann, der es besser als ich gekonnt hätte, weil Erich Knauf, der dritte Erich unserer Runde, tot ist. Er wurde 1944 mit e. o. plauen von der Gestapo verhaftet und, unmittelbar nach dessen Selbstmord in der Zelle, vom Volksgerichtshof verurteilt und umgebracht.

Erich Ohser, Erich Knauf und Erich Kästner, zwei Sachsen aus Plauen und einer aus Dresden, ein Schlosser, ein Setzer und ein Lehrer, die ihre Berufe an den Nagel hängten, ihren Talenten vertrauten, ihre Erfolge hatten und, bis auf einen, unter Hitler ihr Ende fanden, das sind drei kurze Biographien aus unserem fortschrittlichen Jahrhundert!

Als Ohser und ich uns in Leipzig kennenlernten, trieb die Inflation ihre letzten verrückten Papierblüten in die hektische Atmosphäre der Nachkriegszeit. Er war noch ein paar Jahre jünger als ich, groß, dunkelhaarig, tapsig und voller Übermut. Er studierte an der Kunstakademie und ich an der Universität. Wir waren beide unseren Berufen entlaufen und aufs Dasein neugierig, fanden die Freiheit samt ihrem Risiko herrlich, lernten und bummelten, lachten und lebten von der Hand in den Mund. Wir glaubten getrost an unser Talent und waren sehr fleißig und sehr faul, wie es sich traf. Er zeichnete, und ich schrieb schon für Zeitungen und Zeitschriften, und sein Freund Erich Knauf, der es bereits zum Redakteur der ›Plauener Volkszeitung‹ gebracht hatte, war unser bester Abnehmer. Daß sich seine Leser über unsere ungebärdige Modernität wunderten, kümmerte Knauf wenig. Ängstlichkeit stand nicht auf seinem Programm.

1924 wurde ich, mitten im Studium, selber Redakteur. Damit boten sich uns, in der ›Neuen Leipziger Zeitung‹, neue Möglichkeiten. Ohser zeichnete, und ich schrieb, was das Zeug hielt. Unser Ehrgeiz und wir selber brauchten wenig Schlaf. Noch nachts, wenn ich in der Johannisgasse 8 ›Stallwache‹ hatte und, beim Dröhnen der Rotationsmaschinen, Spätnachrichten redigierte, hockten wir zusammen. Manchmal brachte er — aus dem Café Merkur oder, in selbstgeschneiderten Kostümen, von Faschingsbällen — andere junge Künstler und Weltverbesserer mit, und dann redigierten wir die korrekturbedürftige Menschheit. Goethe hat, in Erinnerung an seine Studienzeit, Leipzig ›ein Klein-Paris‹ genannt, und auch um 1925 konnte sich die Stadt der Bach- und Buchkantaten sehen lassen. Doch Krieg und Inflation hatten die Bürger übermüdet. Das Althergebrachte war ihnen neu genug. Unsere rebellische Munterkeit ging ihnen auf die Nerven. Die ›Leipziger Neuesten Nachrichten‹, ein konservatives Blatt und zugleich die größte mitteldeutsche Zeitung, beobachteten die junge und jugendliche Konkurrenz mit wachsendem Unbehagen und warteten darauf, daß sich eine Gelegenheit böte, uns eins auszuwischen.

Die Gelegenheit bot sich. Im Jahre 1927, noch dazu im Fasching, war bei Knauf und anschließend im Karnevalsheft der Kunstakademie, ›Das blaue Herz‹, mein von Ohser illustriertes Gedicht ›Nachtgesang des Kammervirtuosen‹ erschienen. Die ersten Zeilen lauteten: »Du meine Neunte letzte Sinfonie! Wenn du das Hemd anhast mit rosa Streifen . . . Komm wie ein Cello zwischen meine Knie, und laß mich zart in deine Seiten greifen!« Ohser hatte die junge Dame und den Cellisten aufs anschaulichste dargestellt, und wir waren mit unserem gereimten und gezeichneten Scherz soweit zufrieden. Aber wir hatten nicht bedacht, daß 1927 das hundertste Todesjahr Beethovens war! Die ›Leipziger Neuesten Nachrichten‹ widmeten unserer ›Tempelschändung‹ einen geharnischten Leitartikel und attackierten nicht nur uns beide, sondern auch die ›Neue Leipziger Zeitung‹, die solche Frevler beschäftigte. Und am nächsten Tage saßen wir, von unserem Verlagsdirektor fristlos entlassen, verdutzt auf der Straße. Da fanden wir, daß es an der Zeit sei, nach Berlin auszuwandern.

Berlin war damals die interessanteste Großstadt der Welt, und wir bereuten den Tausch keine Stunde. Wir entdeckten Berlin auf unsere Weise und berichteten davon in illustrierten Reportagen, die uns die Provinzpresse abkaufte. Wir saßen täglich stundenlang in unserem Café am Nürnberger Platz und erfanden politische und unpolitische Witze, die Ohser graphisch umsetzen konnte. Auch Eugen Hamm saß dabei, älter als wir, ein Schüler Lovis Corinths, und auch er war unter die Karikaturisten gegangen. Auch er war aus Leipzig ausgewandert. Wir arbeiteten wie die Teufel, lachten an der Spree wie vordem an der Pleiße und lebten wieder einmal von der Hand in den Mund. Eines Tages gab Eugen Hamm das Rennen auf. Er beging Selbstmord.

Ohser und ich ließen nicht locker. Kaum hatten wir ein paar hundert Mark zusammen, fuhren wir nach Paris. Von unserm Quartier aus, es war ein romantisches Stundenhotel am Bahnhof St. Lazare, durchstreiften wir nun die Hauptstadt der Künste. Im Jardin du Luxembourg und in den Gärten der Tuilerien begann Ohser mit Pastellstiften zu arbeiten, und diese Blätter, worauf Kraft und Zärtlichkeit miteinander Hochzeit machten, zeigten endgültig, daß ein jugendlicher Meister am Werke war.

Doch noch immer waren wir arm wie die Kirchenmäuse, und nach einigen Wochen kehrten wir in die geliebte Berliner Tretmühle zurück. Allmählich wurde man auf uns aufmerksam. Es ging vorwärts. Knauf, der dritte Erich, kam nach Berlin. Die Büchergilde Gutenberg hatte sich den tüchtigen Mann geholt. Auch er erteilte Ohser Illustrationsaufträge für einige Bücher und laufend für die Hauszeitschrift des Verlags, und so konnten wir, 1929, zum zweitenmal auf die Reise gehen. Diesmal hießen unsere Ziele Moskau und Leningrad. Wir sahen, was man uns zeigte, und noch ein bißchen mehr. Die Berliner Freiheit und das Leben auf eigene Gefahr waren uns lieber.

Doch die Jahre der Berliner Freiheit waren, ohne daß wir es wußten, schon gezählt, und unser Leben auf eigene Gefahr sollte nur zu bald in ständige Lebensgefahr ausarten. Die Zeit bis zu dieser Unzeit brachte ihm, der sich nun e. o. plauen nannte, noch mancherlei Glück. Der Verlag Ullstein machte ihn zum festen Mitarbeiter. Das bedeutete Anerkennung, sicherte Einkommen und Auskommen und verhieß Popularität. Er heiratete seine Marigard und wurde Krischans Vater.

Nun brauchte er mit seinem Talent nicht länger Raubbau zu treiben. Der Plan zu ›Vater und Sohn‹ entstand. Auch andere Pläne reiften. Und da kam Hitler an die Macht.

Knauf, der sozialistische Haudegen, geriet ins Konzentrationslager. Mir wurde das Schreiben verboten. Ohser blieb verschont und zeichnete seine lustigen Bilderserien. Als Knauf aus dem Lager entlassen worden war, tauchte er in einer Filmfirma als Pressemann unter. Später schrieb er, unter anderem Namen, erfolgreiche Heimatlieder. Sie wollten, mit einem Minimum an Konzessionen, das braune Reich überdauern. Sie hofften, es werde gutgehen. Es konnte nicht gutgehen, und es ging nicht gut. Sie verbargen ihre eigentlichen Talente, damit sie nicht mißbraucht würden. Ihre eigentliche Meinung konnten sie auf die Dauer nicht verbergen. Sie wurden denunziert und dem Volksgerichtshof ans Messer geliefert.

1927:
Kurt Tucholsky schuftet für fünf

Sehr oft bin ich ihm nicht begegnet. Denn als ich 1927 nach Berlin kam, um das Fürchten zu lernen, hieß sein Wohnort schon: Europa. Bald hauste er in Frankreich, bald in Schweden, bald in der Schweiz. Und nur selten hörte man: »Tucho ist für ein paar Tage in Berlin!« Dann wurden wir eilig in der Douglasstraße zusammengetrommelt. ›Wir‹, das waren die Mitarbeiter der ›Weltbühne‹: Carl von Ossietzky, Arnold Zweig, Alfred Polgar, Rudolf Arnheim, Morus, Werner Hegemann, Hermann Kesten und einige andere. Tucholsky saß dann zwischen uns, keineswegs als sei er aus Paris oder Gripsholm, sondern höchstens aus Steglitz oder Schöneberg auf einen Sprung in den Grunewald herübergekommen; und kam er gerade aus der Schweiz, so dachte man, während man ihm belustigt zuhörte, nicht ganz ohne Besorgnis: Da werden nun also alle Eidgenossen berlinern!

An solchen Abenden ging es hoch her. Da wurden das Weltall und die umliegenden Ortschaften auseinandergenommen. Emmi Sachs und das Dienstmädchen reichten kleine Brötchen und große Cocktails herum. Und Edith Jacobsohn, die Verlegerin, blickte wohlgefällig durch ihr Monokel. Einmal, weiß ich noch, war meine Mutter, die mir aus Dresden frische Wäsche gebracht hatte, dabei. Sie saß leicht benommen inmitten der lauten Männer, die sie nicht kannte, und hörte von Büchern und Menschen reden, die sie noch weniger kannte. Da rückte Tucholsky seinen Stuhl neben den ihren und unterhielt sich mit ihr über mich. Er lobte ihren ›Jungen‹ über den grünen Klee, und das verstand sie nun freilich. Das war ihr Spezialgebiet. Er aber sah mich lächelnd an und nickte mir zu, als wollte er sagen: So hat jeder seine Interessen — man muß sie nur herauskriegen!

Ein einziges Mal, 1931 oder 1932, war ich länger mit ihm zusammen. Vierzehn Tage lang, und das war purer Zufall. Am Ende einer Schweizer Urlaubsreise war ich in Brissago gelandet. Am Lago Maggiore, nicht weit von Locarno. In Brissago lag ein schönes, großes, bequemes Hotel mit einem alten Park, einem sandigen Badestrand und anderen Vorzügen. Hier gedachte ich ein neues Buch anzufangen, mietete außer einem Balkonzimmer noch einen zweiten Balkon und zog jeden Tag mit der Sonne und einem Schreibblock von einer Hotelseite zur anderen, ließ mich braunbrennen, blickte auf den See hinunter und malte zögernd kariertes Papier mit Wörtern voll. Als ich eines Abends — ich war schon mehrere Tage da — beim Portier nach Post fragte, sah ich einen großen Stapel Postpakete liegen. Das konnten nur Bücher sein! Und auf jedem der Pakete stand: »An Herrn Dr. Kurt Tucholsky. Absender: Die Redaktion der Weltbühne.«

Wir waren einander noch nicht begegnet, weil er dauernd in seinem Dachzimmer gehockt und auf der Reiseschreibmaschine Klavier gespielt hatte. Denn Ossietzky brauchte Artikel. — Am Abend saßen wir miteinander in der Veranda, tranken eine Flasche Asti spumante und freuten uns wie die Kinder, wenn sie eine Gelegenheit entdeckt haben, sich von den Schularbeiten zu drücken. Wir blickten auf den See, und es war, als führen wir auf einem großen langsamen Dampfer durch die gestirnte Nacht. Beim Mokka wurden wir dann wieder erwachsen und organisierten die neue Situation. Tagsüber, schworen wir, wollten wir uns nicht stören, sondern tun, als ob der andere überhaupt nicht da wäre. Einander flüchtig zu grüßen, wurde einstimmig konzediert. Abends wollten wir uns dann regelmäßig zum Essen treffen und hinterdrein ein paar Stunden zusammen sein.

So geschah es auch. Während ich tagsüber am Strand lag oder von einem Balkon zum anderen zog, damit in meinem Reich die Sonne nicht untergehen möge, klapperte Tucholskys Schreibmaschine unermüdlich, der schönen Stunden und Tage nicht achtend. Der Mann, der da im Dachstübchen schwitzte, tippte und Pfeife rauchte, schuftete ja für fünf — für Peter Panter, Theobald Tiger, Ignaz Wrobel, Kaspar Hauser und Kurt Tucholsky in einer Person! Er teilte an der kleinen Schreibmaschine Florettstiche aus, Säbelhiebe, Faustschläge. Die Männer des Dritten Reiches, Arm in Arm mit den Herren der Reichswehr und der Schwerindustrie, klopften ja damals schon recht vernehmlich an Deutschlands Tür. Er zupfte sie an der Nase, er trat sie gegen das Schienbein, einzelne schlug er k. o. — ein kleiner dicker Berliner wollte mit der Schreibmaschine eine Katastrophe aufhalten.

Abends kam er, frisch und munter, zum Essen an unseren Verandatisch herunter. Wir sprachen über den Parteienwirrwarr, über die wachsende Arbeitslosigkeit, über die düstere Zukunft Europas, über die ›Weltbühne‹ natürlich, über neue Bücher, über seine Reisen. Und wenn wir später am See und im Park spazierengingen, gerieten wir meistens ins Fachsimpeln. Dann war vom Satzbau die Rede, von Chansonpointen, von der ›Überpointe‹ in der letzten Strophe und ähnlichem Rotwelsch. In einer entlegenen Ecke des Parks stand, in einer kleinen, von Oleanderbüschen umgebenen Orchestermuschel, ein altes, verlassenes Klavier. Manchmal setzte er sich an den ziemlich verstimmten Kasten und sang mir Chansons vor, die er für ›Schall und Rauch‹, für Gussy Holl, für Trude Hesterberg und andere geschrieben hatte. Diese Vortragsabende für einen einzigen Zuhörer, am abendlichen See und wahrhaftig unter Palmen, werde ich nie vergessen.

Oft war er niedergeschlagen. Ein Gedanke quälte und verfolgte ihn. Der Gedanke, was aus dem freien Schriftsteller, aus dem Individuum im Zeitalter der Volksherrschaft werden solle. Er war bereit, dem arbeitenden Volk und dem Sozialismus von Herzen alles hinzugeben, nur eines niemals: die eigene Meinung! Und dann marterte ihn damals schon, was ihn immer mehr und immer unerträglicher heimsuchen sollte — mit keinem Mittel zu heilende, durch keine Kur zu lindernde Schmerzen in der Stirnhöhle.

Als wir uns trennten, wußten wir nicht, daß es für immer sein werde. Ich fuhr nach Deutschland zurück. Bald darauf schlug die Tür zum Ausland zu. Eines Tages hörten seine Freunde und Feinde, daß er aus freien Stücken noch einmal emigriert war. Dorthin, von wo man nicht wieder zurückkehren kann.

1928:
Mit Erich Ohser im sündhaften Paris

Sommer 1928 . . . Ein Jahr zuvor hatte es Ohser und mich aus Leipzig nach Berlin verschlagen. Damit waren wir, ohne es zu wollen oder auch nur zu ahnen, in die schönste Zeit unsres Lebens hineingestolpert. Und nun trieben wir uns also, mit wenig Geld und großen Augen, für ein paar Wochen in Paris herum. Was kostete die Welt? Sie schien nicht billig zu sein. Aber wir wollten sie ja gar nicht kaufen, sondern nur betrachten! Das allerdings besorgten wir gründlich.

Wir wohnten in einem billigen, kleinen Hotel am Bahnhof St. Lazare, in der Rue d'Edimbourg. Hier waren die harten Salami- und Zervelatwürste deponiert, die wir aus Berlin mitgeschleppt hatten und über die wir während der knappen Marschpausen hungrig herfielen. Wir lebten wie die Wanderburschen, und wir waren ja auch welche! Von morgens bis in die Nacht trabten wir kreuz und quer durch die wundervolle Stadt, über die Boulevards zum Bois, von der Place du Tertre zum Café du Dôme und zur Coupole, von der Madeleine zur Place de la Bastille, von den Markthallen zu den Bouquinisten, und kein Winkel konnte sich vor uns verstecken.

Unsere Neugier war ein Verlangen wie Hunger und Durst und kaum zu stillen. Sie wurde nicht müde. Schon gar nicht zur Schlafenszeit, wenn der Nachthimmel über Paris rot wurde. Nein, wir gingen nicht mit den Hühnern zu Bett. (Auch nicht mit den französischen, die man »poules« nennt.) Wir hielten auch nachts die Augen offen.

Wir saßen im ›Moulin de la Galette‹ und schauten der kleinbürgerlichen Großstadtjugend zu, wie sie zur Blasmusik Walzer und Twostep tanzte, oft genug die Mauerblümchen miteinander und auch die jungen Burschen paarweise. Wir hockten im weltberühmten ›Lido‹ an der Bar, zählten heimlich unser Geld und freuten uns über das freche und snobistische Durcheinander, hier der swimming-pool mit Badenixen und Gummitieren, dort die Maharadschas und Fracks und Pariser Modellkleider beim nächtlichen Champagnerfrühstück.

Ein andermal gerieten wir, in irgendeiner dunklen Seitenstraße, unversehens in ein Lokal mit splitterfasernackter Damenbedienung. Es handelte sich um etwa zwei Dutzend ziemlich hübscher Mädchen in allen Haut- und Haarfarben. Auch Negerinnen, Orientalinnen und Chinesinnen waren darunter, und alle bemühten sich aufs ungezwungenste um ihre Gäste. Es war eine weibliche Völkerschau auf vollen Touren. Wir kamen uns vor wie in einer Hafenkneipe von Hongkong oder Port Said, und in unserer Runde fehlte eigentlich nur noch ein dritter Sachse, der Vollmatrose Ringelnatz, mit einem Glase Wein und einem hanebüchenen Kuddeldaddeldu-Gedicht.

Die gleiche Nacht hatte ein weiteres ›sündhaftes‹ Abenteuer in petto. Auf dem Rückmarsch ins Hotel überredete uns, an der Place de la Concorde, ein radebrechender Levantiner, eine Fotoserie zu erwerben. Er tat sehr verrucht und geheimnisvoll. Und er hatte wohl auch recht damit. Denn das Sammelwerk hieß ›Les vingtquatre positions!‹ Das Geschäft kam zustande. Der Mann verschwand im Dunkeln. Ohser trat unter einen Kandelaber, um, bei dessen Schimmer, so schnell wie möglich unvermutete Bildungslücken zu beseitigen, betrachtete die Fotos und brach in schallendes Gelächter aus. Der Levantiner hatte uns vierundzwanzig Posen und Phasen eines Ringkampfes zweier dicker Männer vom Rummelplatz angedreht!

Das war, wie gesagt, im Jahr 1928. Seitdem ist, weiß der Himmel, viel geschehen. Aber Erich Ohsers jungenhaftes Lachen, das klingt mir noch heute im Ohr. Und nicht nur jenes Lachen unterm Kandelaber in Paris.

1933:
Der Reichstagsbrand gab das Signal

Am selben Tage, an dem in Berlin das Reichstagsgebäude brannte, traf ich, aus Meran kommend, in Zürich ein, wohin mir ein deutscher Verleger entgegengereist war. Er gab mir den Rat, in der Schweiz zu bleiben; und einige Kollegen, die bereits emigriert waren, Anna Seghers befand sich unter ihnen, teilten seine Meinung. Die deutschen Zeitungsagenturen meldeten, die Kommunisten hätten den Reichstag angezündet. Uns allen war klar, daß es sich im Gegenteil um ein Manöver Hitlers handelte, hinter dem sich nichts weiter verbergen konnte als die Absicht, geplante innerpolitische Gewaltmaßnahmen mit dem Schein des Rechts in Gegenmaßnahmen umzufälschen. Er fingierte diesen Angriff seiner politischen Feinde, um ihre Vernichtung als bloße Selbstverteidigung hinzustellen.

Daß ich trotzdem nach Berlin zurückkehren wollte, führte in dem kleinen Züricher Café zu lebhaften Auseinandersetzungen. Kurz bevor mein Zug aus Zürich abfuhr, kam am Nebengleis ein Schnellzug aus Deutschland an. Dutzende von Bekannten und Kollegen stiegen aus. Sie waren über Nacht geflohen. Der Reichstagsbrand war das Signal gewesen, das sie nicht übersehen hatten. Als sie mich und meine Absicht erkannten, verstärkten sie den warnenden Chor der Freunde. Ich aber fuhr nach Berlin zurück und bemühte mich in den folgenden Tagen und Wochen, weitere Gesinnungsgenossen von der Flucht ins Ausland abzuhalten. Ich beschwor sie zu bleiben. Es sei unsere Pflicht und Schuldigkeit, sagte ich, auf unsere Weise dem Regime die Stirn zu bieten. Der Sieg dieses Regimes und die schrecklichen Folgen eines solchen Sieges seien, sagte ich, natürlich nicht aufzuhalten, wenn die geistigen Vertreter der Fronde allesamt auf und davon gingen. Sie hörten nicht auf mich. Hätten sie auf mich gehört, dann wären sie heute wahrscheinlich alle tot. Dann stünden sie, auch sie, in den Listen der Opfer des Faschismus. Mir wird, sooft ich daran denke, heiß und kalt. Wenn es mir damals gelungen wäre, auch nur einen einzigen zu überreden, den man dann gequält und totgeschlagen hätte? Ich trüge dafür die Schuld ...

Ich erzähle das, um anzudeuten, weshalb ich mir nicht mehr anmaße, anderen Menschen, und wären's die nächsten Freunde, in wichtige Entscheidungen hineinzureden. Von einem einzigen Menschen habe ich das Recht, Ideen zuliebe Opfer zu verlangen: von mir selbst. Ich weiß, daß das ein etwas kläglicher, mediokrer Standpunkt ist. Er hat nur einen Vorzug: den der Ehrlichkeit. Generäle, Parteiredner und Sektengründer haben stärkere Nerven als ich, eine dickere Haut und vielleicht auch etwas weniger Phantasie. Sie verspielen, wenn's sein muß, auch fremde Einsätze, ohne mit der Wimper zu zucken. Ich könnte es nicht.

Damit ergibt sich meine Stellungnahme zu einer Frage, die im heutigen Deutschland zahllose Menschen, und gerade junge Leute, außerordentlich bewegt. Die Frage, ob sie eines Tages, falls sich die Gelegenheit dazu je böte, versuchen sollten auszuwandern. Im sechsten Heft der Münchner Zeitschrift ›Der Ruf‹ (1946) hieß es: »Dies ist der Sachverhalt: die große Masse der deutschen Jugend trägt sich mit der festen Absicht, Deutschland zu verlassen, sobald sich nur die geringste Möglichkeit bieten sollte.« Und: »Unter etwa sechzig bis achtzig befragten jungen Menschen haben wir keinen gefunden, der uns nicht die Heimat seiner Zukunft schon mit dem Finger auf der Landkarte zeigen konnte.«

Ist der Wunsch, das gesunkene Schiff zu verlassen, wirklich so allgemein verbreitet? Ich hoffe, daß der Autor übertreibt. Ich fürchte, daß er recht hat. »Schon die Absicht allein«, schreibt er, »beweist, daß diese Jugend die Lust verloren hat, am Leben Deutschlands teilzunehmen.« Die Lust verloren? Das klingt niederschmetternd. Es klingt, als ob jemand sagte: »Meine Eltern haben ihr Vermögen verloren, ich such mir morgen ein Paar neue!« Früher hätte ich eine solche Gesinnung mit den mir zu Gebote stehenden schriftstellerischen Mitteln bis aufs äußerste bekämpft. Heute? Heute zucke ich die Achseln und blicke aus dem Fenster. Wenn die jungen Leute erklären: »Wir wollen fort aus diesem zertrümmerten und mit Menschen bis an den Hals vollgestopften Land, um unser Glück woanders zu versuchen«, so habe ich kein Recht, mich ihnen in den Weg zu stellen. 1933 forderte ich andere auf, ihr Leben aufs Spiel zu setzen. Heute bringe ich's nicht einmal über mich, sie aufzufordern, daß sie ihr materielles Glück riskieren. Auch das ist nicht meine, sondern ihre Sache.

Bei Verbrennung meiner Bücher

Im Jahre 1933 wurden meine Bücher in Berlin, auf dem großen Platz neben der Staatsoper, von einem gewissen Herrn Goebbels mit düster-feierlichem Pomp verbrannt. Vierundzwanzig deutsche Schriftsteller, die symbolisch für immer ausgetilgt werden sollten, rief er triumphie-rend bei Namen. Ich war der einzige der Vierundzwanzig, der per-sönlich erschienen war, um dieser theatralischen Frechheit beizuwoh-nen.

Ich stand vor der Universität, eingekeilt zwischen Studenten in SA-Uniform, den Blüten der Nation, sah unsere Bücher in die zuckenden Flammen fliegen und hörte die schmalzigen Tiraden des kleinen abge-feimten Lügners. Begräbniswetter hing über der Stadt. Der Kopf einer zerschlagenen Büste Magnus Hirschfelds stak auf einer langen Stange, die, hoch über der stummen Menschenmenge, hin und her schwankte. Es war widerlich.

Plötzlich rief eine schrille Frauenstimme: »Dort steht ja der Kästner!« Eine junge Kabarettistin, die sich mit einem Kollegen durch die Menge zwängte, hatte mich stehen sehen und ihrer Verblüffung über-trieben laut Ausdruck verliehen. Mir wurde unbehaglich zumute. Doch es geschah nichts. (Obwohl in diesen Tagen gerade sehr viel zu ›geschehen‹ pflegte.) Die Bücher flogen weiter ins Feuer. Die Tiraden des kleinen abgefeimten Lügners ertönten weiterhin. Und die Gesichter der braunen Studentengarde blickten, den Sturmriemen unterm Kinn, unverändert geradeaus, hinüber zu dem Flammenstoß und zu dem psalmodierenden, gestikulierenden Teufelchen.

In dem folgenden Jahrdutzend sah ich Bücher von mir nur die wenigen Male, die ich im Ausland war. In Kopenhagen, in Zürich, in London. — Es ist ein merkwürdiges Gefühl, ein verbotener Schriftsteller zu sein und seine Bücher nie mehr in den Regalen und Schaufenstern der Buchläden zu sehen. In keiner Stadt des Vaterlands.

Es hat zwölf Jahre gedauert, bis das Dritte Reich am Ende war. Zwölf Jahre haben genügt, Deutschland zugrunde zu richten. Und man war kein Prophet, wenn man, in satirischen Strophen, diese und ähnliche Ereignisse voraussagte. Daß keine Irrtümer vorkommen konnten, lag am Gegenstand: am Charakter der Deutschen. Den Gegenstand seiner Kritik muß der Satiriker natürlich kennen. Ich kenne ihn.

Schwierigkeiten, ein Held zu sein

Als am 10. Mai 1933 die deutschen Studenten in allen Universitäts-
städten unsere Bücher tonnenweise ins Feuer warfen, spürten wir:
Hier vollzieht sich Politik, und hier ereignet sich Geschichte. Die
Flammen dieser politischen Brandstiftung würden sich nicht löschen
lassen. Sie würden weiterzüngeln, um sich fressen, auflodern und
Deutschland, wenn nicht ganz Europa in verbrannte Erde verwandeln. Es würde so kommen und kam so. Es lag in der Unnatur der
Sache.
Sie machten sich viel mit Fackeln und Feuer zu schaffen, jene Pyrotechniker der Macht. Es begann mit dem brennenden Reichstag und
endete in der brennenden Reichskanzlei. Es begann mit Fackelzügen
und endete mit Feuerbestattung. Zwischen dem Reichstagsbrand und
der Bücherverbrennung, also zwischen dem 27. Februar und dem
10. Mai 1933, arbeiteten sie freilich ohne Streichhölzer und Benzin.
Sie sparten Pech und Schwefel. Es ging auch so. Der Feldmarschall
und Reichspräsident kapitulierte in der Potsdamer Garnisonkirche. Das
geschah am 21. März. Zwei Tage später kapitulierten, mit Ausnahme
der Sozialdemokratie, die Parteien in der Krolloper. Eine Woche später
wurden die Länder ›gleichgeschaltet‹. Am 1. April wurde der Juden-
boykott inszeniert. Es war eine mißglückte Inszenierung, und man
setzte das blutige Stück vorübergehend vom Spielplan ab. Am 7. April
wurden die Gauleiter als Reichsstatthalter herausstaffiert. Am 2. Mai
wurden die Gewerkschaften aufgelöst. Zwei Monate hatte man mit
der seidnen Schnur gewinkt, und es ging wie am seidnen Schnürchen.
Am 10. Mai aber brauchte man wieder Feuer. Für die Bücher.
Der kleine hinkende Teufel, nicht der von Le Sage, sondern der aus
Rheydt im Rheinland, dieser mißratene Mensch und mißglückte
Schriftsteller, hatte das Autodafé fehlerlos organisiert. Eine Münchner Zeitung schrieb am 5. Mai: »Die Hinrichtung des Ungeistes wird
sich zur selben Stunde in allen Hochschulstädten Deutschlands voll-
ziehen. In einer großen Staffelreportage zwischen 11 und 12 Uhr
nachts wird gleichzeitig der Deutschlandsender ihren Verlauf aus
sechs Städten, darunter auch München, mitteilen. Schon einmal weih-
ten deutsche Burschen öffentlich vor allem Volk einen Haufen Bücher
dem Feuer. Das war vor nunmehr hundert Jahren auf der Wartburg,
und die achtundzwanzig Schriften, die der Zorn der Flammen damals
ergriff, ... waren Werke des Muckertums, der Knechtsgesinnung,
von Bütteln, Spießern und Dreigroschenseelen im Sold der Herrschenden hingesudelt ... Und heute steht abermals das Gericht über sie

436

auf, und abermals schichtet der deutsche Bursch ihnen das Feuer der Vernichtung.«

Die Parallele zum Wartburgfest Anno 1817 zu ziehen, zur Verbrennung einiger preußischer Polizeivorschriften sowie etlicher Bände von Kotzebue und eines Autors namens Schmalz, der Vergleich eines Ulks mit der Verbrennung nicht des »deutschen Ungeistes«, sondern des deutschen Geistes, das war eine Frechheit ohne Beispiel. »Die Lüge hat ein kurzes Bein«, hieß es schon damals. Was hatten denn die Bücher von Heinrich und Thomas Mann, von Döblin und Leonhard Frank, von Werfel und Wassermann, von Brecht und Renn, von Alfred Neumann und Polgar, von Stefan Zweig und Lernet-Holenia, von Heuss und Rathenau, von Sigmund Freud und Lindsay, die Übersetzungen der Bücher von Sinclair, Barbusse und Gorki, von Wells, Jack London, Dos Passos, Hašek, Hemingway und James Joyce mit Muckertum und Knechtsgesinnung und gar mit preußischen Polizeivorschriften zu tun? Die Zahl der Autoren, deren Bücher verbrannt wurden, geht in die Hunderte.

Der Lügner wußte, wie infam er log. Er nahm sich nicht einmal die Mühe, seinen Haß und Neid gescheiter zu artikulieren, und er hatte recht. Denn »der deutsche Bursch schichtete das Feuer der Vernichtung«, wie es so schön hieß, sowieso. In der Münchner Zeitung vom 5. Mai 1933 steht weiter: »Es mag einen tüchtigen Stoß geben, denn nicht nur die Studenten sind aufgefordert worden, ihre Bücherschränke zu sichten, sondern an die ganze Bevölkerung ging der Ruf, und vor allem aus den Leih- und Volksbüchereien erwartet man kräftigen Zuzug. Und darum stehen heute schon die Lastwagen bei der Studentenschaft gerüstet, und sie hat sich für das Werk der Zerstörung sogar schon mit einer pyrotechnischen Firma in Verbindung gesetzt. Am Nachmittag soll der Stapel schon aufgebaut werden. Eine gute Stunde lang dürften die Flammen wohl Nahrung finden.« Eine gute Stunde lang! Es war für Deutschland und die Welt keine gute Stunde.

Die Feuer brannten. Auf dem Opernplatz in Berlin. Auf dem Königsplatz in München. Auf dem Schloßplatz in Breslau. Vor der Bismarcksäule in Dresden. Auf dem Römerberg in Frankfurt. Sie loderten in jeder deutschen Universitätsstadt. Die Studenten hielten in brauner Uniform die Ehrenwache. Die Sturmriemen unterm akademischen Kinn. In Berlin hatten sie sich vor der Universität und der Bibliothek aufgebaut, sahen zum Scheiterhaufen hinüber und kehrten ihrer ›Alma mater‹ den Rücken. Und den Standbildern der Brüder Humboldt am Haupttor. Sie blickten zackig geradeaus, die Studenten. Hinüber zum Brandmal, wo der kleine ›Teufel aus der Schachtel‹ schrie und gestikulierte und wo die Kommilitonen die Bücher zentnerweise ins Feuer schippten. Ich habe Gefährlicheres erlebt, Tödlicheres — aber Gemeineres nicht!

»Ein Revolutionär muß alles können!« brüllte der personifizierte Minderwertigkeitskomplex aus Rheydt. »Er muß ebenso groß sein im Niederreißen der Unwerte wie im Aufbauen der Werte.« Und die Frankfurter Zeitung vom 11. Mai berichtet: »Niemals, so meinte er, hätten junge Männer so wie jetzt das Recht, mit Ulrich von Hutten auszurufen:›O Jahrhundert, o Wissenschaften! Es ist eine Lust zu leben!‹«

Was hatte, vom abscheulichen Beispiel abgesehen, an diesem Abend stattgefunden? Hatte, diesmal auch, der dämonische Gefreite und Obdachlose aus Braunau am Inn gebrüllt? Nein. Hatten seine Marodeure und sein Pöbel die Bücher ins Feuer geworfen? Nein. Viel Schrecklicheres, etwas Unausdenkbares war geschehen: Ein Doktor der Philosophie, ein Schüler Gundolfs, hatte die deutschen Studenten aufgefordert, höchstselbst den deutschen Geist zu verbrennen. Es war Mord und Selbstmord in einem. Das geistige Deutschland brachte sich und den deutschen Geist um, und der Arrangeur, auch und gerade er, war, wie er das zu formulieren pflegte, ein Arbeiter der ›Stirn‹. Es war nicht nur Mord und nicht nur Selbstmord, es war Mord als Inzest, es war, mathematisch gesagt, Massenmord und Selbstmord hoch drei.

Nun blieb zu tun nichts mehr übrig. Dieses »Nichts nichtete« dann, im November des gleichen Jahres, in seiner Rektoratsrede vor den Freiburger Studenten »der größte deutsche Philosoph unseres Jahrhunderts«, auch er der Schüler eines jüdischen Gelehrten, als er sagte: »Nicht Lehrsätze und ›Ideen‹ seien die Regeln eures Seins. Der Führer selbst und allein ist die heutige und künftige Wirklichkeit und ihr Gesetz.« Ob der bedeutende Mann, als er »euer Sein« sagte, Sein mit i oder mit y ausgesprochen hat, weiß ich nicht. Möge er der größte Philosoph unseres glorreichen Jahrhunderts sein oder seyn und bleiben! Ich glaube und ich hoffe, daß ihm, eines Tages im Pantheon, Sokrates und Seneca, Spinoza und Kant nicht die Hand geben werden.

An dieser Stelle möchte ich einem anderen Philosophen meine ehrliche Bewunderung und Verehrung zollen: Eduard Spranger, einem meiner Leipziger Lehrer, einem aufrechten Mann. Er trat demonstrativ von seiner Berliner Professur zurück und begründete diesen Rücktritt sogar vor einer Pressekonferenz.

Doch das Ehrgefühl und der Widerstand im Detail nützten nichts. Auch die Selbstmorde und die Emigration von Professoren konnten nichts helfen. Der inzestuöse, der perverse Coup war geglückt. Man hatte sich an sich selber verraten. Der neue Judas hatte etwas Unmögliches zuwege gebracht: Er hatte, vor den Augen der Menge und der ausgesandten Häscher, sich selbst geküßt.

Ich habe mich, damals schon und seitdem manches Mal gefragt: ›Warum hast du, am 10. Mai 1933 auf dem Opernplatz in Berlin, nicht widersprochen? Hättest du, als der abgefeimte Kerl eure und auch deinen Namen in die Mikrophone brüllte, nicht zurückschreien sollen?‹ Daß ich dann heute nicht hier stünde, darum geht es jetzt nicht. Nicht einmal, daß es zwecklos gewesen wäre, steht zur Debatte. Helden und Märtyrer stellen solche Fragen nicht. Als wir Carl von Ossietzky baten, bei Nacht und Nebel über die Grenze zu gehen — es war alles vorbereitet —, sagte er nach kurzem Nachdenken: »Es ist für sie unbequemer, wenn ich bleibe«, und er blieb. Als man den Schauspieler Hans Otto, meinen Klassenkameraden, in der Prinz Albrecht-Straße schon halbtotgeschlagen hatte, sagte er, bevor ihn die Mörder aus dem Fenster in den Hof warfen, blutüberströmten Gesichts: »Das ist meine schönste Rolle.« Er war, nicht nur auf der Bühne am Gendarmenmarkt, der jugendliche Held. Gedenken wir dieser beiden Männer in Ehrfurcht! Und fragen wir uns, ob wir es ihnen gleichgetan hätten!

Als ich in jener Zeit, anläßlich der Amateurboxmeisterschaften, im Berliner Sportpalast saß und als zu meiner Überraschung bei jeder Sieger-Ehrung die Besucher aufstanden, den Arm hoben und die beiden Lieder sangen, blieb ich als einziger sitzen und schwieg. Hunderte schauten mich drohend und lauernd an. Nach jedem Boxkampf wurde das Interesse an mir größer. Trotzdem lief dieses Nebengefecht des Abends, zwischen dem Sportpalast und mir, glimpflich ab. Es endete unentschieden. Was ich getan, genauer, was ich nicht getan hatte, war beileibe keine Heldentat gewesen. Ich hatte mich nur geekelt. Ich war nur passiv geblieben. Auch damals und sogar damals, als unsere Bücher brannten.

Ich hatte angesichts des Scheiterhaufens nicht aufgeschrien. Ich hatte nicht mit der Faust gedroht. Ich hatte sie nur in der Tasche geballt. Warum erzähle ich das? Warum mische ich mich unter die Bekenner? Weil, immer wenn von der Vergangenheit gesprochen wird, auch von der Zukunft die Rede ist. Weil keiner unter uns und überhaupt niemand die Mutfrage beantworten kann, bevor die Zumutung an ihn herantritt. Keiner weiß, ob er aus dem Stoffe gemacht ist, aus dem der entscheidende Augenblick Helden formt. Kein Volk und keine Elite darf die Hände in den Schoß legen und darauf hoffen, daß im Ernstfall, im ernstesten Falle, genügend Helden zur Stelle sein werden.

Sogenannte deutsche Dichter preisen die Sklaverei

Am 24. Oktober 1933 verschickte der in Witten an der Ruhr, Röhrchenstraße 10, beheimatete Verlagsdirektor Gustav Christian Rassy ein Rundschreiben. Er bat bekannte Schriftsteller um gefällige Rückäußerungen zu dem im Ausland kursierenden frechen Gerücht, daß im Neuen Deutschland die Freiheit des Geistes erschlagen worden sei und die Dichter, wenn auch nur bildlich gesprochen, mit einem Maulkorb herumliefen. Eine Woche später lagen die Antworten auf seinem Schreibtisch.

»Die Ketten fallen!« heißt es da zum Beispiel. »Wir dürfen wieder frei reden, der Druck ist von uns genommen, die deutsche Seele ist wieder zur freien Entfaltung gekommen!... Wenn ich in der Großstadt Ahnenkunde vortrug oder meine kleinen lächelnden Geschichten von 1919, so fiel die Linkspresse über mich her, ich war unmöglich geworden. Heute ist meine Familien- und Erbkunde Reichssache geworden. Mit neun Worten: wir dürfen wieder reden und schreiben, wie es uns ums Herz ist! So ist's im Dritten Reich!... Können Sie den ›Vogel Rock‹ nicht irgendwo zum Zeitungsabdruck bringen? In Stuttgart hat er als ›neu‹ riesig eingeschlagen, er ist zehn Jahre alt! Mein Verleger unterdrückte ihn. Und mich bis heute. Heil Hitler! Ihr *Ludwig Finkh*.«

Mit neun Worten: Da dreht sich einem der Magen um. Schriftsteller von Weltruf hatten aus ihrem Vaterland fliehen müssen. Andere saßen im Kerker und wurden totgeschlagen. Andere lebten, von allen Seiten bespitzelt, unterm Schwert oder hielten sich, das Äußerste befürchtend, versteckt. Berge von Büchern waren auf Scheiterhaufen verbrannt worden. Und Herr Doktor Finkh erklärte frohen Mutes, weil seine Bücher nun nicht mehr kritisiert werden durften und vom Verleger, auch wenn keine Nachfrage vorlag, nachgedruckt werden mußten, endlich sei die Freiheit des Geistes in Deutschland ausgebrochen!

Diese Spätbarden hatten Nerven! Und heute, nun sie mit Hilfe ihrer Freiheitslieder die Heimat in Grund und Boden gesungen haben, sitzen die damals Verfolgten beisammen und befragen ihr Gewissen, ob es wohl überhaupt und wie weit es richtig und gerecht sei, immerhin die schlimmsten Bücher der ärgsten jener Seelentrompeter zu verbieten!

Bevor ich in der Betrachtung der Briefe an Herrn Rassy aus Witten in der Röhrchenstraße 10 fortfahre, will ich ein Berufsabenteuer aus dem Jahre 1933 zum besten geben. Der Schutzverband deutscher Schriftsteller war aufgelöst, und der RDS, ein entsprechender Reichsverband, war gegründet worden. Im Frühsommer galt es, den Vorstand der Organisation zu wählen. Der erste Versuch mißlang, da sich die konservativen und die braunen Autoren in die Haare gerieten. Ein neuer Termin wurde anberaumt. Erneut lud man zur Vorstandswahl im ›Haus der Presse‹ am Berliner Tiergarten ein. Und eine der Einladungen erging auch an den Schriftsteller Erich Kästner, dessen Bücher verboten und am Opernplatz feierlich verbrannt worden waren. Ich besah mir den Brief von allen Seiten. Was konnte das heißen? Wollte man den einzigen ›Verbrannten‹, der nicht emigriert war, besonders ehren? Ich war Mitglied des Hauptvorstands des aufgelösten Schutzverbands gewesen. Hatte sich eine unerfahrene Sekretärin in der Kartei vergriffen? War es ein dummer Witz? Ich weiß heute noch nicht, welchem Anlaß ich die Einladung zu verdanken hatte. Nun, ich bin ein höflicher Mensch. Ich ging hin.

Als ich den Sitzungssaal betrat, mich, hübsch für mich allein, an ein Tischchen setzte, mir ein Bier bestellte und mich dann umschaute, sah ich, das kann ich getrost sagen, ziemlich viele entgeisterte Gesichter auf mich gerichtet. Die ›neuen Herren‹ in SA-Uniform, die als Majorität einen Riesentisch umsäumten, erkundigten sich bei nichtuniformierten, dienstälteren Kollegen, wer der Fremdling sei. Mein Name schwirrte in allen Flüsterstärken durch den Saal. Ich durfte mich als erster in die Anwesenheitsliste eintragen, und mein Autogramm wurde an diesem Abend, während die Liste kursierte, so gründlich bestaunt wie nie vorher oder nachher.

Genug davon und zurück zur Vorstandswahl. *Fedor von Zobeltitz,* ein Kavalier alter Schule, präsidierte. Die Deutschnationalen brachten einen Wahlvorschlag ein, der ihre Mitgliederzahl im Vorstand angemessen berücksichtigte. Vertreter des Parteitischs lehnten den Vorschlag brüsk ab und legten den ihrigen vor. Mit nicht gerade zarten Hinweisen darauf, daß er unumstößlich sei. Freiherr *von Grote* erhob sich und forderte energisch demokratische Methoden. *Wulf Bley, Hadamowsky* und die anderen totalitären Poeten widersprachen ausgesprochen laut. Der alte Herr von Zobeltitz versuchte wie ein Obersthofmeister zu vermitteln. Die Sänger der Saalschlachten wurden noch lebhafter. Einer von ihnen wies beleidigt darauf hin, daß man ja großzügigerweise zwei Vertreter der Reaktion auf die braune Liste gesetzt habe, *Hanns Martin Elster* und *Edgar von Schmidt-Pauli.*

Nun wurde die Debatte noch unterhaltender. Sprecher der Konservativen verbaten es sich ganz entschieden, zwei Verräter ihrer Idee, zwei solche Überläufer, als ihre Vertreter bezeichnet zu hören. Elster habe in der Systemzeit seine Orden nicht getragen. Und gegen Schmidt-Pauli fielen noch härtere Vorwürfe. Es waren Worte darunter, die man sich nicht an den Hut zu stecken pflegt. Zobeltitz bat um Ruhe. Herr von Schmidt-Pauli lächelte verkniffen. Einer aus der deutschnationalen Gruppe sprang hoch, provozierte ihn fleißig weiter und schrie, als aber auch gar nichts helfen wollte, außer sich vor Empörung und Schneidigkeit: »Ich stehe Ihnen zur Verfügung!« Zobeltitz flehte um Ruhe. Die SA-Männer lachten rauh und herzlich. Schmidt-Pauli erklärte, er pflege sich nur zu duellieren, wenn es ihm passe. Die Gruppe Grote stand im Chor auf und war überhaupt außer sich über soviel Bosheit und so wenig Kinderstube. Es hagelte Beleidigungen. Zobeltitz schien, nach seinen Mundbewegungen zu urteilen, um Ruhe zu bitten. Die Hölle war los.

Als die Konservativen heiser wurden, brüllte Bley, die Geduld seiner Parteigenossen sei nun zu Ende. Und die Geduld des Doktors Goebbels gleicherweise. Ihre Vorstandsliste sei ohne jede Änderung zu genehmigen. Und zwar binnen der nächsten zehn Minuten. Widrigenfalls würden sie die Sitzung in corpore verlassen und dem Minister sofort Meldung machen. Dieser habe ihnen erklärt, daß er bei Ablehnung ihrer Liste rundweg eine Verbandsbildung überhaupt verbieten werde.

Die Deutschnationalen schwiegen betroffen. Die SA-Dichter legten die Uhren auf den Tisch. *Walter Bloem,* der an einem Tisch in meiner Nähe saß, röteten sich die studentischen Schmißnarben. Sein Nachbar, der Arbeiterdichter a. D. *Max Barthel,* der damals sein Glück als nationalsozialistischer Poet zu versuchen begann, trank mir heimlich grinsend zu und, wohl weil er sich noch immer als Arbeiter fühlte, gleich aus der Flasche. Er schien verwundert, daß ich ihn für Luft hielt. Zobeltitz ersuchte die Pegasus-SA um einen parlamentarischen, freiheitlichen Fortgang der Sitzung und der Wahl. Einer von ihnen blickte gelangweilt auf die Uhr und sagte knapp: »Noch fünf Minuten.«

Nach Ablauf der Frist war die Liste akzeptiert. Die Gegner unterlagen der Drohung, der Erpressung, der Gewalt und machten erstaunte Kinderaugen.

Auf dem Heimweg überlegte ich mir genau, ob auch nur einmal Worte wie ›Literatur‹, ›Dichtung‹, ›Schriftstellerei‹ oder etwas Ähnliches am Rande erwähnt worden waren. Nein, nicht ein einziges Mal. Für einen Uneingeweihten hätte es ebensogut eine Sitzung des Braunkohlensyndikats oder der Schnürsenkelkleinverteiler sein können. Irgendeine beliebige Sitzung zur Knebelung nichtnationalsozialistischer Verbandsmitglieder.

Ein halbes Jahr später schrieb *Paul Oskar Höcker* an Herrn Rassy in Witten, Röhrchenstraße 10: »Ich kann Ihnen nur aus ehrlicher Überzeugung darin beipflichten, daß es zu den unerhörtesten Greuelmärchen gehört, wenn im Ausland behauptet wird: die geistige Freiheit wäre in Deutschland erschlagen worden und die Dichter liefen alle mit dem Maulkorb herum. Wer irgendwelche persönlichen Beziehungen zu den deutschen Schriftstellern unterhält, wird längst über diese hetzerischen Lügen aufgeklärt worden sein.«

Der Arzt und Nibelunge Professor Dr. med. et phil. *Werner Jansen* erklärte scheinbar verblüfft: »Gibt es wirklich im Ausland Narren, die Deutschland so falsch sehen? Wir sind das einzige Volk der Welt, dem die Freiheit gegeben wurde, zu sich selbst zu kommen. Wir haben, gottlob, noch genügend preußische Zucht in uns, um uns dieser Freiheit zu bedienen. Heil Hitler!«

Der zarte Poet *Max Jungnickel* meinte entrüstet: »Wo nehmen nur die sogenannten ›Emigranten‹ den Mut her?!... Wenn sie nur ahnten, wie heute die deutsche Seele befreit aufatmet, wenn sie nur wüßten: wie erledigt und vergessen sie heute schon sind!«

Und *Hanns Johst* durfte natürlich auch nicht fehlen. Er schrieb: »Das Ausland arbeitet in seiner Greuelpropaganda mit dem Schlagwort des Maulkorbes für Geistige im Dritten Reich. Die Tatsache dieser Verdächtigungen genügt als Feststellung; denn was aus diesen Quellen kommt, ist immer Lüge!... Für die Freiheit des geistigen Deutschland garantiert das Niveau der Deutschen Akademie der Dichtung.«

So gingen damals die Hüter des Worts mit Worten wie Freiheit, Geist, Dichtung, Ehrlichkeit und deutsche Seele um. Und heute will's keiner gewesen sein! Es war schon schlimm genug, daß sie der Knebelung und Vergewaltigung der deutschen Literatur stumm und fromm zusahen. Daß sie aber diese äußerste Sklaverei gar noch als Freiheit des Geistes priesen und besangen, das ist ein geradezu unfaßlicher, das ist der niederträchtigste Verrat an ihrer Aufgabe, der sich ausdenken läßt. Es ist kein Wunder, daß die braune Parteibürokratie diesen Leuten das einzige entgegenbrachte, was sie verdienten: Verachtung.

Als ich, etwa ein Jahr später, Ende 1934, mit dem damaligen stellvertretenden Präsidenten der Reichsschrifttumskammer, einem Dr. Wißmann, zu sprechen hatte und ihm sagen mußte, daß wir uns unter anderem vielleicht auch deswegen so überhaupt nicht verstünden, weil er kein Fachmann sei, und ich mich deshalb etwas lieber statt mit ihm mit seinem Vorgesetzten, dem Präsidenten *Hans Friedrich Blunck*, unterhalten wolle, der doch wenigstens ein Berufskollege von mir sei, erwiderte Wißmann, höhnisch lächelnd und vor Zeugen: »Blunck hat gar nichts zu sagen!«

So viel galten die deutschen Dichter und Freiheitssänger damals im eigenen Haus und bei ihrer eigenen Partei. Sie galten so viel, wie sie wert waren.

1936:
Hitlers jungfräuliche Geliebte

Die Geschichte lehrt mit schöner Eindringlichkeit, daß die ›großen‹ Männer, also jene, die am meisten erobert und zerstört haben, diese ihre Fähigkeiten nicht nur an fremden Völkern, sondern auch an fremden Damen zu demonstrieren pflegten. Das macht ihre Biographien so dick und deren Lektüre so interessant.

Nun war es immer schon ein öffentliches Geheimnis, daß Adolf Hitler mit der Eroberung von Frauenherzen nicht übermäßig viel Zeit verplempert hat. Er tanzte privatim völlig aus der Reihe. Er war sozusagen Nichttänzer. Man sah es kommen, daß seine Biographie künftige Leser werde bitter enttäuschen müssen. Wenn man bedenkt, wie sich noch Napoleon bemüht hat, um die Nachwelt in puncto puncti amüsant zu unterhalten!

Immerhin bestanden noch bescheidene Hoffnungen. Doch nun sind auch diese zerschellt. Schuld daran ist ein Berichterstatter, der die sagenumwobene Filmschauspielerin und -regisseurin Leni Riefenstahl in einem bayerischen Gebirgshotel aufsuchte und über den Besuch berichtet hat. Der Bericht ist niederschmetternd! Hitler muß mit der Eroberung der ganzen Welt Tag und Nacht zu tun gehabt haben, daß ihm für die ›halbe‹ tatsächlich keine Sekunde übriggeblieben ist!

Leni Riefenstahl, die während vieler Jahre im Dritten Reich für die Favoritin des Dschingis-Khans aus Braunau gehalten wurde, hat uns nun aufgeklärt. Es war nichts! Absolut nichts! Warum ließ sich Hitler mit ihr fotografieren? Um das falsche ›Gerücht‹, sie sei Jüdin, zu dementieren. Warum machte er sie, eine Regieanfängerin, zum Filmdiktator während der Olympiade 1936 in Berlin? Warum durfte diese Frau an einem einzigen Film fünf geschlagene Jahre drehen? An dem Film ›Tiefland‹, der auch heute noch nicht fertig ist? Goebbels mußte zähneknirschend den Mund halten — und den Mund zu halten, war für ihn doch gewiß keine kleine Strafe! Sie blockierte jahrelang im Ufa-Gelände in Babelsberg die große Mittelhalle; und die anderen Regisseure, deren Filme in Monaten abgedreht werden mußten, konnten samt dem Produktionschef sehen, wo sie blieben. Frau Riefenstahl ging zu Außenaufnahmen nach Spanien; sie ging nach Tirol; sie ging ins Sanatorium; sie kam wieder und drehte weiter. Wenn das Dritte Reich wirklich tausend Jahre gedauert hätte, der Film ›Tiefland‹, das kann man ohne Übertreibung versichern, hätte bestimmt noch ein paar Jahre länger gedauert! Warum durfte sie?

»Ich war nie die Geliebte Hitlers«, erklärte sie dem Herrn von der Presse wörtlich. Und an dem Wort einer Dame darf man nicht zweifeln. Da man am Wort zweier Damen erst recht nicht zweifeln darf, mischte sich die weißhaarige Mama der Nicht-Geliebten ins Gespräch und sagte: »Böse Zungen behaupteten, daß meine Tochter Beziehungen zu Hitler unterhalten habe, was durchaus nicht wahr ist!« Da nun bekannt ist, daß Mütter nicht unbedingt darüber im Bilde sind, was die Töchter treiben, wenn sie angeblich in der Klavierstunde sind, und da Leni Riefenstahl längst das Klavierstundenalter hinter sich hat, fügte die Mama erläuternd hinzu: »Sie wissen wohl, daß Hitler seit etwa zehn Jahren Eva Braun, die Sekretärin des Fotografen Hoffmann, als Freundin und später als Frau hatte.«

Damit war nun der Pressevertreter mundtot gemacht. Denn wenn ein Mann zehn Jahre lang die Sekretärin eines Fotografen »als Freundin und später als Frau« hat, scheidet er natürlich im freien Wettbewerb aus. Das sieht ein Kind ein.

Falls aber auch dieses Argument für nicht ganz stichhaltig gelten sollte, war die alte, welterfahrene Dame zu weiteren Auskünften gern bereit. Sie meinte: »Hoffmann hatte Hitler davon überzeugen können, daß er den Frauen gegenüber zu schüchtern sei, und er hatte dem Führer Eva Braun verschafft.«

Nun fällt es einem wie Schuppen von den Augen. Der Mann, der die Menschen millionenweise abschlachten und Europa in Flammen aufgehen ließ, war Frauen gegenüber zu schüchtern! Da mußte erst der kleine ›Professor‹ Hoffmann kommen, der bekanntlich zu Frauen ganz und gar nicht schüchtern war, und ihm seine Sekretärin Eva Braun andrehen. Adolf und Eva vor dem Sündenfall, und der Fotograf als Schlange! Vielleicht hat Hoffmann seinem Führer, wenn sie gemeinsam die Bilder für die Große Deutsche Kunstausstellung auserwählten, an Professor Zieglers Aktmalereien überhaupt erst den Unterschied zwischen Mann und Frau klargemacht? Oder noch besser an Thoraks überlebensgroßen Plastiken?

Es erscheint also auch glaubhaft, daß Leni Riefenstahl »nie die Geliebte Hitlers« gewesen ist. Sie war keine unscheinbare Sekretärin, sondern eine hochinteressante Frau, eine Filmschauspielerin, von vielen geheimnisvollen Abenteuern umwittert! Er traute sich nicht. Aber er verlieh ihr Einfluß und Macht, damit die Welt glauben sollte, er sei ein verfluchter Kerl. So kann es schon zugegangen sein... Und Frau Riefenstahl steht in jungfräulicher Glorie vor der verlegenen Mitwelt.

Doch sie ist nicht nur moralisch, sondern auch politisch ohne Makel. Die Mama erzählte dem Onkel von der Zeitung: »Weder Leni noch mein Mann waren jemals Parteimitglieder, so wenig wie ich selber.« Warum soll das nicht wahr sein? Und: »Die Politik hat Leni nie interessiert.« Warum denn auch? Sie brauchte mit Adolf nicht Mann und Frau zu spielen, und auch nicht Führer und Parteigenossin — er traute sich nicht, von ihr irgend etwas zu wollen. Er schenkte ihr den deutschen Film. Das war ihm Glücks genug.

Und ihr auch. »Wir wußten nichts von den Greueln und Grausamkeiten«, sagte sie. Na ja, wenn man fünf Jahre an einem einzigen Film dreht und dabei bis nach Spanien kommt — woher soll man's denn auch wissen. Es sagt einem ja keiner was!

Außerdem, Hitler hatte nie Zeit für die Liebe, und Frau Riefenstahl hatte nie Zeit für die Politik. Auch heute hat sie keine Zeit dafür, Politik interessiert sie nun einmal nicht! Da kann man nichts machen.

1938:
›Ist Gott oder Hitler größer?‹

Es ließe sich denken, daß die in der Überschrift aufgeworfene Frage, ob Gott oder Hitler größer sei, heutzutage einige Verwunderung erregt. Nicht nur bei kirchenfrommen Menschen und nicht nur bei jenen, die, als unverbesserliche Intellektbestien und wurzellose Asphaltpflanzen, dem Nationalsozialismus von Anfang an feindlich gegenüberstanden. Möglicherweise werden sogar viele Deutsche, die der ›Partei‹ angehörten, angesichts der etwas abwegigen Frage stutzen. Selbst jemandem, der an Gott niemals, an Hitler aber zwanzig Jahre geglaubt haben sollte — und auch dafür gibt es Beispiele —, müßte die Inkommensurabilität, also die Unmöglichkeit einleuchten, die beiden ›Größen‹ zu vergleichen. Und noch wer an keinen von beiden geglaubt hätte, wäre kaum auf diese wahnwitzige Frage verfallen.

Das alles hindert nicht, daß sie gestellt worden ist. Die Kenntnis hierüber verdanken wir dem Bande ›Dokumente 1933—1945, zum Abwehrkampf der deutschen evangelischen Pfarrerschaft gegen Verfolgung und Bedrückung‹. Auf Seite 23 dieses auch sonst außerordentlich interessanten Buches, das vom Kirchenrat Fritz *Klingler* herausgegeben worden ist, wird ein ›Fragebogen der BDM-Führerinnenschule in A. . . . (Oberhessen)‹ abgedruckt. Er wurde den zu hohen Ehren und Pflichten auserwählten Mädchen am 16. Januar 1938 vorgelegt, zu einer Zeit demnach, als Hitler den blutigen, kahlen Gipfel seiner Macht noch nicht einmal erstiegen hatte. Die neun Fragen lauteten:

1. Wann waren Sie zuletzt in der Kirche?
2. Lebt für Sie Gott im Himmel mit seinem Sohn oder in Ihrem Herzen?
3. Sind Sie ein Gotteskind?
4. Wie stehen Sie der Kirche gegenüber?
5. Ist Gott oder Hitler größer, mächtiger und stärker?
6. Wem soll man danken, Gott oder Hitler?
7. Wer ist Ihr Führer und Ihr Glaube?
8. Benötigen Sie Gebote?
9. Wie denken Sie über Weihnachten, und glauben Sie auch an die Legende des Weihnachtsfestes?

Es fällt schon schwer, sich die oberhessischen Mädchenköpfe vorzustellen, die sich über diesen zwar kurzen, trotzdem unüberbietbaren Fragebogen beugen und ihn, wie das Gesetz es befahl, beantworten mußten. Sich nun gar jene anderen Köpfe auszumalen, in denen solche Fragen erstmalig Blasen schlugen und für Prüfungzwecke ausgekocht wurden, übersteigt schließlich jede, auch die tollkühnste Phantasie. Es ist durchschnittlich begabten Menschen vollkommen unmöglich, sich in Byzantinerseelen zu versetzen, aus denen derartig eingedickter Unsinn herausquillt. Der Schritt von theoretischem Größenwahn solchen Kalibers zu den sadistischen Ausschreitungen in Mauthausen und dem selbstgewählten Untergang in Stalingrad ist viel kleiner und verständlicher als der vorher in den Gehirnen zurückgelegte Weg: vom folgsamen, fleißigen, schulmeisterlichen Deutschen zu einem Menschen, der sich auf Fragebögen bei jungen Mädchen allen Ernstes erkundigt, ob man Gebote benötige und ob man Gott oder Hitler anbeten solle.
Die Frage, wer von den beiden »größer, mächtiger und stärker« sei, ist mittlerweile vom Verlauf der Geschichte beantwortet worden. Und es wird nachgerade von vielen als indezent empfunden, wenn ab und zu auf den apokalyptischen Aberwitz des letzten Jahrzehnts mit Fingern gezeigt wird. »Man zeigt nicht mit dem Finger«, sagen jetzt, empfindlich geworden und leicht verletzlich, Leute, die nicht das mindeste dabei fanden, wenn noch vor etlichen Jahren ganz, ganz andere Dinge gesagt und getan wurden. Nun, es scheint noch lange nicht an der Zeit, zwei bis drei Paar Glacéhandschuhe über die Finger zu ziehen,

mit denen man an die Vergangenheit rührt! Hierfür ist die Krankheit des schlechten Gedächtnisses leider zu verbreitet. Es handelt sich um eine Modekrankheit, und man sollte die ›eingebildeten‹ Kranken unserer Tage und ihr Erinnerungsvermögen nicht verzärteln. Was war, darf im Interesse dessen, was werden soll, nicht einfach in den Schubkästen des Unterbewußtseins verbuddelt werden. Das sind Dienstmädchenmanieren, die sich in der Weltgeschichte ganz und gar nicht empfehlen.

Die Nacht der Scherben

Als ich am 10. November 1938, morgens gegen drei Uhr, in einem Taxi den Berliner Tauentzien hinauffuhr, hörte ich zu beiden Seiten der Straße Glas klirren. Es klang, als würden Dutzende von Waggons voller Glas umgekippt. Ich blickte aus dem Taxi und sah, links wie rechts, vor etwa jedem fünften Haus einen Mann stehen, der, mächtig ausholend, mit einer langen Eisenstange ein Schaufenster einschlug. War das besorgt, schritt er gemessen zum nächsten Laden und widmete sich, mit gelassener Kraft, dessen noch intakten Scheiben.

Außer diesen Männern, die schwarze Breeches, Reitstiefel und Ziviljacketts trugen, war weit und breit kein Mensch zu entdecken. Das Taxi bog in den Kurfürstendamm ein. Auch hier standen in regelmäßigen Abständen Männer und schlugen mit langen Stangen ›jüdische‹ Schaufenster ein. Jeder schien etwa fünf bis zehn Häuser als Pensum zu haben. Glaskaskaden stürzten berstend aufs Pflaster. Es klang, als bestünde die ganze Stadt aus nichts wie krachendem Glas. Es war eine Fahrt wie quer durch den Traum eines Wahnsinnigen.

Zwischen Uhland- und Knesebeckstraße ließ ich halten, öffnete die Wagentür und setzte gerade den rechten Fuß auf die Erde, als sich ein Mann vom nächsten Baum löste und leise und energisch zu mir sagte: »Nicht aussteigen! Auf der Stelle weiterfahren!« Es war ein Mann in Hut und Mantel. »Na hören Sie mal«, begann ich, »ich werde doch wohl noch...« »Nein«, unterbrach er drohend. »Aussteigen ist verboten! Machen Sie, daß Sie sofort weiterkommen!« Er stieß mich in den Wagen zurück, gab dem Chauffeur einen Wink, schlug die Tür zu, und der Chauffeur gehorchte. Weiter ging es durch die gespenstische ›Nacht der Scherben‹. An der Wilmersdorfer Straße ließ ich wieder halten. Wieder kam ein Mann in Zivil leise auf uns zu. »Polizei! Weiterfahren! Wird's bald?«

Am Nachmittag stand in den Blättern, daß die kochende Volksseele, infolge der behördlichen Geduld mit den jüdischen Geschäften, spontan zur Selbsthilfe gegriffen habe.

Was war geschehen? Die Regierung hatte ein gemeines Verbrechen angeordnet. Die Polizei hatte die kommandierten Verbrecher während der Tat geschützt. Sie hätte jeden braven Bürger, der die Ausführung des Verbrechens zu hindern gesucht hätte, festgenommen. Und am nächsten Tag log die Regierung das Verbrechen in eine überraschende Volksaktion um.

Die gepriesene »Umwertung aller Werte« war Wirklichkeit geworden. In diesem Fall und in Millionen anderer Fälle. Und der Umkehrung der Werte entsprach die geplante und tausendfach erzielte Umkehrung des menschlichen und staatsbürgerlichen Gewissens. Ein Staat hatte es sich zur Aufgabe gemacht, das dem Menschen eingeborene Gewissen und Rechtsempfinden innerhalb der Landesgrenzen radikal auszurotten. Wer ein schlechter Kerl war oder wurde, konnte es weit bringen. Wer auf die Stimme in seinem Innern hörte, kam vor Gericht und wurde als Verbrecher — als ›Staatsfeind‹ — verurteilt. Mörder regierten. Hehler waren Polizist. Lumpen sprachen Recht. Und das Gewissen saß auf der Anklagebank.

Gut und Böse, unwandelbare Maßstäbe des menschlichen Herzens, wurden durch Gesetz und Verordnung ausgetauscht. Der Milchhändler, der einem unterernährten ›artfremden‹ Kind eine Flasche Milch zusteckte, wurde eingesperrt, und die Frau, die ihn angezeigt hatte, bekam das Verdienstkreuz. Wer unschuldige Menschen umbrachte, wurde befördert. Wer seine menschliche oder christliche Meinung sagte, wurde geköpft oder gehängt. Ein Mann, der vor 1933 Polizeioffizier gewesen war, wurde wegen achtbarer Handlungen in seinem ehemaligen Büro von einem Menschen streng verhört, der ihm damals im gleichen Zimmer als gemeiner Verbrecher gegenübergesessen hatte. Jetzt saß nur eben der andere hinter dem gleichen Schreibtisch. Schauspieler, die eine widerliche Denunziantin auf der Straße nicht mehr gegrüßt hatten, wurden zu Staatsrat Hinkel befohlen, der ihnen scharfe Strafen androhte, wenn sie die Dame weiterhin ›schnitten‹. Wer einen unschuldig Verfolgten verbarg, mußte um sein und seiner Familie Leben zittern. Als man mich einmal in der Bankfiliale, wo ich seit Jahren gut bekannt war, verhaftete, duckten sich die Buchhalter und Kassierer über Bücher und Geldbündel, damit man ihre verstörten und ratlosen Gesichter nicht etwa sähe. Wer mein Freund blieb, war selber gefährdet. Wer sich abwandte, konnte ungestört Karriere machen. Der Lehrer, der den Schülern gegenüber bewußt log, blieb im Amt und avancierte zum Schulratshelfer. Wer die Kinder nicht anlügen wollte, flog auf die Straße.

Hier, auf dem Gebiete des Gewissens und Charakters, lag der furchtbarste, der unheimlichste Fluch jener zwölf Jahre. Die Männer an der Macht und ihre Partei erstrebten systematisch die größte, teuflischste Seelenverderbnis aller Zeiten. Das Gewissen vieler, die nicht besser oder schlechter waren als andere Menschen auf der Welt, wurde ratlos. Was war Schuld, was Unschuld? Was Recht, was Unrecht? Der untrüglich die rechte Richtung weisende Kompaß im Herzen des einzelnen wurde durch einen aus der Hölle heruntergestürzten riesigen Magnetstein irritiert und täglich mehr und mehr außer Kraft gesetzt. Man lebte immer weniger mit seinem Gewissen im Einklang. Viele wurden unsicher und schwach. Viele rannten, nur um dem Inferno in der eigenen Brust zu entfliehen, die alten Wahrheiten wie Beschwörungen hinausschreiend, ins Verderben und unter den Galgen.

Die Ratlosigkeit des Gewissens, das war das Schlimmste. Die Ausweglosigkeit aus dem morastigen Labyrinth, in das der Staat ein Volk hineingetrieben hatte und an dessen Ausgängen die Henker standen. Wer es nicht erlebt hat, wer nicht verzweifelnd in diesem Labyrinth herumgeirrt ist, der hat es zu leicht, den ersten Stein auf dieses Volk zu werfen.

1943:
Berliner Hetärengespräch

Halli und hallo! Herbert! Was machst denn du im Reisebüro? Willst du dich auch verlagern? Oder nur ein paar Kubikmeter Landluft inhalieren? Mal ruhig schlafen, hm? Weißt du noch, wie wir damals am Plauer See..., wie? Ruhig schlafen konnte man das ja nun nicht gerade nennen, wenn ich mich recht erinnere. Lag aber nicht an der Luft. Lag an der Lage, haha. Das waren noch Zeiten. Junge, Junge! Und heute? Heute wird man, hast du nicht gesehn, zum Heldenweib. Stell dir vor — Dienstag abend ist meine Wohnung hopsgegangen. Samt dem drumrumliegenden Gebäude. Meine süße, kleine Atelierwohnung! Ach Herbert! Gestatte, daß ich verhalten seufze... Der blaue Lehn- und Wohnsessel für zwei Personen, weißt du noch? Die Schleiflackfrisiertoilette mit dem dreiteiligen, abendfüllenden Spiegel. Das Bett und die Bar. Die Wäsche. Die Kimonos. Der Plattenspieler. Meine dreihundert Platten. Die Kleider! Alles im Eimer. Aus, dein treuer Vater. Stell dir das illustriert vor, Liebling. Bricht dir das Herz?

Willst du mein Taschentuch? O Pardon, ich hab ganz vergessen, euch vorzustellen. Also — Pieter van Houten. Aus Amsterdam an der Amstel. Hat nichts mit Kakao zu tun, nein, macht in Radioröhren. Und dies, Piet, ist Doktor Herbert Kleinhempel. Rechtsanwalt en gros, hihi. Gebt euch die Händchen. So ist's schön. Hat übrigens gar keinen Sinn, die Vorstellerei. Das meiste versteht er ja doch nicht. Ist das ein Nachteil? Na also. Piet ist mein augenblicklicher Augenblicklicher, weißt du? Gefällt er dir? Warum starrst du denn seinen Mantel so an? Die Ärmelchen sind zehn Zentimeter zu kurz. Und der reizende, braune Samtkragen macht mich schwach. Und wenn Mijnher in einem fort so dämlich grinst, dann liegt das nicht an seinem Geisteszustand, obwohl, na ja, sondern daran, daß er lauter gepumpte Bekleidungsgegenstände um seinen werten Körper versammelt hat. In einem solchen Aufzuge täten sogar Berliner Rechtsanwälte dämlich grinsen, mein lieber Herbert. Wetten, daß? Ich habe wenigstens meinen Schmuck noch. Und zwei Pelzmäntel. Den Nerz und den Breitschwanz. Das beste wird sein, ich erzähl dir die Geschichte. Zum Schieflachen. Stell dir vor: Dienstag abend, wir sind in meiner Wohnung, Piet, ich in eigner Person, Marga, kennst du auch, das tizianrote Mannequin mit dem einnehmenden Wesen, ganz recht, und Bünger, netter Kerl, von der Allianz. Na schön. Wir tanzen. Trinken. Tanzen durcheinander. Schickern durcheinander. Sind so richtig in Fahrt. Du kennst mich ja. Kurz und klein — mitten im schönsten Lämmerhüpfen gibt's Alarm! Marga beginnt mit allem, was sie hat, zu zittern. Ich nehm mein Köfferchen mit dem Schmuck und die beiden Pelze. Sehr nüchtern waren wir alle nicht mehr. Aber mein Piet hatte am meisten davon abgebissen und wollte nicht in den sogenannten Luftschutzkeller. Nicht für einen Wald voll Affen. Nichts zu wollen. Die Flak begann zu bummern. Wir drei trabten die vier Treppen bergab. Mijnher hingegen schwankte, hat er später erzählt, ins Badezimmer. Um sich an der Wanne festzuhalten. Blau wie tausend Veilchen. Große Zeiten erfordern große Gläser. Stimmt's, oder hab ich recht? Bon. Also, wir drei haben im Keller kaum unsere Parkettplätze eingenommen, da geht auch schon das Licht aus, ich hab zwei gehäufte Eßlöffel Kalk zwischen den Jackettkronen, es ist ein Getöse, als ob das Haus einstürzt, und so war es ja auch. Es stürzte ein. Mit Pauken und Trompeten. Luftmine! Vorher hab ich nichts gehört. Muß auf Pantoffeln angekommen sein, das Biest. Jetzt ging's aber los: Die Kinder brüllten. Ein paar Damen schrien wie am Spieß. Jemand betete laut. War Frau Splittstößer aus der dritten Etage. Ich erkannte sie an der Stimme. Jemand andres sagte: »Ruhe bewahren!« Das war, glaub ich, meine eigne

werte Person. Es hörte natürlich keiner zu. Ich auch nicht. Ich dachte
an meine Wohnung. An die Möbel. An die Perser. Und an den Holländer. Armer Piet, dachte ich, da hast du's nun, das kommt vom
Saufen. Mittlerweile stellte sich heraus, daß die Kellertür nicht auf-
ging. Wir rüttelten wie die Wilden. Typischer Fall von Denkste. Sie
zuckte mit keiner Wimper. Die Taschenlampen flatterten wie die Glüh-
würmchen. Einer rief, wir sollten nicht so tief atmen. Wegen des
Sauerstoffverbrauchs. Ein andrer brüllte, der andre solle nicht so laut
schreien. Auch wegen des Sauerstoffverbrauchs. Es war ein tolles
Theater. Meine Knie waren wie aus Sülze. Meine hübschen Knie, Herbert! Na, dann suchten wir die Hacke und die markierte Stelle an der
Mauer. Zum Durchbruch ins Nebenhaus. Das stand vielleicht noch.
Als wir die Hacke hatten, begann Thielecke, der Portier, auf die Ziegel
loszuschlagen. Und nun stell dir vor — wie das Loch groß genug ist,
rufen sie aus dem anderen Keller: »Na endlich!« Drüben war auch
irgendwas ins Auge gegangen. Gasrohrbruch oder was ähnlich Flottes.
Wir hatten hinübergewollt. Sie wollten zu uns. Sie waren die Stärke-
ren. Es wurde scheußlich eng. Die Tusche brannte in den Augen. Ich
dachte: ›Nun ist mein letztes Viertelstündchen gekommen.‹ Und an
Piet dachte ich auch. Möge ihm das Badezimmer leicht sein, dachte
ich. Irrtum, Herbert! Was war faktisch passiert? Stell dir vor — als die
geehrte Luftmine runtersegelte und das Haus wegblies, kam sie nicht
alleine, sondern in Gesellschaft, und dadurch entstand in der Luft ein
merkwürdiges Hin und Her. Piet sah noch, wie sich die Badewanne in
die Höhe hob und wie sich die Wand senkte, und schob das auf den
Kognak. Der war nicht gut gewesen. Und dann flog mein Augenblicklicher durch den Äther. Als ob du schwebst. Sanft wie ein Engel. Aus
dem vierten Stock mittenmang auf die Pariser Straße. Er plumpste
nicht viel ärger auf, als ob er aus dem Kinderwagen gepurzelt wäre.
Toll, was? Dann rappelte er sich hoch und wollte zu mir in den Keller.
Das ging leider nicht. Weil vor der Kellertür ein kleines Stückchen
von unserm Hause lag. Und nun begann Piet, das kleine Stückchen
Haus vor der Kellertür wegzuräumen. Die Gegend brannte wie Stroh.
Die Bomben platzten. Die grünen und roten Christbäume standen am
Himmel. Und Piet räumte Steinbrocken beiseite. Und rief um Hilfe.
War aber niemand da außer ihm. Mittlerweile hockten wir im Keller.
Wir waren müde und still und atmeten nur ganz flach, von wegen
dem Sauerstoff. Da hör ich plötzlich draußen rufen: »Mia, Mia! Lebt
ihr noch?« Ich muß ein Gesicht gemacht haben wie 'ne Gans, wenn's
donnert. Zum Glück war's dunkel. »Piet!« brüll ich wie verrückt, »ja-
woll, ich lebe noch! Aber wie ist denn das mit dir?« Und dann rütteln

wir alle an der Tür. Doch das Luder geht noch immer nicht auf. Und dann sind wir still und halten die Luft an und lauschen, und ich rufe: »Piet, bist du noch da?« Aber Piet antwortet nicht mehr. Das war'n Ding. Marga kriegte einen Schreikrampf. Und auch sonst war's gar kein bißchen hübsch mehr in dem verdammten Kellerloch. Was war geschehen? Stell dir vor — Piet war plötzlich bewußtlos zusammengebrochen. Rums, weg war er. Gehirnerschütterung. Ganz so sanft war er anscheinend doch nicht auf der Straße gelandet. Aber irgendein Luftschutzonkel hatte ihn zuvor noch rufen hören, und das war unser Glück. Er holte Verstärkung. Sie trugen Piet ins Revier, buddelten die restlichen Steine vor der Kellertür weg und holten uns ins Freie. Und was soll ich dir sagen? Kaum waren wir draußen, krachte der letzte Rest Haus über dem Keller zusammen! Na ja. Aber merkwürdig ist es doch, nicht? Wenn Piet nicht so blau gewesen wäre, wäre er mit in den Keller gekommen. Und wenn er mit in den Keller gekommen wäre, könnten wir jetzt nicht im Reisebüro stehen und Fahrkarten nach Königstein im Taunus verlangen. Stell dir das vor! Quatsch! Stell dir's lieber nicht vor. Ich tu's auch nicht. Es verdirbt nur den Teint. In Frankfurt werd ich die kleine Brillantagraffe zu Geld machen und meinen Fliegenden Holländer erst einmal wieder einkleiden. So wie jetzt kann er unmöglich noch sehr lange herumlaufen. Dann bleiben wir, bis er nach Amsterdam zurück muß, in Königstein, damit ich mich bei ihm in aller Ruhe für die Lebensrettung bedanken kann. Das wird zirka vierzehn Tage beanspruchen. Dann bin ich wieder in Berlin. Du auch? Steht deine Wohnung noch? Na großartig! Falls ich nicht weiß, wohin ich mein müdes Haupt betten soll. Ach, ich armes Kind! Nun muß ich wieder von vorn anfangen. Lach nicht so unverschämt, Herbert! Also, auf Wiedersehen Mitte Dezember! Moment! Das hätte ich ja fast vergessen! Weißt du, was von dem ganzen großen Hause übriggeblieben ist? Stell dir vor — eine Glasschüssel! Sie stand, mit Vanillepudding, auf Splittstößers Balkon. Drei Tage später fand man sie zufällig drei Häuser weiter im Hof stehen. Der Pudding sah zwar nicht mehr ganz neu aus. Aber die Schüssel war völlig intakt. Genauso durch die Luft gesegelt wie mein Augenblicklicher. So, das wär's für heute. Wiedersehen. Hals- und Beinbruch!

1944:
Von meiner Wohnung blieb nur der Schlüssel

Vorgestern nacht war nun also meine Wohnung an der Reihe. Ein paar Kanister ›via airmail‹ eingeführten Phosphors aufs Dach, und es ging wie das Brezelbacken. Geschwindigkeit ist keine Hexerei. Dreitausend Bücher, acht Anzüge, einige Manuskripte, sämtliche Möbel, zwei Schreibmaschinen, Erinnerungen in jeder Größe und mancher Haarfarbe, die Koffer, die Hüte, die Leitzordner, die knochenharte Dauerwurst in der Speisekammer, die Zahnbürste, die Chrysanthemen in der Vase und das Telegramm auf dem Schreibtisch: ›ankomme 16. früh anhalter bahnhof bringe weil paketsperre frische wäsche persönlich muttchen.‹ Wenigstens einer der Schreibmaschinen wollte ich das Leben retten. Leider sausten mir schon im dritten Stock brennende Balken entgegen. Der Klügere gibt nach.

Hinterher ist einem seltsam leicht zumute. Als habe sich das spezifische Gewicht verändert. Für solidere Naturen bestimmt ein abscheuliches Gefühl. Nicht an die Güter hänge dein Herz! Die Bücher werden mir am meisten fehlen. Einige Briefe. Ein paar Fotos. Sonst? Empfindungen wie: ›Jetzt geh ich heim, leg mich auf die Couch, guck in den Kronleuchter, denk an fast gar nichts, lauf nicht ans Telefon und nicht an die Tür, wenn's läutet, bin so allein, daß die Tapete Gänsehaut kriegt...‹ Damit ist's aus. Für Jahrzehnte. Und dann die Bettwäsche, die Oberhemden, die gestickten Taschentücher, die Krawatten, die mir Mutter allweihnachtlich schenkte. Die stolze Schenkfreude, die sie nach jeder großen Wäsche immer wieder neu hineingeplättet hat. Das ist nun mitverbrannt. Ich glaubte, dergleichen könne gar nicht verbrennen. Man muß, ehe man mitreden kann, alles erst am eignen Leib erfahren. Oder an der eignen Leibwäsche. Na ja.

Den Schlüssel hab ich noch. Wohnung ohne Schlüssel ist ärgerlich. Schlüssel ohne Wohnung ist geradezu albern. Ich wollte die Dinger wegwerfen. In eine passende Ruine. Und ich bring's nicht fertig! Mir wär's, als würfe ich frisches Brot auf den Müll. Welch unsinnige Hemmung Schlüsseln gegenüber, die wohnungslos geworden sind! Trotzdem ist es so. Non scholae sed vitae discimus.

Wenn wenigstens die Mama nicht gekommen wäre! Seit den ersten Angriffen auf Berlin hatte ich ihre Besuche hintertrieben. Zuweilen mit wilden Ausreden. Wozu ihre Besorgnisse durch den Augenschein noch steigern? Ein paarmal war sie richtig böse geworden. Ich hatte es hingenommen. Und nun rückte sie mit dem Wäschekarton an! Ausgerechnet in dem Augenblick, in dem mir die Engländer die Wohnung gekündigt hatten. Die Stadt brannte noch. Das Verkehrsnetz war zerrissen. Die Feuerwehr stand unrasiert und übernächtig vor züngelnden Fassaden. In der Roscherstraße war kein Durchkommen. Möbel lehnten und lagen naß, schief und schmutzig im Rinnstein. An den Ecken wurden heißer Kaffee und Klappstullen verteilt.

Was half's? Ich zog also gestern im Morgengrauen zum Bahnhof Charlottenburg. Natürlich gesperrt. Zum Bahnhof Zoo. Gesperrt. Zu Fuß an den schimmelfarbenen Flaktürmen vorbei zum Bahnhof Tiergarten. Die Stadtbahn fuhr. Bis Lehrter Bahnhof. Alles aussteigen. Pendelverkehr bis Friedrichstraße. Umsteigen. Anhalter Bahnhof. Gesperrt. Wo kommen die Züge aus Dresden an? Am Görlitzer Bahnhof. Ankunftszeiten? Achselzucken. Als ich im Görlitzer Bahnhof einpassierte, war ich genau drei Stunden unterwegs. Der Schnellzug aus Dresden? Vielleicht gegen zehn Uhr. Vielleicht auch gegen elf. Ich stellte mich an die Sperre und wich nicht von der Stelle, bis, nach endlosem Warten, der Zug einlief. Er hatte, irgendwo bei Berlin, auf freier Strecke halten müssen.

Die Reisenden sahen blaß und nervös aus. Den Qualm über der Stadt hatten sie von weitem ausgiebig beobachten können. Ängstlich suchten ihre Augen nach den Angehörigen hinter der Sperre. Was alles war in der Neuzeit über Nacht möglich, wer weiß, schwerer Angriff auf die Reichshauptstadt, noch jetzt von den Bränden bonbonrosa angehauchte Rußwolken überm Dächermeer, die lächerlichen Luftschutzkeller, mit den Fenstern halb überm Gehsteig, die Gas- und Wasserröhren in Kopfhöhe, rasch tritt der Tod den Menschen an. Siemensstadt soll auch wieder drangewesen sein, und wenn Paula erst einmal schläft, kann man neben dem Bett Kanonenkugeln abschießen, sie hört nichts, dann das Kind anziehen, der Rucksack, der schwere Koffer, der verfluchte Krieg. Ley hat eine Bar im Bunker, wo hab ich eigentlich die Fahrkarte. Mensch, gib gefälligst mit deiner dämlichen Kiste Obacht, und bitte, lieber Gott, laß ihnen nichts passiert sein . . .

Da entdeckte ich die Mama. Mit dem Wäschekarton an der Hand. Ich winkte. Sie sah unverwandt geradeaus. Ich rief. Winkte. Rief. Jetzt bemerkte sie mich. Lächelte verstört. Nickte mehrmals. Ging hastig auf die Sperre zu und hielt dem Beamten steif die Fahrkarte entgegen.

Noch während wir in der dröhnenden Bahnhofshalle standen, berichtete ich ihr, was geschehen war. Die Wohnung sei verbrannt. Das gesamte Gartenhaus. Das Vorderhaus. Die Seitengebäude. Auch andere Häuser in der Straße. In den Straßen ringsum. In anderen Vierteln. Berlin eigne sich heute ganz und gar nicht für Mütter über siebzig. »Weißt

du was«, sagte ich, »wir bleiben hier in der Nähe, essen in einer Kneipe zu Mittag, unterhalten uns gemütlich, — und mit dem ersten Nach-
mittagszug fährst du zurück. Es wird zeitig dunkel. Am Ende gibt's
wieder Alarm. Vielleicht auch nicht; denn seit sie meine Wohnung erwischt haben, hat Berlin für sie enorm an Reiz eingebüßt. Trotzdem . . .« Ich lachte ziemlich künstlich.

Da fragte sie leise: »Die Teppiche auch?«

Mir verschlug's den Atem.

»Und das neue Plumeau?«

Ich erklärte ihr noch einmal und so behutsam, wie eine Bahnhofshalle
es zuläßt, daß das Feuer keine Ausnahme gemacht habe. Die Teppiche
seien fort, das neue Plumeau von Thiels aus der Prager Straße, das
Klavier, auf dem ich als Kind die Dur- und Molltonarten geübt hatte,
die Möbel aus den Deutschen Werkstätten, die Cottasche Goethe-Jubi-
läumsausgabe, das Zwiebelmuster, die dünnstieligen Weingläser, die
Badewanne, die Tüllvorhänge, der Liegestuhl samt dem Balkon . . .
»Komm!« sagte sie, »ich muß die Wohnung sehen!« Es gelang ihr
noch nicht, die vier Zimmer aus der Welt wegzudenken. Sie lief auf
die Straße. War nicht zu halten. Wir fuhren. Stiegen aus. Stiegen um.
U-Bahn. Stadtbahn. Ab Tiergarten pendelte ein Omnibus. An einer
Station kam ich mit der einen Hand und dem Wäschekarton nicht ins
Abteil. Der Rest war längst im Wagen. Die Leute rührten sich nicht.
Ich mußte sehr laut werden, bis ich meine Hand und den Karton wie-
der hatte. Die Mama stand oder saß, je nachdem, und starrte ins Leere.
Tränen liefen über ihr Gesicht wie über eine Maske.

Zwei Stunden dauerte es diesmal bis Charlottenburg. Vom Bahnhof
aus steuerte sie den von früher her gewohnten Weg, kaum daß ich
Schritt halten konnte. Der Zugang durch die Sybelstraße war abge-
riegelt. Also Dahlmannstraße, Kurfürstendamm, Küstriner Straße.
Über Stock und Stein, über Stuck und Stein. Auch hier ging's plötzlich nicht weiter. Trümmer, Qualm, Feuerwehr, Einsturzgefahr, es
hatte keinen Zweck. Noch ein paar Schritte. Aus. Die Räume überm
Haustor waren heruntergesackt. Der Schutt versperrte den Blick in
den Hof. Der Sargdeckel war zugeklappt. Die Mama blickte ratlos um
sich. Dann packte sie meinen Arm und sagte: »Bring mich zurück.«

Wieder zwei Stunden Fahrt. Unheimliches Gedränge. Autobus, Stadtbahn, U-Bahn, aussteigen, pendeln, umsteigen. Meine Befürchtung,
der Anblick solcher Ruinenfelder wie etwa des Hansaviertels werde
ihr Herz meinethalben mit neuer, stärkerer Angst erfüllen, erwies sich
als unbegründet. Sie sah auch jetzt nicht links noch rechts.

Als der Schnellzug anruckte, dunkelte es bereits. Ich lief eine Weile nebenher und winkte. Sie biß sich auf die Lippen und versuchte zu lächeln.

Dann fuhr ich wieder nach Charlottenburg. Neun Stunden war ich insgesamt in Berlin herumgegondelt. Als ich am Stuttgarter Platz aus dem Omnibus kletterte, sagte jemand: »Es wird gleich Voralarm geben!« In der Ferne heulte die erste Sirene. Das mußte Grunewald sein.

1945:
Aus der Perspektive einer denkenden Ameise

In einem Regal meiner Berliner Bibliothek stand, unauffällig zwischen anderen Bänden, während des Dritten Reiches ein blau eingebundenes Buch, dessen Blätter, wenigstens in der ersten Zeit, völlig weiß und leer waren. In Fachkreisen nennt man solche Bücher ohne Worte ›Blindbände‹.

Der unverfängliche Blindband wurde mein Notizbuch für verfängliche Dinge. Die leeren Seiten füllten sich mit winziger Stenographie. In Stichworten hielt ich, als seien es Einfälle für künftige Romane, vielerlei fest, was ich nicht vergessen wollte.

Warum ich die Arbeit nach kurzer Zeit wieder abbrach, weiß ich heute nicht mehr. Außer allerlei nicht mehr auffindbaren Gründen dürfte mitgespielt haben, daß der Alltag auch im Krieg und unterm Terror, trotz schwarzer Sensationen, eine langweilige Affäre ist. Es ist schon mühsam genug, ihn hinzunehmen und zu überdauern. Auch noch sein pünktlicher Buchhalter zu sein, überstieg meine Geduld. Ich begnügte mich mit Stichproben.

Das Dritte Reich brach zusammen. Die Sieger bestanden einmütig auf der bedingungslosen Kapitulation. Deutschland wurde in vier Besatzungszonen aufgeteilt und militärisch verwaltet. Seuchen und Bürgerkrieg konnten vermieden werden. Ruhe hieß die erste Bürgerpflicht. Am Leben bleiben hieß die zweite. Der erschöpften Bevölkerung war beides recht. Sie ließ sich regieren, und sie wurde, da der Zivilverkehr stillag, punktuell regiert. Die Methode war handlich. Da sie sich anbot, brauchte man sie nicht zu erfinden.

Im Wirrwarr jenes Halbjahres bewegte ich mich von Berlin über Tirol nach Bayern. Das Land glich einem zerstörten Ameisenhaufen, und ich war eine Ameise unter Millionen anderer, die im Zickzack durcheinanderliefen. Ich war eine Ameise, die Tagebuch führte. Ich notierte, was ich im Laufen sah und hörte. Ich notierte, was ich hoffte und befürchtete, während ich mich totstellte. Ich notierte nicht alles, was ich damals erlebte. Das versteht sich. Doch alles, was ich damals notierte, habe ich erlebt. Es sind Beobachtungen aus der Perspektive einer denkenden Ameise. Und es sind Notizen, die zum Teil nur aus Stichworten, halben Sätzen und Anspielungen bestehen. Das genügte, weil die Niederschrift nur für mich bestimmt war, nur als Zündstoff fürs eigene Gedächtnis.

Als ich nun, fünfzehn Jahre danach, ans Veröffentlichen dachte, an Leser außer mir selber, mußte ich den Wortlaut ergänzen. Meine Aufgabe war, die Notizen behutsam auseinanderzufalten. Ich mußte nicht nur die Stenographie, sondern auch die unsichtbare Schrift leserlich machen. Ich mußte dechiffrieren. Ich mußte das Original angreifen, ohne dessen Authentizität anzutasten. Es war eine mühsame Beschäftigung, eher die eines Konservators als eines Schriftstellers, und ich habe sie so gewissenhaft durchgeführt, wie ich es vermochte.

Das Tausendjährige Reich hat nicht das Zeug zum großen Roman. Es taugt nicht zur großen Form, weder für eine ›Comédie humaine‹ noch für eine ›Comédie inhumaine‹. Man kann eine zwölf Jahre lang anschwellende Millionenliste von Opfern und Henkern architektonisch nicht gliedern. Man kann Statistik nicht komponieren. Wer es unternähme, brächte keinen großen Roman zustande, sondern ein unter künstlerischen Gesichtspunkten angeordnetes, also deformiertes blutiges Adreßbuch, voll erfundener Adressen und falscher Namen.

Meine Skepsis gilt dem umfassenden Versuch, dem kolossalen Zeitgemälde, nicht dem epischen oder dramatischen Segment, den kleinen Bildern aus dem großen Bild. Sie sind möglich, und es gibt sie. Doch auch hier steht Kunst, die sich breitmacht, dem Ziel im Weg. Das Ziel liegt hinter unserem Rücken, wie Sodom und Gomorrha, als Lots Weib sich umwandte. Wir müssen zurückblicken, ohne zu erstarren.

Die Nation müsse die Vergangenheit bewältigen, heißt es. Wir sollen bewältigen, was wir vergessen haben? Das klingt nach leerer Predigt. Und die Jugend soll bewältigen, was sie nicht erlebt hat und nicht erfährt? Man sagt, sie erfahre es. Wenn nicht zu Hause, dann in der Schule. Die Lehrer, sagt man, schreckten vor dem schlimmen Thema nicht zurück, wenn auch nur die politisch unbescholtenen. Die Zurückhaltung der anderen, hat einer unserer Kultusminister gesagt, sei begreiflich. Aber bedenklich, hat er gesagt, sei das nicht. Denn sie träten demnächst, soweit sie vorher nicht stürben, in den Ruhestand. Und dann stünden weder sie noch sonst ein Hindernis dem regulären Unterricht in Zeitgeschichte im Weg. Weil ihre Nachfolger zu Hitlers

Lebzeiten noch kleine Kinder gewesen und schon deshalb unbescholten seien. Hat er gesagt. Wie sie, ohne selber angemessen unterrichtet worden zu sein, die nächste Generation angemessen unterrichten sollen, das hat er nicht gesagt.

Was nicht gut ist, hat einen Vorzug: Es kann besser werden. Die Historiker sind nicht müßig. Die Dokumente werden gesammelt und ausgewertet. Das Gesamtbild wird für den Rückblick freigelegt. Bald kann die Vergangenheit besichtigt werden. Auch von Schulklassen. Man wird zeigen und sehen können, wie es gekommen und gewesen ist. Doch das Lesen in der großen, in der Großen Chronik darf nicht alles sein. Sie nennt Zahlen und zieht Bilanzen, das ist ihre Aufgabe. Sie verbürgt die Zahlen und verbirgt den Menschen, das ist ihre Grenze. Sie meldet, was im großen ganzen geschah. Doch dieses Ganze ist nur die Hälfte.

Lebten und starben denn Zahlen? Waren die Reihen jüdischer Mütter, die ihre weinenden Kinder trösteten, während man sie auf polnischen Marktplätzen in deutsche Maschinengewehre trieb, Zahlenketten? Und war der SS-Scharführer, den man danach ins Irrenhaus bringen mußte, eine Ziffer?

Die Menschen wurden wie vielstellige Zahlen auf die schwarze Tafel geschrieben und, Schwamm darüber, ausgelöscht. In der Großen Chronik ist für sie alle Platz, doch nur für alle miteinander. Der einzelne kommt darin nicht vor. Man findet ihn in anderen Büchern. Wer in sie hineinblickt, starrt durch kein Teleskop, in kein Mikroskop und auf keinen Röntgenschirm. Das bloße Auge genügt. Bruchteile der Vergangenheit zeigen sich im Maßstab 1 : 1. Sie wird anschaulich. Der Mensch wird sichtbar. Er erscheint in natürlicher Größe. Er wirkt nicht sonderlich groß? Nein. Nicht einmal aus der Nähe. Gerade aus der Nähe nicht.

Die Lust ist zäher als das Gewissen

Berlin, 7. Februar 1945

Wir waren wieder ein paar Tage in L. an der Havel, und es ging, wie fast jedesmal, hoch her. Textilkaufleuten verwehrt das Schicksal, Not zu leiden. Da hilft kein Sträuben. Man trägt ihnen, nach Einbruch der Dunkelheit, das Notwendige samt dem Überflüssigen korbweise ins Haus. Man drängt ihnen auf, was es nicht gibt. Bei Nacht kommen nicht nur die Diebe, sondern auch die Lieferanten. Sie bringen Butter, Kaffee und Kognak, weiße Semmeln und Würste, Sekt und Wein und

Schweinebraten, und sie brächten den Kreisleiter der NSDAP, wenn er eßbar wäre. Karl honoriert so viel Mannesmut und Hilfsbereitschaft mit Kostüm- und Anzugstoffen, und dann ruft er vom Berliner Geschäft aus ein Dutzend Freunde und Bekannte an. »Kommt doch am Sonntag für eine halbe Woche aufs Land! Abgemacht? Wir freuen uns!« Der Gastgeber freut sich. Die Gäste freuen sich. Die Freude ist allgemein. Man lacht und tafelt in einem Landhaus an der Havel, und die russischen Panzer stehen, bei Frankfurt und Küstrin, an der Oder. Man trinkt Sekt und tanzt, und noch gestern saßen wir, in Charlottenburg und Wilmersdorf, im Keller, während zwölfhundert Flugzeuge ihre Bomben ausklinkten. Man raucht Importen und pokert, und ringsum ziehen die Trecks, auf der Flucht aus dem Osten, ins Ungewisse. Man verkleidet und maskiert sich und improvisiert Kabarettszenen, und nicht weit von hier, in Brandenburg und Oranienburg, beginnen die Häftlinge zu hoffen und die Lagerkommandanten zu zittern. Manchmal treten wir, noch halbmaskiert und mit vollen Gläsern in der Hand, aus dem Haus ins Dunkel und betrachten, gegen Potsdam hin, die langsam und lautlos sinkenden feindlichen Leuchtkugeln und glitzernden Christbäume. Neulich sagte ich, als wir so am Ufer standen: »Es ist, als komme man ins Kino, und der Film habe schon angefangen.« Da ließ eine der Frauen die Taschenlampe kurz aufblitzen und fragte geschäftig: »Darf ich, bitte, Ihre Eintrittskarten sehen? Was haben Sie für Plätze?« »Natürlich Loge«, antwortete Karl, »Mittel-Loge, erste Reihe!«

Man tafelt, lacht, tanzt, pokert, schäkert, verkleidet und enthüllt sich und weiß, daß das Schiff sinkt. Niemand macht sich Illusionen. Die nächste Woge spült ihn selber über Bord. Und keiner hat Mitleid. Ertrinkende schreien um Hilfe? ›Kann dir die Hand nicht geben, derweil ich eben tanz!‹ Die Lust ist zäher als das Gewissen. Wenn das Schiff sinkt, fällt der Katechismus ins Wasser. Polarforscher, heißt es, seien notfalls imstande, wissenschaftliche Mitarbeiter zu verzehren. Schlechte Zeiten, schlechte Manieren.

Steinreiche Flüchtlinge

Mairhofen, 17. April 1945

Täglich tauchen Lastautos und Postomnibusse mit Flüchtlingen auf. Alle wollen bleiben. Alle werden weitergeschickt. Mairhofen ist überfüllt. Die Gemeinde erteilt keine Aufenthaltsgenehmigungen mehr, es sei denn ... Es sei denn, man wäre ein ungarischer Großindustrieller, womöglich der Bruder eines Horthy-Ministers, zöge zehntausend Reichsmark aus der Westentasche und fragte den Bürgermeister leichthin, ob der Betrag genüge. Die Gemeindekasse tat einen Luftsprung, und der splendide Herr mit dem schönen grauen Vollbart durfte, samt Familie, bleiben. Die Familie besteht aus einer Tochter, einer Schwiegertochter, einem Sohn und einem Schwiegersohn.

Beim Anblick der fünf aus Budapest käme man, wenn man es nicht wüßte, nie auf den Gedanken, daß sie, um bleiben zu dürfen, auch noch Eintritt bezahlt haben. Man dächte viel eher, so unzeitgemäß die Vermutung wäre, daß sie der Verschönerungsverein von Mairhofen für teures Geld zum Bleiben bewogen habe!

Seit sie hier sind, hat sich der Ort verändert. Die zwei Frauen sind schön, elegant, dezent und so gepflegt, als gingen sie täglich zu Antoine. Die jungen Herren sind, in Manier und Kleidung, Männer von Welt. Beim Anblick ihrer Chaussure stöhnte mein letztes Paar Jakoby-Schuhe, aus klaffenden Sohlen, gequält auf. Und der Alte mit dem imposanten Barte hieß schon am zweiten Tag »der Patriarch«. Fünf Menschen haben, ohne es zu wollen, das Dorf verwandelt. In der Luft schwebt ein Hauch Parfüm. In ein paar hundert müd gewordnen Augen zwinkert Wohlgefallen. Erinnerungen an versunkene und verschüttete Zeiten werden wach und räkeln sich. Luxus, Eleganz, Komfort, Kosmetik, Fluidum, lauter Fremdwörter und lauter Plusquamperfekta! Die ungarische Familie scheint aus einem Märchenbuch zu stammen, das verbrannt ist. ›Es war einmal‹ stand auf dem Umschlag. Märchenhaft und doch ganz und gar lebendig spazieren die fünf an uns vorüber. Wir bleiben stehen, es geht nicht anders, und blicken ihnen nach. Sind wir in der Rue St. Honoré oder an der Place Vendôme? Gehen sie ins Ritz? Wir müssen lächeln. Paris liegt in der Luft. Paris liegt an der Ziller.

Der Patriarch sitzt täglich etliche Stunden im ›idyllisch gelegenen‹ Waldcafé, hat eine auffällig altmodische Kladde vor sich liegen und rechnet. Wenn er nachdenkt, streicht er sich den soignierten Bart. Worüber denkt er nach? Was bedeuten seine Zahlenkolonnen? Addiert er das Familienvermögen? Die im Koffer mitgebrachten Banknoten, den Schmuck in den Kassetten und den Saldo der Konten in Zürich, London und New York? Wie viele Millionen hat er denn nun beisammen, der Bruder des ungarischen Kriegsministers?

Die Kellnerin hat mir erzählt, was er tut. Er studiert Baupläne und berechnet Baukosten. Sobald der Krieg vorüber sein wird, will er, rundum in Westeuropa, Dutzende von Ferienhotels bauen lassen! Nicht etwa Luxuskästen und Prunkpaläste, deren Zeit vorbei ist und die nur von Bankkonsortien vorm Sterben bewahrt werden, sondern ökonomisch lebensfähige Kettenhotels, im gleichen DIN-Format, bis zur Balkonbreite, Tapete und Nachttischlampe genormt. Seine Hotels an der Riviera, in Kent, Interlaken, Ostende, Deauville, Marienlyst, Amalfi, Ischl, Garmisch, Hintertux und, meinetwegen, am Nordpol werden sich gleichen wie ein Ei dem andern. Wer in einem gewohnt hat, wird sie alle kennen. Und wer mit dem ersten zufrieden war, frequentiert das nächste und fernste. Er braucht nur die Landschaft und die Valuta zu wechseln. Jedes Jahr woanders, und immer im gleichen Hotel!

Da sitzt er nun also, der steinreiche Flüchtling, streicht sich den Bart und träumt in Zahlen. Kostenvoranschläge, Devisenkurse und Rentabilitätsquoten defilieren hinter seiner Stirn. Zinsfüße tanzen Spitze. Die Phantasielosigkeit künftiger Touristen beflügelt seine Phantasie. Er schreibt Zahlen, als wären es Verse. Seine Hotels reimen sich. Und wenn ihn die zwei schönen Frauen abholen, erhebt er sich, um ihnen die Hand zu küssen. Er ist mit der Welt zufrieden. Er wird auf ihren Trümmern Hotels bauen.

Die Fahnen der Freiheit

Mairhofen, 4. Mai 1945

Die Ostmark heißt wieder Österreich. Die Agonie ist vorüber. Klio hat den Totenschein ausgestellt. Das Regime, das nicht leben konnte und nicht sterben wollte, existiert hierzulande nicht mehr. Gestern nachmittag hat sich, mit einem Dr.-Ing. Gruber an der Spitze, die Österreichische Widerstandsbewegung konstituiert. Die Sender Vorarlberg, Innsbruck und Salzburg bestätigten die Waffenstreckung der Südarmee, auch für Tirol, Vorarlberg und Reutte, und verbreiteten die ersten zwei Erlasse der provisorischen Regierung.

Der eine Erlaß hob ab sofort die Verdunklung auf, fand ungeteilten Beifall und wurde am Abend weithin sichtbar befolgt. Die Fenster waren erleuchtet! Ein paar Straßenlaternen brannten zwinkernd! Wir gingen spazieren und freuten uns wie die Kinder. Uns war, mitten im Mai, weihnachtlich zumute. Das jahrelang entbehrte Licht in den Häusern erschien uns schöner als Millionen Christbäume.

Auch der zweite Erlaß wurde gehorsam befolgt. Freilich nicht mit der gleichen Begeisterung. Er befahl die sofortige Beflaggung in den Farben Österreichs, also Rot-Weiß-Rot, oder in den Tiroler Farben Rot-

Weiß. Die Schwierigkeit, unter der die Bevölkerung leise seufzte, bestand nicht etwa, wie man denken könnte, in dem über Nacht zu vollziehenden Gesinnungswandel. Auch nicht in der bedenklichen Zumutung, ihn vor aller Augen meterlang aus den Fenstern zu hängen. Die Schwierigkeit lag ausschließlich darin, sich in so kurzer Zeit, noch dazu nach Ladenschluß und bei der herrschenden Stoffknappheit, das geeignete Fahnentuch zu beschaffen.

Künftige Usurpatoren sollten daraus lernen. Man kann die Menschen, nicht nur die Österreicher, natürlich dazu nötigen, vom Abend zum Morgen ihre Gesinnung wie einen Handschuh umzukehren. Und man kann sie mühelos dazu bewegen, diese Wandlung öffentlich zu bekennen. Am guten Willen wird nicht zu zweifeln sein. Man muß nur die Grenzen beachten, die ihm gezogen sind. Für die politische Kehrtwendung selber genügen zehn Minuten. Die befriedigende Lösung der Flaggenfarbe ist viel zeitraubender. Schon wegen des Ladenschlusses. Denn es genügt nicht, die Fahne nach dem Wind zu hängen. Es muß ja die neue Fahne sein!

Immerhin bot Dr.-Ing. Grubers Flaggenerlaß keine unüberwindlichen Schwierigkeiten. Es wurde von der Nation bis heute früh weder Marineblau noch Schweinfurter Grün verlangt und auch kein Kanariengelb. Rot und Weiß waren, bei einiger Phantasie, über Nacht beschaffbar, und sie wurden beschafft. Als wir, die Entdunklung feiernd, die Straßen und Gassen entlanggingen, konnten wir uns mit eignen Augen — einem weinenden und einem lachenden Auge — unterrichten, wie man aus alten und soeben verbotenen Fahnen neue, aufs innigste zu wünschende schneidert. Wir blickten in die Stuben und sahen, in jedem Fensterrahmen, das nahezu gleiche lebende Bild. Überall trennte man das Hakenkreuz aus den Hitlerfahnen. Überall zerschnitt man weiße Bettlaken. Überall saßen die Bäuerinnen an der Nähmaschine und nähten die roten und weißen Bahnen fein säuberlich aneinander. »Doch drinnen waltet die züchtige Hausfrau«, zitierte einer von uns. Und ein andrer sagte: »Sie ziehen sich die Bettücher unterm Hintern weg. Das nenn ich Opfermut!«

Auch sonst glich der Spaziergang einer politischen Exkursion. Farbsatte Rechtecke an den Wänden erzählten uns, wie leicht Tapeten zu verschießen pflegen und wie groß die Hitlerbilder gewesen waren. In dem einen und anderen Zimmer standen die Hausväter vorm Rasierspiegel, zogen Grimassen und schabten, ohne rechten Sinn für Pietät, ihr tertiäres Geschlechtsmerkmal, das Führerbärtchen, von der Oberlippe. (Obwohl, historisch betrachtet, sein Emblem unter der Nase, wie vieles andre auch, nicht von Hitler, sondern vor ihm erfunden worden ist.) Kurz und gut, es war ein lehrreicher Rundgang. Seit das Licht wieder aus den Häusern fällt, fällt auch wieder Licht hinein.

Heute früh wehten die Fahnen der Freiheit, daß es eine Pracht war. Die neuen Ordnungshüter, mit rotweißroten Armbinden, konnten auf Mairhofen stolz sein. Mitunter bemerkte man freilich Kreise und Segmente in unausgeblichenem Rot, die bis gestern vor Wind und Wetter durchs Hakenkreuz geschützt worden waren. Zuweilen hatten die Bäuerinnen wohl auch die roten und weißen Bahnen in der verkehrten Reihenfolge zusammengenäht. Doch das blieben kleine Schönheitsfehler, über die man großzügig hinwegsah. Alles in allem war die Flaggenparade ein schöner Erfolg.

Das Ende der Blutgruppenträger

Mairhofen, 22. Mai 1945

Heute sind im Ort und rundum alle Heimkehrer verhaftet worden, soweit sie der SS angehört haben. Man will sie sammeln und zu Arbeitsbataillonen formieren. In vereinzelten Fällen wird sich die Verhaftung als unbillige Härte erweisen, wie bei Sepp Moigg, dem Sohn des Neuhauswirtes. Er war seinerzeit in die SS gepreßt worden, weil der Vater, als strenger Katholik, das Regime ablehnte. Es war ein Racheakt auf Gemeindebasis gewesen, eine Ranküne unter Bekannten, ein Tiefschlag gegen die Sippe. Die hohe Ehre, bei den Prätorianern zu dienen, wurde zur hohen Strafe. Wie ja auch die höchste Ehre, nämlich zu kämpfen und zu fallen, als immerhin zweithöchste Militärstrafe galt. Aus Schande wurde Ehre, aus Ehre wurde Schande, die Wertskala war umkehrbar.

Was ich bis heute nicht wußte, ist, daß jeder Angehörige der SS ein unverlierbares Erkennungszeichen bei sich trägt. Ihnen allen wurde die jeweilige Blutgruppe in die Achselhöhle tätowiert. Hatten Hitler und Himmler Angst, die Männer könnten die Zeichen A oder B oder O vergessen oder ihre Papiere verlieren? Man hatte wohl eher Angst, sie könnten Hitler und Himmler vergessen. Man versah sie, wenn auch nicht auf der Stirn, mit dem Kainsmal. Es ließ und läßt sich nicht fortwaschen. Man zeichnete sie, indem man vorgab, sie auszuzeichnen. Man versicherte sich ihrer Zuverlässigkeit, indem man sie abstempelte. Tätowierung der Lagerhäftlinge am Unterarm, Tätowierung der Wachtposten und Henker unter der Achsel, einmal als angebliche Schande, einmal als angebliche Ehre, wahnwitziges Indianerspiel germanischer Karl May-Leser, groteske Verwechslung von Tausendjährigem Reich und unabwaschbarer Tinte.

Schon im September 1934, anläßlich meiner ersten Verhaftung durch die Gestapo, fiel mir die infantile Indianerlust der Leute auf. Als man mich ins Vernehmungszimmer eskortierte, rief einer der Anwesenden höchst amüsiert: »Da kommen ja Emil und die Detektive!«, und auch die anderen fanden die Bemerkung äußerst lustig. Sooft jemand das Haustelefon benutzte, nannte er nicht etwa seinen Namen, sondern sagte: »Hier ist F., ich möchte L. sprechen.« Noch viel lieber, schien es mir, hätten sie sich ›Adlerfeder‹ und ›Falkenauge‹ tituliert. Wie sie miteinander die Aufträge für den Nachmittag koordinierten, die geeignete Reihenfolge der Verhaftungen und Haussuchungen, und wie sie die Frage erörterten, ob zwei Autos ausreichen würden oder ein Lastwagen vorzuziehen sei, das klang nicht, als sollten sie nach dem Berliner Westen, sondern in den Wilden Westen. Als säßen sie nicht an Bürotischen in der Prinz Albrecht-Straße, sondern am Lagerfeuer in der Steppe. Als wollten sie, ein paar Stunden später, nicht etwa in Mietwohnungen einer Viermillionenstadt eindringen und überraschte Steuerzahler drangsalieren, sondern als seien sie auf verbarrikadierte Blockhäuser und auf Kunstschützen und Pferdediebe aus.

Auch während meiner protokollarischen Vernehmung betätigten sie sich wie Waldläufer, die sich in der Deutung von Fußspuren und von sonst niemand beachteten abgebrochenen Zweigen auskennen. Ihr kindisches Benehmen in einer ziemlich ernsten Sache verdroß nicht nur mich, sondern auch, und zwar zu meinen Gunsten, den alten Kriminalbeamten, der die Vernehmung leitete und das Protokoll diktierte. Als ich meinen Paß zurückerhalten hatte und an der Tür »Auf Wiedersehen« sagte, brüllten sie wütend und im Chor »Heil Hitler!« hinter mir her.

Auf dem Korridor murmelte der Inspektor, der mich zu den Wachtposten zurückbrachte, ein pensionsreifer Zwölfender, mißmutig und geringschätzig: »Junge Kadetten!« Doch es waren eben keine Kadetten, sondern Trapper und Indianer, Karl May-Leser wie ihr Führer, verkrachte NS-Studenten mit Intelligenzbrille, Pfadfinder mit blutigem Fahrtenmesser, braune Rothäute als blonde Bestien. Europa als Kinderspielplatz, mutwillig zertrampelt und voller Leichen. Und die eintätowierte Blutgruppe als Aktenzeichen der Blutsbrüderschaft und der Blutherrschaft.

Die große Suche nach dem Alibi

Mairhofen, 5. Juni 1945

Wir erhalten Kennkarten. In einem Klassenzimmer der Dorfschule. Der ›Lehrer‹ ist ein Sergeant, der als Kind bestimmt in einem deutschen Klassenzimmer gesessen hat. Seine Bemühung, die Muttersprache zu radebrechen, ist unverkennbar. Die Camouflage hat etwas Rührendes. Mit seinem Mißtrauen gerät er, glaub ich, oft an die Verkehrten. Er hat kein Talent zum Dorfkommissar. Die erstbeste Blondine wird ihn um den Finger wickeln. Und auch da wird er hereinfallen. Ich habe ihn beobachtet. Die Blondine, die ihm den Finger hingehalten hat, um den sie ihn spätestens morgen wickeln wird, ist gefärbt. Sie ist von Haus aus brünett. Und ihr Mann, der in Gefangenschaft geraten sein dürfte, war zwölf Jahre lang braun. Der Sergeant ist farbenblind.

Wir stehen an, wenn wir Milch kaufen. Wir stehen im Flur des Gasthofs und bis auf die Straße, wenn wir aufs Mittagessen warten. Wir stehen an, wenn wir die Lebensmittelkarten abholen. Und nun stehen wir in und vor der Schule, um Kennkarten zu erhalten. Das Schlangestehen überdauert Krieg und Niederlage und Regierungsform. Die ersten Menschen standen vor der Schlange, die letzten stehen in der Schlange. Mit der Schlange fing es an. Und als Schlange hört es auf.

Spaziergänge sind erlaubt. Man darf sich sechs Kilometer weit vom Ort entfernen. Es empfiehlt sich, die Kilometersteine zu beachten. Denn Militärstreifen durchstreifen die sommerliche Landschaft und kontrollieren die Spaziergänger und die Ausweise. Und es ist nicht jedermanns Sache, sich auf der Landstraße und im Abendsonnenschein anschnauzen zu lassen. Man muß sich fest einprägen: Die Natur ist zur Zeit sechs Kilometer lang. Dann beginnt die Geschichte.

Dann erst beginnt die Geschichte? Nicht einmal das stimmt. Die Natur ist noch viel kürzer. Auch innerhalb der Spazierzone trifft der poetisch gestimmte Naturfreund Bekannte, die ihn am Jackettknopf festhalten und, trotz Feld, Wald und Wiese ringsum, in durchaus naturferne Gespräche verwickeln, und ehe er sich's recht versieht, wird der Dialog zum Monolog, zum politischen Plädoyer. »Ich habe mich zwar von meiner jüdischen Frau scheiden lassen«, erklärt ihm einer, »aber die Trennung wäre auch in normalen Zeiten unvermeidlich gewesen. Unglückliche Ehen gibt es ja schließlich nicht nur unter der Diktatur. Außerdem habe ich ihr, solange es möglich war, Geld geschickt.« Der Mann steht zwischen hohen Bäumen, als seien sie der Hohe Gerichtshof. Er verteidigt sich ungefragt. Er übt. Er trainiert sein Alibi. Er sucht Zuhörer, um die Schlagkraft seiner Argumente zu kontrollieren. Die Bäume und der Spaziergänger, den er trifft, müssen ihm zuhören. Er beantragt Freispruch. Dann geht er weiter. Die Angst und das schlechte Gewissen laufen hinter ihm her.

Der Nächste, dem man begegnet, versichert, daß er, obwohl er kürzlich noch das Parteiabzeichen getragen habe, nicht in der Partei gewesen sei. »Ich war nur Anwärter«, sagt er. »Mitglied bin ich nie geworden, obwohl sich dann vieles für mich einfacher gestaltet hätte. Wenn Sie wüßten, was ich alles versucht habe, um nicht Mitglied zu werden! Es war, weiß Gott, nicht leicht, sich aus der Geschichte herauszuhalten!« Wir stehen auf einem Feldweg. Und drüben in einem Bauernhof kräht der Hahn. Es ist nicht leicht, sich aus der Geschichte herauszuhalten...

Der Dritte, und auch ihn kennt man nur flüchtig, wird noch zutraulicher. Er öffnet nicht nur sein Herz, sondern, bildlich ausgedrückt, auch die Hose. Er hat, trotz der Nürnberger Gesetze, zuweilen mit einem jüdischen Mädchen geschlafen, und nun hört er sich um, ob dieser Hinweis auf seine damals strafbaren Vergnügungen den nötigen politischen Eindruck erweckt. Schließlich hat er ja, als es verboten war, mit einer Jüdin gemeinsame Sache gemacht! Ja, hat er sich denn da nicht, wenn auch nur in der Horizontale, als Staatsfeind betätigt? Könnte ihm, überlegt er, die sündige Vergangenheit künftig nicht vielleicht von Nutzen sein? Er sucht in meinem Blick zu lesen, wie ich den Fall und die Chancen beurteile. Daß ich ihn für ein Ferkel halte, läßt ihn kalt.

Die Wege durch Wald und Feld ähneln Korridoren eines imaginären Gerichtsgebäudes. Die Vorgeladenen, mehr oder weniger kleine Halunken, gehen nervös hin und her, warten, daß der Polizeidiener ihren Namen ruft, und ziehen jeden, der vorbeikommt, ins Gespräch. ›Wer weiß, wozu es gut ist‹, denken sie.

Streiflichter aus Nürnberg

Nürnberg, 22. November 1945

Autobahn München–Nürnberg... Wir fahren zur Eröffnung des Prozesses gegen die Kriegsverbrecher. Einige der Verteidiger hatten beantragt, den Verhandlungsbeginn noch einmal zu verschieben. Der Antrag wurde abgelehnt. Morgen früh ist es soweit...

Morgen soll nun gegen vierundzwanzig Männer Anklage erhoben werden, die schwere Mitschuld am Tode von Millionen Menschen haben. Oberrichter Jackson, der aus Amerika entsandte Hauptankläger, hat erklärt: »Sie stehen nicht vor Gericht, weil sie den Krieg verloren, sondern weil sie ihn begonnen haben!« Ach, warum haben die Völker dieser Erde solche Prozesse nicht schon vor tausend Jahren geführt? Dem Globus wäre viel Blut und Leid erspart geblieben . . .

Aber die Menschen sind unheimliche Leute. Wer seine Schwiegermutter totschlägt, wird geköpft. Das ist ein uralter verständlicher Brauch. Wer aber Hunderttausende umbringt, erhält ein Denkmal. Straßen werden nach ihm benannt. Und die Schulkinder müssen auswendig lernen, wann er geboren wurde und wann er friedlich die gütigen Augen für immer schloß . . .

Einen einzigen Menschen umbringen und hunderttausend Menschen umbringen ist also nicht dasselbe? — Nein, es ist nicht dasselbe. Es ist genau hunderttausendmal schrecklicher! — Nun werden die vierundzwanzig Angeklagten sagen, sie hätten diese neue, aparte Spielregel nicht gekannt. Als sie ihnen später mitgeteilt wurde, sei es zu spät gewesen. Da hätten sie nicht aufhören können. Da hätten sie wohl oder übel noch ein paar Millionen Menschen über die Klinge springen lassen müssen . . .

Es sind übrigens nicht mehr vierundzwanzig Angeklagte. Ley hat sich umgebracht. Krupp, heißt es, liegt im Sterben. Kaltenbrunner hat Gehirnblutungen. Und Martin Bormann? Ist er auf dem Wege von Berlin nach Flensburg umgekommen? Oder hat er sich, irgendwo im deutschen Tannenwald, einen Bart wachsen lassen und denkt, während er die Zeitungen liest: ›Die Nürnberger hängen keinen, sie hätten ihn denn?‹

Dienstag morgen. Das Nürnberger Justizgebäude ist in weitem Umkreis von amerikanischer Militärpolizei abgesperrt. Nur die Menschen, Autos und Autobusse mit Spezialausweisen dürfen passieren. Vorm Portal erneut Kontrolle. Neben den Stufen des Gebäudes zwei Posten mit aufgepflanztem Bajonett. Aus den Autobussen und Autos quellen Uniformen. Russen, Amerikaner, Franzosen, Engländer, Tschechoslowaken, Polen, Kanadier, Norweger, Belgier, Holländer, Dänen. Frauen in Uniformen. Die Russinnen mit breiten goldgestreiften Achselstükken. Journalisten, Fotografen, Staatsanwälte, Rundfunkreporter, Sekretärinnen, Dolmetscher, Marineoffiziere mit Aktenmappen, weißhaarige Herren mit Baskenmützen der englischen Armee und kleinen Schreibmaschinen, deutsche Rechtsanwälte mit Köfferchen, in denen sie die schwarzen Talare und die weißen Binder tragen . . .

Im Erdgeschoß ist scharfe Kontrolle. Im ersten Stock ist scharfe Kontrolle. Im zweiten Stock ist zweimal scharfe Kontrolle. Mancher wird, trotz Uniform und Ausweisen, zurückgeschickt.

Endlich stehe ich in dem Saal, in dem der Prozeß stattfinden wird. In dem einmal, Jahrhunderte später, irgendein alter, von einer staunenden Touristenschar umgebener Mann gelangweilt herunterleiern wird: »Und jetzt befinden Sie sich in dem historischen Saal, in dem am 20. November des Jahres 1945 der erste Prozeß gegen Kriegsverbrecher eröffnet wurde. An der rechten Längsseite des Saales saßen, vor den Fahnen Amerikas, Englands, der Sowjetunion und Frankreichs, die Richter der vier Länder. Der hohe Podest ist noch der gleiche wie damals. An der gegenüberliegenden Wand, meine Herrschaften, saßen die zwanzig Angeklagten. In zwei Zehnerreihen hintereinander. Hinter ihnen standen acht Polizisten der ISD in weißen Stahlhelmen. ›Stahlhelm‹ wurde im zwanzigsten Jahrhundert eine Kopfbedeckung genannt, die man in den als ›Krieg‹ bezeichneten Kämpfen zwischen verschiedenen Völkern zu tragen pflegte. Links neben mir können Sie, unter dem Glassturz auf dem kleinen Tisch, einen solchen Stahlhelm besichtigen. Vor der Estrade der Angeklagten, welche noch immer die gleiche wie im Jahre 1945 ist, saßen etwa zwanzig Rechtsanwälte. An der vor uns liegenden Schmalseite des holzgetäfelten Raumes saßen die Anklagevertreter der Vereinten Nationen. Wo Sie, meine Damen und Herren, jetzt stehen, befanden sich damals die Pressevertreter der größten Zeitungen und Zeitschriften, Agenturen und Rundfunksender der Welt. Vierhundert Männer und Frauen, deren Aufgabe es war...«
Ja, so ähnlich wird der alte Mann dann reden. Hoffentlich. Und die Touristen der ganzen Welt werden ihm zuhören und den Kopf schütteln, daß es einmal etwas gab, was »Krieg« genannt wurde ...

Die Scheinwerfer an der Balkendecke strahlen auf. Alle erheben sich. Die Richter erscheinen. Die beiden Russen tragen Uniform. Man setzt sich wieder. Die Männer in der eingebauten Rundfunkbox beginnen fieberhaft zu arbeiten. Aus fünf hoch in den Wänden eingelassenen Fenstern beugten sich Fotografen mit ihren Kameras vor. Die Pressezeichner nehmen ihre Skizzenblocks vor die Brust. Der Vorsitzende des Gerichts eröffnet die Sitzung. Dann erteilt er dem amerikanischen Hauptankläger das Wort. Die meisten Zuhörer nehmen ihren Kopfhörer um. Ein Schalter an jeder Stuhllehne ermöglicht es, die Anklage, durch Dolmetscher im Saal sofort übersetzt, in englischer, russischer, deutscher oder französischer Sprache zu hören. Auch die Angeklagten bedienen sich des Kopfhörers. Amerikanische Soldaten sind ihnen behilflich. Und während so die Anklage, welche die Welt den zwanzig

Männern entgegenschleudert, viersprachig durch die Drähte ins Ohr der einzelnen dringt, ist es im Saal selber fast still. Die Stimme des Anklägers klingt, als sei sie weit weg. Die Dolmetscher murmeln hinter ihren gläsernen Verschlägen. Alle Augen sind auf die Angeklagten gerichtet . . .

Göring trägt eine lichtgraue Jacke mit goldenen Knöpfen. Die Abzeichen der Reichsmarschallwürde sind entfernt worden. Die Orden sind verschwunden. Es ist eine Art Chauffeurjacke übriggeblieben . . . Er ist schmaler geworden. Manchmal blickt er neugierig dahin, wo die Ankläger sitzen. Wenn er seinen Namen hört, merkt er auf. Dann nickt er zustimmend. Oder wenn der Ankläger sagt, er sei General der SS gewesen, schüttelt er lächelnd den Kopf. Zuweilen beugt er sich zu seinen Anwälten vor und redet auf sie ein. Meist ist er ruhig.

Rudolf *Heß* hat sich verändert. Es ist, als sei der Kopf halb so klein geworden. Dadurch wirken die schwarzen Augenbrauen geradezu unheimlich. Wenn er mit Göring oder Ribbentrop spricht, stößt er ruckartig mit dem Kopf. Wie ein Vogel. Sein Lächeln wirkt unnatürlich. Sollte es in diesem Kopf nicht mehr richtig zugehen?

Joachim *von Ribbentrop* sieht aus wie ein alter Mann. Grausträhnig ist sein Haar geworden. Das Gesicht erscheint faltig und verwüstet. Er spricht wenig. Hält das Kinn hoch, als koste es ihn Mühe. Als ihn ein Polizist kurz aus dem Saal und dann wieder zurückbringt, bemerkt man, daß ihm auch das Gehen schwerfällt.

Auch *Keitel* ist etwas schmäler geworden. Er sitzt, in seiner tressenlosen Uniformjacke, grau mit grünem Kragen, ernst und ruhig da. Wie ein Forstmeister.

Alfred *Rosenberg* hat sich nicht verändert. Seine Hautfarbe wirkte immer schon kränklich. Manchmal zupft er an der Krawatte. Sehr oft fährt er sich mit der Hand übers Gesicht. Die Hand allein verrät seine Nervosität.

Neben ihm sitzt Hans *Frank,* der ehemalige Generalgouverneur von Polen. Manchmal zeigt er die blitzenden Zähne. Dann verzieht ein zynisches stummes Lachen die scharfen Züge. Warum lacht er so ostentativ vor sich hin? Die Zuschauer kennen keinen Grund, den er hier zum Lachen hätte. Er spricht viel mit seinen Nachbarn, deren einer *Rosenberg* und deren zweiter Wilhelm *Frick* ist. *Frick* wirkt kräftig, gesund und temperamentvoll. Sein Gesicht sieht braungebrannt aus. Wie er zuhört, wie er mit den Nachbarn spricht, wie er mit den Anwälten redet — alles verrät eine überraschende Energie.

Die Energie des Mannes neben ihm scheint weniger echt. Es ist Julius *Streicher.* Oft zuckt sein rechter Mundwinkel nervös zur Seite. Und unmittelbar danach zuckt sein rechtes Auge zusammen. Immer wieder und wieder.

Dann kommt Walter *Funk*. Klein, molluskenhaft, mit seinem blassen häßlichen Froschgesicht. Neben ihm, aufrecht, ruhig, reserviert, ablehnend Hjalmar *Schacht*. Als letzter der ersten Reihe.

Hinter Göring und Heß sitzen *Dönitz* und *Raeder*, die beiden ehemaligen Großadmiräle. In blauen Jacketts. Das Gold ist verschwunden. Dönitz sieht verkniffen aus. Ruhig sind beide.

Baldur *von Schirachs* Gesicht ist bleich und bedrückt. Er wirkt wie ein schlecht vorbereiteter Abiturient im Examen. Daneben *Sauckel*, ein kleiner rundköpfiger Spießer. Mit einem Schnurrbart unter der Nase, wie ihn sein Führer trug.

Jodl bemerkt man kaum. Nur wenn er gelegentlich die Brille abnimmt, fällt er, lediglich durch die Handbewegung, ins Auge. Neben ihm, weißhaarig und soigniert, leicht im Stuhl zurückgelehnt, ein Bein übers andere geschlagen, Herr *von Papen*.

Dann *Seyß-Inquart*, groß, dünn, fahrig. Unsicher. Das Haar wirr und gesträubt. Neben ihm, ruhig wie Papen, ablehnend wie Schacht, weißhaarig, seiner scheinbar sicher: Konstantin *von Neurath*.

Und als letzter der zweiten Reihe, und damit als letzter der Zwanzig überhaupt, Hans *Fritsche*, der ölige Rundfunkprediger des Dritten Reiches. Blaß. Schmal. Nervös. Aber sehr aufmerksam und bei der Sache.

Dem amerikanischen Hauptankläger folgt der französische. Er bringt vor, welche Untaten das westliche Europa den Kriegsverbrechern zur Last legt. Mord an Kriegsgefangenen, Mord an Geiseln, Raub, Deportation, Sterilisation, Massenerschießungen mit Musikbegleitung, Folterungen, Nahrungsentzug, künstliche Krebsübertragungen, Vergasung, Vereisung bei lebendigem Leibe, maschinelle Knochenverrenkung, Weiterverwendung der menschlichen Überreste zur Dünger- und Seifengewinnung ... Ein Meer von Tränen ... Eine Hölle des Grauens ... Um zwölf ist Mittagspause. In den Gängen wimmelt es von Journalisten, Talaren, Sprachen, Uniformen. Da — ein bekanntes Gesicht! »Grüß Gott!« »How do you do!«

Meine erste Frage ist: »Wen in diesem Jahrmarktstreiben kennen Sie? Die Leser unseres Blattes. Sie verstehen ...« Der andere versteht. Wozu ist er Journalist!

»Also: der große Mann dort drüben, ja, der in Uniform, mit dem Mondschein im Haar, ist John *Dos Passos*. Der berühmte Romanschriftsteller. Er ist für die New Yorker Zeitschrift ›Life‹ nach Nürnberg gekommen ... Die Amerikanerin mit dem schmalen Kopf und dem dunklen, glatt anliegenden, kurz geschnittenen Haar ist Erika *Mann*, die Tochter Thomas Manns. Sie ist für die Londoner Zeitung ›Evening Standard‹ hier. Und für eine amerikanische Zei ... Halt, sehen Sie den Engländer dort? Den mit der Hornbrille, ganz recht! Das ist Peter *de Mendelssohn*. Vor 1933 war er ein deutscher Schriftstel ... ach, das wissen Sie natürlich ... Jetzt schreibt er seine Romane englisch ... Seine Prozeßberichte gehen an den ›New Statesman‹ in London und an die ›Nation‹ in Amerika. Wer sonst noch? ... Die beiden am Fenster sind Howard Smith von der New Yorker Rundfunkgesellschaft CBS und William Shirer; er war bis kurz vorm Krieg in Berlin und schrieb dann drüben einen Bestseller unter dem Titel ›Berlin Diary‹. Ferner — hallo, Irvin!« Zu mir: »Pardon!« Fort ist er.

Kurz vor zwei Uhr füllt sich der Saal wieder. — Jetzt erteilt der Vorsitzende dem russischen Hauptankläger das Wort. Dieser verliest die Anklagen, welche die östliche Welt vorzubringen hat. Wieder Millionen mutwillig umgebrachter Menschen. Wieder Verstoß um Verstoß gegen die Haager Bestimmungen aus dem Jahre 1907. Wieder eine Hölle ... Wieder ein Abgrund ...

Später kommt der englische Hauptankläger an die Reihe. Er verliest einzelne Anklagepunkte, die den zwanzig Angeklagten im besonderen gelten. Sie hören gelassen zu. Manche haben die Kopfhörer beiseitegelegt und starren trübe oder gleichmütig vor sich hin.

Dann ist es fünf Uhr. Die Sitzung wird aufgehoben. Die Angeklagten stehen noch ein wenig herum und sprechen mit ihren Anwälten. Dann verschwindet einer nach dem anderen, gesondert eskortiert, hinter der braunen Tür, die ins Gefängnis zurückführt. Morgen ist auch noch ein Tag ...

Und ich gehe, an den vielen Kontrollen vorbei, jedesmal wieder kontrolliert, aus dem historischen Gebäude hinaus. Das Herz tut mir weh, nach allem, was ich gehört habe ... Und die Ohren tun mir auch weh. Die Kopfhörer hatten eine zu kleine Hutnummer.

Heimfahrt auf der Autobahn. Der Nebel ist noch dicker geworden. Man könnte ihn schneiden. Der Wagen muß Schritt fahren. Ich blicke aus dem Fenster und kann nichts sehen. Nur zähen, milchigen Nebel ...

Jetzt sitzen also der Krieg, der Pogrom, der Menschenraub, der Mord en gros und die Folter auf der Anklagebank. Riesengroß und unsichtbar sitzen sie neben den angeklagten Menschen. Man wird die Verantwortlichen zur Verantwortung ziehen. Ob es gelingt? Und dann: es darf nicht nur diesmal gelingen, sondern in jedem künftigen Falle!

Dann könnte der Krieg aussterben. Wie die Pest und die Cholera. Und die Verehrer und Freunde des Krieges könnten aussterben. Wie die Bazillen.

Und spätere Generationen könnten eines Tages über die Zeiten lächeln, da man einander millionenweise totschlug.

1946:
Was in den Konzentrationslagern geschah

Es ist Nacht. — Ich soll über den Film ›Die Todesmühlen‹ schreiben, der aus Aufnahmen zusammengestellt worden ist, welche die Amerikaner machten, als sie dreihundert deutsche Konzentrationslager besetzten. Im vergangenen April und Mai. Als ihnen ein paar hundert hohlwangige, irre lächelnde, überlebende Skelette entgegenwankten. Als gekrümmte, verkohlte Kadaver noch in den elektrisch geladenen Drahtzäunen hingen. Als noch Hallen, Lastautos und Güterzüge mit geschichteten Leichen aus Haut und Knochen vollgestopft waren. Als auf den Wiesen lange hölzerne Reihen durch Genickschuß ›Erledigter‹ in horizontaler Parade besichtigt werden konnten. Als vor den Gaskammern die armseligen Kleidungsstücke der letzten Mordserie noch auf der Leine hingen. Als sich in den Verladekanälen, die aus den Krematorien wie Rutschbahnen herausführten, die letzten Zentner Menschenknochen stauten.

Es ist Nacht. — Ich bringe es nicht fertig, über diesen unausdenkbaren, infernalischen Wahnsinn einen zusammenhängenden Artikel zu schreiben. Die Gedanken fliehen, sooft sie sich der Erinnerung an die Filmbilder nähern. Was in den Lagern geschah, ist so fürchterlich, daß man darüber nicht schweigen darf und nicht sprechen kann.

Ich entsinne mich, daß Statistiker ausgerechnet haben, wieviel der Mensch wert ist. Auch der Mensch besteht ja bekanntlich aus chemischen Stoffen, also aus Wasser, Kalk, Phosphor, Eisen und so weiter. Man hat diese Bestandteile sortiert, gewogen und berechnet. Der Mensch ist, ich glaube, 1,87 RM wert. Falls Shakespeare klein und nicht sehr dick gewesen sein sollte, hätte er vielleicht nur 1,78 RM gekostet ... Immerhin, es ist besser als gar nichts. Und so wurden in diesen Lagern die Opfer nicht nur ermordet, sondern auch bis zum letzten Gran und Gramm wirtschaftlich ›erfaßt‹. Die Knochen wurden gemahlen und als Düngemittel in den Handel gebracht. Sogar Seife wurde gekocht. Das Haar der toten Frauen wurde in Säcke gestopft, verfrachtet und zu Geld gemacht. Die goldenen Plomben, Zahnkronen

473

und -brücken wurden aus den Kiefern herausgebrochen und, eingeschmolzen, der Reichsbank zugeführt. Ich habe einen ehemaligen Häftling gesprochen, der im ›zahnärztlichen Laboratorium‹ eines solchen Lagers beschäftigt war. Er hat mir seine Tätigkeit anschaulich geschildert. Die Ringe und Uhren wurden fässerweise gesammelt und versilbert. Die Kleider kamen in die Lumpenmühle. Die Schuhe wurden gestapelt und verkauft.

Man taxiert, daß zwanzig Millionen Menschen umkamen. Aber sonst hat man wahrhaftig nichts umkommen lassen ... 1,87 RM pro Person. Und die Kleider und Goldplomben und Ohrringe und Schuhe extra. Kleine Schuhe darunter. Sehr kleine Schuhe.

In Theresienstadt, schrieb mir neulich jemand, führten dreißig Kinder mein Stück ›Emil und die Detektive‹ auf. Von den dreißig Kindern leben noch drei. Siebenundzwanzig Paar Kinderschuhe konnten verhökert werden. Auf daß nichts umkomme.

Es ist Nacht. — Man sieht in dem Film, wie Frauen und Mädchen in Uniform aus einer Baracke zur Verhandlung geführt werden. Angeklagte deutsche Frauen und Mädchen. Eine wirft hochmütig den Kopf in den Nacken. Das blonde Haar fliegt stolz nach hinten.

Wer Gustave Le Bons ›Psychologie der Massen‹ gelesen hat, weiß ungefähr, in der Theorie, welch ungeahnte teuflische Gewalten sich im Menschen entwickeln können, wenn ihn der abgründige Rausch, wenn ihn die seelische Epidemie packt. Er erklärt es. Es ist unerklärlich. Ruhige, harmlose Menschen werden plötzlich Mörder und sind stolz auf ihre Morde. Sie erwarten nicht Abscheu oder Strafe, sondern Ehrung und Orden. Es ließe sich, meint der Gelehrte, verstehen. Es bleibt unverständlich.

Frauen und Mädchen, die doch einmal Kinder waren. Die Schwestern waren, Liebende, Umarmende, Bräute. Und dann? Dann auf einmal peitschten sie halbverhungerte Menschen? Dann hetzten sie Wolfshunde auf sie? Dann trieben sie kleine Kinder in Gaskammern? Und jetzt werfen sie den Kopf stolz in den Nacken? Das solle sich verstehen lassen, sagt Gustave Le Bon.

Es ist Nacht. — Der Film wurde eine Woche lang in allen bayerischen Kinos gezeigt. Zum Glück war er für Kinder verboten. Jetzt laufen die Kopien in der westlichen amerikanischen Zone. Die Kinos sind voller Menschen. Was sagen sie, wenn sie wieder herauskommen?

Die meisten schweigen. Sie gehen stumm nach Hause. Andere treten blaß heraus, blicken zum Himmel und sagen: »Schau, es schneit.«

Wieder andere murmeln: »Propaganda! Amerikanische Propaganda! Vorher Propaganda, jetzt Propaganda!« Was meinen sie damit? Daß es sich um Propaganda*lügen* handelt, werden sie damit doch kaum ausdrücken wollen. Was sie gesehen haben, ist immerhin fotografiert worden. Daß die amerikanischen Truppen mehrere Geleitzüge mit Leichen über den Ozean gebracht haben, um sie in den deutschen Konzentrationslagern zu filmen, werden sie nicht gut annehmen. Also meinen sie: Propaganda auf Wahrheit beruhender Tatsachen? Wenn sie aber das meinen, warum klingt ihre Stimme so vorwurfsvoll, wenn sie ›Propaganda‹ sagen? Hätte man ihnen die Wahrheit *nicht* zeigen sollen? Wollten sie die Wahrheit *nicht* wissen?

Es ist Nacht. — Ich kann über dieses schreckliche Thema keinen zusammenhängenden Artikel schreiben. Ich gehe erregt im Zimmer auf und ab. Ich bleibe am Bücherbord stehen, greife hinein und blättere. Silone schreibt in dem Buch ›Die Schule der Diktatoren‹: »Terror ist eben nur Terror, wenn er vor keinerlei Gewalttat zurückschreckt, wenn für ihn keine Regeln, Gesetze oder Sitten mehr gelten. Politische Gegner besetzen Ihr Haus, und Sie wissen nicht, was Sie zu gewärtigen haben: Ihre Verhaftung? Ihre Erschießung? Eine einfache Verprügelung? Das Haus angezündet? Frau und Kinder abgeführt? Oder wird man sich damit begnügen, Ihnen beide Arme abzuhauen? Wird man Ihnen die Augen ausstechen und die Ohren abschneiden? Sie wissen es nicht. Sie können es nicht wissen. Der Terror kennt weder Gesetz noch Gebot. Er ist die nackte Gewalt; stets nur darauf aus, Entsetzen zu verbreiten. Er hat es weniger darauf abgesehen, eine gewisse Anzahl Gegner körperlich zu vernichten, als darauf, die größtmögliche Zahl derselben seelisch zu zermürben, irrsinnig, blöde, feige zu machen, sie jeden Restes menschlicher Würde zu berauben. Selbst seine Urheber und Anführer hören auf, normale Menschen zu sein. In Terrorzeiten sind die wirksamsten und häufigsten Gewalttaten gerade die ›sinnlosesten‹, die überflüssigsten, die unerwartetsten . . .«

Es ist Nacht. — Clemenceau hat einmal gesagt, es würde nichts ausmachen, wenn es zwanzig Millionen Deutsche weniger gäbe. Hitler und Himmler haben das mißverstanden. Sie glaubten, zwanzig Millionen Europäer. Und sie haben es nicht nur *gesagt*! Nun, wir Deutsche werden gewiß nicht vergessen, wieviel Menschen man in diesen Lagern umgebracht hat. Und die übrige Welt sollte sich zuweilen daran erinnern, wieviel Deutsche darin umgebracht wurden.

Der Nürnberger Prozeß

Wer die *Opfer* der Epochen sind, die in den Geschichtsbüchern sehr viel Platz wegzunehmen pflegen, weiß man nachgerade. Wenn aber die ›einmaligen‹ historischen Ereignisse vorüber sind und die mit Ruhegehältern versorgten Herren, die sich in Klios Gästebuch eingetragen haben, in ihren Gärten stehen und goldgelbe Rosen hochbinden, erhebt sich stets von neuem die Frage: Wer waren denn nun die *Täter?* Die Ansichten darüber, wer eigentlich Geschichte ›mache‹, gehen einigermaßen auseinander. Die einen behaupten steif und fest, daß die ›großen Männer‹ Ursache der historischen Vorkommnisse seien; andere huldigen eher der Auffassung, es handle sich hierbei um wesentlich kompliziertere, verflochtenere Zusammenhänge. Den zweiten Standpunkt vertreten übrigens recht verschiedengeartete Leute — Materialisten ebenso wie Theologen, und dann, mit Vorliebe, natürlich auch große Männer a. D., die beim ›Machen‹ von Geschichte einigen Verdruß hatten und beim Hochbinden ihrer goldgelben Rosen nicht gestört zu werden wünschen. Man kann es ihnen nachfühlen. Geschichte, die sich sehen lassen kann, macht man gerne selber, doch Bankrott macht man lieber im Rahmen einer G. m. b. H. Es ist angenehmer, die Haftung dem Fatum, der Prästabilität, den drängenden Wirtschaftsproblemen oder, bevor alle Stricke reißen, wenigstens anderen ›Gesellschaften‹ in die Schuhe zu schieben.

Zu denen, die an die Theorie von den großen Männern nicht glauben, gehörte ein wirklich großer Mann, der russische Dichter Leo Tolstoj. In seinem gigantischen Roman ›Krieg und Frieden‹ schreibt er: »Nichts Einzelnes ist die entscheidende Ursache, sondern nur das Zusammenwirken der Bedingungen, unter denen jedes Ereignis sich vollzieht ... Bei geschichtlichen Ereignissen sind sogenannte große Männer nur die Etiketts, die dem Ereignis den Namen geben, und sie haben, wie alle Etiketts, nur sehr wenig mit dem Ereignis selbst zu tun. Ihre Taten, die sie geneigt sind, für freiwillige zu halten, sind im geschichtlichen Sinne nicht freiwillig, sondern stehen im Zusammenhang mit dem gesamten Gang der Geschichte und sind von Ewigkeit vorherbestimmt.«

Bei allem schuldigen Respekte vor dem Grafen Tolstoj empfiehlt sich's dringend, in der Praxis nicht die Ewigkeit zu belangen, sondern einfachheitshalber eben doch die großen Männer. Es ist den Völkern auf die Dauer nicht länger einzureden, daß man zwar den Menschen, der aus Haß oder Hunger den Nachbarn umbrachte, zur Verantwortung ziehen muß, nicht aber einen Mann, dem hunderttausend und mehr Tote zur Last gelegt werden.

Wer im Erfolg ein großer Mann war, muß es in der Niederlage notgedrungen bleiben. Nirgends ist der Trick des Rechnens mit ›zweierlei Maß‹ so verbreitet wie gerade in der Geschichte.

Diese politische Mathematik muß, allerdings nicht nur in Nürnberg, sondern für immer aus der Welt geschafft werden. Man sollte sich, um ein beliebiges Beispiel herauszugreifen, endgültig schlüssig werden, wie man ganz allgemein Leute nennen und beurteilen will, die, ohne zur Armee zu gehören, während eines Krieges, der in ihre Heimat getragen worden ist, den Feind bekämpfen. Man muß endlich und ein für allemal wissen, ob man sie als ›Patrioten‹ oder als ›Heckenschützen‹ zu bezeichnen hat. Eines sollte jedenfalls unzulässig sein: sie je nach Bedarf bald so, bald anders zu betiteln. Was sie sind, darf nicht länger davon abhängig gemacht werden, ob sie gerade nützen oder schaden. Der Lauf der Welt wird durch solche Tricks noch unübersichtlicher, als er bereits ist. Bei Schiller gilt Wilhelm Tell als vaterländischer Held, nicht als Franktireur. Wir haben es in der Schule so gelernt. Aber im Dritten Reich durfte Schillers ›Wilhelm Tell‹ nicht gespielt werden. Weil das Stück einen Partisanenführer verherrlichte. Freiheitskämpfer oder Heckenschütze — beides ist ein Standpunkt. Doch je nach politischem Bedarf den Standpunkt zu wechseln, das ist *kein* Standpunkt.

So geht es auch nicht an, daß sich Marschälle, Minister und Gouverneure bis zum Jahre 1944 zu jenen großen Männern zählten, welche Weltgeschichte machen, und ab 1945 bescheiden erklären, sie seien immer kleine Leute gewesen und hätten aus purer Folgsamkeit immerzu gegen ihr besseres Wissen und Gewissen gehandelt. Von Narvik bis El Alamein und vom Kuban bis Cherbourg hat Europa samt seinen Greisen und Kindern vor ihnen gezittert, und jetzt hängen sie sich an Klios Griffel und bitten gehorsamst, es nicht gewesen sein zu dürfen.

Die Männer von Nürnberg, die das Zeug dazu mitbrachten, großzügig über das Schicksal vieler Millionen Menschen hinwegzusehen, sind in eigener Sache wesentlich verständnisvoller und mitleidiger. Noch sträuben sie sich aufs entschiedenste, das entsetzliche Resultat einer recht »männlich geführten Geschichte« wenn schon »nicht als ihr Werk, so doch als Geschehnis ihrer Verantwortung auf sich zu nehmen«. Und doch wäre dieser Schritt wahrhaftig keine zu große Zumutung und darüber hinaus ein Entschluß von einer für die Wissenschaft bedeutenden Tragweite. Man will die Herren ja nicht in Eiswasser setzen, und man will sie weder mit Tuberkelbazillen noch mit Malaria beglücken, wie das bei weniger großen Männern, ja bei Kindern tausendfach geschah. Man will nur ihre Seele studieren. Nie war die Chance, das ›Phänomen des Individuums in der Geschichte‹ zu erforschen, greifbarer. »Die Geschichtsschreibung krankt daran, daß sie aus Materialien oder Realien auf die Personalien schließen muß.« Briefe und Tagebücher, aus denen die Wissenschaft seit Anbeginn schöpfen mußte, sind trübe Quellen. Pose und Maske verwischen das Wesen und das Gesicht der ›historischen Persönlichkeit‹. In Nürnberg bietet sich nicht nur die Gelegenheit für eine neue künftige Rechtsfindung, sondern auch für eine grundsätzliche Förderung der Geschichtserkenntnis.

»Kann man aus der Geschichte lernen? Würde man die Frage verneinen, so wäre die Freiheit und damit die Geschichte im menschlichen Sinne vernichtet. Aber warum lernt man dann nicht aus ihr oder nur so zögernd und so verzweifelt wenig?« Diese Sätze entstammen einem Aufsatz Alexander *Mitscherlichs* aus den ›Schweizer Annalen‹, und der Aufsatz führt den Titel ›*Geschichtsschreibung und Psychoanalyse*, Bemerkungen zum Nürnberger Prozeß‹. Der Verfasser beschwört die zwanzig Männer, sich zu demaskieren. »Erinnerung ohne Selbstprotektion würde aus den Angeklagten historische Zeugen von außergewöhnlichem Gewicht machen.« Es geht nicht zuletzt darum, die Motive kennenzulernen, und das vermag man nicht aus nachgelassenen Memoiren. »Aufschluß darüber, was die Angeklagten heute sind, wie sie es geworden sind, und zwar in einer kundig geleiteten seelischen Erforschung ... Dieses Einsehen vorzubereiten im Abbau einer Garnitur von Posen nach der anderen, das ist der eigentliche Inhalt jeder Psychoanalyse ... Sie wird die Katastrophen nicht als Naturkatastrophen, sondern als Effekte der menschlichen Dynamik zu verstehen sich bemühen.«

Wir wissen nicht, ob das, was Alexander Mitscherlich vorschlägt, nicht längst geschieht. Bei dem Vertrauen, das gerade die Amerikaner der psychologischen und methodischen Befragung entgegenbringen, wäre es fast verwunderlich, wenn sie nicht auch die Psychoanalyse in Dienst gestellt hätten. Und sie täten wahrhaftig recht daran, nichts unversucht zu lassen, was das Leben künftiger Generationen erleichtern könnte. Erdbeben, Überschwemmungen und Vulkanausbrüche mögen wie ein unausbleibliches Schicksal hingenommen werden müssen. Doch dem Krieg, der gewaltigsten aller Katastrophen, einer der wenigen, die beim ›Menschen selbst‹ liegen, kann und soll und muß mit allen Mitteln begegnet werden. Ob die Psychoanalyse ein echtes, taugliches Mittel ist? Mitscherlich ist davon fest überzeugt. Wachsende Einsicht in das seelische Wesen der Verantwortlichen ließe sich, meint er, prophylaktisch auswerten. »Erst wenn die Völker ein wirklich feines Ohr für die Töne des Verhängnisses haben werden, können sie damit rechnen, früh genug die Täter *vor* der Tat unschädlich zu machen... Andernfalls bleiben die einzelnen wie die Völker Opfer der Legende.«

Eine neue Jurisdiktion, eine Wende in der Geschichtswissenschaft und eine Methode, nahende Kriege rechtzeitig zu erkennen und zu verhüten — die Zahl der Nürnberger Aufgaben wächst, je mehr sich der Prozeß dem Ende nähert. Und der Wunsch nach Frieden ist bei den Überlebenden so groß, daß er zuweilen noch die lahmste Hoffnung beflügelt.

In Trümmern blüht der Flieder

Nun ist es fast ein Jahr her, daß mich der Krieg und der Zufall nach Süddeutschland verschlugen. Wenn ich, wie jetzt in der Wohnung, die mir fremde Leute vermietet haben, vom Schreibtisch aus, der mir nicht gehört, durchs Fenster blicke, sehe ich über die mit Schutthaufen bepflanzte Straße in einen kahlen struppigen Vorgarten. Darin liegt der Rest einer Villa wie ein abgenagter Knochen, den das Feuer des Krieges wieder ausgespuckt hat. Aus den niederen Mauerresten ragen drei spindeldürre Schornsteine empor. An dem einen klebt, wie eine versehentlich dorthin gewehte große Ziehharmonika, ein rostiger Heizkörper, und am zweiten hängt, noch ein paar Meter höher, von dünnen verbogenen Eisenstäben gehalten, ein Wasserboiler. Er ähnelt einer sinnlos in der Luft schwebenden, viel zu großen Botanisiertrommel. Nachts, wenn der Föhn durch die Straßen rast, zerrt und reißt er an dem Boiler, daß ich von dem wilden Geklapper und Geschepper aufwache und stundenlang nicht wieder einschlafen kann.

Jetzt, am frühen Nachmittag, hängt der Kessel ganz still. Und wie ich eben hinüberblicke, setzt sich eine schwarze Amsel darauf, öffnet den gelben Schnabel und singt.

Die Natur nimmt auf unseren verlorenen Krieg und auf den seit langem angedrohten Untergang des Abendlandes nicht die geringste Rücksicht. Bald wird der Flieder zwischen den Trümmern duften. Und auf der Wiese vor der Kunstakademie, wo drei gewaltige gußeiserne Löwenmännchen, von Bombensplittern schwer verletzt, schwarz und ein bißchen verlegen im Grase liegen, werden bald die Blumen blühen.

Die Vögel singen ihr Lied, wenn es nicht anders geht, auch auf hoch in der Luft schwebenden Wasserkesseln. Und der Frühling wird, wenn es sein muß, zwischen Mauerresten und durchlöcherten Löwen seine Blüten treiben. Die Natur kehrt sich nicht an die Geschichte.

Aber der Mensch ist ein denkendes Wesen. Er gehört nur zum Teil in die Naturkunde. Seine Häuser wachsen ihm nicht von selber, wie den Schnecken. Die weißen Brötchen und der Rinderbraten fliegen nicht fix und fertig in der Luft herum, wie die Mücken für die Schwalben. Und die Wolle wächst ihm nur auf dem Kopfe nach, nicht auch am Körper, wie den Tieren im Wald. Das meiste von dem, was er braucht, muß er sich durch Arbeit und Klugheit selber schaffen. Falls er nicht vorzieht, es durch Gewalt anderen zu entreißen. Wenn die anderen sich dann wehren, Hilfe erhalten und ihm, was er tat, heimzahlen, geht es ihm so, wie es in den letzten Jahren uns ergangen ist. Dann steht er, wie wir jetzt, zwischen Trümmern und Elend. Bei dem neuen Versuch, unser Vaterland wieder aufzubauen, bei dem Wettlauf mit dem Frühling und dem Sommer, die es leichter haben als wir, kommt es nicht nur auf Ziegelsteine, Gips, Baumwolleinfuhr, Saatkartoffeln, Sperrholz, Nägel, Frühgemüse und Lohnsteuerzuschläge an, sondern auf unseren Charakter. Wir müssen unsere Tugenden revidieren. Für die Neubeschaffung wertvoller und wertbeständiger Eigenschaften brauchen wir keine Einfuhrgenehmigungen und keine Auslandskredite, obwohl Tugenden die wichtigsten Rohstoffe für den Wiederaufbau eines Landes sind. Als Heinrich Himmler in einer seiner letzten Reden die Frauen aufforderte, auf den Feind, wenn er in die Städte dringe, aus den Fenstern heißes Wasser herunterzuschütten, forderte er sie nicht auf, mutig zu sein, sondern dumm und verrückt. Er wußte, daß der Krieg längst verloren war und daß man mit ein paar Töpfen voll heißem Wasser keine feindlichen Panzer vernichten kann.
Wer Panzer mit heißem Wasser bekämpfen will, ist nicht tapfer, sondern wahnsinnig. Und als Joseph Goebbels die Bewohner der Großstädte aufforderte, die feindlichen Luftangriffe von unseren wackligen Kellern aus mit dem unerschütterlichen, unbeugsamen deutschen Siegeswillen zu bekämpfen, verlangte er nicht, daß wir tapfer wären, obwohl er es so nannte. Wenn man keine Flugzeuge, kein Benzin und keine Flak mehr hat, hat man den Krieg verloren. Mit der Phrase des Siegeswillens kann man keine Bombengeschwader bekämpfen. Diese Männer haben sich über das deutsche Volk und dessen Tugenden, während sie selber schon nach den Zyankalikapseln in ihrer Jacke

griffen, in abscheulicher Weise lustig gemacht. Und sie wußten, daß sie das ungestraft tun könnten; denn sie kannten unseren Charakter, sie hatten ihn, ehe sie an die Macht kamen, studiert, und sie hatten ihn, während sie an der Macht waren, durch Phrasen, Zuckerbrot und Peitsche systematisch verdorben. Das interessanteste und traurigste Buch, das über das Dritte Reich geschrieben werden muß, wird sich mit der Verderbung des deutschen Charakters zu beschäftigen haben.

Kinder ohne Eltern

Zu den kopernikanischen Errungenschaften des totalen Kriegs gehört es, die Zivilbevölkerung, als sei sie eine Armee, mobilisierbar und transportabel gemacht zu haben. Man entleert, auf ein einziges Kommando hin, ganze Großstädte. Man evakuiert, mit einem Federstrich, dichtbesiedelte Provinzen. Man importiert, per sofort, Millionen Ausländer. Man exportiert hunderttausend ›Wehrbauern‹ nebst Familie. Man führt heim. Man siedelt an. Man siedelt um. Man verschickt Schulen. Man bewegt Kinderheime. Man verpflanzt Industrien. Man verlegt Ministerien. Man tut das so lange, bis kein Mensch, das kleinste Baby inbegriffen, mehr weiß , wo er eigentlich hingehört. Die Zivilisten sind, von Möbeln, Wäsche und ähnlichem Ballast befreit, zu Paketen geworden, die man fahrplanmäßig verschicken, umleiten und anhalten kann.

Nur auf eines muß man dabei sorgfältig achten: daß man diesen totalen Krieg gewinnt! Verliert man ihn nämlich und gibt das auch noch, obwohl man es ›höheren Orts‹ längst weiß, nicht zu, sondern sucht es bis fünf Minuten nach zwölf krampfhaft zu verbergen, dann wird es fürchterlich. Dann mischen sich die fliehenden Heere mit den zivilen Rücktransporten zu einem unentwirrbaren Knäuel. Dann laufen Kriegsschiffe, vollgestopft mit sterbenden und gebärenden Müttern und verdurstenden Kindern, in der Ostsee auf Minen. Dann fliegen fehlgeleitete Züge in die Luft. Dann verenden Trecks in Schneeverwehungen. Dann erfrieren Neugeborene in offenen Güterwagen, und man muß die kleinen Leichen während der Fahrt aus dem Zug werfen.

Vor mehr als einem Jahr ging das ›totale‹ Staatsschiff unter. Auf den Wogen der stürmischen Gegenwart treiben noch immer die Wracks. An Balken, ja an Strohhalme geklammert, kämpfen noch immer Schiffbrüchige ums bare Leben. Immer noch hört man, von allen Seiten, verzweifelte Hilferufe. Es sind viele, viele Kinderstimmen darunter . . .

Allein beim *Bayerischen Roten Kreuz* zählte man, am 17. Mai 1946 als Stichtag, 15795 elternlose Kinder. Die knappe Hälfte im Alter zwischen drei und sechs Jahren. Ein Fünftel, also mehr als 3000, Ein- und Zweijährige. Viele wurden, im Laufe der letzten Monate, in private Pflege gegeben. Ein großer Teil befindet sich noch in Heimen, das heißt in für solche Zwecke umgewandelten Schulen, Krankenhäusern, Waisenhäusern und Klöstern. Manche der Kinder warten hier nur noch darauf, daß sie vom Vater oder der Mutter, die sich beim Suchdienst gemeldet haben, abgeholt werden. Andere sind mittlerweile bereits heimgebracht worden.

Wie viele aber werden nie mehr ›heimgeholt‹ werden können? Es sind Findlinge darunter, die ihren Namen, ja ihren Vornamen nicht wissen, geschweige den Ort der Herkunft. Bei dem *Amt für verlegte Schulen* in München gibt es eine Liste von mehr als 900 auslandsdeutschen Kindern, deren Väter und Mütter nicht ausfindig gemacht werden konnten. Viele Eltern werden, muß man fürchten, verschollen bleiben.

Kinder suchen ihre Eltern. Eltern fahnden nach ihren Kindern. Der *Suchdienst* arbeitet fieberhaft. Und so gut er es vermag. Doch die Aufteilung Deutschlands in vier Zonen erschwert nicht nur die Lösung wirtschaftlicher und politischer Probleme. Sie hemmt automatisch auch die Beantwortung der brennendsten Frage unserer fragwürdigen Tage: der Frage Tausender von Kindern nach ihren Eltern!

Da fanden, vor mehr als einem Jahr, deutsche Soldaten auf dem Rückzug in einem Stall ein zerlumptes kleines Mädchen. Sie nahmen es mit und gaben es in Augsburg ab. Heute ist es etwa drei Jahre alt. Etwa. Mehr weiß man nicht. Name? Vorname? Vater? Mutter? Woher? Nichts ist bekannt. Nichts, gar nichts. Man hat das Kind ›Bärbel‹ genannt. Sie hat sich an den Namen gewöhnt. Als man sie fand, konnte sie noch nicht sprechen. Wenn man sie heute fragt — denn man sucht ja nach Anhaltspunkten, um ihr heimzuhelfen, falls es irgendwo auf der Welt noch ein Heim für sie geben sollte —, wenn man sie fragt, wie die Mutter ausgesehen hätte, antwortet sie zögernd: »Sie hatte ein schönes Kleid an ...«

Ein anderer Fall. Ein anderes kleines Mädchen. Auch ein Findling. Man fragt sie, neben vielem anderen, was für Haar die Mutter hatte. »Rote Haare.« »Und dein Vater?« »Auch rote Haare.« »Habt ihr zu Hause Tiere gehabt?« »Ja. Einen kleinen Hund, eine Miezekatze und ein Christkind.«

Weiter. Ein Mädchen, sechs Jahre alt, fand man neben einem großen Rucksack mit Wäsche und Kleidern, irgendwo in der Eisenbahn. Der

Vater ist tot. Die Mutter floh mit dem Kind. Und dann? Wo ist deine Mutter? »Auf dem Bahnhof hielt der Zug, und Mutti wollte Brot und Tee holen. Auf einmal fuhr der Zug los und ...« Ein anderes Bild. Umgeben von vier kleineren Geschwistern, erzählt Hermine, die älteste: »Wir mußten plötzlich aus Bessarabien fort und kamen in den Warthegau. Von dort mußten wir wieder weg und kamen nach Sachsen. Und von dort nach Württemberg. Unsre Mutti ist tot. Sie ist im vorigen Jahr, im August, überfahren worden. Wo unser Vati ist, wissen wir nicht. Zuletzt war er Soldat. Ich glaube, Gefreiter war er.«

Das sind vier kleine Beispiele. Beispiele für den Fortschritt der Menschheit, die sich rühmen kann, den totalen Krieg erfunden zu haben. Beliebige Beispiele, die keiner vergessen sollte.

Das zerstörte Dresden

Das, was man früher unter Dresden verstand, existiert nicht mehr. Man geht hindurch, als liefe man im Traum durch Sodom und Gomorrha. Durch den Traum fahren mitunter klingelnde Straßenbahnen. In dieser Steinwüste hat kein Mensch etwas zu suchen, er muß sie höchstens durchqueren. Von einem Ufer des Lebens zum andern. Vom Nürnberger Platz weit hinter dem Hauptbahnhof bis zum Albertplatz in der Neustadt steht kein Haus mehr. Das ist ein Fußmarsch von etwa vierzig Minuten. Rechtwinklig zu dieser Strecke, parallel zur Elbe, dauert die Wüstenwanderung fast das Doppelte. Fünfzehn Quadratkilometer Stadt sind abgemäht und fortgeweht. Wer den Saumpfad entlangläuft, der früher einmal in der ganzen Welt unter dem Namen ›Prager Straße‹ berühmt war, erschrickt vor seinen eigenen Schritten. Kilometerweit kann er um sich blicken. Er sieht Hügel und Täler aus Schutt und Steinen. Eine verstaubte Ziegellandschaft. Gleich vereinzelten, in der Steppe verstreuten Bäumen, stechen hier und dort bizarre Hausecken und dünne Kamine in die Luft. Die schmalen Gassen, deren gegenüberliegende Häuser ineinander gestürzt sind, als seien sie sich im Tod in die Arme gesunken, hat man durch Ziegelbarrieren abgesperrt.

Wie von einem Zyklon an Land geschleuderte Wracks riesenhafter Dampfer liegen zerborstene Kirchen umher. Die ausgebrannten Türme der Kreuz- und der Hofkirche, des Rathauses und des Schlosses sehen aus wie gekappte Masten. Der goldene Herkules über dem dürren Stahlgerippe des Rathaushelms erinnert an eine Gallionsfigur, die, seltsamerweise und reif zur Legende, den feurigen Taifun, dem Himmel am nächsten, überstand. Die steinernen Wanten und Planken der gestrandeten Kolosse sind im Gluthauch des Orkans wie Blei geschmolzen und gefrittet. Was sonst ganze geologische Zeitalter braucht, nämlich Gestein zu verwandeln — das hat hier eine einzige Nacht zuwege gebracht.

An den Rändern der stundenweiten Wüste beginnen dann jene Stadtgebiete, deren Trümmer noch ein wenig Leben und Atmen erlauben. Hier sieht es aus wie in anderen zerstörten Städten auch. Doch noch in den Villenvierteln am Großen Garten ist jedes, aber auch jedes Haus ausgebrannt. Sogar das Palais und die Kavalierhäuschen mitten im Park mußten sterben.

Als Student hatte ich manchmal von Ruhm und Ehre geträumt. Der Bürgermeister war im Traume vor mich hingetreten und hatte dem wackeren Sohne der Stadt so ein kleines, einstöckiges, verwunschenes Barockhäuschen auf Lebenszeit als Wohnung angeboten. Vom Fenster aus hätte ich dann auf den Teich und die Schwäne geschaut, auf die Eichhörnchen und auf die unvergleichlichen Blumenrabatten. Die Blaumeisen wären zu mir ins Zimmer geflogen, um mit mir zu frühstücken...

Ach, die Träume der Jugend! Im abgelassenen Teich wuchert das Unkraut. Die Schwäne sind wie die Träume verflogen. Sogar die einsame Bank im stillsten Parkwinkel, auf der man zu zweit saß und dem über den Wipfeln schwimmenden Monde hinaufsah, sogar die alte Bank liegt halbverschmort im wilden Gras...

Ich lief einen Tag lang kreuz und quer durch die Stadt, hinter meinen Erinnerungen her. Die Schule? Ausgebrannt... Das Seminar mit den grauen Internatsjahren? Eine leere Fassade ... Die Dreikönigskirche, in der ich getauft und konfirmiert wurde? In deren Bäume die Stare im Herbst, von Übungsflügen erschöpft, wie schrille, schwarze Wolken herabfielen? Der Turm steht wie ein Riesenbleistift im Leeren... Das Japanische Palais, in dessen Bibliotheksräumen ich als Doktorand büffelte? Zerstört... Die Frauenkirche, der alte Wunderbau, wo ich manchmal Motetten mitsang? Ein paar klägliche Mauerreste... Die Oper? Der Europäische Hof? Das Alberttheater? Kreutzkamm mit den duftenden Weihnachtsstollen? Das Hotel Bellevue? Der Zwinger? Das Heimatmuseum? Und die anderen Erinnerungsstätten, die nur mir etwas bedeutet hätten? Vorbei. Vorbei.

Die vielen Kasernen sind natürlich stehen geblieben! Die Pionierkaserne, in der das Ersatzbataillon lag. Die andere, wo wir das Reiten lernten und als Achtzehnjährige, zum Gaudium der Ritt- und Wachtmeister, ohne Gäule, auf Schusters Rappen, »zu Einem —rrrechts brecht ab!« traben, galoppieren und durchparieren mußten. Das Linckesche Bad, wo wir, am Elbufer, mit vorsintflutlichen Fünfzehnzentimeterhaubitzen exerzierten. Die Tonhalle, wo uns Sergeant Waurich quälte. Hätte statt dessen nicht die Frauenkirche lebenbleiben können? Oder das Dinglingerhaus am Jüdenhof? Oder das Coselpalais? Oder wenigstens einer der frühen Renaissance-Erker in der Schloßstraße? Nein. Es mußten die Kasernen sein!

Eine der schönsten Städte der Welt wurde von einer längst besiegten Horde und ihren gewissenlosen militärischen Lakaien unverteidigt dem modernen Materialkrieg ausgeliefert. In einer Nacht wurde die Stadt vom Erdboden vertilgt. Nur die Kasernen, Gott sei Dank, die blieben heil!

Was ist in Dresden seit dem Zusammenbruch geschehen? Die Stadt wurde zunächst einmal sauber aufgeräumt. Drei der großen Elbbrükken wurden instand gesetzt. Der Straßenbahnverkehr funktioniert nicht schlechter, sondern eher besser als anderswo. Das Schauspielhaus am Postplatz soll im Januar spielfertig sein. Bei den Aufräumungsarbeiten in dem sechzig Meter hohen Bühnenhaus und beim Reparieren des Dachstuhls halfen die Dresdner Bergsteiger freiwillig mit. Ich bin als Halbwüchsiger mitunter an einigen leichteren Wänden und in etlichen Kaminen der Sächsischen Schweiz herumgeklettert und habe eine entfernte Ahnung davon, was man in den skurrilen Spielzeuggipfeln alles lernen kann. Dachdecken ist das wenigste.

Es gibt, hat man mir gesagt, keine Arbeitslosigkeit. Die leitenden Männer waren vor einem Jahr Neulinge. Man sieht ihnen den Eifer und das Zielbewußtsein an der Nasenspitze an. Nun, ich war nicht als Reporter dort. Ich sprach mit alten und neuen Bekannten als Dresdner mit Dresdnern.

Ich weiß, wie dilettantisch das ist. Ich weiß, daß man die Fühlungnahme mit Andersgesinnten nicht suchen soll, weil sonst womöglich die menschliche Wertschätzung den Unfrieden stören könnte. Ich weiß: die Köpfe sind, kaum daß sie wieder einigermaßen festsitzen, dazu da, daß man sie sich gegenseitig abreißt. Ich weiß, daß es nicht auf das ankommt, was alle gemeinsam brauchen und wünschen, sondern darauf, was uns voneinander trennt. Ich weiß auch, wie vorteilhaft sich solche Zwietracht auf die Stimmung zwischen den Vier Mächten auswirken muß.

Ich weiß freilich auch, daß mein Spott ziemlich billig ist. Doch von einem Menschen, der nichts von Parteipolitik versteht, kann man nichts anderes erwarten. Trotzdem und allen Ernstes, — ich glaube, daß es hülfe, wenn wir einander kennen und verstehen lernten. Das hat bereits sein Gutes, wenn vier entfernte Verwandte ein ruiniertes Bauerngut erben. Und kein Mensch wird mir einreden können, daß das zwischen vier Parteien und bei unserem höchsten Gut, der Heimat, anders zu sein hätte. Ist es so? So ist es.

Neues Leben in einer toten Stadt

Die letzte Station vor Darmstadt, dem Ziel der kleinen Reise, hieß Heidelberg. Früher war Heidelberg weit und breit wegen seiner Ruinen berühmt. Heute hingegen bestaunt man's, weil es *keine* Ruinen aufzuweisen hat. So ändern sich die Zeiten. So wenig hat sich die Stadt am Neckar verändert. Darmstadt aber...

Darmstadt existiert im Grunde nicht mehr. Es wurde in einem Zwanzigminutenangriff aus der Welt geschafft. Die Einwohnerzahl sank in dieser maßlosen Drittelstunde von hundertzwanzig- auf achtzigtausend Menschen, und an Bewohnbarem blieb keine Hundehütte übrig. Heute sind die Straßen sauber aufgeräumt, ›peinlich‹ sauber, ist man versucht zu denken. Die vernichtete Stadt liegt da wie ein totes Schmuckkästchen. Die Trambahn fährt von einem zum anderen Stadtende wie über einen feiertäglich geharkten Friedhof. Die Überlebenden sind in die erhaltenen Randgebiete gezogen, in die Vororte, in die weitere Umgebung. Dadurch ist die Einwohnerzahl weiter gesunken. Man spricht von siebzigtausend Menschen.

Die Fahrt von Heidelberg nach Darmstadt ist in den letzten Märztagen, auch wenn man weiß, welcher schmerzliche Anblick am Ziele die Augen und das Herz erwartet, beseligend wie immer. Die alte ›Bergstraße‹ ist ja die Via triumphalis des deutschen Frühlings! Hier zieht er, vergangenen, unvergänglichen Bräuchen folgend, alljährlich zuerst ein.

Das vernichtete Darmstadt war das Ziel der Reise, deren Zweck darin bestehen sollte, festzustellen, wie lebendig eine tote Stadt sein kann. Das Landestheater veranstaltete im Saal der ehemaligen Orangerie zwei ›Uraufführungstage‹. Am ersten Tag sah man die ›*Antigone*‹ des jungen Franzosen Jean *Anouilh*, am zweiten ein Schauspiel des Amerikaners Thornton *Wilder*, das ›*Wir sind noch einmal davongekommen*‹ heißt; außerdem gab es eine Morgenfeier, in der das Ensemble aus Dramen von *Saroyan, Ardrey, Wilder* und *Giraudoux* vorlas. Es darf ohne Übertreibung festgestellt werden, daß bisher keine andere deutsche Stadt, sei sie auch zehn- oder zwanzigmal so groß, und keine andere Schauspielgruppe, mag sie getrost viel mehr und viel bedeutendere Namen nennen, auch nur entfernt mit einem derartig interessanten und reichhaltigen Programm aufgewartet hat.

Nun, Darmstadt und die Darmstädter galten in Theaterdingen stets für besonders aufgeschlossen. Und da Wilhelm *Henrich*, der in den zwanziger Jahren des Jahrhunderts, zu Gustav *Hartungs* und *Carl Eberts* Wirkzeiten, als Kulturreferent der Stadt amtierte, heute Intendant ist, muß man sich über den Tatendrang des neuen Ensembles nicht zu sehr wundern. Man braucht es um so weniger zu tun, als der Intendant die Schauspieler dem Regisseur Karl Heinz *Stroux* anvertraut hat. Stroux hat, trotz der beiden verdächtig an das nahe ›Alt-Heidelberg‹ erinnernden Vornamen, beileibe nichts Prinzliches, Sentimentales oder sonst Altmodisches an sich. Er gehört zu den Regisseuren, deren Vehemenz und Intensität junge Schauspieler zu wilder Spielbegeisterung und bis zu Nervenzusammenbrüchen hinreißen kann. Man würde sich nicht wundern, wenn dieser besessene Spielleiter eines Tages die gesamte Bevölkerung der kleinen Stadt als Statisterie und Chor auf die Bühne holte. Abhalten könnte ihn höchstens der Umstand, daß er dann ja keine Zuschauer mehr hätte...

Die zwei Theaterabende waren für die Darmstädter und für die auswärtigen Besucher unzweifelhaft bedeutsame Erlebnisse. Aus den nahegelegenen Kulturzentren, aber auch aus Kassel, Köln, München und Berlin waren Fachleute zu Gast. Man saß nach den Vorstellungen beieinander und diskutierte, daß die Köpfe wie Fabrikschlote rauchten. Man analysierte das Wesen moderner Tragödien, wie es, in der ›Antigone‹ Anouilhs, die Figur des Sprechers bereits geistvoll und mit gallischer Ironie unternommen hatte. »Das Uhrwerk ist aufgezogen«, hatte er gesagt, »ein Stups, und dann rollt es ab... Das ist das Praktische an der Tragödie!« Man erörterte die 1942 aktuell gewesene Bedeutung des Stücks: Mit König Kreon war der ›aufgeklärte‹ Diktator Laval, mit Antigone war die junge Widerstandsbewegung gemeint gewesen, die fast trotzig wie ein Kind auf dem Rechte, früh zu sterben, bestanden hatte. »Ich will alles, sofort und vollkommen, oder ich will nichts! Ihr seid widerlich mit eurem Glück!« Als Antigone auf den Richtplatz geführt worden war, hatte Kreon gesagt: »Ihr war die Hauptsache, sterben zu dürfen. Hätte ich sie zum Leben verurteilen sollen?« Die Bühne war wieder, nach zwölf Jahren, zum ›theatrum mundi‹ geworden.

Im Garten der Orangerie schwankten an den gleichen Tagen hohe Zirkusmasten, Seile spannten sich, und Sprungnetze waren ausgebreitet.

Hier konnte das Volk eine Seiltänzerin bewundern, die sich ›Selma Traber, die mutigste Frau der Welt‹ nennen ließ. Auf der Bühne, keine zwanzig Meter entfernt, erzwang Antigone ihren Tod. Und am Abend darauf, in Wilders Stück, sagte ein Mädchen, unter trotzigen Tränen, im Auftrag des amerikanischen Dichters: »Es ist ja leichter, tot zu sein... Wir haben den Krieg gewonnen? Reden Sie nicht soviel!«

An der Grenze des Schlaraffenlandes

Diesmal war ich eine ganze Woche unterwegs. Unermüdlich zogen Städte und Landschaften, Seen und Wälder, gelber Ginster und rote Heckenrosen, gesprengte Brücken, zerfetzte Hauskadaver und friedliche Dörfer am Wagen vorüber.

Zwischen den Feldgevierten, die wie bunte Flicken auf die Erde genäht schienen, zwischen den Weinbergen und Kirschbaumzeilen konnte man für Stunden beinahe vergessen, in welch miserabler Zeit wir leben. Bis dann wieder Häuserstümpfe, ausgebrannte Lokomotiven, Waggongerippe, fremde Fahnen, fremde Inschriften, fremde Schilderhäuschen und eigene Erinnerungen vorüberglitten. Ach, die Spezies ›Mensch‹ ist wahrhaftig die Luft nicht wert, die sie atmet, vom Duft des Jasmins und der Linden ganz zu schweigen...

Fast sind fünfzig Jahre unseres Jahrhunderts vorbei. Und das Gefühl, daß wir die überkommenen Methoden, die Menschen zu sortieren, zum übrigen alten Eisen werfen sollten, wird immer stärker. Hat es noch Sinn, uns nach Nationen, Religionen, Haarfarben und Parteien einzuteilen? Auch Einteilungen können altersschwach werden. Thomas Wolfe schrieb in seinem letzten Roman, es sei so weit, daß sich ein Chauffeur aus Milwaukee mit einem Chauffeur aus Köln, trotz aller Unterschiede, leichter und besser verständigen und verstehen könne als mit einem Collegeprofessor aus Chicago. Und so ein Professor verstehe einen Kollegen aus Grenoble viel rascher und gründlicher als den eigenen Hausmeister. Das sind keine bloßen Spitzfindigkeiten. Für Leser, die es bezweifeln, füge ich hinzu, daß ich dem gleichen Gedankengang auch schon bei Jean Paul begegnet bin. Dichter merken manches früher, weil sie, im Gegensatz zu uns, um die Ecke sehen können.

Ein Unterschied, der sich wie Rost immer tiefer frißt, ist der zwischen dem Bauern und dem Städter. Unterschiede sollten, wenn möglich, nicht zu Differenzen werden. Die Städte liegen in Trümmern, das Land ist einigermaßen intakt geblieben. Wie wäre es, wenn man die

Bauern, im Winter, für ein paar Wochen in die zerstörten Städte quartierte? Sie würden in unseren halbzerstörten Häusern wohnen. Sie könnten studienhalber das Schlangestehen erlernen, das Hängen am Trittbrett der Straßenbahnen, das Frieren im Zimmer, das Sattwerden mit Hilfe der zugeteilten Rationen, den lähmenden Blick auf Ruinen und manches Nützliche mehr. Das wäre ein hübscher Kursus in Weltbürgerkunde. Und die Zahl derer, die den modernen Massenkrieg für einen unvermeidbaren historischen Verkehrsunfall halten, nähme gewiß beträchtlich ab. Leider ist es schwer, plausible Einfälle zu verwirklichen. Deshalb wird aus den ›Stadtkursen für Landleute‹ nichts werden.

Die Reise führte mich unter anderem an den Bodensee, in das idyllische Konstanz, wo, als erster großangelegter Versuch nach dem Krieg, gerade die ›Kunstwochen 1946‹ begannen, die von der französischen Militärregierung energisch geförderte ›Quinzaine artistique‹. Die Schwierigkeiten, die überwunden werden mußten, waren zahlreich, und auch nicht überwindbare wird's zur Genüge geben. Ein auswärtiges Orchester sagt im letzten Augenblick ab? Man läßt sich nicht entmutigen, sondern holt rasch ein anderes. Ein Dichter, der einen Vortrag halten sollte, bleibt unterwegs an irgendeinem Grenzpfahl hängen? Ein anderer Schriftsteller springt ein. Das ursprüngliche und das schließliche Programm mögen sich unterscheiden. Ausschlaggebend bleibt der Wille, der diese kleine Stadt, private Gruppen, französische Kreise, Schweizer Freunde und andere Liebhaber der Kultur mitriß, nicht, daß er Berge und Grenzpfähle nicht versetzen konnte.
Doch auch die Grenzposten erwiesen Reverenz. So kamen täglich tausend Gäste und mehr aus der Schweiz herüber. Zu Fuß, in Autos und Omnibussen. In Kunstsalons hingen französische Gemälde. In Konzerten hörte man russische und amerikanische Musik. In den Schaufenstern der Buchhandlungen in der Kanzleistraße sah man Hunderte von in der Schweiz erschienenen Büchern. Mit Autorennamen aus der ganzen Welt.
Freilich, solche ›Begegnungen im Geiste‹ hatten gelegentlich ihre absurde, ja ihre lächerliche Seite. Diese Bücher zum Beispiel, man konnte sie anstarren, soviel man wollte — kaufen konnte man sie nicht. Mit den französischen Büchern und Zeitschriften in anderen Läden war es dasselbe. Man kam sich, trotz vorgerücktem Alter, ein wenig wie eines der armen Kinder bei Ludwig Richter oder Nieritz vor, das sich die Nase an der Glasscheibe plattdrückt, hinter der, zum Greifen nahe und doch unerreichbar, Schaukelpferd und Puppenstube winken.

Auch die Sorge der Gäste ums tägliche Brot und leibliche Wohl war nicht gering. Wer aus ›fernen Zonen‹ kam, hatte das Mitgebrachte bald verwirtschaftet. Und dann? Der Magen knurrte. Er wollte keine Konzerte und Dramen. Ihm lag an weniger geistigen Genüssen.

Nun, die Gaststättenmarken, die man den Gästen aushändigte, trugen ihnen jedesmal eine Suppe ein und allerlei Spielarten der düsteren Gattung ›Eintopf‹. Es gibt reinere Freuden. Ich machte mir den etwas rohen Scherz, einen alten Freund aus Zürich, den ich nach dreizehn Jahren wiedertraf, zu einem solchen Gastmahl einzuladen. Sein leidender Gesichtsausdruck während des Essens war ergreifend. Und als er dann gar eine Tafel Schokolade, Apfelsinen und Zigaretten gleich glühenden Kohlen auf meinem Haupt ansammelte, bat ich ihn weinend um Verzeihung.

Er war nicht ganz frei von unedler Rachsucht und erzählte mir ausführlich, was er, wenige Stunden vorher, auf Schweizer Boden gegessen habe. Unter anderem war von einem ›Cordon bleu‹ betitelten Fleischgericht die Rede. Das sei, sagte er, ein verfeinerter Abkömmling des ordinären Kalbsschnitzels. Es bestehe aus zwei großen Fleischscheiben, zwischen die man feingeschnittenen rohen Schinken und Schweizer Käse bette, bevor man das Ganze mit Semmelbröseln paniere, in Eigelb wälze und in Butter brate. Man esse es am besten mit geschwenkten Brechbohnen, Karotten, Spargelgemüse in holländischer Sauce sowie knusprigen Pommes frites.

Nach dieser kleinen kulinarischen Exkursion war meine Phantasie vergiftet und mein Magen verdorben. Die Erzählung war zu fetthaltig gewesen. Man verträgt nichts mehr.

Das Interessanteste, wenn auch nicht das Schönste an Konstanz ist die deutsch-schweizerische Grenze. Sie läuft mitten durch die Stadt, zwischen den Häusern und Gärten hin und äußert sich in einigen Schranken, Uniformen, Waagen, Schaltern, Gittern und anderen Grenzpfahlbauten. Wie so eine ›Grenze‹, die ein paar Häuser von ein paar Nachbarhäusern und Menschen von Mitmenschen trennt, im totalen Krieg ausgesehen und funktioniert hat, mag man sich kaum vorstellen. Denn sie sah natürlich genauso aus wie heute, und für einen Weltuntergang ist das entschieden zu wenig. Man hatte einen Bretterzaun quer durch Konstanz gebaut. Damit war markiert, daß die Menschen auf dessen einer Seite aus der Luft, von vorn und hinten totgeschossen, daß sie gequält und wie Ungeziefer behandelt werden durften, auf der anderen Seite jedoch in Recht und Frieden leben konnten. Ein paar Holzschranken und ein Bretterzaun hielten die Lawine des Wahnsinns symbolisch auf! Wenn das ein Dichter erfände, würde er ausgelacht. Die Wirklichkeit und die Herren dieser Wirklichkeit muten den Menschen sehr viel dummes und kindisches Zeug zu.

Nun der Krieg vorbei ist, beginnt die Grenze wieder mit dem besseren, zweiten Teil ihres alten, abgespielten Programms: sie läßt gelegentlich Menschen über sich hinwegspazieren. Menschen mit bestempelten Papierstückchen in der Hand. Menschen, die nun wieder ihre Verwandten besuchen und sagen dürfen: »Herrjeh, ist der Xaver in den sechs Jahren aber gewachsen!« Sie dürfen ihnen sogar ein wenig zum Essen und den Kindern zum Naschen aus einem Land ins andere tragen. Man erzählte mir schmunzelnd, manche dieser braven Schweizer Bürger und Bürgerinnen kämen morgens reichhaltig gekleidet zu Besuch und kehrten nach der Dämmerung beinahe nackt, mit ihren Ausweispapieren die Blöße deckend, ins helvetische Vaterland zurück.

Die Grenzen atmen wieder. Sie sind wieder porös. Sie wurden wieder für Gedankengut passierbar. So bildet Konstanz in diesen Tagen einen freundlichen, sonnenbeschienenen Umschlagplatz für geistige Ware. — Man unterhielt sich mit emigrierten Freunden, die nach Deutschland hereinschauten wie durch eine angelehnte Tür. Man sprach mit Schweizer Professoren und Theaterleitern, mit französischen Schriftstellern in Uniform, mit Amerikanern und Globetrottern. Man konnte auf seine Uhr schauen und sie mit den Uhren von draußen vergleichen. Ging sie, trotz der zwölfjährigen Isolation, noch immer richtig? Mußte man sie stellen oder gar wegschmeißen? Nun, sie ging fast auf die Weltminute richtig, die gute, alte Uhr! Das zu erleben, war das Schönste an der schönen Reise.

Zwei Versuche, Berlin wiederzusehen

Die ›Neue Zeitung‹ wollte mich nach Berlin schicken. Gewissermaßen als Fachmann. Denn ich kenne das Berlin der ›Systemzeit‹, Max Reinhardts, der Sechstagerennen, der Kulturblüte, der Arbeitslosigkeit, des Lunaparks und der Saalschlachten, und ich kenne das Berlin der SA-Umzüge, der von aller Welt verdammten Bücherverbrennung und der von aller Welt bewunderten Olympiade. Auch habe ich keinen der großen Luftangriffe auf die ›Reichshauptstadt‹ versäumt; und in dem Berlin der Spielzeugbarrikaden und des Volkssturms, der ohne Gewehre Schießübungen abhalten mußte, war ich noch immer wie zu Hause. Nun also sollte und wollte ich mir das ›neue‹, viergeteilte Berlin betrachten und über die Eindrücke berichten.

Der erste Versuch, nach Berlin zu reisen, mißlang bereits in den sprichwörtlich bekannten Kinderschuhen. Da ich als herzkranker Erdenbürger nicht in der Lage gewesen wäre, von München bis nach Berlin, das heißt zwei Nächte und einen Tag, in Eisenbahnkorridoren auf einem Bein zu stehen, noch akrobatisch auf Waggondächern zu hocken, begab ich mich mit einer Order der Militärregierung, amerikanische Wagen benutzen zu dürfen, auf den Münchener Hauptbahnhof. Hier nun wurde mir energisch bedeutet, daß solche Wagen ›only for men in uniform‹, also lediglich für uniformierte Menschen reserviert seien. Obwohl die Order in meiner Hand anderer Ansicht war, mußte ich auf meinen unmilitärischen Absätzen kehrtmachen, meiner Berliner Sekretärin und anderen Freunden telegrafisch absagen und in den Redaktionsräumen ballenweise Stoff für maßgearbeitete Witze liefern.

Der zweite Versuch wurde mit geradezu wissenschaftlicher Gründlichkeit vorbereitet. Die Orders wurden ergänzt. Einflußreiche Herren steuerten nützliche Begleitbriefe bei. Und so zogen, eine Woche später, ein Schweizer Schriftsteller und ich, von liebenswürdigen Offizieren eskortiert, erneut zum Münchener Hauptbahnhofe. Wir zwei kamen uns wie kleine Jungen vor, die von blütenweißen Kinderfräuleins im Zug verstaut werden. Es hätte wirklich nur noch gefehlt, daß man uns große Pappschilder umgehängt hätte, auf denen etwa zu lesen gewesen wäre: ›Wir bitten, diesen beiden Nur-Zivilisten beim Aus- und Umsteigen behilflich zu sein.‹ Es schien zu Anfang übrigens auch ohne umgehängte Pappschilder funktionieren zu wollen. Der Schnellzug fuhr ab, obwohl wir bequem in einem Abteil dritter Klasse saßen. Dreißig Stunden später landeten wir, einigermaßen erschöpft und unrasiert, wieder in Bayerns Hauptstadt. Elf Stunden waren wir bis nach Frankfurt am Main gefahren. Daran hatte sich ein zirka fünfstündiger Marathon-Hindernislauf auf dem Instanzenweg ›Quer durch Frankfurt‹ angeschlossen. Mit Rucksäcken. Ein neuer leichtathletischer Sportzweig, dem man gewisse Zukunftsaussichten einräumen kann, eine neue klassische Distanz.

Überall erfuhren wir etwas durchaus Bestimmtes. Und überall etwas durchaus anderes. Das Endergebnis dieses Versuchs entsprach ungefähr dem Anfangsresultat des ersten: Zivilisten, hieß es, dürften den Berliner Zug nicht benützen. Und so fuhren wir, von Hoffnungslosigkeit geschwellt, vom Frankfurter Hauptbahnhof nach München zurück. Wiederum elf Stunden.

Gründlichen Lesern wird auffallen, daß wir nur siebenundzwanzig statt alle dreißig Stunden auf unsere Reisepläne verwandten. Das stimmt. Drei Stunden verplemperten wir mit Nahrungszufuhr, mit verbissenen Wiederbelebungsversuchen an unserem ohnmächtigen Humor sowie mit dem Bedürfnis des Gastfreunds aus der Schweiz, sein Weltbild zu ändern, ohne den aus Zürich mitgebrachten Rahmen zu zerbrechen. Ich tat, was ich konnte, den eidgenössischen Demokraten zu trösten. Hätten denn die Amerikaner das Eisenbahnnetz nicht wiederhergestellt? Züge führen. Der Transport funktionierte. Die Verteilung der vorhandenen Güter sei gewährleistet. Also, Europas Reise in die Zukunft müsse ganz gewiß nicht scheitern wie zufällig unsere Fahrt nach Berlin. Militärs könnten nun einmal nicht lauter studierte Schalterbeamte sein. Soldaten, die Heimweh nach Texas und Minnesota hätten, interessierten sich begreiflicherweise nur in seltenen Fällen für deutschsprechende Fahrgäste. Auch dann nicht allzu sehr, wenn jene daheim etwa ein Spielwarengeschäft besäßen und insofern mit Eisenbahnen Bescheid wüßten. Und daß sie Menschen ohne Uniform nicht ernst nähmen, es seien denn junge Mädchen — teilten sie diese Fehler nicht mit allen übrigen Soldaten unter der Sonne?

In Frankfurt lernten wir auch einen deutschen Angestellten der Militärregierung kennen, der seelisch nicht imstande schien, mit deutsch sprechenden Zivilisten, das heißt mit seinesgleichen, zu verhandeln. Fremdsprachige Uniformen rissen ihn hin, uns jedoch hätte er am liebsten seine Stiefel zum Putzen hingehalten. Vielleicht weiß er nichts von seinem Glück — aber um ein Haar hätte er gleichzeitig eine reichsdeutsche und eine schweizerische Ohrfeige erwischt. Es war gut, daß es nicht dazu kam. Denn sonst hätte unsere ›Reise nach Berlin‹ wahrscheinlich noch ein paar Tage länger gedauert...

Gott sei Dank, daß wir auch erfreulichere Landsleute trafen. Einer saß mitten in der ehemaligen, unvergeßlichen Altstadt Frankfurts, die, vom Hirschgraben über den Römerberg bis zum Dom, in eine weithin übersehbare, atemberaubende Steinwüste verwandelt worden ist. Die Gassen sind verschwunden. Wir kletterten wie in den Bergen über schmale, holprige Saumpfade und standen gelegentlich still, um zu verschnaufen, die Köpfe zu schütteln und mittelalterliche und Renaissancegiebelreste anzustarren, die wie die letzten bröckelnden Zahnstümpfe aus einem toten Unterkiefer herausstachen. Dann stolperten wir benommen weiter.

Bis wir von neuem, diesmal völlig perplex, stehenblieben. Hypnotisiert blickten wir auf eine mannshohe, waschblau eingefärbte Mauer, neu errichtet und mit weißen Pinselstrichen so gekästelt, als sei es eine Wand aus lauter blauen Ziegeln. Blaue Illusionsziegel, welche Idee! In der Mauermitte war ein Torbogen ausgespart, der in ein Höfchen und in ein aus Resten und Zugetragenem gefügtes, kleines Seitengebäude mit einer ochsenblutroten Tür führte. Vor der Mauer lag, von einem Weg aus Steinplatten säuberlich halbiert, ein gepflegtes Blumengärtchen, und am Gartenzaune hing ein altmodischer Briefkasten mit einem Schild, auf dem der Name des Besitzers stand: ›O. Schmidt.‹

O. Schmidt! Der waschblaue, skurrile ›Neubau‹ lag samt seinen blühenden Blumen geduckt in der staubigen, gelbgrauen Trümmerwüste wie der vom Himmel gefallene Traum eines beschwipsten Surrealisten. Wenige Meter davon ragte ein spindeldürrer Renaissancegiebel in die Luft. Es sah aus, als müßte er schon einstürzen, wenn ein Passant auch nur zu husten wagen sollte. »Heute oder morgen wird der Giebel genau auf die waschblaue Fata morgana herunterfallen«, bemerkte ich halb ärgerlich, halb amüsiert.

»Das wird Ihn' der Giewel nich machn«, sagte da jemand neben uns. Es war ein älterer Mann. Er saß vor dem Zaun auf einem porphyrnen Säulenrest und studierte die ›Frankfurter Rundschau‹. »Wenn der Giewel umfälld, dann fälld'r dodsichr nach der andrn Seihde«, fuhr er, uns beruhigend, fort. Es war Herr O. Schmidt, der sächsische Erbauer dieses Frankfurter Waschblauheims. Er hatte ein Eulenspiegelgesicht und meinte freundlich: »Dr Bohden hier is guhd. Die Erbsen habb'ch erschd vor achd Dahchn geflansd, und, guggn Se — da kommse ooch schonn raus!« »Merkwürdiger Gedanke, hier zu bauen«, fand mein Schweizer. Der Sachse lächelte ein wenig. »Warum'n nich?« fragte er. »Hier hamm'r doch alles! Hier gibd's genuch Wassr und Lichd und Lufd, und iewerhaubd alles, was uns dr Dogder Ley seinerzeihd verschbrochn had! Was wolln Se denn noch mehr?« Damit beugte er sich wieder über seine Zeitung.

Als wir, über Trümmer kletternd, außer Hörweite waren, sagte der Schweizer lächelnd: »Diogenes in Frankfurt!« »Ja«, erwiderte ich, »und noch dazu aus Kötschenbroda zugezogen!«

Zweiunddreißig Stunden nach dem Antritt der Reise lag ich endlich — rasiert, gebadet, mit schmerzenden Füßen, weltabgewandt und hundemüde — in meinem Münchener Bett.

Noch immer kein Wiedersehen mit Berlin

Eigentlich fuhr ich nach Berlin, um es wiederzusehen. Nach anderthalbjähriger Trennung... Diese Stadt ist zwar nicht meine Heimat. Doch ich habe die schönsten und die schlimmsten Jahre darin verbracht. Sie ist sozusagen meine Busenfreundin. Ich will den etwas heiklen Vergleich nicht tothetzen, sondern nur bemerken, daß man sich mit solchen Freundinnen manchmal besser versteht als mit der eigenen Frau. Nun, ich wollte sie also endlich wiedersehen, diese alte ramponierte Freundin, von der man mir in den letzten Monaten so viel erzählt hatte. Stundenlang, tagelang wollte ich durch ihre Straßen und Trümmer spazieren, die Augen auf, die Ohren offen. Ganz nahe wollte ich dem Gesicht Berlins kommen und prüfen, ob sein erstes neues Wangenrot ein Zeichen beginnender Gesundung sei, ob ein Merkmal bösen Fiebers oder ganz einfach Schminke.

Doch ich habe Berlin noch nicht wiedergesehen, obwohl ich seit zehn Tagen mittendrin bin. Dutzende alter, treuer Freunde, Hunderte lieber Bekannter versperren mir noch immer mit ihren fröhlichen, fragenden, neugierigen, bekümmerten, mager gewordenen, gerührten, müden, energischen Gesichtern das Gesicht Berlins, das ich enträtseln möchte. Und die noch ›unerledigten‹ Besuche, Rücksprachen, Interviews, Verhandlungen, Empfänge, Einladungen und stillen, altvertrauten Begegnungen nehmen kein Ende.

Aber vielleicht ist gerade dies das rechte Wiedersehen mit Berlin: das Wiedersehen mit den vielen alten Freunden? Mit denen, die übriggeblieben sind? Daß man, wenn man einander ins Auge sieht, derer gedenke, die nicht mehr lachen, arbeiten und mithelfen können?

Berlin hat schon wieder über drei Millionen Einwohner. Ganze Industriezweige sind aber vom Unwetter des Krieges abgeschlagen und noch im vorigen Jahr abgesägt worden. Die Innenstadt ist ein menschenleeres, säuberlich aufgeräumtes Pompeji. Man haust in Randstädten, wie Charlottenburg, Neukölln, Zehlendorf und Tempelhof; und jede dieser Bezirksstädte entwickelt ihren eigenen Stil, hat ihr eigenes Theater und besitzt ihren eigenen Bürgermeister. Der ›Magistrat der Stadt Berlin‹ ist der imaginäre Mittelpunkt der zudem ja in vier Zonen aufgeteilten Peripheriestädte. Die Parteipolitik tut, was sie seit alters her gewohnt ist: sie treibt Blüten. Über die Früchte des Vierfruchtbaumes sind sich die Propheten des Treibhauses und die anderen Treibhäusler noch nicht einig. Die Temperatur entspricht dem Bild, das ich gebrauche. Sie ist überhitzt. Und sie überhitzt alles: die Not, das Temperament, die Preise, den Ehrgeiz, die Moral und deren Gegenteil.

So nimmt es nicht wunder, daß mir ausländische Journalisten, die es wissen müßten, erklärten, Berlin sei zur Zeit nicht nur die interessanteste Stadt Europas, sondern der Welt. Freilich, um in der interessantesten Stadt der Welt leben zu können, dazu gehören Tugenden, die nicht jeder hat: ein breiter Buckel, Tatkraft, Nerven wie Stricke, Gottvertrauen, auch wenn man nicht an ihn glaubt, gute Freunde, und, wenn möglich, satt zu essen ...

Da wäre so einiges, was mir über Berlin, das ich noch nicht wiedergesehen habe, zu Ohren gekommen ist. Freunde haben es gesagt, denen die Energie aus den Augen spritzt wie der Saft aus einer Apfelsine. Der eine hat hundertfünfundzwanzig Pfund abgenommen. Das ist soviel, wie ich mit Knochen wiege. Der Anzug hängt um den Mann herum wie eine Pelerine. Aber unterkriegen lassen? Niemals. Die Berliner, dieser ›verwegene Menschenschlag‹, wie Goethe sie genannt hat, die Berliner sind fleißig, tapfer, zuversichtlich und keß wie je zuvor. Wer mit ihnen in den Luftschutzkellern gesessen hat, wer dann durch die brennenden Straßen ging und hörte, wie sie sofort wieder am Werke waren, wie sie sägten und hämmerten, daß sich die Göttin der Nacht die Ohren zuhielt, der weiß Bescheid. Und wer, wie ich, zufällig neben dem Mann stand, der im Flammensturm zum Himmel hochsah und sagte:»Wenn die Tommies so weitermachen, dann müssense sich nächstens die Häuser selber mitbringen«, der weiß, daß die Berliner außer ihrer sagenhaften großen Schnauze noch andere Eigenschaften besitzen.

Ob es ihnen gelingen wird, Berlin wieder hochzureißen, hängt nicht nur von ihnen ab. Aber eins kann man getrost schon heute sagen: »Wenn es den Berlinern nicht gelingen sollte, dann ist es überhaupt unmöglich!«

Weihnachtsschwarzmarkt in Berlin

Es ist so kalt, daß den Berlinern die Tränen kommen. Auf den Perrons der Stadtbahnhöfe treten die Wartenden hastig in den Windschatten der Zeitungskioske. Zwölf Grad unter Null sind kein Spaß. Der Sturm fegt eisig um die Ecken. Er pfeift durch hunderttausend leere Fensterhöhlen. Es klappert und klirrt und scheppert. Das ist die atonale, die hochmoderne Ruinenmusik. Auch wer zu Hause, bei Stromsperre, hinterm kalten Ofen sitzt, kann mithören. Die Übertragung ist vorzüglich. Das Konzert ist gratis. Es kostet nur Nerven. Alles, was Zähne hat, darf mitklappern.

Auf dem Weihnachtsmarkt am Lustgarten, wo's bei der bösen Kälte gewiß recht einsam und leer sein wird, gehen heute, das weiß ich, mindestens fünfundzwanzig fröstelnde Männer und Frauen spazieren. Nicht aus weihnachtlichem Übermut, bewahre. Es sind die vom Preisamt Berlin-Mitte ausgesandten ehrenamtlichen Prüfer und Prüferinnen, die nach Preisverstößen fahndeten. Den Karussellbesitzern ist man schon auf der Spur. Es ist festgestellt worden, daß »die Preise für das Karusselfahren (50 Pfennig mindestens) viel zu hoch sind; dabei werden für diese hohen Preise nur vielleicht drei Runden zurückgelegt, gegenüber acht bis elf Runden in früheren Zeiten, in denen höchstens 20 Pfennig für eine solche Fahrt verlangt wurden«.

Das ist schlimm. Nicht so sehr für die Berliner Kinder. Denn wenn's so kalt bleibt, werden die Eltern mit ihnen sowieso nicht bis zum Lustgarten, dem Tummelplatz des Preisamts Mitte, wandern. Sondern für die Karussellbesitzer selber. Bei so hohen Preisen und so wenig Runden pro Person und Fahrt büßen sie ja doch, falls niemand kommt, viel mehr Geld ein, als wenn sie schicklicherweise, wie in früheren Zeiten, für zwanzig Pfennig acht bis elf Runden lieferten. Das haben sie nun davon.

Wenn's nicht so kalt wäre, hätte ich nicht übel Lust, den Weihnachtsmarkt zu besuchen, um den fünfundzwanzig ehrenamtlichen Prüfern und Prüferinnen zuzuschauen, wie sie, ernsten Auges, mit roten Nasen, Teufelsrad fahren und — die Sache will's — in den Luftschaukeln grimmig dahinschweben und die Runden zählen. »Der Gewerbe-Außendienst führt außerdem eine Sonderkontrolle auf dem Weihnachtsmarkt durch«, berichten die Zeitungen. Die Sonderkontrolleure vom Gewerbe-Außendienst reiten also, zur Drehorgelmusik, auf Hirschen und Tigern und kritzeln hierbei die Preisverstöße ins verbeulte Notizbuch... welch ein Beispiel schöner und äußerster Pflichterfüllung!

Rupprecht ante portas. Weihnachten steht vor der Tür, durch deren Ritzen der Winter die Kälte und die Not in die Wohnungen fädelt. Weihnachten steht vor der Tür. — Sollen wir's wirklich hereinbitten? An den Ofen ohne Kohle, unter die Lampe ohne Licht, an den Tisch ohne Gaben? Nun, der Mensch bedenkt sich, wie man weiß, nicht lange. Im Bösen nie. Und zuweilen nicht einmal im Guten. Er geht zur Tür, vor welcher Weihnachten steht, öffnet sie weit und ruft unter Tränen lächelnd: »Herein. Wir freuen uns, daß Sie gekommen sind. Und noch dazu so pünktlich.«

Man will und wird Weihnachten feiern. Trotz allem. Mit zusammengebissenen Zähnen, ohne Rücksicht auf Verluste. Man wird einander beschenken. Auch wenn man nichts hat. Auch wenn es nichts gibt. Windschiefe Puppen kann man kaufen. Sie sind aus alten Soldatenmänteln und Strumpfresten zusammengeschustert, nein geschneidert. Parfüm steht in den Schaufenstern, bunt, in hübschen Flakons. Zu häßlichen Preisen. Reizende Lampenschirme locken das Auge. Glühbirnen, Schnur und Stecker sind allerdings nicht dabei. Aber waren wir nicht früher schon der Meinung, daß praktische Geschenke nicht halb so viel Vergnügen machen? Drum auf, Freunde, beglückt einander mit handgemalten Stehlampen ohne Birnen. Da habt ihr endlich einmal was Unpraktisches. Oder wie wär's mit einer Nofretete aus echtem Gips? Ein findiger Mann hat die Schaufenster der Stadt mit der holden ägyptischen Königin förmlich überschwemmt. Wird sie sich nicht trefflich daheim ausnehmen? Wenn sie den dunklen Rätselblick durchs Fenster, an der wehenden Pappe vorbei, auf euer malerisches Trümmergegenüber richtet? Oder wollt ihr etwas noch Schöneres, noch Sinnigeres überreichen? In der Zeitung steht: »Dein geeignetes Weihnachtsgeschenk ist eine Groß- oder Klein-Lebensversicherung mit voller Auszahlung im Todes- und Erlebensfalle. Erhöhte Leistung bei Unfalltod.« Wie wär's? Vielleicht in einer samtschwarzen Geschenkpackung? Ich wüßte auch eine passende Zeile drauf. Im Krieg kursierte der Reim: »Praktisch denken, Särge schenken.« Das wäre doch eine geeignete Inschrift, nein?

Wem diese Musterkollektion entzückender Geschenke trotz allem nicht zusagen sollte, der muß ein paar Buden weitergehen. Vom Weihnachtsmarkt weg. Am Schwarzen Markt vorbei. Zum Schwarzen Weihnachtsmarkt hinüber. Ich weiß nicht genau, wo er liegt. Aber man braucht nur zu fragen. Die Berliner sind höflich. Und es kennt ihn ja jeder. Nur, tu Geld in deinen Beutel. Und wenn du kein Geld hast, womöglich nicht mal einen Beutel, dann schenk das letzte her, was dir geblieben ist: das letzte Lächeln, den letzten kräftigen Händedruck, das letzte gute Wort. Heraus damit. Weihnachten steht vor der Tür. Wir wollen ein Fest feiern, und ein Schelm gibt mehr, als er hat.

Warum ich Feuilletonchef wurde

Nun ist es ungefähr ein Jahr her, daß würdig aussehende Männer in mein Zimmer traten und mir antrugen, die Feuilletonredaktion einer Zeitung zu übernehmen. Da erinnerte ich mich jener Studentenjahre, die ich auf einem Redaktionsstuhl verbracht und nach deren Ablauf ich mir hoch und heilig geschworen hatte, es ganz bestimmt nicht wieder zu tun. Denn zum Abnutzer von Büromöbeln muß man geboren sein, oder man leidet wie ein Hund. Es gibt nun einmal Menschen, für welche die gepriesene Morgenstunde weder Gold noch Silber im Munde hat. Man kann von ihnen fordern, daß sie hundert Stunden am Tage arbeiten statt acht — wenn man sie nur morgens im Bett läßt.

Und sie schuften tausendmal lieber zu Hause, statt hinterm Schalter mit dem Butterbrotpapier zu rascheln. Wie oft paßte mich der Herr Verlagsdirektor ab, wenn ich, statt um neun, gegen elf anrollte! Mit welch bitterem Genuß zog er die goldene Repetieruhr aus der Westentasche, obwohl ja die Korridoruhr groß genug war! Wie vitriolsüß war seine Stimme, wenn er, nach einem kurzen Blick auf die Taschenuhr, sagte: »Mahlzeit, Herr Kästner!« Der Mann wußte genau, daß ich länger, schneller und gewissenhafter arbeitete als andere. Trotzdem verbreitete er die Ansicht, daß ich faul sei. Ihm lag nichts an den drei Stunden, die ich abends länger im Büro saß; und an den Nachtstunden, in denen ich für sein Blatt Artikel schrieb, lag ihm schon gar nichts. Er wollte nur eins von mir: Pünktlichkeit! Er war unerbittlich wie ein Liebhaber, der seiner innig geliebten blauäugigen Blondine einen einzigen Vorwurf macht: daß sie keine Brünette mit Haselnußaugen ist! Es war kein Vergnügen. Für mich nicht. Und für ihn auch nicht. Aber er hatte doch wenigstens einen schwachen Trost: er war im Recht!

Dieser meiner prähistorischen Büroschemelepoche entsann ich mich also, als mir vor einem Jahr würdig aussehende Männer eine Feuilletonredaktion antrugen. Und an noch etwas anderes dachte ich. Daran, daß ich zwölf Jahre lang auf den Tag gewartet hatte, an dem man zu mir sagen würde: »So, nun dürfen Sie wieder schreiben!« Stoff für zwei Romane und drei Theaterstücke lag in den Schubfächern meines Gehirns bereit. Zugeschnitten und mit allen Zutaten. Der bewußte Tag war da. Ich konnte mich aufs Land setzen. Zwischen Malven und Federnelken. Wenn ich auch recht gerupft und abgebrannt aus der großen Zeit herausgekommen war, Papier und Bleistifte hatte ich noch und, was die Hauptsache war, meinen Kopf! Herz, was willst du mehr? Jetzt konnte ich, wenn ich nur wollte, mit Verlegervorschüssen wattiert durch die Wälder schreiten, sinnend an Grashalmen kauen, die blauen Fernen bewundern, nachts dichten, bis der Bleistift glühte, und morgens so lange schlafen, wie ich wollte. Was tat ich statt dessen? Die würdig aussehenden Männer sahen mich fragend an, und ich Hornochse sagte kurz entschlossen: »Ja.« Wer, wenn er bis hierher gelesen hat, bei sich denkt: ›Herrje, ist der Kerl eingebildet!‹, hat mich nicht richtig verstanden. Ich habe die Geschichte eigentlich aus einem anderen Grunde erzählt. Ich wollte darlegen, daß mich meine Neigung dazu trieb, Bücher zu schreiben und im übrigen den lieben Gott einen verhältnismäßig frommen Mann sein zu lassen. Und daß ich das genaue Gegenteil tat, daß ich nun in einem fort im Büro sitze, am laufenden Band Besuche empfange, redigiere, konferiere, kritisiere, telefoniere, depeschiere, diktiere, rezensiere und schimpfiere. Daß ich seitdem, abgesehen vom täglichen Kram, noch nicht eine Zeile geschrieben habe. Daß ich, zum Überfluß, ein literarisches Kabarett gründen half und für den dortigen ›Sofortbedarf‹ Chansons, Lieder und Couplets fabriziere. Daß ich mein Privatleben eingemottet habe, nur noch schlückchenweise schlafe und an manchen Tagen aussehe, als sei ich ein naher Verwandter des Tods von Basel.

Warum rackere ich mich ab, statt, die feingliedrigen Händchen auf dem Rücken verschlungen, »im Walde so für mich hin« zu gehen? Weil es nötig ist, daß jemand den täglichen Kram erledigt, und weil es viel zu wenig Leute gibt, die es wollen und können. Davon, daß jetzt die Dichter dicke Kriegsromane schreiben, haben wir nichts. Die Bücher werden in zwei Jahren, falls dann Papier vorhanden ist, gedruckt und gelesen werden, und bis dahin − ach du lieber Himmel! − bis dahin kann der Globus samt Europa, in dessen Mitte bekanntlich Deutschland liegt, längst zerplatzt und zu Haschee geworden sein. Wer jetzt beiseite steht, statt zuzupacken, hat offensichtlich stärkere Nerven als ich.

Münchner Alltag

Der Journalist hat, wie der Name sagt, dem Tag auf die Finger zu sehen. Der Redakteur hingegen kehrt der Welt den Rücken und liest. Wenn nun der Redakteur, wie es gar nicht selten vorkommt, ein Journalist ist, gerät er in eine jener Zwickmühlen, die der selige Kant Antinomien und Herr von Kalau Kantinomien genannt hat. Er sieht den Wald vor lauter zu Druckpapier verarbeiteten Bäumen nicht mehr. Eine papierdünne Wand, dicker als Klostermauern, trennt ihn vom Leben, über das seine Zeitung unermüdlich berichtet. Ein einziges Mal im Quartal nimmt er die Lesebrille aus dem Gesicht und verläßt gemessen das Büro. Dann begibt er sich zum Haarschneiden.

Gestern war *mein* Quartal wieder einmal um. Bewegt nahm ich von den Kollegen Abschied und schritt, von Locken bis zur Schulter umwallt, ins Leben hinaus. Ein Buch, ›Tropic of Cancer‹ von Henry Miller, trug ich vorsorglich unterm Arm. Wie leicht kann die Welt den Redakteur enttäuschen! Dann ist es gut und nützlich, wenn er Lesestoff bei der Hand hat.

Der Himmel war, falls ich mich recht entsinne, frostig blau und blankgescheuert. Kräne reckten ihre Giraffenhälse aus den Trümmern, bückten sich kreischend und gruben ihre eisernen Mäuler gefräßig ins Gewesene. Die Gehsteige waren fast überall entrümpelt. Ja, man hatte die Schutthaufen vielerorts bereits durch neue Verkehrshindernisse ersetzt! Geschichtete Ziegel, Sand und Kies, knusprig und frisch, harrten der Maurer. Wie anders wirkt dergleichen auf uns ein! Die Schutthaufen der Vergangenheit stimmten uns düster und böse. Die der Zukunft gewidmeten Mörtelhäufchen auf dem Trottoir machen uns lächeln. Es ist eine Lust, ihnen auszuweichen. Wenn sie nur größer wären! Mit welcher Wonne wollten wir klettern und stolpern und Haken schlagen und uns, wie fromme Inder von Elefanten, auf der Straße von ziegelbeladenen, zukunftsträchtigen Lastautos... Nein, das ginge wohl etwas zu weit. Aber eins ist wahr: Die funkelnagelneuen Nachwuchshügelchen aus Sand und Kies erfrischen Auge und Herz, als wären's die ersten Veilchen. Man geht wie auf Zehenspitzen an ihnen vorüber. Vivant, crescant, floreant!

Ich schritt fürbaß. In zugigen Torbögen, in fensterlosen Ladenecken, an wackligen Tischen mitten auf den Straßen hielten traurige Gestalten Lockenwickler feil, Fleckenwasser, eiserne Streichholzhülsen, Feuersteine, Knöpfe und klägliches Spielzeug. Es hätte mich nicht gewundert, wenn leicht zu rührende Passanten beim Anblick von soviel Armseligkeit in Tränen ausgebrochen wären. Doch die Empfindsamen schienen heute keinen Ausgang zu haben. Oder sie starben gerade aus.

Ich riß mich von dem trüben Anblick los und tat das, was jeder rechtschaffene Redakteur tut, wenn er seine papierene Welt endlich einmal verlassen hat und mitten ins pulsierende Leben tritt: Ich blieb vor den Buchläden stehen.

Da gab es viel zu bestaunen. Nicht eben Bücher, aber Stahlstiche und Kunstblätter und alte Landkarten und Aquarelle und unverkäufliche Mappenwerke — es konnte einem schon das Herz lachen, falls sich das Auge nicht auf Bücher, womöglich Neuerscheinungen, kaprizierte. Antiquarisches gab es eher. Zwei Foliobände über das ›Arteriensystem der Japaner‹, ein broschiertes ›Bekenntnis zur Radikal-Humanität‹, eine kartonierte ›Trennung von Staat und Kirche in Frankreich‹, aus dem Jahr 1907, und, Wunder über Wunder, ›Goethe und Schiller, je fünf Bände‹! Fast wäre ich mitten durch die Glasscheibe in den Laden gestürzt, da las ich im letzten Moment auf dem Pappschildchen, das an den zehn Bänden lehnte: »Nur im Tausch gegen Nietzsche und Rilke.« So blieb die Scheibe heil.

Still und bescheiden ging ich zur Lektüre von Plakaten und anderen Anschlägen über. »Flüchtlinge, Ausgewiesene! Heraus aus eurer Lähmung! Im Mathäser-Bräu spricht zu euch: Flüchtling Kurt Weidner, früher Breslau. Freie Diskussion.«

An einer anderen Säule riet die Deutsche Friedensgesellschaft zum Besuch einer Versammlung, die ›für Pazifisten und Interessenten‹ von Wichtigkeit sei. Am Kaufhaus Oberpollinger versicherten zahllose Zettel: »Unser Personal ist angewiesen, Ihnen alle vorrätigen Waren bereitwilligst zu zeigen und Sie recht höflich zu bedienen.«

Welch ein Zeitalter! Schiller wird gegen Rilke getauscht. Flüchtling ist ein Beruf geworden. Der Pazifismus sucht Interessenten. Und beim Oberpollinger wird man laut Anschlag höflich bedient!

Dicht vor dem Friseurgeschäft, dem ich zustrebte, stand ich noch einmal still. An einem Bauzaun klebte ein handgeschriebenes Papier, und ich las: »Electric tattooing in all kinds of colours. P. Holzhaus, Munich, Bayerstreet 55.« Dieser Herr Holzhaus aus der Bayerstreet in Munich, der sich sogar hinsichtlich seines Familiennamens auf der Höhe der Zeit befand, war ein heller Kopf. Wahrhaftig, man könnte zu ihm gehen und sich von ihm elektrisch tätowieren lassen. Schön bunt und haltbar. Das wäre noch eine Möglichkeit, den Angehörigen und den Bekannten ab und zu eine kleine Freude zu bereiten. Wenn sie allzu deprimiert wären, würde man ihnen wenigstens *etwas* Abwechslung bieten können! Zum Beispiel die Arche Noah, die sich, von einer Taube umkreist, aus den blauen Fluten hebt. Oder einen Mann, der Briketts bringt. Oder einen Spruch von Goethe, den man gegen einen Spruch von Nietzsche eingetauscht hat. Oder einen immergrünen Baum, auf dem rote Äpfel und schwarze Halbschuhe wachsen. Oder ... Man müßte nur viel größer und breiter von Statur sein, als ich's bin. Damit auf der Haut für Mister Holzhaus und seine heiter farbige, elektrisch betriebene Stichelkunst genügend Platz wäre.

Im Friseursalon mußte ich lange warten. Beim Friseur muß man immer lange warten. Ein Bekannter von mir hat ausgerechnet, wie groß die männliche Bevölkerung auf der Erde sein muß, wenn in jeder Haarschneiderei, bei achtstündiger Arbeitszeit, immer sechs bis acht Männer darauf warten, daß sie endlich an die Reihe kommen. Dabei hat sich herausgestellt, daß es viel mehr Menschen geben muß, als statistisch vermutet wird! Doch das bleibt, bitte, unter uns.

Unter den Wartenden befanden sich einige junge Herren, die mir besonders auffielen. Sie trugen schöne, neue Anzüge aus besten englischen Stoffen. Besonders apart wirkten die Jacketts. Sie reichten den smarten Jünglingen bis in die Kniekehlen und ähnelten am ehesten kleinen, dreiviertellangen Mänteln. Ich nehme an, daß es sich hierbei um etwas Modisches handelte. Einige der jungen Herren sprachen französisch. Es waren aber keine Franzosen. Zwei andere antworteten bayerisch. Das waren Bayern. Auch ihre Haartracht hatte ihre eigene Note. Es war eine Art von Windstoßfrisur, die auf dem Hinterkopf zu gleichen Teilen und von beiden Seiten her nach der Mitte zusammengekämmt wird. Sie benahmen sich ganz, als seien sie zu Hause. Am Ende ließen sie sich jeden Tag die Haare schneiden? Andererseits, wo nimmt man dafür die nötigen Haare her? Vielleicht gingen sie aber auch Geschäften nach, die mit Maniküren und Shamponieren verhältnismäßig wenig zu tun haben? Es wollte mir nicht gelingen, dem Geheimnis dieser seltsamen Frisiersalonlöwen auf die Spur zu kommen. Und so wandte ich mich dem Buche zu, das ich bei mir hatte.

Währenddem stutzte mir, ohne daß ich's recht gewahr geworden wäre, ein Mädchen die Fingernägel. Dann schnitt mir ein freundlicher Mann in einem weißen Kittel die Haare. Erst als er mich fragte, ob er mir die Spitzen abbrennen solle, fand ich mich aus dem Buch, das in Paris spielt, nach München zurück. Die Spitzen abbrennen? Ja, der Fettmangel unserer Ernährung begünstige das Ausfallen und Brechen der Haare, und das Abbrennen der Spitzen wirke dem entgegen. Ich bin kein Spielverderber und sagte: »Brennen Sie!« Er entzündete ein Wachshölzchen und begann, meinen Kopf sorgfältig in Brand zu setzen. Erst knisterte es, als würden Wunderkerzen angesteckt. Das war schon sehr schön. Später roch es, als würde eine gerupfte Gans abgesengt. Das war noch viel schöner und fast wie Weihnachten. Hinterher wusch er das, was mir trotz Schneiden, Sengen und Brennen an Haaren verblieben war. Dann setzte er den Fön in Betrieb. Und als ich das Geschäft verließ, glitzerten über den Ruinen längst die Sterne.

Zu Hause war nicht alles wie sonst. Maximilian, der kleine blaugraue Kater, kam mir nicht entgegen, sondern saß nachdenklich unter einem Stuhl. »Was fehlt ihm denn?« fragte ich das Mädchen. »Er macht ein Gesicht, als ob er geheult hätte!«

»Geheult hat er nicht, Herr Doktor«, sagte sie. »Aber er will immer mit mir spielen, und wenn er mit mir spielt, beißt er mich fortwährend. Das tut weh, und ich verbiete es ihm, doch er folgt nicht.«

»Und?«

»Er folgt nicht, weil er ja gar nicht weiß, wie weh es tut! Und damit er es endlich weiß und weil es mir zu dumm wurde, da habe ich ihn vorhin, kurz bevor Sie kamen, ganz einfach wiedergebissen!«

›Ein verblüffend neuer Weg, kleine Kater zu erziehen‹, dachte ich. ›Und überhaupt — an dieser Methode ist etwas dran.‹

Abrüstung im kleinen

Der Laie sieht in der Herbeiführung eines Weltfriedens gar kein Problem. Vermutlich ist er farbenblind. Er versteht nicht, worin denn bloß in Zukunft der Sinn und der Zweck großer militärischer Auseinandersetzungen noch liegen könnte, wenn doch hinterdrein, wie diesmal schon, sämtliche Beteiligten frieren, hungern und im Dunkeln sitzen! (Von wichtigeren Dingen, die dann fehlen, ganz zu schweigen.)

Andrerseits, bei Raufereien, soweit sie nicht in geschlossenen Staatsverbänden, sondern in engerem Kreise stattfinden, haben ja zum Schluß auch sämtliche Kursusteilnehmer blutige Köpfe, zerfetzte Jacken und zerbrochene Bierkrüge — und trotzdem wird sich eine kräftesparendere Methode, den Angreifer friedliebend zu stimmen, schon hier schwer einbürgern lassen.

Wie gesagt, dem Laien muß wohl der sechste, siebente oder achte Sinn fehlen. Er ist zu unkompliziert. Die Siegerstaaten versuchten bereits die ersten hoffnungsvollen Beispiele guten Willens für eine Abrüstung zu geben, indem sie viele ihrer Marschälle, Admirale und Generäle zu Ministern, Botschaftern und anderen Zivilbeamten umernannten, militärisch also gewissermaßen aus dem Verkehr zogen. Andererseits ist es nur logisch, daß die Abrüstung bei den besiegten Herausforderern des Unheils, bei uns, noch energischer angepackt wurde. Man sprengte Waffenlager. Man versenkte Schiffe. Rüstungsindustrien wurden vernichtet.

Zuweilen kam dem Laien der Gedanke, man hätte das eine oder andere Werk vielleicht nicht sprengen sollen. Denn was alles ist nicht schon in die Luft geflogen, als noch Krieg war! Und womöglich hätte man daraus Fabriken machen können, in denen Öfen, Waggons, Töpfe, Tiegel, Löffel und Streichhölzer herzustellen gewesen wären?

Doch wahrscheinlich hat der Laie wieder einmal unrecht.

Die Erfinder unserer geheimen Kriegswaffen selber konnte man an Ort und Stelle sicher nicht so ohne weiteres verwandeln, und so tat man, damit sie hier kein Malheur stiften, etwas recht Vernünftiges: Man lud sie rasch in andere Länder ein. Dort wird man sie fraglos leichter in friedliche Erfinder umarbeiten können. Ach, es gibt ja so viele Möglichkeiten!

Eine sehr dringliche Maßnahme war die Erfassung all jener Hieb-, Stich- und Schußwaffen, die sich bei Kriegsende zunächst noch in privater Hand befanden. Um die Ablieferung zu beschleunigen, verschärfte man die andernfalls zu gewärtigenden Strafen. Und um das hierdurch erreichte Resultat noch einmal zu steigern, erließ man kürzlich eine befristete Amnestie.

Über deren Ergebnis liegen die ersten Zahlen vor. So wurden beispielsweise der Bayerischen Landespolizei bis zum 17. Februar 1700 Seitenwaffen, 570 Jagdgewehre, 1000 Gewehre und 1000 Pistolen ausgehändigt. Außerdem 20 Maschinenpistolen und 20 Maschinengewehre. Dem Laien ist, wie so oft, auch hier wieder etwas nicht ganz klar. Wollten sich die zwanzig Leute die Maschinengewehre eines Tages zur Erinnerung an große Zeiten übers Sofa hängen? Oder hielten sie die Dinger für fahrbare Ofenrohre?

Die Ausbeute war aber noch bunter! Laut DENA wurden allen Ernstes überdies ein Torpedo, 21 Geschütze und drei veritable Panzer abgegeben! Das sind Rekordernten, die an zwei Pfund schwere Ananaserdbeeren und dreißigpfündige Gartengurken erinnern. Und im Kopf des Lesers, der nicht zu den geborenen Waffensammlern gehört, türmen sich die Fragen. Wo, zum Beispiel, hebt man einen Panzer auf? In meiner Wohnung etwa ginge das gar nicht. Eher paßte meine Wohnung in den Panzer! Und dann, wozu versteckt man, wenn man es nun schon zufällig auf dem Nachhauseweg finden sollte, ein Geschütz? Ich habe früher einmal im Nebenberuf mit 15-cm-Haubitzen zu tun gehabt — man hätte mir 1918 so ein Ding nachwerfen können, ich hätte es nicht genommen. Dazu die Angst: Wenn nun am Abend Schneiders zu Besuch kommen, und die Kanone steht im Flur, und es ist doch bei Strafe verboten . . .

Man muß wohl sehr an seiner alten Waffengattung hängen, um sich mit einem mehrtonnigen Panzer oder einem Granatwerfer zu belasten! Und schließlich der Ärmste, der sich das Torpedo aufgehoben hatte! Er hat es wahrscheinlich nicht gleich abgeliefert, nur weil er nicht ausgelacht werden wollte. Das kann man verstehen. Denn in Schliersee oder Garmisch mit einem Torpedo durchs ganze Dorf ziehen und sich als ›Kapitän der reitenden Gebirgsmarine‹ anöden lassen, ist nicht jedermanns Sache. Nur, wie kam das Torpedo überhaupt erst einmal in sein Haus? Panzer und Kanonen können natürlich, wenn eine Armee sich auflöst, auch in Bayern plötzlich herrenlos herumstehen. Aber ein Torpedo?

Die Zählung und Sichtung der während der Amnestie abgelieferten Waffen ist noch nicht endgültig abgeschlossen. Es sind also noch weitere Überraschungen möglich. Leider wird die eine nicht darunter sein: daß die Gangsterbanden, die sich breitmachen, am hellichten Tage Polizisten und Passanten über den Haufen knallen und sich auch sonst wie in Kriminalfilmen aufführen, die Amnestie wahrgenommen haben. Ihre Messer, Revolver und Maschinenpistolen wird sich die Polizei leider, Stück für Stück und Schuß um Schuß, persönlich bei den Besitzern abholen müssen.

Mühselig von Zone zu Zone

In Brandenburg an der Havel hielt ein Personenzug, den nur Brueghel hätte malen können. Doch zu seiner Zeit gab es keine überfüllten Eisenbahnen, und heute gibt's keinen Brueghel. Es ist nicht immer alles beisammen ... Die Trittbretter, die Puffer und die an den Waggons entlangführenden Laufstege waren mit traurigen Gestalten besät, und oben auf den Wagendächern hockten, dicht aneinandergepreßt, nicht weniger Fahrgäste als unten in den Coupés. Von dem Zug, den wir sahen, war nichts zu sehen, — er war mit Menschen paniert!
Sie saßen, hingen, standen, klammerten sich an, blinzelten apathisch in die Nachmittagssonne, dachten nicht an Kurven und Tunnels, sondern nur an ihre Rucksäcke mit den paar Pfunden gehamsterter Kartoffeln und an die Gesichter daheim. War's nicht früher einmal verboten gewesen, sich während der Fahrt aus dem Fenster zu beugen? Und jetzt kauerten alte Frauen und magere Kinder zu Hunderten, ohne Halt und Lehne, auf den rußverschmierten Dächern wie auf einstöckigen, geländerlosen Omnibussen. Nun war es niemandem mehr untersagt, sich das Genick zu brechen. Der Staatsbürger war dabei, sich neue Freiheiten zu erobern, wenn auch nicht gleich die richtigen ...
Eine Frau, die eingekeilt auf dem schmalen Laufsteg stand, schnallte sich sorgfältig mit einem Lederriemen an einem Eisenbügel fest, der früher einmal den Zugschaffnern während der Fahrt als Haltegriff gedient hatte. Sie tat's mit der sachkundigen Nüchternheit einer alten Artistin, die im Begriff ist, ohne Netz am Trapez zu arbeiten.
Als der Zug anruckte, gab's eine Schrecksekunde. Dann glitt wieder der alte Gleichmut über die blassen Mienen. Die Lokomotive spie Ruß und Rauch, und langsam schob sich die Wagenkette wie ein mit tausend kleinen Fliegen gesprenkelter, halbtoter Wurm durch den märkischen Sand. Noch auf den Puffern des letzten Waggons balancierten zwei alte Männer und hielten ihre Rucksäcke krampfhaft umklammert. »Die neueste Art Kartoffelpuffer«, sagte jemand neben mir und versuchte zu lachen.

Der vergangene Winter hat den Berlinern, die doch ganz gewiß nicht zimperlich sind, das Herz abgekauft. Zur Kälte und zum Hunger traten andere Übel, zum Beispiel zahlreiche Kanalisationsschäden und deren infernalische Folgen. Im März schließlich war die Bevölkerung schwer angeschlagen. Sie taumelte im Ring und zweifelte, ob sie über die letzte Runde käme. Als der Gong ertönte, als der Zweikampf gegen den Winter ohne Niederschlag verlaufen war, als die Sonne schien und die Sträucher zwischen den Ruinen grünten, ging ein Aufatmen durch die große Stadt, das schon eher einem Aufstöhnen und Aufschluchzen glich. Mit halbgeschlossenen Augen, zögernd wie Geblendete, erschöpft, verwundert und ein wenig wunderlich bewegten sich die Menschen durch die Straßen. Lächelnd blickten sie zum blauen Himmel hinauf, ehe sie treppab in den düsteren Untergrundbahnhöfen verschwanden. Nachtwandlern bei Tage glichen sie. Daß die Natur sie wieder pünktlich und ausreichend mit Licht und Wärme zu versorgen begann, trotz allem Warenmangel der Welt, trotz Transportmittelschwund, Kollektivschuld, Konferenzen und Parteizank, das grenzte, Wand an Wand, ans Wunderbare. Die Sonne schien rückhaltlos auf die Gerechten und Ungerechten. Sogar auf die Berliner.

Der noch immer unterbrochene Kontakt zwischen den Bewohnern der verschiedenen Zonen hat zu einer fortschreitenden, nein, zu einer galoppierenden Entfremdung innerhalb Deutschlands geführt. Die wenigen, die gelegentlich in andere Landesviertel reisen dürfen, übernehmen damit ein Amt. Sie kommen als regionale Botschafter. Sie haben die moralische Mission, idiotische Gerüchte auszuräuchern, Mißverständnisse aufzuklären, Klatschsucht und Offenheit nicht zu verwechseln und Behelfsbrücken zu schlagen, auf denen der gute Wille ungehindert passieren kann.

Die falschen Vorstellungen, in denen sich hier wie da kindliche Gemüter schaukeln, entstammen, möchte man glauben, zuweilen geradenwegs alten Märchenbüchern. Sehr erheiternd wirkt besonders das pompöse Bild, das man sich in der Ostzone, aber auch in Berlin, von der Ernährungslage in Bayern zu machen pflegt. Dieses Bild sieht, ein bißchen karikiert, etwa so aus: Allmorgendlich, noch am Bett, werden die Alt- und Neubürger Bayerns von launig jodelnden Metzgerburschen und reschen Bäckermadeln heimgesucht, mit warmem Leberkäs, blütenweißen Semmerln und sahniger Vollmilch bis an die Rachenmandeln vollgestopft. Mittags fallen in den Hauptverkehrsstraßen muskulöse Sendboten des Landwirtschaftsministeriums über besonders dürre Zugereiste her und zwingen die Erstaunten unter sanften Knüffen und Püffen, knusprige Schweinshaxen und schmalzgeschwenktes Kraut hinunterzuwürgen. Abends und nachts spannen sich mit Lampions und Weißwürsten, Salzstangerln und Gselchtem behangene Girlanden in den Alleen. Und unter den Bogenlampen sind Fässer mit Starkbier aufgebockt.

Nein, liebe Freunde in Nord und Ost, — ganz so üppig geht's in München und Umgebung nun doch nicht zu! Wir bekommen im Monat sechshundert Gramm Rindfleisch. Schweinernes haben wir seit langem nicht gesehen. Beim Fleischer nicht und beim Schwarzen Mann auch nicht. Das Bier ist so schwach, daß es nicht aus dem Faß kann. Wein und Schnaps gibt es hierzulande weniger denn anderswo. Was könnte euch noch interessieren? Zwiebeln kriegt man nicht. Obst kriegt man nicht. An Brot werden dem bayerischen Erdenbürger wöchentlich zwei Pfund (1000 g) zugeteilt. Es hat, trotz der rühmenswerten Lieferungen von Übersee, keinen rechten Sinn, neiderfüllt in unsere Töpfe zu blicken.

Auch in Dresden hat der Winter unbarmherzig gehaust. Holz und Kohle waren noch schneller als anderswo im Herd verschwunden, weil die Gasversorgung tief unter die Bedürfnisgrenze hatte gesenkt werden müssen. So waren auch meine Eltern, trotz mancher Hilfe, Anfang März wieder einmal auf dem Gefrierpunkt angekommen. Der zuständige Bürgermeister stellte einige Lebensmittel und einen halben Meter Holz zur Verfügung, und die Gruppe ›Waldschlößchen‹ der Freien Deutschen Jugend erbot sich, die Zuwendungen zu überbringen. Als das junge Volk die Baumklötze sah, tat man ein übriges: Man spaltete das Holz feierabends in brennfertige Portionen, transportierte die Bescherung am Sonntag mittag in die Königsbrücker Straße, schleppte alles, heimlich und keuchend, zwei Stockwerke hoch und begann dann ›Wir lieben das fröhliche Leben‹ zu singen. Es waren zwanzig Jungen und Mädchen. Ein paar schlugen die Klampfe. Vater und Mutter dachten, Bettelmusikanten seien am Werk, kamen aus der Wohnung und drückten dem Vorsänger etwas Geld in die Hand. Da gab es viel Hallo und Gelächter. Und eine kleine festliche Ansprache. Und ein wenig Rührung. Und ein paar Lieder als Zugabe. Und schließlich eine warme Küche.

Bei Dresdener Gesprächen wurde immer wieder die eine Klage laut: über den fühlbaren Mangel an Talenten. Die politische Verfolgung und der Krieg haben gerade die besten Kräfte dezimiert, und den nachwachsenden Begabungen fehlt fürs erste noch die unerläßliche Erfahrung. Als Universitätslehrer, Intendant, Akademieprofessor und Chefredakteur kommt der Mensch, trotz aller Anlagen, nicht fix und fertig zur Welt. Auch hier gibt es Lehrlings- und Gesellenjahre, die weder mit Grandezza noch mit Arroganz übersprungen werden können.

Ich wies nun darauf hin, daß sich in der Ostzone ja doch zahlreiche Emigranten von Ruf wieder eingefunden hätten, und nannte nur ein paar der bekanntesten Namen, also Anna Seghers, Johannes R. Becher, Friedrich Wolf, Theodor Plievier, Ludwig Renn, Erich Weinert und Wolfgang Langhoff. In den Westzonen sei der entsprechende Wertzuwachs ausgeblieben. Die meisten Emigranten seien hier leider nur auf Abruf aufgetaucht, mit neuer Staatsangehörigkeit, in Uniform und im Auftrag ihrer Militärregierungen.

Dieser augenfällige Unterschied wurde zugegeben und diskutiert. Die Unterhaltungen endeten immer mit dem gleichen skeptischen Ergebnis: daß die Zahl der ›guten Leute‹ in allen vier Zonen zu klein sei.

Die innerdeutsche Entfremdung, von der bereits die Rede war, stellt sich am sinnfälligsten im ›Zonendeutschtum‹ dar. Hierbei handelt es sich um eine moderne Krähwinkelei, nicht weniger blamabel als die früheren Spielarten lokalpatriotischer Herkunft. Man ist zunächst einmal anglophil, russophil, frankophil, je nach der ortsansässigen Besatzung, und betreibt diese Philisterei, vor allem unterm Gesichtspunkt der Abgrenzung und Selbstgenügsamkeit, mit kindischer Leidenschaft. Dadurch werden die internationalen Spannungen auf deutschem Boden erhöht, statt reduziert. Es geht zu wie bei einem Tauziehen, wo sich die Kleinen, die eigentlich noch gar nicht mitspielen sollen, strampelnd und krähend an die Seilzipfel und an die Hosenbeine der Großen hängen. Es ist immer das alte Lied: Entweder wollen wir die Welt erobern oder zwischen Garmisch und Partenkirchen Grenzpfähle errichten. Uns auf normale Weise als Volk zu empfinden, liegt uns nicht besonders. Es wäre zu natürlich. Der gesunde Menschenverstand war noch nie unsere Stärke.

Das Land, in dem es gar nichts gab

Es war einmal ein Land, in dem gab es keine Zündhölzer. Und keine Sicherheitsnadeln. Und keine Stecknadeln. Und keine Nähnadeln. Und kein Garn zum Stopfen. Und keine Seide und keinen Zwirn zum Nähen. Und kein Seifenpulver. Und kein Endchen Gummiband weit und breit, und schmales auch nicht. Und keine Kerzen. Und keine Glühbirnen. Und keine Töpfe. Und kein Glas und keinen Kitt. Und kein Bügeleisen. Und kein Bügelbrett. Und keinen Nagel. Und keine Schere. Und keinen Büstenhalter. Und keine Schnürsenkel. Und kein Packpapier. Und keinen Gasanzünder.

Da wurden die Einwohner des Landes ziemlich traurig. Denn erstens fehlten ihnen alle diese kleinen Dinge, die das Leben bekanntlich versüßen und vergolden. Zweitens wußten sie, daß sie selber daran schuld waren. Und drittens kamen immer Leute aus anderen Ländern und erzählten ihnen, daß sie daran schuld wären. Und sie dürften es nie vergessen. Die Menschen in dem Land hätten nun furchtbar gern geweint. Aber Taschentücher hatten sie auch nicht.

Da faßten sie sich ein Herz und sagten: »Wir wollen lieber arbeiten statt zu weinen. Zur Arbeit braucht man keine Taschentücher.« Und nun gingen sie also hin und wollten arbeiten. Das hätte ihnen bestimmt sehr gut getan, denn die meisten von ihnen besaßen keine Phantasie. Und wenn Menschen ohne Phantasie nichts mehr haben und auch nicht arbeiten dürfen, kommen sie leicht auf dumme Gedanken.

Aber es war leider nichts zum Arbeiten da. Kein Handwerkszeug. Kein Holz. Kein Eisen. Keine Maschinen. Kein Geld. Da gingen sie wieder nach Hause, setzten sich auf ihren zerbrochenen Stuhl und warteten.

Nebenan lief ein Radio. Sie konnten gut mithören, denn in der Wohnung nebenan gab es keine Fensterscheiben und bei ihnen auch nicht, und der Radioapparat war kaputt und konnte nicht mehr auf ›leise‹ eingestellt werden. Sie hörten also mit und erfuhren durch einen gelehrten Vortrag, daß das Land so zerstört sei, daß dreißig Kubikmeter Schutt auf den Kopf der Bevölkerung kämen.

»Dreißig Kubikmeter Schutt auf meinen Kopf?« sagte da ein alter Mann in der kahlen, kalten Stube. »Ein Filzhut wäre mir lieber. Oder eine Schaufel Erde.« Und das Radio erzählte dann noch, daß sie selber alle daran schuld wären. Und sie dürften es nie vergessen. Die Leute nickten müde mit dem Kopf und den dreißig Kubikmetern Schutt darüber . . .

Als sie zweiundeinhalbes Jahr auf dem zerbrochenen Stuhl gesessen, eine Menge Radiovorträge gehört und keine Arbeit gefunden hatten, kam ihnen der Gedanke, daß sich ihr Leben vielleicht nicht lohne und daß sie es fortwerfen sollten. Außer der Schuld besaßen sie nichts. Und eine Schuld kann so groß sein, wie sie will — so sehr hängt man nicht an ihr, daß man lediglich deswegen weiteratmen möchte.

Nun wollten sie sich also umbringen. Sie freuten sich richtig darauf. Erst dachten sie daran, den Gashahn aufzudrehen. Aber es war Gassperre. Da wollten sie sich am Fenstergriff aufhängen. Aber es gab keinen Bindfaden in dem Lande. Und einen Fenstergriff gab's auch nicht. Da wollten sie sich erschießen. Doch man hatte ihnen das Gewehr weggenommen, damit sie keinen Unfug anrichteten. Nun wollten sie ja keinen Unfug stiften, sondern nur sich umbringen! Doch so ganz ohne Gewehr kann man nicht einmal auf sich selber schießen. Als sie das eingesehen hatten, liefen sie in die Apotheken, um Gift zu holen. Aber die Apotheken hatten nichts zu verkaufen, nichts fürs Leben und nichts für den Tod . . .

Da gingen sie wieder nach Hause und gaben, nach dem Leben, auch noch das Sterben auf. Das war ein schwerer Entschluß für sie. Sie weinten diesmal sogar ein wenig. Obwohl sie immer noch kein Taschentuch besaßen. Ein Fremder, der ihnen durchs Fenster zusah, sagte ärgerlich, sie sollten sich bloß nicht bedauern. Sie seien an allem selber schuld, und sie dürften das nie vergessen. Da hörten sie auf zu weinen und blickten zu Boden. Der Fremde ging. Sie setzten sich nun wieder auf ihren Stuhl und betrachteten ihre leeren Hände.

Und wenn sie nicht verhungert sind, leben sie heute noch.

1948:

Als die SS wiederkehrte

Voraussetzungen, die eine zwingende Schlußfolgerung zulassen, nennt man, wie jeder Mittelschüler in und außer Dienst gern bestätigen wird, Prämissen. Die folgende wahre Geschichte hat der Prämissen zwei. Erstens: Kunst und Wirklichkeit sind in der Lage, die seltsamsten chemischen Verbindungen einzugehen. Zweitens: Die Tiroler sind lustig.

Das Subjekt der zweiten Prämisse ließe sich beliebig erweitern. Aber im vorliegenden Falle, den mir eine uns allen bekannte Schauspielerin erzählte, handelt sich's nun einmal um die Tiroler. Wahre Geschichten soll man nicht durch Phantasie verwässern. Was ich hier erzähle, ist die ungepanschte Wahrheit.

Neulich — im Jahre 1948 — drehte man in Tirol einen Film. Der Film war, wie sich das gehört, ›zeitnah‹. Weil der Film zeitnah war, das heißt: weil er im Dritten Reich spielte, brauchte man etliche SS-Männer. Weil es keine echten SS-Männer mehr gibt und weil zu wenig echte Schauspieler zur Hand waren, suchte der Regisseur unter den männlichen Dorfschönen die acht Schönsten, Herrlichsten, Athletischsten, Größten, Gesündesten, Männlichsten aus, ließ ihnen vom Kostümfritzen prächtige schwarze Uniformen schneidern und benutzte beide, die Schönen und die Uniformen, für seine Außenaufnahmen. Er war mit beiden recht zufrieden. Die Alpenbewohner haben ja einen natürlichen Hang zur, sagen wir, Schauspielerei. Die Rauhnächte, das jesuitische Barocktheater, die Bauernbühnen — die Lust am Sichverstellen und die Fähigkeit dazu, es liegt den Leuten im Blut.

In einer Drehpause, vielleicht waren zuviel oder zuwenig Wolken am Himmel, schritten nun die acht falschen SS-Männer fürbaß zum Wirtshaus. Tiroler Landwein ist etwas sehr Hübsches. Die Filmgage auch. Die acht sahen gewisse Möglichkeiten. Indes sie so schritten, kam ihnen der Autobus entgegen, der dort oben im Gebirg den Verkehr und die Zivilisation aufrechterhält. Und weil die Tiroler so lustig sind, stellten sich unsere acht SS-Männer dem Vehikel in den Weg. Der Bus hielt. Einer der acht riß die Wagentür auf und brüllte: »Alles aussteigen!« und ein zweiter sagte, während er die zitternd herauskletternden Fahrgäste musterte: »Da samma wieda!«

Es geht nichts über den angeborenen Trieb, sich zu verstellen, und die diesem Trieb adäquate Begabung. Die Fahrgäste schlotterten vor so viel Echtheit, daß man's förmlich hören konnte. Die acht begannen, barsche Fragen zu stellen, Brieftaschen zu betrachten und die Pässe zu visitieren. Tirol gehört ja zu Österreich, und in Österreich hat man bekanntlich schon wieder Pässe. Während die acht nun ihre schauspielerische Bravour vorbildlich zum besten gaben, kam der Herr Regisseur des Weges, sah den Unfug, rief seine Film-SS zur Ordnung, schickte sie ins Wirtshaus und entschuldigte sich zirka tausendmal bei den blaß gewordenen Reisenden, die nervös und schnatternd auf der Landstraße herumstanden. Bei einem der Fahrgäste mußte sich der Regisseur sogar drinnen im Omnibus entschuldigen. Es war ein alter, kränklicher Herr, dieser letzte Fahrgast. Er hatte vor Schreck nicht aussteigen können. Er stammte aus der Gegend. Er war das gewesen, was man heutzutage einen ›Gegner des Dritten Reiches‹ nennt. Er hatte das seinerzeit gelegentlich zum Ausdruck gebracht und infolgedessen mit der SS Bekanntschaft machen müssen. Nun saß er also, bleich wie der Tod, in der Ecke, unfähig, sich zu rühren, stumm, entsetzt, ein Bild des Jammers. »Aber, lieber Herr«, sagte der Filmregisseur, »beruhigen Sie sich doch, bitt schön. Wir drehen einen zeitnahen Film, wissen Sie. Dazu braucht man SS-Männer. Die Szene, die Sie eben erlebt haben, hat weder mit dem Film noch mit der Wirklichkeit etwas zu tun. Es war eine Lausbüberei, nichts weiter. Die Buam sind Lausbuam, und Jugend hat keine Tugend, und nehmen Sie's doch nicht so tragisch. Es sind harmlose, muntere Skilehrer und Hirten aus dem Dorf hier!«

Da schüttelte der alte Herr den Kopf und sagte leise: »Ich habe in dieser Gegend mit der SS öfter zu tun gehabt, Herr Regisseur. Sie haben gut ausgewählt, Herr Regisseur. Es sind ... *dieselben*!«

Die Schildbürger sind unter uns

Mit wachsender Erfahrung kommt man dahinter, daß es im Leben genau wie in den lieben alten Märchen zugeht. Drachen, böse Könige, Menschenfresser, vergiftete Äpfel, Hexen mit Backöfen, Hänse im Glück, Siebenmeilenstiefel, all das gibt es nicht nur bei Grimm und Bechstein, Perrault und Andersen, sondern auch in Wirklichkeit. Und mit den Schildbürgern ist's nicht anders.

»Wegen Überfüllung der Kliniken in Frankfurt mußte eine Frau ihr Kind außerhalb der Stadt zur Welt bringen. Bei der Rückkehr der Mutter nach Frankfurt verlangte das Ernährungsamt eine Zuzugsgenehmigung für den Säugling.« Das stand neulich in der Zeitung. Und ich will mich auf der Stelle wie Rotkäppchens Großmutter vom Wolf fressen lassen, wenn die Geschichte nicht ebensogut in Schilda oder bei den Abderiten passiert sein könnte. Wie gesagt, mit dem Lachen hapert's ein bißchen. Ein Märchenrathaus ohne Fenster und ein richtiges Rathaus von heute, in das kein einziger Lichtstrahl fällt, sind nicht ein und dasselbe. Es kichert sich schwerer.

Ein anderes Beispiel? Bitte: Eine aktive Nazigegnerin, die Lehrerin Zita Pfister aus Aletshausen (Kreis Krumbach), die aus nachweislich achtbaren Gründen in die NS-Frauenschaft eingetreten und nach dem Zusammenbruch automatisch aus dem Amt entlassen worden war, wurde von der Augsburger Spruchkammer »als entlastet erklärt«. Naiv wie sie war, wollte sie nun wieder Lehrerin werden. Anfang März erfuhr sie, daß ihre Entlastung an den Kassationshof, eventuell auch an die Berufungskammer weitergegeben wird und daß sie demzufolge noch ein, zwei Jahre bis zur Wiederanstellung warten müsse. Es gebe allerdings einen Ausweg. »Eine Wiederanstellung sei nur möglich, wenn sie sich freiwillig in die Klasse IV (Mitläufer) einreihen ließe. In diesem Falle könne ihre Einstellung sofort erfolgen!« Da staunt der Laie, und nur der Fachmann wundert sich nicht.

Grüblerische Naturen mögen einwenden, daß es bei den Schildbürgern von einst keine Ernährungsämter, keine Spruchkammern und keine Kassationshöfe gegeben haben dürfte. Daran ist etwas Wahres. Ich selber kann es bezeugen. Als ich neun Jahre alt war, besuchte ich, unter Führung des Lehrers Schurig, der damals bei uns zur Untermiete wohnte, die Stadt Schilda, die bei Eilenburg liegt. Ich habe mich gründlich umgesehen. Es gab da zwar eine aus ein paar anmutigen Hügeln bestehende ›Schildaer Schweiz‹, aber für Ernährungsämter und Kassationshöfe wäre weit und breit kein Platz gewesen. Auch für Wirtschaftsämter nicht. Und das ist schade. Wir hätten sonst als Kinder noch viel mehr zum Lachen gehabt. Bis vor kurzem stellten die Beamten, um die ›Verteilung der Güter‹ zu lenken, Bezugscheine so aus, daß man die bewilligte Ware nicht in beliebigen Läden, sondern nur bei der auf dem Schein vermerkten Firma kaufen konnte. Das war verständlich. Daß man dann, nach längerem Anmarsch, mit dem Schein für einen Damenhut vor einem Lebensmittelgeschäft landete oder vor einem Laden, der seit einem Jahr nicht mehr existierte, war schon weniger verständlich. Den Rekord für Oberbayern hält aber noch immer Frau Charlotte Köhn aus Tegernsee. Sie schrieb der ›Süddeutschen Zeitung‹ von ihrem Glücksfall. »Vor kurzem bekam ich einen Bezugschein für eine Obertasse und eine Untertasse. Obertasse in Gmund zu kaufen, Untertasse in Tegernsee.« Das ist herzerfrischend, und man sollte den Beamten, der ihr und uns zu dem seltenen Vergnügen verhalf, zum ›Ehrenschildbürger‹ ernennen.

1950:
Schund- und Schandgesetzgebung

Gegenwärtig wird in Bonn und anderswo wieder einmal ein Schmutz- und Schundgesetz ausgearbeitet. Es heißt, man wolle mit Hilfe dieses Gesetzes den Magazinen und den Aktfotos an den Kragen. Den abgebildeten Fräuleins, die auch den letzten Zweifler unter uns einwandfrei — wenn auch nicht immer in einwandfreien Posen — davon überzeugen wollen, daß der Busen keine poetische Lizenz verderbter Dichter, sondern eine mehr oder weniger unumstößliche Tatsache ist, mit der man rechnen muß. Man will mit des Gesetzes Schärfe jene Fotografien verbieten, worauf sich Mannequins der Entkleidungsbranche schelmisch Medizinbälle, Teddybären, Muffs oder große Haarschleifen vor den Nabel halten. Der Staat will seine Bürger zwingen, wieder rot zu werden und sich zu entrüsten, wo es genügte, zu lachen oder die Achseln zu zucken. Will er das? Ja. Will er nichts weiter? Doch.
Hinter dem Gesetz verbirgt sich eine Tartüffelei. Man will nicht nur dem weiblichen Akt an die Gurgel. Man will dem natürlichen Menschen zuleibe. Zur Bekämpfung des Vertriebs eindeutiger Zweideutigkeiten genügen, auch nach Meinung namhafter Juristen, nach wie vor die einschlägigen Paragraphen des Strafgesetzbuchs, der Staatsanwalt und die Polizei. Die Antragsteller und die Auftraggeber wollen ein Kuratelgesetz gegen Kunst und Literatur zuwege bringen. Sie sagen ›Schmutz‹ und meinen ›Abraxas‹. Da zwar für sie beides ein und dasselbe ist, nicht aber fürs Strafgesetzbuch, brauchen sie ein Sonderge-

setz zur Entmündigung moderner Menschen. Da helfen keine Schwüre, das Gesetz werde großzügig gehandhabt werden. Nicht einmal dann, wenn es keine falschen Schwüre wären. Denn der jetzigen Regierung werden andere folgen. Vielleicht solche, denen es noch viel besser in den Kram paßt, die Kunst, die Bürger und den Feierabend zu dressieren.

Die freien Künste dürfen nicht zum staatlich betriebenen Flohzirkus werden. Um nicht im Bilde zu bleiben: Daß es bestimmte Kreise juckt, aus der Wiege unserer Verfassung das schönste Patengeschenk, die Freiheit, wegzuzaubern, liegt in der Natur, genauer, in der Unnatur der Sache, um die es diesen Kreisen und ihren Kreisleitern geht. Sie wurde schon einmal und fast von den gleichen Leuten in den zwanziger Jahren unseres fatalen Jahrhunderts betrieben.

Damals, zwischen Inflation und Hitlerei, gelang es ihnen, durch ein ähnliches Gesetz mit dem gleichen ungezogenen Titel, das Ansehen der freien Künste in den Augen der Bevölkerung so herabzusetzen, daß es etliche Jahre später keiner sonderlichen Anstrengungen bedurfte, angesichts von Bücherverbrennungen und Ausstellungen ›entarteter‹ Kunst das erforderliche Quantum Begeisterung zu entfachen.

Nun holt man also wieder zu einem ganz gewaltigen Streiche aus, zu dem gleichen Schildbürgerstreich wie 1926. Herrn Brachts fromme Erfindung, die geschlechtslose Badehose mit dem Zwickel, werden wir, gelingt der Streich, in der Sommersaison gleichfalls wiedersehen. Uns tun jetzt noch die Lachmuskeln weh. Aber wenigstens eins haben wir im letzten Vierteljahrhundert hinzugelernt: Lächerlichkeit tötet *nicht!* Es sei denn die Lacher. Deshalb dürfen wir uns diesmal nicht mit Gelächter begnügen.

Die Geschichte vom Trojanischen Pferd ist bekannt. Das Schmutz- und Schundgesetz ist ein neues Trojanisches Pferd. Man hat, züchtig gesenkten Blicks, an dem hölzernen Sagentier ein bißchen herumgehobelt. Bis ein sittlicher Wallach draus wurde. Nun steht der Trojanische Wallach, mit Kulturkämpfern bemannt, vor den Toren. Die Stadt heißt diesmal nicht Troja. Sie heißt *Schilda*.

Wären's nur die Reaktionäre verschiedener Fehlfarben, die das Schundgesetz fordern, ginge es noch an. Denn in Bonn sitzen auch andere Leute. Aber es kommen weitere Fürsprecher hinzu: die sogenannten *Dünnbrettbohrer.* Wenn's schon nicht gelingt, die tatsächlichen Probleme zu lösen, die Arbeitslosigkeit, die Flüchtlingsfrage, den Lastenausgleich, das Wohnungsbauprogramm, den Heimkehrerkomplex, die Steuerreform, dann löst man geschwind ein Scheinproblem. Das geht wie geschmiert. Hokuspokus — endlich ein Gesetz! Endlich ist die Jugend gerettet! Endlich können sich die armen Kleinen am Kiosk keine Aktfotos mehr kaufen und bringen das Geld zur Sparkasse! Dadurch werden die Sparkassen flüssig, können Baukredite geben, Arbeiter werden eingestellt, Flüchtlinge finden menschenwürdige Unterkünfte, und die Heimkehrer werden Kassierer bei der Sparkasse. Ja?

Ich will mir, bevor man mir's umbindet, kein Feigenblatt vor den Mund nehmen! Ich habe Flüchtlingsbaracken gesehen, worin Familien dutzendweise nebeneinander hausten, aßen und schliefen. Die einzelnen Wohnquadrate schamhaft durch an Stricken aufgehängte Pferdedecken abzugrenzen, wurde verboten. Die Decken seien nicht als Komfort geliefert worden, sondern für die Bettstellen. Glaubt man, daß die Halbwüchsigen und die Kinder aus diesen Baracken durch Aktfotos sittlich noch zu gefährden sind?

Weiter: Ich lese die ständig steigenden Ziffern gerade der jugendlichen Arbeitslosen und bewundere die frisch-fröhliche Art, mit der man diese Lawine verniedlicht. Prostituieren sich junge Mädchen, die es in normalen Zeiten gewiß nicht täten, deshalb, weil man ihnen Magazine zeigt, worin andere junge Mädchen, aus ähnlichen sozialen Anlässen, die kaufkräftige Öffentlichkeit, vor allem natürlich ärmliche Kinder und Waisen, anschaulich damit überraschen, daß sie den Busen vorn und nicht auf dem Rücken haben? Sind Menschen, die dergleichen zu glauben vorgeben und deswegen ihr Schand-, nein, ihr Schundgesetz durchpeitschen wollen, ehrliche Leute?

Sie bohren das Brett an der dünnsten Stelle. Das ist das ganze Geheimnis. Ein paar tausend Maler, Schauspieler, Schriftsteller, Bildhauer und Musiker, die dagegen protestieren, braucht man nicht sonderlich ernst zu nehmen. Das Volk der Dichter und Denker hat seine Dichter nie ernst genommen. Warum sollten's die Volksvertreter tun?

1954:
Drei Parteien stehen zur Wahl

Womit werben die Parteien? Mit außenpolitischen Argumenten und Slogans. Wählen die Bayern eine Landesregierung, damit sie Außenpolitik macht? Nächstens werden noch die Anwärter für den Bürgermeisterposten in Starnberg mit ihren Ansichten über die Saarfrage und die Nato Wähler gewinnen wollen, statt mit Vorschlägen für neue Schulhäuser, für eine Erweiterung des Omnibusnetzes und für eine Rationalisierung der Ortsverwaltung. Adenauers erfolgreiches Bemühen um die Festigung seines Prestiges bediente sich des ›Primats der

Außenpolitik‹, das hieß für ihn: wildes Anschmiegen an den großen Bruder überm großen Teich. Nun machen's ihm die hiesigen kleinen Brüder auch am kleinsten Teiche nach. Es ist grotesk, und alle brennenden innen- und sozialpolitischen Fragen werden — es handle sich denn um Dinge wie das Schmutz- und Schundgesetz, die dem weiteren Machtzuwachs der Behörden dienen — mit falschen Herzenstönen beiseitegesprochen.

Allein das ›Samstagsladenschlußgesetz‹ wird und wird nicht zustande gebracht. Man kann und kann sich nicht einigen. Es ist ein Zwergproblem der Innenpolitik, eine Feierabendfrage. Sie ist in Bonn nicht zu lösen. Man kann es nicht, und deshalb will man es nicht. Denn man will nur, was man kann.

Außenpolitik ›kann‹ man. Vor dem ›roten Tuch‹ werden alle Parteien scheu. So bot sich, als Hausmachtpolitik der Christen, Bankiers und zunächst zerschlagenen Konzerne, die Außenpolitik an, und nur sie. Jedes andre noch so kleine Eisen ist zu heiß.

Als neulich einige Gewerkschaften in einigen Gebieten streikten, war man weithin entrüstet. Prestigezuwachs von außen erfordert sozialen Burgfrieden im Innern. Somit grenzt Kampf gegen das Konservative an Landesverrat.

Wenn sich die Opposition rührt, wird Adenauer böse, weil er z. B. gerade zum Flugplatz Wahn fahren muß, um Herrn Dulles abzuholen. Zum Glück für ihn und die Fluggäste von auswärts opponiert im Grunde niemand. Oder die SPD, als Opposition legitimiert, hat kein Konzept, geschweige eine Konzeption, die klar und deutlich wäre. Das liegt zum Teil daran, daß die SPD in einigen Bundesländern mitregiert. (Auch daran, daß sie zu wenig Köpfe hat. Der ›Funktionär‹ ist längst tot, man hat ihn nur galvanisiert. Und die Intelligenz? Soll sie sich aktiv in eine Politik einschalten, die nicht ihre Interessen vertritt? Es ist schon Selbstverstümmelung, diese Partei zu wählen!)

Also, da die SPD in einigen Ländern mitregiert und sich, koste es, was es wolle, in den Kabinetten bewähren will, tritt sie kurz. Sehr kurz. Beim Thema ›Konfessions- oder Gemeinschaftsschule‹ kapituliert sie geradezu, wenigstens während und wo sie mitregiert. Kulturpolitik war ja immer das fünfte Rad am Wagen der Sozialdemokraten, und sie haben nichts dazugelernt. Während die ›christlichen‹ Parteien, bis zum Dorfpfarrer, genau wissen, worum es hier geht, und danach handeln.

Die Opposition übt sich im Regieren, für den Fall, daß sie eines Tags die Majorität bekäme. Statt sich dadurch, daß sie echt opponiert, die Majorität zu erkämpfen. Sie ist das Schaf im Schafspelz. Die Opposition hat auf die Opposition verzichtet. Der Posten ist noch frei. Die

SPD hat noch nicht einmal gemerkt, daß links von ihr niemand mehr steht. Auch diese eminente staatspolitische Position ›positiv‹ zu bewältigen, wäre eine ihrer Aufgaben. (Es gibt nicht einmal eine große SPD-Zeitung!)

Die FDP? Die Spannweite zwischen ihren zwei Flügeln ist so groß, daß niemand, wohl auch sie selber nicht, weiß, wohin sie fliegen wird. Auch hier also: Cave canem! Obwohl sie die Kulturpolitik, bislang, recht vernünftig anpackt.

Wenn wir schon resignieren möchten, was sollen die jungen Leute tun? Es ist ein böser Scherz der Geschichte, daß die Demokratie bei uns immer erst auszubrechen pflegt, nachdem ein Krieg verloren wurde. Demokratie und Ressentiment — das führt zu Strindberg-Ehen!

1961:

Gegen einen deutschen Atomfeuereifer

In dem Zwiegespräch zweier selbstzufriedner Bürger aus dem ›Faust‹, in jener Szene, die gemeinhin ›Der Osterspaziergang‹ genannt wird, sagt der eine Bürger: »Nichts Bessers weiß ich mir an Sonn- und Feiertagen / Als ein Gespräch von Krieg und Kriegsgeschrei, / Wenn hinten, weit, in der Türkei, / Die Völker aufeinanderschlagen. / Man steht am Fenster, trinkt sein Gläschen aus / Und sieht den Fluß hinab die bunten Schiffe gleiten; / Dann kehrt man abends froh nach Haus / Und segnet Fried und Friedenszeiten.«

Und der andre Bürger, dem das aus der Seele gesprochen ist, antwortet: »Herr Nachbar, ja! so laß ichs auch geschehn; / Sie mögen sich die Köpfe spalten, / Mag alles durcheinandergehn; / Doch nur zu Hause bleibs beim alten!«

Der Unterschied zwischen Osterspaziergängen, so beliebt sie noch immer sind, und den neumodischen Ostermärschen in England, in Dänemark, bei uns und anderswo mag groß sein. Doch der Unterschied zwischen dem gemütlichen Köpfespalten »hinten, weit, in der Türkei« und der Kernspaltung ist noch ein bißchen größer.

Warum marschieren denn sie, die das Marschieren verabscheuen? Warum setzt sich Bertrand Russell, der Mathematiker, Nobelpreisträger und Philosoph, achtundachtzig Jahre alt, im Schneidersitz demonstrativ vors englische Verteidigungsministerium? Weil ihm keine hübschere Art der ›Freizeitgestaltung‹ einfiele?

Was werfen wir den Wichtigtuern und Tüchtigtuern vor? Lassen wir die großen Vokabeln getrost aus dem Spiel! Reden wir nicht von »Ver-

518

rat am Christentum« und ähnlich massiven Gegenständen. Wir sind ja keine pathetische Sekte, sondern nüchterne Leute. Deshalb werfen wir ihnen zweierlei vor: Mangel an Phantasie und Mangel an gesundem Menschenverstand. Ihr Mut und ihre Vorstellungen stammen aus Großmutters Handkörbchen. Ost und West spielen einen Dauerskat mit Zahlenreizen, als ginge es um die Achtel. Aber es geht ums Ganze! Ich möchte zitieren, was ein berufener Mann geschrieben hat. Ein Mann mit Phantasie und gesundem Menschenverstand, der außerdem, im Gegensatz zu mir, ein Fachmann ist. Ich meine Carl Friedrich von Weizsäcker, den in Hamburg lebenden und lehrenden Atomphysiker und Philosophen. Er schreibt im Taschenbuch ›Kernexplosionen und ihre Wirkungen‹: »Entweder wird das technische Zeitalter den Krieg abschaffen, oder der Krieg wird das technische Zeitalter abschaffen ... Die Entwicklung des technischen Zeitalters ist dem Bewußtsein des Menschen davongelaufen. Wir denken und handeln von Begriffen aus, die früheren Zuständen der Menschheit angemessen waren, den heutigen aber nicht. Wir könnten uns wahrscheinlich sehr viele überflüssige Anstrengungen ersparen, wenn wir etwas mehr Zeit und Kraft darauf verwendeten, uns die Lebensbedingungen unserer Welt in aller Ruhe klarzumachen ... Beim Versuch einer sorgfältigen Abschätzung bin ich zu der Vermutung gekommen, daß ein Atomkrieg (mit vollem Einsatz der existierenden Waffen) vielleicht 700 Millionen Menschen töten würde, darunter den größeren Teil der Bevölkerung der Großmächte, die heute als Träger dieses Kriegs allein in Betracht kommen. Er würde wahrscheinlich einige weitere hundert Millionen mit schweren Strahlen- und Erbschäden zurücklassen. Bedenkt man die wahrscheinliche Wirkung eines solchen Vorgangs auf die Überlebenden, so wird man wohl vermuten müssen, daß sie bereit wären, zu jedem Mittel zu greifen, das die Wiederholung einer solchen Katastrophe zu verhindern verspräche. Vermutlich unterwürfen sie sich also einer Weltdiktatur, als deren Träger dann beim Kräfteverhältnis nach der weitgehenden Zerstörung der hochindustrialisierten Weltmächte Amerika und Rußland am ehesten China in Betracht käme. Wer das durchdenkt, wird überzeugt sein, daß dieses Unglück vermieden werden muß, soweit das überhaupt in menschlichen Kräften steht. Er wird insbesondere erkennen, daß die Kultur und die bürgerliche Freiheit, die wir ja doch zu schützen wünschen, durch jenen Krieg aller Voraussicht nach zerstört werden würden! ... Die Zukunft jeder einzelnen Nation wird davon abhängen, daß sich in jeder einzelnen Nation Menschen finden, die begreifen, daß Souveränität im alten Sinn heute unmöglich ist. Zu dem Mißverstehen der Weltlage scheinen mir die vielfach sich regenden Wünsche nach einer nationalen Atomrüstung zu gehören.«

Soweit Carl Friedrich von Weizsäcker. Ein Fachmann. Ein Mann mit gesundem Menschenverstand. Und ein Mann mit Phantasie, die nicht das mindeste mit Phantasterei zu schaffen hat.

Ich muß gestehen, daß mir einige seiner Sätze den Atem verschlagen haben. Nicht seine Schätzung, ein solcher Atomkrieg werde an Toten und Verseuchten etwa eine Milliarde Menschen kosten. Ähnliche Ziffern haben auch andere Fachleute genannt. Auch seine Erwartung, Amerika und Rußland würden im Doppelselbstmord enden, mitsamt den Gernegroßmächten in beiden Lagern, teilen wir ja wohl seit langem. Was mir den Atem benahm, war Weizsäckers Schlußfolgerung. Mich erregte die Konsequenz. Mich überwältigte die Logik seiner Phantasie. Viele unter uns, auch ich, haben immer nur das gigantische Leichenfeld vor Augen gesehen, aber niemals den gigantischen Erben! China! Das immense Land! Das riesige Volk! Und dessen Regierung, die Rußland immer wieder zum harten Kurs gegen Amerika auffordert! Phantasie? Nur Phantasie? Nun, diese Phantasie eines deutschen Atomphysikers ist tausendmal realistischer als der Routinetraum deutscher Generäle, Westdeutschland, wenn nicht gar die westliche Welt bei Hof und Helmstedt mit taktischen Atomwaffen zu retten. Die Herren haben bekanntlich den Ersten und den Zweiten Weltkrieg gewonnen. Denn wo nähmen sie sonst die großen Worte her? Welches Argument könnten sie sonst für ihre dritte Siegeszuversicht ins Treffen führen? Ins Atomtreffen? Ich wüßte keines.

Trotz solcher Sorge, verstärkt durch die Besorgnis, die SPD könne eines Tages in die CDU eintreten, haben wir einen neuen Grund zur Hoffnung. Denn in Washington ist, im Zusammenhang mit der unsinnigen Formel, Kriege ließen sich durch Aufrüstung verhindern, ein für Militärtheoretiker ungewöhnliches Wort gefallen: das Wort ›Zufall‹! Man hat zwar die alte Formel nicht zum alten Eisen geworfen. Man hat aber verlautbart, daß sie per Zufall ungültig werden könne, und je größer der ›Atomklub‹ werde, um so größer werde die tödliche Gefahr des Zufalls.

Den Gegnern der Atomrüstung hat man damit nichts Neues erzählt. Wir haben schon immer gemeint, ein Pilot oder wer immer brauche nicht nur deswegen wahnsinnig zu werden, weil er am Abwurf einer Atombombe schuld ist, sondern auch, weil er die Macht hätte, sie abzuwerfen, jedoch nicht die Erlaubnis hierfür, und daß er gerade deshalb auf den Zauberknopf drücken werde.

Vor ein paar Tagen hat sich die ›Frankfurter Allgemeine Zeitung‹ im

Leitartikel ihres Militärsachverständigen zum Thema geäußert. Herr Weinstein schreibt: »Offiziell setzt sich Washington weiter für die Abschreckungstheorie ein; aber es ist auch bekannt, daß namhafte Militärtheoretiker die These vertreten, mit der Abschreckung allein ließe sich ein Krieg keineswegs mehr verhindern.« Dann kommt er auf Henry Kissinger, einen wichtigen Berater des Präsidenten, zu sprechen, und damit auf »eine Regierung, die nicht felsenfest davon überzeugt ist, daß das Gleichgewicht des gegenseitigen Terrors den Schrecken für alle verhindern kann ... Die Gefahren sehen Kissinger und die ihm verwandten Geister« — damit wird natürlich nicht zuletzt auf Kennedy angespielt — »in der Möglichkeit, daß ein großer Krieg durch Zufall ausbräche«.

Wenn eine der zwei Atomgroßmächte, im Hinblick aufs Jüngste Gericht der Technik, das Wort von der zunehmenden Möglichkeit des puren ›Zufalls‹ öffentlich gebraucht, so kann sie dieses Wort nie wieder zurücknehmen. Vor ihrer Nation nicht. Vor keiner Nation, und nicht vor der Geschichte. Man muß in Washington wissen, was man, vernünftigerweise, angerichtet hat, und ich glaube, man wird wissen, daß man in Moskau neuerdings nicht anders, sondern genauso denkt.

Sollten sich, vom Worte ›Zufall‹ angeregt, die beiden Zauberlehrlinge ehrlich auf den Spruch besinnen, der allein aus dem Teufelskreis herausführen kann? Sollten sie, wie der deutsche Atomphysiker in Hamburg, an die Zeit nach der Katastrophe denken? Zum Beispiel an die chinesische Erbschaft? Sollten sie rechtzeitig den gesunden Menschenverstand, die Phantasie und den Mut aufbringen, zu den Atombomben und deren Generalvertretern zu sagen: »Besen! Besen! / Seids gewesen!«?

Das ist ein kleiner Lichtblick, aber noch kein Anlaß zu einem feierlichen Dankgebet, zu einem bundesdeutschen Dankgebet schon gar nicht. Unsere Heerführer und deren Wortführer marschieren, wie Kinder nun einmal sind, munter Trompete blasend an der Tête der amerikanischen Wachtparade immer geradeaus. Sie merken in ihrem Feuereifer, in ihrem Atomfeuereifer, gar nicht, daß die Wachtparade um die Ecke biegen will. Daß sie womöglich schon um die Ecke gebogen ist. Werden sich die Kinder umdrehen? Und werden sie sich dann — umschauen?

Es ist ein kleiner Lichtblick, mehr nicht. Immerhin, das Wort vom Zufall ist nicht zurückzunehmen. Es steht in Feuerschrift an der Wand, unauslöschbar.

1965:
Lesestoff, Zündstoff, Brennstoff

Anfang Oktober hat in Düsseldorf eine Jugendgruppe des ›Bundes Entschiedener Christen‹, wohlversehen mit Gitarrenbegleitung, einem evangelischen Pressefotografen und zwei etwa dreißigjährigen Diakonissinnen, am Ufer des Rheins Bücher verbrannt. Unter Absingung frommer Lieder. Mit Genehmigung des Amtes für öffentliche Ordnung. Und, wie dergleichen zu geschehen pflegt: spontan.

Die jungen Protestanten hatten ihren spontanen Entschluß bei besagtem Amte vier Wochen vorher angemeldet, und die Polizei hatte das Autodafé erlaubt. Wegen des feuergefährlichen Funkenflugs allerdings nicht auf dem im Gesuch erwähnten Karlplatz, sondern am Rheinufer. Hier wurden dann also, neben Schundheften, Bücher von Camus, der Sagan, von Nabokov, Günter Graß und mir mit Benzin begossen und angezündet.

Die Schundhefte waren jugendliches Eigentum. Den literarischen Teil des Zündstoffs hatte man aus den Regalen von Eltern und entfernteren Verwandten entfernt, beizeiten ins Jugendheim gebracht und dort in Pappkartons deponiert gehabt. Spontaneität ist seit alters ein schönes Vorrecht der Jungen.

Die in- und ausländische Presse griff das Ereignis sofort auf. Und als ich, eine Woche danach, wegen einer seit Monaten anberaumten Vorlesung, in Düsseldorf eintraf, erschien ich, trotz des Zufalls, wie aufs Stichwort. Die Evangelische Landeskirche hatte sich distanziert. Die Zeitungen brachten Leserbriefe, Glossen und Reportagen. Und was taten die kleinen Brandstifter? Sie waren verblüfft. Sie wiesen jede Anspielung auf die Bücherverbrennung vom 10. Mai 1933 entrüstet von sich. In einer ihrer Bibelstunden war von einem Briefe des Apostels Paulus an die Epheser die Rede gewesen und von der Verbrennung heidnischer Zauberbücher. Nicht Goebbels, sondern Paulus hatte sie inspiriert. Sie kannten nicht die deutsche, sondern die Apostelgeschichte.

Mich verdroß diese Unbildung. Mich verdroß der bewiesene ›Feuereifer‹. Mich verdroß noch mehr, daß, nach wie vor, von einer spontanen Aktion die Rede war. Denn junge Christen, welcher Konfession auch immer, sollten nicht frecher lügen als andere junge Leute. Und am meisten verdroß mich die Schweigsamkeit der städtischen Behörden. Denn daß das Amt für öffentliche Ordnung einen bedenklichen Fehler gemacht hatte, als es nur an den Funkenflug auf dem Karlplatz dachte, nicht aber an brennendere Probleme, mußte dem Rathaus längst klargeworden sein.

Das Rathaus, das war der Oberbürgermeister. Und der Oberbürgermeister war, wie ich hörte, ein aufrechter Sozialdemokrat. Warum schwieg er so gründlich? Warum erteilte er dem ihm unterstellten öffentlichen Amt keinen öffentlichen Verweis? Lore und Kay Lorentz vom Kabarett ›Kom(m)ödchen‹ vermittelten eine Unterhaltung. Ein Schriftsteller würde das Oberhaupt Düsseldorfs fragen können, warum man eine solche ›Affäre‹ auf sich beruhen ließ.

Im Amtszimmer wurden Kaffee und Zigaretten serviert. Reporter blitzten Fotos für die Morgenblätter. Bilder mit gemütlichen Unterschriften standen bevor. Handelte es sich hier um Kommunaldiplomatie oder um ein Mißverständnis? In jedem Fall verdarb ich die Stimmung, als ich mich angelegentlich erkundigte, wem es oblegen und wer es somit versäumt habe, die Ärgernisse der vergangenen Woche offiziell zu verurteilen. Der Oberbürgermeister wollte das joviale Kaffeestündchen retten. Ich blieb neugierig. Wir verdarben einander das Konzept. Das Ganze, so sagte er, sei ein Dummerjungenstreich gewesen, den man nicht hochspielen solle, und das Amt für öffentliche Ordnung habe korrekt gehandelt. Diese Instanz müsse sich um den Funkenflug kümmern. Das habe sie getan. Den literarischen Wert oder Unwert des Brennmaterials zu beurteilen, sei nicht ihres Amtes.

Und obwohl nun das Ehepaar Lorentz von anonymen Drohbriefen erzählte, die es, wegen seines Kabarettprogramms, laufend erhalte; obwohl die am Kaffeetisch sitzenden Journalisten berichteten, daß soeben auf dem Kongreß des ›Christlichen Vereins Junger Männer‹ die Bücherverbrennung von fast 200 deutschen Delegierten begrüßt worden war; obwohl auf Ludwig Erhards hilflosen Jähzorn die Rede kam, mit dem er die intellektuellen ›Pinscher‹ traktiert hatte, und auch als diese und andere Peinlichkeiten in politischen Zusammenhang gebracht wurden — noch dann beharrte der Oberbürgermeister auf seinem Standpunkt. Er ärgerte sich immer offensichtlicher über die Taktlosigkeit seiner Gäste. So durfte man mit einem Hausherrn nicht umspringen! Ich empfahl mich, und der Abschied fiel uns leicht.

Zu Beginn meiner Vorlesung am gleichen Abend berichtete ich dem Publikum kurz von dem mißglückten Besuch. Das war nicht höflich? Es war notwendig. Jedermann hat das Recht, Literatur, die er mißbilligt, im Ofen oder auf dem Hinterhof zu verbrennen. Aber ein öffentliches Feuerwerk veranstalten, das darf er nicht. Auch nicht, wenn er ein entschiedener Christ ist. Auch nicht, wenn es die Polizei erlaubt. Auch nicht, wenn der Oberbürgermeister nichts dabei findet. Und nicht einmal, wenn der Oberbürgermeister Sozialdemokrat ist.

Mehrere Wochen später: Neuigkeiten aus Düsseldorf. Auf der Bundestagung der ›Entschiedenen Christen‹ wurde die Bücherverbrennung lebhaft gebilligt! Daraufhin erklärte der Oberbürgermeister während einer Sitzung des Magistrats, daß er, nun doch, das Feuerwerk am Rheinufer verurteile. Und daß es nötig sein werde, dem Amt für öffentliche Ordnung Weisungen zu erteilen, die sich nicht nur auf den Funkenflug bezögen.

Diese zwei bis drei Neuigkeiten standen, außer vielleicht in Düsseldorf, nicht in der Zeitung. Ich erfuhr sie, brieflich, durch einen Bekannten, der dort wohnt. Anfang Oktober hatte sich die öffentliche Meinung an den brennenden Büchern entzündet. Und was ist nun? Der Oberbürgermeister hat seinen Fehler korrigiert, und die spontanen Christen haben ihre Schuld verdoppelt. Aber es hat sich nicht herumgesprochen.

1966:

Die Einbahnstraße als Sackgasse

Gestern war ich in Nürnberg. Am Tage vorher hatten in Bayern Gemeindewahlen stattgefunden und im großen und ganzen die Erwartungen bestätigt. Nur eben in Nürnberg, der Hauptstadt Frankens, und in den übrigen fränkischen Städten, wie in Bayreuth, Bamberg, Ansbach, holte man tief Luft. Man schüttelte ungläubig den Kopf. Warum? Die NPD, die Nationaldemokratische Partei, war, als einzige Splitterpartei, in den Vordergrund gewählt worden. Sie hatte hier und da die FDP überrundet, also die immerhin drittgrößte Partei in der Bundesrepublik. In Bayreuth hatte sie 10,5 Prozent der abgegebenen Wählerstimmen auf sich vereinigt, anderswo 9,5 Prozent und 9 und 8 — und in Nürnberg selber 7,5 Prozent!

Die Verblüffung ist verständlich. Bei der Bundeswahl im vorigen Jahr kandidierte die NPD zum erstenmal überhaupt und erhielt zwei Prozent der Stimmen. Und diesmal, bei den Kommunalwahlen, glich das Ergebnis im übrigen Bayern jenem vorjährigen Bundesresultat. Außer, wie gesagt, in Franken. Hat das abnorme Votum mit dem Volksstamm zu tun? Oder mit der NPD? Man braucht die drei Buchstaben nur umzustellen und durch zwei weitere, nämlich durch SA, zu ergänzen — und die neue Firma erinnert uns, ganz gewiß mit Absicht, an eine ältere: an die NSDAP. Haben die Franken nationaldemokratisch gewählt, weil sie ums Drei- bis Vierfache nationalsozialistischer sind als die anderen Bewohner Bayerns?

Wenn das zuträfe, hätten wir's mit einer regionalen Abnormität zu tun. Schlimm in und für Franken, aber nicht so schlimm für unsere Demokratie und zweite Republik. Ich fürchte, diese sanfte Deutung wäre falsch. Auch und gerade für Nürnberg, obwohl hier die Reichsparteitage und die Kriegsverbrecherprozesse stattfanden. Denn Nürnberg unterscheidet sich kommunalpolitisch nicht von unseren anderen Großstädten. Auch hier ist der Oberbürgermeister ein Sozialdemokrat. Und, wie in den anderen Rathäusern, hilft auch im Nürnberger Rathaus kein weltpolitisches Geschwafel. Hier geht es um Wohnungen, Straßen und Schulen. Hier heißt es: Hic urbs, hic salta! Hier ist man nicht nur Stadtrat und Fraktionsmitglied, sondern, unmittelbar, auch Mitbürger.

Es kann nicht an den Franken, es muß an den Nationaldemokraten gelegen haben! Hier war ihr Versuchsfeld. Hier wurde ›es‹, mit erschwinglichen Unkosten, einmal ausprobiert. Hier veranstalteten sie, mit Pauken und Trompeten, nationale Fackelzüge. Hier ließen sie sich, bei Gegendemonstrationen, in bescheidene Schlägereien ein. Und hier hatten sie vorgestern jenen Wahlerfolg, der auch sie verblüfft haben dürfte. Der regionale Test hat ihre Erwartungen übertroffen. Sie werden ihn künftig einkalkulieren.

Sie wissen jetzt, statistisch nachprüfbar, zweierlei. Erstens: Die öffentliche Unzufriedenheit wächst. Und zweitens: Sie läßt sich, zwanzig Jahre nach dem Zusammenbruch des Dritten Reiches, wieder mit den alten Phrasen anheizen und gängeln. Man braucht nicht mehr zu fordern, daß die Mängel unsrer Demokratie beseitigt werden. Man kann mit wachsender Zustimmung rechnen, wenn man fordert, daß die Demokratie selber abgeschafft wird. Ich sehe zu schwarz?

Wir haben Pech mit der Demokratie. Ob nun 1918 oder 1945, sie war das Aschenputtel der Jahre Null. Sie durfte beide Male den Dreck und die Schande wegputzen, die uns nationalistische Großmäuler hinterlassen hatten. Sie durfte das Land wieder hochbringen. Sie durfte dem Volk wieder zu einigem Ansehen verhelfen. Und sie durfte, obwohl sie das beide Male nicht gedurft hätte, der Remilitarisierung Vorschub leisten. Damit hatte Weimar sein demokratisches Soll erfüllt. Die Wirtschaftskrise kam. Die Unzufriedenen formierten und uniformierten sich. Und sie schwenkten, mit Fackeln und Gesang, in jene Einbahnstraße ein, die eine Sackgasse war.

Und diesmal? Auch Bonn hat sein Soll erfüllt. Noch ist, trotz sinkender Konjunktur und schleichender Inflation, die Wirtschaftskrise mit jener der zwanziger Jahre unvergleichbar. Doch die Unzufriedenen formieren sich schon. Drohbriefe sind an der Tagesordnung. Nachts werden Haustüren in Brand gesteckt. Offiziere und Unteroffiziere der Bundeswehr haben für die NPD kandidiert. Es ist fast wieder soweit.

Gestern las ich im Nürnberger Schauspielhaus mein ›Deutsches Ringelspiel 1947‹ vor. Die Verse des ›Widersachers‹ wirkten erstaunlich aktuell*. Das fand auch das (vorwiegend jugendliche) Publikum.

»Videant consules!« möchte man rufen. Aber die Herren haben seit längerem mit der Wahl des CDU-Vorsitzenden zu tun. Vier bis fünf Stellvertreter soll er kriegen. Hübsch proportioniert. Nicht zu viele Protestanten. Nicht allzu viele Katholiken. Die Köpfe rauchen. — Und der bekannte Marsch in die Einbahnstraße, die eine Sackgasse ist, kann demnächst ungestört beginnen.

Ich sehe zu schwarz? Nun, ich möchte in dieser Sache, eines hoffentlich schönen Tages, tausendmal lieber als Schwarzseher getadelt denn als Hellseher gelobt werden.

* *Den Wortlaut findet der Leser auf Seite 108*

Kästner über Kästner

Meine sonnige Jugend

Ich kam im Jahre 1899 zur Welt. Mein Vater, der als junger Mann Sattlermeister mit einem eigenen Geschäft gewesen war, arbeitete damals schon, nur noch als Facharbeiter, in einer Kofferfabrik. Als ich etwa sieben Jahre alt war, gab es Streiks in der Stadt. Auf unserer Straße flogen abends Steine in die brennenden Gaslaternen. Das Glas splitterte und klirrte. Dann kam berittene Gendarmerie mit gezogenen Säbeln und schlug auf die Menge ein. Ich stand am Fenster, und meine Mutter zerrte mich weinend weg. Das war 1906. Deutschland hatte einen Kaiser, und zu seinem Geburtstag gab es auf dem Alaunplatz prächtige Paraden. Aus diesen Paraden entwickelte sich der Erste Weltkrieg.

1917, als schon die ersten Klassenkameraden im Westen und Osten gefallen waren, mußte ich zum Militär. Ich hätte noch zwei Jahre zur Schule gehen sollen. Als der Krieg zu Ende war, kam ich herzkrank nach Hause. Meine Eltern mußten ihren neunzehnjährigen Jungen, weil er vor Atemnot keine Stufe allein steigen konnte, die Treppe hinaufschieben. Nach einem kurzen Kriegsteilnehmerkursus fing ich zu studieren an.

1919 hatte man in unserer Stadt einen sozialistischen Minister über die Brücke in die Elbe geworfen und so lange hinter ihm dreingeschossen, bis er unterging. Auch sonst flogen manchmal Kugeln durch die Gegend. Und an der Universität dauerte es geraume Zeit, bis sich die aus dem Kriege heimgekehrten Studenten politisch so beruhigt hatten, daß sie entschlossen waren, etwas zu lernen. Als sie soweit waren, stellte es sich plötzlich sehr deutlich heraus, daß Deutschland den Krieg verloren hatte: das Geld wurde wertlos. Was die Eltern in vielen Jahren am Munde abgespart hatten, löste sich in nichts auf. Meine Heimatstadt gab mir ein Stipendium. Sehr bald konnte ich mir für das monatliche Stipendium knapp eine Schachtel Zigaretten kaufen.

Ich wurde Werkstudent, das heißt, ich arbeitete in einem Büro, bekam als Lohn am Ende der Woche eine ganze Aktenmappe voll Geld und mußte rennen, wenn ich mir dafür zu essen kaufen wollte. An der Straßenecke war mein Geld schon weniger wert als eben noch an der Kasse. Es gab Milliarden-, ja sogar Billionenmarkscheine. Zum Schluß reichten sie kaum für eine Straßenbahnfahrt.

Das war 1923. Studiert wurde nachts. Heute gibt es keine Kohlen zum Heizen. Damals gab es kein Geld für die Kohlen. Ich saß im Mantel im möblierten Zimmer und schrieb eine Seminararbeit über Schillers ›Ästhetische Briefe‹. Dann war die Inflation vorbei. Kaum ein anständiger Mensch hatte noch Geld. Da wurde ich, immer noch Student, kurz entschlossen Journalist und Redakteur. Als ich meine Doktorarbeit machen wollte, ließ ich mich in der Redaktion von einem anderen Studenten vertreten. Während der Messe, ich machte mein Examen in Leipzig, hängten wir uns Plakate um und verdienten uns als wandelnde Plakatsäulen ein paar Mark hinzu. Mehrere Male in der Woche konnten mittellose Studenten bei und mit netten Leuten, die sich an die Universität gewandt hatten, zu Mittag essen. Amerikanische Studenten schickten Geld. Schweden half.

Das war 1925. Nach dem Examen ging's in die Redaktion zurück. Das Monatsgehalt kletterte auf vierhundert Mark. Im nächsten Urlaub wurde der Mutter die Schweiz gezeigt, im übernächsten mußte ich mich ins Herzbad verfügen. Und 1927 flog ich auf die Straße, weil einer rechtsstehenden Konkurrenzzeitung meine Artikel nicht gefielen und mein Herr Verlagsdirektor keine Courage hatte. So fuhr ich 1927 ohne Geld los, um Berlin zu erobern. Ende des Jahres erschien mein erstes Buch. Andere folgten. Sie wurden übersetzt. Der Film kam hinzu. Die Laufbahn schien gesichert. Doch es war wieder nichts. Denn die wirtschaftliche Depression wuchs. Banken krachten. Die Arbeitslosigkeit und die Kämpfe von mehr als zwanzig politischen Parteien bereiteten der Diktatur den Boden. Hitler kam an die Macht, und Goebbels verbrannte meine Bücher. Mit der literarischen Laufbahn war es Essig.

Das war 1933. Zwölf Jahre Berufsverbot folgten. Es gibt sicher schlimmere Dinge, aber angenehmere gibt es wahrscheinlich auch . . . Nun schreiben wir das Jahr 1946, und ich fange wieder einmal mit gar nichts und von vorne an.

Kästner schreibt an Kästner

Berlin, 12. Januar 1940
nachts, in einer Bar

Sehr geehrter Herr Dr. Kästner!
Hoffentlich werden Sie mir nicht zürnen, wenn Sie diese Zeilen morgen früh in Ihrem Briefkasten vorfinden. Daß ich Ihnen — obwohl ich weiß, daß es nicht nur ungewöhnlich, sondern, rundheraus, unschicklich ist, sich selber zu schreiben — einen Brief schicke, mag Ihnen beweisen, wie sehr ich wünsche, zu Ihnen vorzudringen.

Werden Sie, bitte, nicht ärgerlich! Werfen Sie den Brief nicht in den Papierkorb, oder doch erst, nachdem Sie ihn zu Ende gelesen haben! Gewährt es Ihnen nicht eine gewisse Genugtuung, daß ich Sie, unbeschadet unserer gemeinsam genossenen und erduldeten Vergangenheit, mit dem höflichen, Abstand haltenden ›Sie‹ anrede statt mit dem freundschaftlichen Du, das mir zustünde?

Ich kenne Ihren Stolz, der Zutrauen für Vertraulichkeit hält. Ich weiß um Ihr empfindsames Gemüt, das Sie, in jahrzehntelangem Fleiß, mit einer Haut aus Härte und Kälte überzogen haben, und ich bin bereit, darauf Rücksicht zu nehmen. Zurückhaltung bewirkt verdientermaßen Haltung. Wir, sehr geehrter Herr Doktor, wissen das, denn wir erfuhren es zur Genüge. Nun finde ich aber, während ich, von lärmenden und lachenden Menschen umgeben, Ihrer bei einer Flasche Feist gedenke: daß man die Einsamkeit nicht übertreiben soll.

Ich verstehe und würdige Ihre Beweggründe. Sie lieben das Leben mehr als die Menschen. Gegen diese Gemütsverfassung läßt sich ehrlicherweise nichts einwenden, was stichhältig wäre. Und auch das ist wahr, daß man nirgendwo so allein sein darf wie in den zitierten Häusern der großen Städte.

Wer Sie flüchtig kennt, wird nicht vermuten, daß Sie einsam sind; denn er wird Sie oft genug mit Frauen und Freunden sehen. Diese Freunde und Frauen freilich wissen es schon besser, da sie immer wieder empfinden, wie fremd Sie ihnen trotz allem bleiben. Doch nur Sie selber ermessen völlig, wie einsam Sie sich fühlen und welcher Zauber, aus Glück und Wehmut gewoben, Sie von den Menschen fernhält. Sie sind deshalb bemitleidet und auch schon beneidet worden. Sie haben gelächelt. Man hat Sie sogar gehaßt. Das hat Sie geschmerzt, aber nicht verwandelt.

Kein Händedruck, kein Hieb und kein Kuß werden Sie aus der Einsiedelei Ihres Herzens vertreiben können. Wer das nicht glaubt, weiß überhaupt nicht, worum es geht. Er denkt vielleicht an den tränenverhangenen Weltschmerz der Jünglinge, die sich vor drohenden Erfahrungen verstecken wie scheue Kinder vor bösen Stiefvätern. Doch Sie, mein Herr, sind kein Jüngling mehr. Sie trauern nicht über Ihren Erinnerungen, und Sie fürchten sich vor keiner Zukunft. Sie haben Freunde und Feinde in Fülle und sind, dessen ungeachtet, allein wie der erste Mensch! Sie gehen, gleich ihm, zwischen Löwen, Pfauen, Hyänen, gurrenden Tauben und genügsamen Eseln einher. Und obgleich Sie vom Apfelbaum der Erkenntnis aßen, wurden Sie aus diesem späten Paradies nicht vertrieben.

Trotzdem: Es ist nicht gut, daß der Mensch allein sei! Und wenn Sie schon anderen verwehren, bis zu Ihnen vorzudringen, sollten Sie wenigstens mir gestatten, Ihnen gelegentlich näherzukommen. Ich wähle, da ich uns kenne, den Weg über die Post. Zerreißen Sie den Brief, wenn Sie wollen, aber ich wünschte, Sie täten es nicht!

Mit den besten Empfehlungen

Ihr sehr ergebener

Erich Kästner

NB. Eine Antwort ist nicht nötig.

Anmerkungen nach Empfang
des ersten Briefs:

Berlin, 13. Januar 1940
zu Hause

Vorhin klingelte der Postbote und brachte den Brief. Und nun, nachdem ich, ein bißchen verlegen, gelesen habe, was ich mir gestern nacht schrieb, muß ich mir recht geben. Ich sollte wirklich mehr Umgang haben, mindestens mit mir, und wenigstens schriftlich!

Es tut wohl, von jemandem, dem man nahesteht, Briefe zu erhalten. Und, zum Donnerwetter, ich stehe mir doch nahe? Oder bin sogar ich mir selber fremd geworden? Mitunter habe ich dieses Gefühl. Dann wird mir unheimlich zumute, und es hilft nichts, daß ich vor den Spiegel draußen im Flur hintrete und mir eine kleine Verbeugung mache. »Gestatten, Kästner«, sagt der Spiegelmensch. Mein rechtes Auge lächelt aus seiner linken Augenhöhle. Es ist zuweilen nicht ganz einfach, gute Miene zu bewahren.

Ich werde mich wieder mit mir befreunden müssen. Wenn es nicht anders geht, meinetwegen auf brieflichem Wege. Schlimmstenfalls erhöhe ich bloß den Markenumsatz der Reichspost. Ich will nicht vergessen, stets einen Briefumschlag mit getippter Anschrift bei mir zu tragen. Es wäre doch recht fatal, wenn die Sekretärin dahinterkäme, daß ich mir selber schreibe.

Es läßt sich zwar kaum vermeiden, daß Schriftsteller etwas verrückt sind. Aber die meisten sind noch stolz darauf und tragen ihren Spleen im Knopfloch. Diese Leute sind mir zuwider. Man hat die verdammte Pflicht, sich nicht gehen zu lassen. Kollegen, denen die Schöpfung einen sogenannten Künstlerkopf beschert hat, tun mir leid, weil sie ihn nicht umtauschen können; und ich wundere mich immer wieder, daß sie, statt sich ihrer auffälligen Gesichter insgeheim zu schämen, sie eitel zur Schau tragen, wie Barfrauen ein gewagtes Dekolleté.

Mein lieber Kästner!

Früher schriebst Du Bücher, damit andere Menschen, Kinder und auch solche Leute, die nicht mehr wachsen, läsen, was Du gut oder schlecht, schön oder abscheulich, zum Lachen oder Weinen fandest. Du glaubtest, Dich nützlich zu machen. Es war ein Irrtum, über den Du heute, ohne daß uns das Herz weh tut, nachsichtig lächelst.

Deine Hoffnungen waren das Lehrgeld, das noch jeder hat zahlen müssen, der vermeinte, die Menschen sehnten sich vorwärts, um weiterzukommen. In Wirklichkeit wollen sie nur stillstehen, weil sie Angst vor der Stille haben, nicht etwa vorm Stillstand! Ihr Weg ist der Kreis, und ihr Ziel, seine Peripherie immer schneller und möglichst oft zurückzulegen. Die Söhne überrunden die Väter. Das Ziel des Ringelspiels ist der Rekord. Und wer den gehetzt blickenden Karussellfahrern mitleidig zuruft, ihre Reise im Kreise sei ohne Sinn, der gilt ihnen mit Recht als Spielverderber.

Nun, Du weißt, daß Du im Irrtum warst, als Du bessern wolltest. Du glichst einem Manne, der die Fische im Fluß überreden möchte, doch endlich ans Ufer zu kommen, laufen zu lernen und sich den Vorzügen des Landlebens hinzugeben, und der sie, was noch ärger ist, für tükkisch und töricht hält, wenn sie seine Beschwörungen und schließlich seine Verwünschungen mißachten und, weil sie nun einmal Fische sind, im Wasser bleiben.

Wie unsinnig es wäre, Löwen, Leoparden und Adlern die Pflanzenkost predigen zu wollen, begreift das kleinste Kind. Aber an den Wahn, aus den Menschen, wie sie sind und immer waren, eine andere, höhere Gattung von Lebewesen entwickeln zu können, hängen die Weisen und die Heiligen ihr einfältiges Herz.

Sei es drum! Mögen sie weiterhin versuchen, aus Fischen rüstige Spaziergänger, aus Raubtieren überzeugte Vegetarier und aus dem Homo Sapiens einen homo sapiens zu machen! Du jedoch ziehe Deinen bescheidenen geistigen Anteil, den Du an diesem rührenden Unternehmen hattest, mit dem heutigen Tage aus dem Geschäft! Du bist vierzig Jahre alt, und Dich jammert die Zeit, die Du, um zu nützen und zu helfen, hilflos und nutzlos vertatest! Mache kehrt, und wende Dich Dir selber zu!

Der Teufel muß Dich geritten haben, daß Du Deine kostbare Zeit damit vergeudetest, der Mitwelt zu erzählen, Kriege seien verwerflich, das Leben habe einen höheren Sinn als etwa den, einander zu ärgern, zu betrügen und den Kragen umzudrehen, und es müsse unsere Aufgabe sein, den kommenden Geschlechtern eine bessere, schönere, vernünftigere und glücklichere Erde zu überantworten! Wie konntest Du nur so dumm und anmaßend sein! Warst Du denn nur deshalb nicht Volksschullehrer geblieben, um es später erst recht zu werden?

Es ist eine Anmaßung, die Welt, und eine Zumutung, die Menschen veredeln zu wollen. Das Quadrat will kein Kreis werden; auch dann nicht, wenn man es davon überzeugen könnte, daß der Kreis die vollkommenere Figur sei. Die Menschen lehnen es seit Jahrtausenden mit Nachdruck ab, sich von uneigennützigen Schwärmern zu Engeln umschulen zu lassen. Sie verwahren sich mit allen Mitteln dagegen. Sie nehmen diesen Engelmachern die Habe, die Freiheit und schließlich das Leben. Nun, das Leben hat man Dir gelassen.

Sokrates, Campanella, Morus und andere ihresgleichen waren gewaltige Dickköpfe. Sie rannten, im Namen der Vernunft, mit dem Kopf gegen die Wand und gingen, dank komplizierten Schädelbrüchen, in die Lehrbücher der Geschichte ein. Die Wände, gegen die angerannt wurde, stehen unverrückt am alten Fleck, und nach wie vor verbergen sie den grenzenlosen Horizont. Deshalb riet Immanuel Kant, zum Himmel empor und ins eigene Herz zu blicken. Doch auch davor scheuen die Menschen zurück, denn sie brauchen Schranken; und wer sie beschränkt nennt, sollte das gelassen tun, und nicht im Zorn.

»Wer die Menschen ändern will, beginne bei sich selbst!« lautet ein altes Wort, das aber nur den Anfang einer Wahrheit mitteilt. Wer die Menschen ändern will, der beginne nicht nur bei sich, sondern er höre auch bei sich selber damit auf!

Mehr wäre hierüber im Augenblick nicht zu schreiben. Der Rest verdient, gelebt zu werden. Versuch es, und sei gewiß, daß Dich meine besten Wünsche begleiten!

Dein unzertrennlicher Freund   *Erich Kästner*

Kästner spricht über Kästner

Es ist ein hübscher Brauch des Zürcher PEN-Clubs, den jeweiligen Gast, bevor er selber zu Worte kommt, durch jemand anderen, der seine Arbeiten, womöglich auch *ihn* einigermaßen kennt, kurz einzuführen. Diesem Brauche folgend, hat man mich gefragt, ob ich heute Erich Kästner einleiten wolle. Man wisse, daß ich ihn kenne. Vielleicht nicht so gut und so genau wie etwa ein Literaturhistoriker. Aber diese Gilde habe sich nicht sonderlich mit ihm beschäftigt, und zu ein paar mehr oder weniger treffenden Sätzen werde es bei mir schon reichen.

Nun, solche Versuche einer knappen Charakteristik haben ihre mißliche Seite. Wer kennt den anderen so, daß er sich vermessen könnte, *wenig* über ihn mitzuteilen? So gut, meine Herrschaften, kennt man sich nicht einmal selber. Trotzdem habe ich den Anlaß beim Schopfe genommen und mir über unseren Gast, diesen Journalisten und Literaten aus Deutschland, ein bißchen den Kopf zerbrochen. Sollte es *ihm* nicht nützen, so wird es doch *mir* nicht geschadet haben. Sich am anderen selber klarzuwerden ist nicht das schlechteste Verfahren. Das mag, in Hinblick auf die mir gestellte Aufgabe, unangemessen und egoistisch klingen — in jedem Falle heißt es: mit offenen Karten spielen. Und wenn Offenheit — die man nicht mit Unverfrorenheit verwechseln wird — vielleicht auch keine Tugend ist, so ist sie immerhin der erträglichste Aggregatzustand der Untugenden. Ich muß um Entschuldigung bitten, daß ich zuviel von mir und zu wenig von unserem Gaste spreche, ich will mich bemühen, den Fehler, wenn auch nicht völlig zu vermeiden, so doch aufs mindeste zu reduzieren.

Ich kenne Leute, die behaupten, über Kästner besser Bescheid zu wissen als gerade ich: ein paar Freunde, ein paar Frauen, ein paar Feinde. Nun könnte ich zwar für mich anführen, daß wir die Kindheit gemeinsam verlebt haben, daß wir in und auf dieselben Schulen gegangen sind, daß wir, Auge in Auge, im Guten wie im Bösen, die gleichen Erfahrungen machen durften und machen mußten, wenn auch er als Schriftsteller und ich nur als Mensch — aber am Ende haben die anderen wirklich recht. Vielleicht war ich tatsächlich zu oft und zu lange mit Kästner zusammen, um über ihn urteilen zu können? Vielleicht fehlt mir der nötige Abstand? Denn erst die Distanz vereinfacht, und die echte Vereinfachung ist ja die einzige Methode, jemanden zu zeichnen und zu kennzeichnen. Man darf dem Nagel, den man auf den Kopf treffen will, nicht zu nahe stehen, und lieben darf man ihn schon gar nicht . . .

Nun, er soll's, vor Ihnen als Zeugen, ruhig hören: Ich bin keineswegs so vernarrt in ihn, daß ich seine Grenzen, Mängel und Fehler nicht sähe und in einem Werturteil über ihn nicht einzukalkulieren wüßte. Da er unser Gast und Gästen gegenüber Rücksicht am Platze ist, möchte ich mein Urteil höflicherweise *bildlich* äußern. Er wird mich schon verstehen . . . Da er das Tennis kennt und liebt, will ich diesen Sport zum Vergleich heranziehen und sagen: Kästner war von den nationalen und internationalen Konkurrenzen zu lange ausgeschaltet, als daß man über seine derzeitige Form genau Bescheid wissen könnte. Trotzdem ist eins so gut wie sicher: zur A-Klasse gehört er nicht. Nach Wimbledon würde ich ihn nicht schicken. Und auch für die deutsche Daviscup-Mannschaft würde ich ihn nicht nennen. Höchstens als Ersatzmann. Er wird meiner Meinung, vermute ich, beipflichten. In seinem Alter hat man entweder die Überheblichkeit abgestreift, oder man ist ein hoffnungsloser Fall. (Außerdem soll es in Wimbledon schon sehr langweilige Spiele und in Klubturnieren die spannendsten Fünfsatzkämpfe gegeben haben.)

So einfach es ist, ihn dem *Werte* nach zu klassieren, so schwierig scheint es auf den ersten Blick, ihn zu katalogisieren. Welches Etikett soll man ihm aufkleben? Bei vielen anderen ist das viel leichter. Der eine rangiert als neuromantischer Hymniker, der zweite als Bühnenspezialist für komplizierte Ehebrüche, der dritte als reimender Voraustrompeter einer neuen Weltordnung, der vierte als zivilisationsfeindlicher Südsee- oder Chinanovellist, der fünfte als Verfasser historischer oder katholischer Erzählungen, der sechste als Meister des Essays in Romanform, der siebente als beseelte Kinderbuchtante mit sozialem Einschlag, der achte als nihilistischer Dramatiker mit philosophischem Hosenboden, der neunte als Epiker der Schwerindustrie und Eisenverhüttung, der zehnte als psychologischer Kunstseidenspinner, der elfte als Heimatdichter, Abteilung Bergwelt über 1500 Meter — man kommt bei einigem bösen Willen fast jedem bei. Schließlich wird nahezu jeder — ob er will oder nicht, und wer wollte schon — ein Fläschchen mit einem hübsch leserlich beschrifteten Schild auf dem Bauch.

Was aber soll man nun mit jemandem anfangen, der neben satirischen Gedichtbänden, worin die Konventionen der Menschheit entheiligt und ›zersetzt‹ werden, wie es seinerzeit offiziell hieß und gelegentlich auch heute noch heißt — der neben solchen gereimten Injurien Kinderbücher geschrieben hat, denen die Erzieher Anerkennung und die Erzogenen Begeisterung entgegenbringen? Mit einem Schriftsteller, bei dessen ›Fabian‹ Bardamen, ja sogar Mediziner noch rot werden, dessen humoristische Unterhaltungsromane hingegen in manchen Krankenhäusern verordnet werden wie Zinksalbe und Kamillenumschläge? Mit jemandem, der, wenn er's für notwendig hält, für Zeitungen kulturpolitische Leitartikel und für Kabaretts Chansons und Sketsche schreibt, letzthin zweiundeinhalbes Jahr lang, ohne abzusetzen, und dessen nächstes Projekt — in einer zutraulichen Minute hat er mir's verlegen gestanden — einem für ihn neuen Gebiete gilt: dem Theater? Wie soll man dieses Durcheinander an Gattungen und Positionen zu einem geschmackvollen Strauße binden? Wenn man es versuchte, sähe das Ganze, fürchte ich, aus wie ein Gebinde aus Gänseblümchen, Orchideen, sauren Gurken, Schwertlilien, Makkaroni, Schnürsenkeln und Bleistiften. Und so erhebt sich die fatale Frage, ob seine Arbeiten und Absichten überhaupt untereinander im Bunde sind. Ob nicht das ziemlich heillose Durcheinander höchstens in ein Nach- und Nebeneinander verwandelt werden kann. Vielleicht sind seine Produkte wirklich nur mit Erbsen, Reiskörnern, Bohnen und Linsen zu vergleichen, die aus Zufall und Versehen in ein und dieselbe Tüte geraten sind? Wenn das stimmte, hätte ich das Thema besser nicht anschneiden sollen. Es wäre nicht sonderlich fein, einem Schriftsteller nach einem gemeinsamen Abendessen, quasi zum Nachtisch, die Meinung zu servieren, daß man ihn für einen Trödler und Gelegenheitsmacher hält. Sie, ich und er — wir alle sind somit aus Gründen der Gastfreundschaft daran interessiert, für seine Bücher einen gemeinsamen Nenner zu finden, schlimmstenfalls zu erfinden! Noblesse oblige ...

Nun denn: Als ich ihn einmal fragte, warum er neben seinen bitterbösen Satiren Bücher für kleine Jungen und Mädchen schreibe, gab er eine Antwort, die uns aus der Klemme helfen kann. Die Attacken, sagte er, die er, mit seinem als Lanze eingelegten Bleistift, gegen die Trägheit der Herzen und gegen die Unbelehrbarkeit der Köpfe ritte, strengten sein Gemüt derart an, daß er hinterdrein, wenn die Rosinante wieder im Stall stünde und ihren Hafer fräße, jedesmal von neuem das unausrottbare Bedürfnis verspüre, Kindern Geschichten zu erzählen. Das täte ihm über alle Maßen wohl. Denn Kinder, das glaube und wisse er, seien dem Guten noch nahe wie Stubennachbarn. Man müsse sie nur lehren, die Tür behutsam aufzuklinken ...

Und als er immer wieder von ›gut‹ und von ›böse‹, von ›dumm‹ und ›vernünftig‹, von ›erziehbar‹ und von ›unverbesserlich‹ daherredete, ging mir ein Licht auf. Ich hatte ihm eine verkehrte Mütze aufgesetzt und mich gewundert, daß sie ihm nicht passen wollte! Hier lag der Grund begraben! Unser Gast, meine Damen und Herren, ist gar kein Schöngeist, sondern ein Schulmeister! Betrachtet man seine Arbeiten — vom Bilderbuch bis zum verfänglichsten Gedicht — unter diesem Gesichtspunkte, so geht die Rechnung ohne Bruch auf. Er ist ein Moralist. Er ist ein Rationalist. Er ist ein Urenkel der deutschen Aufklärung, spinnefeind der unechten ›Tiefe‹, die im Lande der Dichter und Denker nie aus der Mode kommt, untertan und zugetan den drei unveräußerlichen Forderungen: nach der Aufrichtigkeit des Empfindens, nach der Klarheit des Denkens und nach der Einfachheit in Wort und Satz.

Er glaubt an den gesunden Menschenverstand wie an ein Wunder, und so wäre alles gut und schön, wenn er an Wunder glaubte, doch eben das verbietet ihm der gesunde Menschenverstand. Es steckt jeder in seiner eigenen Zwickmühle. Und auch unser Gast hätte nichts zu lachen, wenn er nicht das besäße, was Leute, die nichts davon verstehen, seinen »unverwüstlichen und sonnigen Humor« zu nennen belieben.

535

Ich hoffe, die mir zugebilligte Sprechzeit einigermaßen nützlich aus-
gefüllt und Erich Kästner nach Wert und Art, so gut ich's vermochte,
charakterisiert zu haben. Für jene unter Ihnen, die es nicht wissen,
wäre allenfalls noch nachzutragen, daß er während des Dritten Reiches, obwohl verboten, freiwillig in Deutschland geblieben ist und daß
die Meldung der ›Basler Nationalzeitung‹ aus dem Jahre 1942, er sei
bei dem Versuch, in die Schweiz zu entkommen, von Angehörigen
der SS erschossen worden, nicht zutraf. Meine Damen und Herren, er
lebt. Er weilt in unserer Mitte. Und so darf ich ihn bitten, das Wort zu
ergreifen!

Hierauf erwiderte ich mir mit angemessener Bescheidenheit:

Meine Damen und Herren!
Ich danke Ihnen aufrichtig für den freundlichen und freundschaftlichen
Empfang. Zum dritten Male bin ich nun seit Kriegsende in der
Schweiz und möchte Ihnen gestehen, daß mir diese Besuche und die
Begegnungen mit Ihnen von Grund auf wohltun. Das Leben hier und
das Leben draußen unterscheiden sich recht deutlich voneinander, und
der periodische Wechsel zwischen beiden wirkt ungefähr wie eine
ärztlich verordnete Badekur; er erhält elastisch. Und Elastizität ist ja
nicht nur ein wünschbarer Zustand an sich, sondern wir alle werden
sie, fürchte ich, in Zukunft recht nützlich gebrauchen können ...
Insbesondere danke ich meinem verehrten Herrn Vorredner für die
teilnehmenden Worte, die er mir gewidmet hat. Ich war, wie sich leicht
denken läßt, völlig überrascht davon, am heutigen Abend einer so
sorgfältigen und behutsamen Würdigung unterzogen zu werden. Die
Gelegenheit trifft mich somit ganz unvorbereitet. Improvisieren ist
meine Stärke nicht. Ich muß sein Lob wohl oder übel auf mir sitzen lassen. Nur so viel möchte ich ihm antworten: Sich von anderen
zu einfühlsam verstanden zu wissen, gewährt nicht nur eine leise
Befriedigung, sondern ermuntert den Autor auch, den von ihm einge-
schlagenen Weg — diesen einen Weg unter hundert anderen — unverdrossen weiterzugehen. Und sollte ich mich hierbei dem gesteckten
Ziele auch nur ein paar Schritte nähern, so wird es nicht nur mein
Verdienst, sondern ebenso das meines Vorredners gewesen sein.

Quellenverzeichnis zu dieser Auswahl

Herz auf Taille. Gedichte. Leipzig 1928.
Lärm im Spiegel. Gedichte. Leipzig 1929.
Ein Mann gibt Auskunft. Gedichte. Stuttgart 1930.
Gesang zwischen den Stühlen. Gedichte. Stuttgart 1932.

Fabian. Roman. Stuttgart 1931.

Doktor Erich Kästners lyrische Hausapotheke. Gedichte. Zürich 1936.
Bei Durchsicht meiner Bücher. Gedichtauswahl. Berlin und
Zürich 1946.
Kurz und bündig. Epigramme. Olten 1948. Erweiterte Ausgabe. Köln
und Zürich 1950.
Der tägliche Kram. Chansons und Prosa 1945—1948. Zürich und
Berlin 1948.
Die Kleine Freiheit. Chansons und Prosa 1949—1952. Zürich und
Berlin 1952.
Gesammelte Schriften. Band 1, 2, 5 und 6. Köln und Zürich 1959.
Notabene 45. Zürich und Berlin 1961.
Let's Face It. Poems by Erich Kästner. London 1963.

T. S. Eliot: Old Possums Katzenbuch. Frankfurt o. J. (1952).
Robert Neumann: Mit fremden Federn. München 1952.

Anmerkung der Redaktion:

Ein Teil der Beiträge ist bisher unveröffentlicht. Der Herausgeber hat im
Einvernehmen mit dem Autor einige Titel kurzer Prosastücke geändert;
die ursprünglichen Formulierungen lauten nach den Gesammelten Schriften für

Kritik, Kontroverse, Pamphlet und Polemik: Das Zeitalter der
Empfindlichkeit
Schamloser Journalismus: Eroll Flynns Ausgehnase
Über den Charakter von Schriftstellern: Talent und Charakter
Lyrik als Beruf: Zwei Fragen statt einer Antwort
Sinn und Wesen der Satire: Eine kleine Sonntagspredigt
Die, in denen es dichtet: Diarrhoe des Gefühls
Schüler und Schuldner Georg Büchners: Rede zur Verleihung des
Georg-Büchner-Preises
Das Drama der Dramaturgie: Die Dramaturgie des Dramas und das
Drama der Dramaturgie
Selbsthilfe gegen Kritiker: Erste Hilfe gegen Kritiker
Wir brauchen eine neue Aufklärung: Ein Wort zur Kulturkrise
Siegreich woll'n wir Frankreich schlagen: Das Jahr 1914
Erziehung zu blindem Gehorsam: Zur Entstehungsgeschichte des Lehrers

Der Abdruck der englischen Fassung des Gedichts ›Maskenball im Hoch-gebirge‹ (Kästner auf englisch) erfolgt mit der freundlichen Genehmi-gung der Übersetzer Richard und Mary Anne Exner, Oberlin, Ohio.
Das Gedicht ›Wie heißen die Katzen‹ (Englisch auf kästnersch) wurde mit der freundlichen Genehmigung des Suhrkamp Verlages dem Band X der Bibliothek Suhrkamp, T. S. Eliot, ›Old Possums Katzenbuch‹, Frankfurt am Main o. J., S. 7 f., entnommen.
Die Parodie von Robert Neumann, ›Ein Sohn, etwas frühreif, schreibt an Frau Großhennig‹ (Kästner auf neumannsch), wurde mit der freundlichen Genehmigung des Verlages Kurt Desch dem Band Robert Neumann, ›Mit fremden Federn‹, München 1952, S. 126 f., entnommen.

Inhalt

Kursive Zahlen bezeichnen das Jahr der Entstehung, gerade Zahlen das der Erstpublikation in Buchform.

ERICH KÄSTNER